# EL FIN DEL MUNDO
# Y UN DESPIADADO PAÍS DE LAS MARAVILLAS

*colección andanzas*

## Libros de Haruki Murakami en Tusquets Editores

ANDANZAS

Crónica del pájaro que da cuerda al mundo

Sputnik, mi amor

Al sur de la frontera, al oeste del Sol

Tokio blues. *Norwegian Wood*

Kafka en la orilla

Sauce ciego, mujer dormida

After Dark

El fin del mundo y un despiadado
país de las maravillas

MAXI

Tokio blues. *Norwegian Wood*

Al sur de la frontera, al oeste del Sol

Crónica del pájaro que da cuerda al mundo

Sputnik, mi amor

Kafka en la orilla

Sauce ciego, mujer dormida

HARUKI MURAKAMI

# EL FIN DEL MUNDO Y UN DESPIADADO PAÍS DE LAS MARAVILLAS

Traducción del japonés de Lourdes Porta

Título original: 世界の終りとハードボイルド・ワンダーランド

1.ª edición: noviembre de 2009


Diseño de la colección: Guillemot-Navares
Reservados todos los derechos de esta edición para
Tusquets Editores, S.A. – Cesare Cantù, 8 – 08023 Barcelona
www.tusquetseditores.com
ISBN: 978-84-8383-191-5
Depósito legal: B. 40.344-2009
Fotocomposición: Pacmer, S.A. – Alcolea, 106-108, 1.º – 08014 Barcelona
Impresión y encuadernación: Romanyà-Valls
Impreso en España

# Índice

¿Cómo es que el sol continúa brillando?
¿Cómo es que los pájaros todavía cantan?
¿Acaso no lo saben?
¿No saben que ha llegado el fin del mundo?

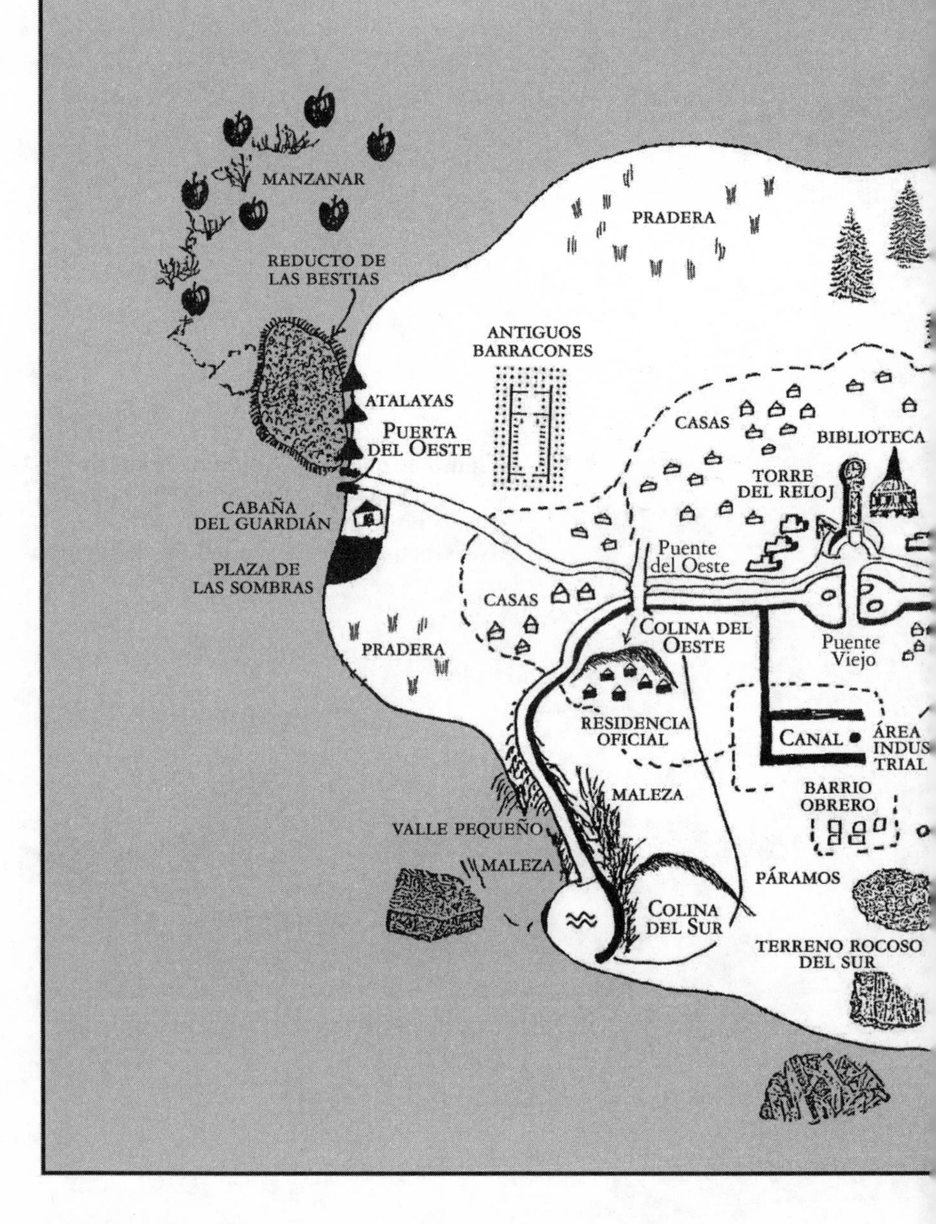
MAPA DEL FIN DEL MUNDO
MANZANAR
REDUCTO DE LAS BESTIAS
ATALAYAS
PUERTA DEL OESTE
CABAÑA DEL GUARDIÁN
PLAZA DE LAS SOMBRAS
PRADERA
ANTIGUOS BARRACONES
PRADERA
CASAS
BIBLIOTECA
TORRE DEL RELOJ
Puente del Oeste
CASAS
COLINA DEL OESTE
Puente Viejo
RESIDENCIA OFICIAL
CANAL
ÁREA INDUS TRIAL
BARRIO OBRERO
MALEZA
VALLE PEQUEÑO
MALEZA
PÁRAMOS
COLINA DEL SUR
TERRENO ROCOSO DEL SUR

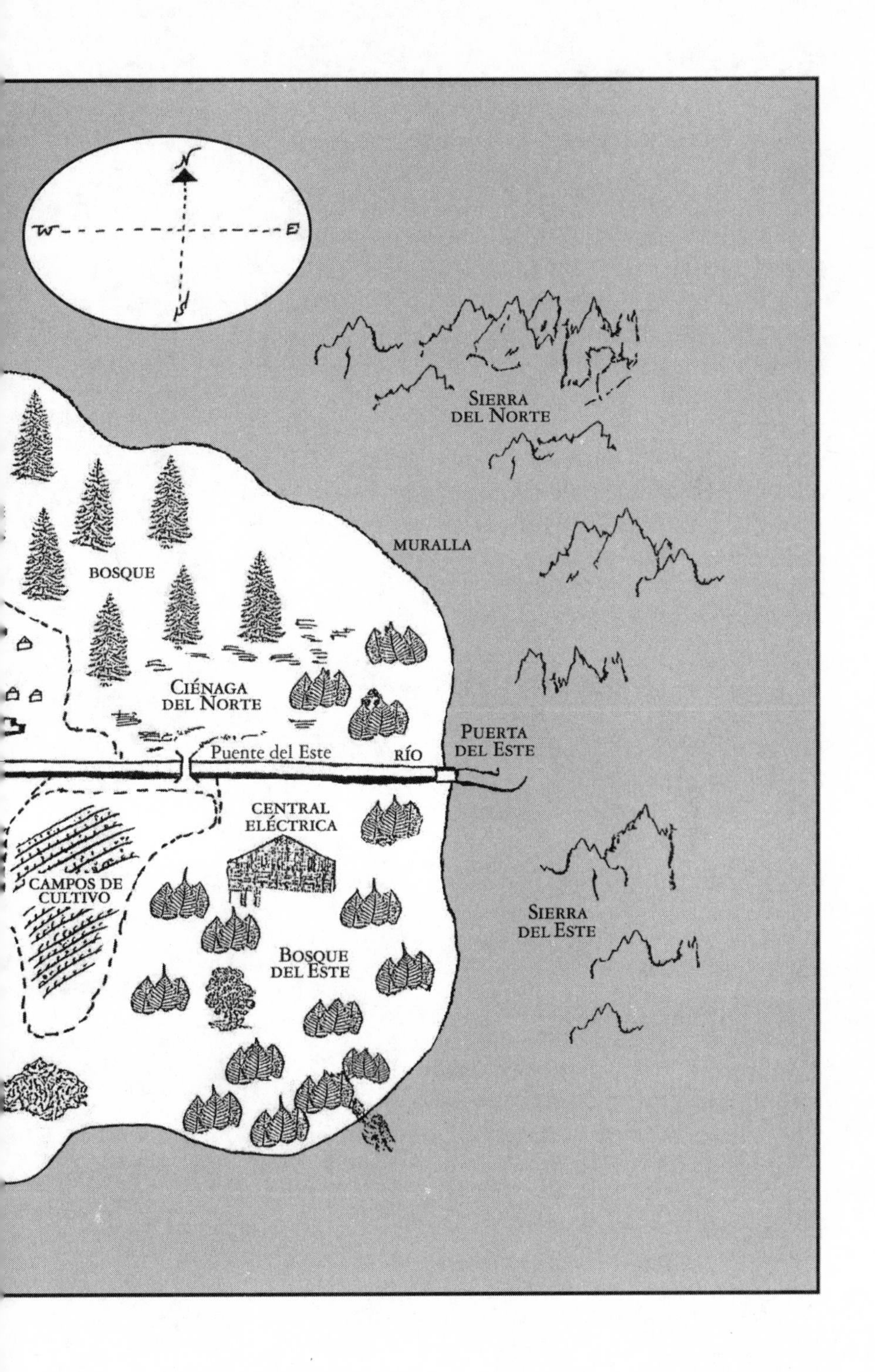
N
W
E
S
Sierra
del Norte
Muralla
Bosque
Ciénaga
del Norte
Puerta
del Este
Puente del Este
Río
Central
Eléctrica
Campos de
cultivo
Sierra
del Este
Bosque
del Este

# 1

## EL DESPIADADO PAÍS DE LAS MARAVILLAS

### Ascensor. Silencio. Obesidad

El ascensor se elevaba con extrema lentitud. Vaya, debía de estar subiendo, imaginé. No lo sabía a ciencia cierta. Porque ascendía tan despacio que yo había perdido el sentido de la dirección. Es posible que bajara y es posible, asimismo, que no se moviera en absoluto. Yo me había limitado a decidir arbitrariamente, haciéndome una composición de lugar, que el ascensor subía. Pero era una simple hipótesis. Sin fundamento. Tal vez hubiese ascendido hasta el duodécimo piso y bajado hasta el tercero, o quizá estuviera de regreso tras dar una vuelta alrededor de la Tierra. No lo sabía.

Aquel ascensor nada tenía que ver con la máquina barata y funcional, similar a un cubo de pozo evolucionado, que había en mi apartamento. Ambos aparatos eran tan distintos que costaba imaginar que se denominaran de igual modo y que tuvieran idéntica estructura y función. Porque los separaba una distancia tan grande que excedía mi comprensión.

En primer lugar, estaba su tamaño. El ascensor donde me hallaba era tan amplio que habría podido utilizarse como una oficina pequeña. Lo suficiente como para que sobrara espacio tras poner una mesa, una taquilla y un armario, e instalar, además, una pequeña cocina en su interior. Quizá incluso hubieran cabido tres camellos y una palmera de tamaño mediano. En segundo lugar, estaba la pulcritud. Se veía tan limpio como un ataúd nuevo. Tanto las paredes como el techo eran de un reluciente acero inoxidable, sin mácula, sin un resto de vaho que los empañara, y una tupida alfombra de color verde musgo cubría el suelo. En tercer lugar, era terriblemente silencioso. Cuando entré, las puertas se cerraron deslizándose sin hacer el menor ruido –literalmente, el menor ruido– y reinó un silencio absoluto. Tan denso que ni siquiera podía discernir si el ascensor estaba detenido o en marcha. Un río profundo que fluía en silencio.

Todavía más: estaba desprovisto de la mayoría de accesorios con los que suele contar un ascensor. Para empezar, faltaba el panel con botones e interruptores de diversa índole. No había ningún botón que indicara el número de la planta, ni el de abrir y cerrar las puertas, ni el dispositivo de parada de emergencia. Vamos, que no había nada de nada. Eso me hacía sentir tremendamente inseguro. Y no sólo se trataba de los botones. Tampoco estaban los paneles luminosos que indican la planta, ni había información alguna sobre la capacidad del ascensor, ni las consabidas advertencias. Tampoco aparecía por ninguna parte la placa con el nombre del fabricante. Y a saber dónde se hallaba la salida de emergencia. Aquello era un verdadero ataúd. Por más vueltas que le daba, no entendía cómo había conseguido el permiso del Cuerpo de Bomberos. Porque también habrá algún reglamento para los ascensores, supongo.

Mientras mantenía la mirada clavada en aquellas cuatro insondables paredes de acero inoxidable, me acordé del gran mago Houdini, del que, de niño, había visto una película. Inmovilizado por vueltas y vueltas de cuerdas y cadenas, embutido en un enorme baúl rodeado, a su vez, de pesadas cadenas y cerrojos, Houdini era arrojado desde lo alto de las cataratas del Niágara o enterrado en los hielos del Mar del Norte. Tras aspirar una profunda bocanada de aire, intenté comparar con calma mi situación con la de Houdini. El hecho de que mi cuerpo estuviera libre de ataduras era una ventaja, pero mi desconocimiento de los trucos de magia no dejaba de jugar en mi contra.

Pensándolo bien, no sólo ignoraba los trucos, sino que ni siquiera sabía si el ascensor estaba en marcha o detenido. Me aventuré a carraspear. Pero el resultado fue algo peculiar. Mi carraspeo no sonó a carraspeo. Únicamente se oyó un sonido sordo, extraño, como si hubiera lanzado un puñado de blanda arcilla contra una lisa pared de cemento. No podía creer, bajo ningún concepto, que ese sonido lo hubiera emitido yo. Por si acaso, carraspeé de nuevo, pero el resultado fue el mismo. Descorazonado, decidí dejar de carraspear.

Permanecí largo tiempo de pie, inmóvil, en la misma posición. Aguardé y aguardé, pero las puertas continuaron cerradas. El ascensor y yo permanecimos mudos, como si fuésemos una naturaleza muerta titulada *El hombre y el ascensor*. La inquietud fue apoderándose de mí.

Tal vez la máquina estuviese averiada o quizá el operario que la manejaba –en caso de que alguien desempeñara tal función– hubiese olvidado que yo estaba dentro de aquella caja. Me sucede a veces, que la gente se olvide de que existo. Pero, en ambos casos, el resultado no variaba: yo estaba encerrado en aquella caja hermética de acero inoxidable. Agucé el oído, pero no me llegó ningún ruido. Probé a pegar la oreja a las paredes de acero inoxidable, pero seguí sin oír nada, como era previsible. Únicamente dejé la impronta blanca de mi oreja sobre la superficie. Por lo visto, aquel ascensor era una caja metálica de un modelo especial fabricado para absorber todos los sonidos. Probé a silbar la melodía de *Danny Boy,* pero sólo salió de mis labios una especie de suspiro de perro aquejado de pulmonía.

Descorazonado, me recosté en la pared del ascensor y decidí matar el tiempo contando la calderilla que llevaba en los bolsillos. Claro que, por más que hable de matar el tiempo, para un hombre de mi profesión contar calderilla es un entrenamiento tan valioso como puede serlo para un boxeador profesional tener siempre una pelota de goma entre las manos. En sentido estricto, no se trata de matar el tiempo. Porque sólo mediante la reiteración de un acto es posible corregir la tendencia a la distribución desigual.

En todo caso, procuro llevar siempre mucha calderilla en los bolsillos del pantalón. En el de la derecha meto las monedas de cien y de quinientos yenes; en el de la izquierda, las de cincuenta y las de diez. Las de uno y cinco yenes las llevo en el bolsillo de la cintura, aunque tengo como norma no usarlas jamás en mis cálculos. Introduzco ambas manos en los bolsillos y, con la derecha, calculo la suma total de las monedas de cien y de quinientos yenes mientras, con la izquierda, cuento las de cincuenta y las de diez.

Tal vez sea difícil de imaginar para quien nunca la haya realizado, pero esta operación aritmética, al principio, es harto complicada. Los hemisferios derecho e izquierdo del cerebro efectúan un cálculo completamente distinto y, al final, las dos partes deben unirse como si fuera una sandía partida por la mitad. Si no estás acostumbrado, cuesta.

No sé con certeza si realmente utilizo los hemisferios derecho e izquierdo del cerebro por separado o no. Un especialista en fisiología cerebral tal vez emplee otra terminología. Pero no soy experto en fisiología cerebral y lo cierto es que, mientras cuento, tengo la impresión de que estoy utilizando las dos partes por separado. También la fatiga que experimento al finalizar mis cálculos es intrínsecamente distinta al cansancio que siento al concluir un cálculo normal. Así que, de modo arbitrario, he decidido que me valgo del hemisferio derecho para calcular la suma del bolsillo derecho y del hemisferio izquierdo para la suma del bolsillo izquierdo.

Me pregunto si no seré una de esas personas que conciben a su conveniencia los diversos fenómenos del mundo, las cosas y la existencia. No es porque posea un carácter acomodaticio –aunque reconozco que cierta tendencia al respecto sí la tengo, claro está–, sino porque múltiples ejemplos en este mundo me han demostrado que una aproximación ecléctica a las cosas nos acerca más a la comprensión de su esencia que una interpretación ortodoxa de las mismas.

Decidamos, por ejemplo, que la Tierra no es un cuerpo esférico sino una enorme mesa de café. ¿Nos causa eso algún inconveniente en el plano de la vida cotidiana? Evidentemente, éste es un caso extremo y no se trata de ir cambiándolo todo a nuestro capricho. Sin embargo, la concepción arbitraria según la cual la Tierra es una enorme mesa de café eliminaría de un plumazo la infinidad de pequeños problemas –sin ir más lejos, la fuerza de gravedad, las líneas de demarcación horaria o el ecuador, entre otras futilidades– derivados de la condición esférica del globo terráqueo. Porque, a una persona normal y corriente, ¿cuántas veces va a preocuparle a lo largo de su vida la línea del ecuador?

Por ese motivo intento, en lo posible, tomarme las cosas como me convienen. Lo que yo pienso es que el mundo está constituido de forma que contiene varias –o, para decirlo sin ambages, infinitas– posibilidades. Y la elección entre éstas reside, hasta cierto punto, en cada uno de los individuos que lo componen. Lo que llamamos «mundo» es una enorme mesa de café producto de un compendio de posibilidades.

Volviendo al tema que nos ocupa, no es fácil efectuar de manera paralela un cálculo diferenciado entre la mano derecha y la mano izquierda. A mí, sin ir más lejos, me llevó mucho tiempo aprender. Sin embargo, una vez dominas la técnica o, dicho de otro modo, en cuanto coges el tranquillo, no pierdes la habilidad de la noche a la mañana. Es como nadar o ir en bicicleta. Eso no significa que no sea necesario practicar, por supuesto. Sólo mediante un entrenamiento regular logras aumentar la capacidad y refinar la técnica. Precisamente por eso llevo siempre mucho dinero suelto en los bolsillos y, en cuanto tengo un momento libre, efectúo el cálculo.

En aquel instante llevaba en los bolsillos tres monedas de quinientos yenes, dieciocho de cien, siete de cincuenta y dieciséis de diez. Lo cual ascendía a un total de 3.810 yenes. Ese cálculo no requería esfuerzo alguno. Una operación aritmética de ese nivel es más sencilla que contar los dedos de la mano. Satisfecho, me recosté en la pared de acero y contemplé la puerta que tenía ante mis ojos. Seguía cerrada.

¿Por qué tardaba tanto en abrirse? No lograba entenderlo. Pensándolo con detenimiento, concluí que podía descartar la posibilidad de que estuviese averiado o de que el operario se hubiese distraído y olvidado de mí. Porque ambas carecían de verosimilitud. No es que no puedan producirse averías o distracciones, claro está. Muy al contrario, esos percances ocurren con frecuencia, estoy convencido. Lo que quiero decir es que, en esa realidad singular –me refiero, por supuesto, a ese estúpido y liso ascensor–, la falta de toda singularidad posiblemente deba ser eliminada de modo arbitrario como una paradójica singularidad. Alguien tan negligente como para descuidar el mantenimiento del ascensor, u olvidarse de efectuar las maniobras pertinentes una vez que un visitante montara en el mismo, ¿podría construir una máquina tan sofisticada y excéntrica como aquélla?

La respuesta, evidentemente, era «no».

Eso era imposible.

Por lo que había podido constatar, *ellos* eran sumamente neuróticos, precavidos, meticulosos. Prestaban gran atención al menor de los detalles, como si midieran cada paso con una regla. No bien había penetrado en el vestíbulo, me habían detenido dos guardias de seguridad, me habían preguntado a quién iba a ver, habían buscado mi nombre en la lista de visitantes, habían examinado mi carné de conducir, habían verificado mi identidad en el ordenador central y, tras pasarme el detector de metales, me habían metido de un empujón en el ascensor. No me habían sometido a un control tan estricto ni siquiera cuando efectué una visita formativa a la Casa de la Moneda. Era impensable que hubiesen bajado, así de pronto, la guardia.

Así pues, la única posibilidad que quedaba era que me hubieran puesto adrede en aquella situación. Tal vez no quisieran que adivinara los movimientos del ascensor. Por eso hacían que se desplazara tan lentamente que era imposible saber si subía o bajaba. Quizá hubiera una cámara de televisión. En el cuarto de control de la entrada se alineaban, una tras otra, las pantallas de los monitores; no sería de extrañar que en una de ellas se viera el interior del ascensor.

Para pasar el rato, se me ocurrió localizar la cámara, pero después lo pensé mejor y me dije que nada ganaría si la encontraba. Sólo conseguiría ponerlos sobre aviso y, si eso sucedía, tal vez ralentizaran aún más la marcha del ascensor. Y entonces llegaría tarde a la cita.

Finalmente, opté por relajarme y no hacer nada en especial. De hecho, yo sólo había acudido allí para desempeñar un trabajo legal. No tenía nada que perder, ¿para qué ponerse nervioso?

Recostado en la pared, hundí las manos en los bolsillos y empecé a contar de nuevo la calderilla. Había 3.750 yenes.

¿3.750 yenes?

Algo no cuadraba.

Sin duda había cometido algún error.

Noté cómo las palmas de las manos se me humedecían de sudor. En los tres últimos años, nunca había fallado al contar la calderilla de los bolsillos. Jamás. Se viera como se viera, era una mala señal. Tenía que recuperar el terreno perdido antes de que el mal presagio se materializara en algún desastre.

Cerré los ojos y, como quien limpia los cristales de las gafas, dejé en blanco los hemisferios derecho e izquierdo del cerebro. Después me saqué las manos de los bolsillos del pantalón, extendí las palmas, dejé que se secara el sudor. Llevé a cabo todos estos ritos preparatorios, similares a los de Henry Fonda antes de batirse en duelo en la película *El hombre de las pistolas de oro*. No es que tuvieran una gran importancia en sí mismos, pero es que a mí me gusta mucho esa película.

Tras comprobar que tenía las palmas de las manos completamente secas, volví a introducirlas en los bolsillos e inicié la operación por tercera vez. Sólo con que esta tercera suma coincidiera con una de las dos anteriores, el tema quedaría zanjado. Un error lo comete cualquiera. Me hallaba en una situación excepcional y estaba nervioso; también debía reconocer que había pecado de un exceso de confianza en mí mismo. Por eso había cometido un error de principiante. En todo caso –porque la salvación me llegaría por esa vía–, tenía que verificar la cifra correcta. Sin embargo, antes de que se me concediera la salvación, se abrieron las puertas del ascensor. Sin previo aviso y sin el menor ruido, ambas hojas se deslizaron suavemente hacia los lados.

Como la suma de la calderilla acaparaba toda mi atención, al principio no me di plena cuenta de que las puertas se abrían. O tal vez sería más exacto decir que, aunque vi que se abrían, de momento no alcancé a comprender su significado concreto. El hecho de que las puertas se hubieran abierto significaba que se habían acoplado de nuevo las dos porciones del tiempo a las que las puertas se habían sustraído, rompiendo la continuidad. Y, al mismo tiempo, quería decir que el ascensor había llegado a su destino.

Dejé de mover los dedos en los bolsillos para mirar al exterior. Más allá de la puerta había un pasillo y, en el pasillo, de pie, había una mujer. Una joven gorda con un traje chaqueta de color rosa y unos zapatos de tacón de color rosa. El traje era de buena hechura, de tela lisa y brillante. El rostro de la joven era tan liso como la tela. Tras lanzarme una mirada, supuestamente para verificar mi identidad, esbozó un gesto con la cabeza que parecía indicar: «Venga conmigo». Abandoné mis sumas, me saqué las manos de los bolsillos y salí del ascensor. En cuanto puse los pies fuera, las puertas, como si hubieran estado aguardando ese momento, se cerraron a mis espaldas.

En el pasillo, dirigí una mirada circular a mi alrededor, pero no hallé ni una sola pista que arrojara luz sobre la situación en la que me encontraba. Sólo saqué en claro que aquello era el pasillo del interior de un edificio, pero eso lo habría adivinado incluso un estudiante de primaria.

En todo caso, era el interior de un edificio con una falta de personalidad sorprendente. Los materiales empleados, al igual que sucedía con el ascensor, eran de alta calidad, pero sin peculiaridad alguna. El suelo era de un mármol reluciente, pulido con esmero; las paredes, de un color blanco amarillento parecido al de los bollos que tomaba todas las mañanas para desayunar. A ambos lados del corredor se sucedían recias y pesadas puertas de madera, cada una con un número en una placa de metal, pero la numeración no poseía ninguna lógica. Al lado del «936» estaba el «1213»; a éste lo sucedía el «26». Jamás había visto una alineación tan disparatada. Allí había algo que no iba bien.

La joven apenas abrió la boca. Se dirigió a mí y me indicó: «Por aquí, por favor», pero se limitó a mover los labios, sin emitir sonido alguno. Antes de dedicarme a ese trabajo, yo había asistido durante dos meses a un cursillo de lectura de labios, por eso entendí lo que me había dicho. Al principio creí que algo malo les ocurría a mis oídos. El ascensor no producía ruido, los carraspeos y silbidos no resonaban con normalidad: empezaba a dudar de mi capacidad auditiva.

Probé a carraspear. El sonido del carraspeo era aún un poco sordo, pero mucho más normal que cuando había carraspeado en el ascensor. Suspiré de alivio y recobré cierta confianza en mis oídos. «¡Uf! No es que oiga mal. Mis oídos están bien. El problema está en su boca.»

Caminé detrás de la joven. «¡Tac, tac, tac!» Los afilados tacones de sus zapatos resonaban por el pasillo desierto con un martilleo de cantera a primera hora de la tarde. Sus pantorrillas, enfundadas en medias, se reflejaban con nitidez en el mármol.

La muchacha estaba muy rolliza. Era joven y hermosa, pero estaba entrada en carnes. Era curioso que una muchacha guapa estuviera tan gorda. Mientras la seguía, no aparté los ojos de su cuello, de sus brazos, de sus piernas. Su cuerpo era tan rechoncho como un montón de silenciosa nieve caída a lo largo de la noche.

Siempre me siento algo turbado en presencia de una mujer joven, hermosa y gorda. Ni siquiera yo sé la razón. Tal vez sea porque aflora espontáneamente a mi mente la imagen de sus hábitos alimenticios. Al mirar a una mujer gorda, a mi cabeza acuden de manera automática escenas donde mordisquea los crujientes berros de guarnición que le quedan en el plato o rebaña con pan, con gesto glotón, hasta la última gota de crema de leche. No puedo evitarlo. Y cuando eso ocurre, la escena de la comida va ocupando toda mi mente, igual que un ácido corroe el metal, hasta impedirle efectuar cualquier otra función.

Si la mujer sólo está gorda, aún. Una mujer que sólo sea obesa es como una nube en el cielo. Se limita a permanecer allí, flotando, y me deja indiferente. Pero cuando la mujer es joven, hermosa y gorda, la cosa cambia. Me siento impelido a adoptar cierta actitud hacia ella. Vamos, que es posible que acabe acostándome con la chica. Y yo diría que ahí reside la causa de mi turbación. Porque no es fácil acostarse con una mujer cuando tu cabeza no funciona con normalidad. Eso no quiere decir que aborrezca a las gordas. Una cosa es turbarse y otra muy distinta aborrecer. Hasta el momento, me he acostado con algunas mujeres gordas, jóvenes y hermosas, y la experiencia, en términos generales, no ha sido mala. Bien conducida, la turbación puede dar unos hermosos frutos que de ordinario jamás se obtendrían. También puede salir mal, claro está. El acto sexual es algo muy delicado, una cosa muy distinta a acercarse un domingo a unos grandes almacenes a comprar un termo. Incluso entre mujeres jóvenes, hermosas y gordas por igual, existen diferencias en cuanto al tipo de obesidad, y a mí hay un tipo de grasas que me lleva por el buen camino y otro que me sume en una ligera confusión.

En este sentido, acostarme con una mujer obesa es, para mí, un desafío. Porque las maneras de engordar de las personas, al igual que las de morir, son innumerables.

Reflexioné sobre eso mientras recorría el pasillo detrás de aquella joven hermosa y gorda. Llevaba un pañuelo blanco alrededor del cuello de su elegante traje chaqueta de color rosa. En los lóbulos regordetes de las orejas lucía unos pendientes rectangulares de oro que despedían destellos, como señales luminosas, a cada paso que daba. En conjunto, para lo gorda que estaba, sus andares eran muy ágiles. Tal vez llevara una recia ropa interior que le marcara las líneas y la favoreciera, pero, aunque así fuera, el contoneo de sus caderas me atraía. Me gustó. Aquella gordura era de mi agrado.

No pretendo justificarme con ello, pero a mí no hay muchas mujeres que me atraigan. Más bien al contrario: pocas veces me siento atraído. Por eso, en las raras ocasiones en que me sucede, me entran ganas de poner a prueba esta atracción. Quiero comprobar a mi manera si se trata o no de verdadera atracción y, en caso de que lo sea, cómo funciona.

Así que me coloqué a su lado y me disculpé por haber llegado ocho o nueve minutos tarde a la cita.

–No sabía que me retendrían tanto rato en la entrada –dije–. Tampoco imaginaba que el ascensor fuese tan lento. Y eso que he llegado con los diez minutos de antelación obligados.

La joven hizo un conciso gesto de asentimiento, como diciendo: «Ya lo sé». Su nuca despedía fragancia a agua de colonia. Olía como si me encontrara en medio de un melonar una mañana de verano. Ese olor me produjo una curiosa sensación. Incoherente y nostálgica a la vez, como si dos recuerdos de naturaleza distinta se hubieran unido en algún lugar desconocido. A veces me embarga esa sensación. Y, en la mayoría de las ocasiones, es un olor el que desencadena ese proceso. Pero ni yo mismo puedo explicar por qué.

–Qué pasillo tan largo, ¿verdad? –le dije con el propósito de entablar conversación.

Ella me miró sin detenerse. Le eché unos veinte o veintiún años. Tenía las facciones bien dibujadas, la frente ancha y la piel bonita.

Mirándome de frente, dijo: «Proust».

De hecho, no había pronunciado exactamente la palabra «Proust», sólo me había dado la impresión de que la había dibujado con el movimiento de sus labios. Seguía sin oírse ningún sonido. Ni siquiera el silbido del aire al ser expulsado. Era como si me hablara desde el otro lado de un grueso cristal.

¿Proust?

–¿Marcel Proust? –le pregunté.

Ella me miró extrañada. Y repitió: «Proust». Desalentado, volví a situarme a sus espaldas y, mientras la seguía, me enfrasqué en la búsqueda de una palabra que coincidiera con el movimiento de sus labios. «Pus»... «bus»... Fui musitando palabras, sin sentido en ese contexto, pero ninguna se ajustaba por completo a la forma de sus labios. Habría jurado que había dicho «Proust». Sin embargo, no comprendía qué relación había entre aquel largo pasillo y Marcel Proust.

Tal vez hubiese citado a Marcel Proust como metáfora de la longitud del pasillo. Sin embargo, aun en este caso, la formulación había sido demasiado brusca y efectuada de un modo poco correcto. Si se hubiera referido a aquel largo corredor como una metáfora del conjunto de la obra de Proust, habría tenido su lógica. Pero a la inversa me parecía muy extraño.

¿Un pasillo largo como Marcel Proust?

Sea como sea, la seguí por aquel largo pasillo. Parecía que no iba a acabarse nunca. Doblamos varias esquinas, subimos y bajamos cortos tramos de escalera de cinco o seis peldaños. Tal vez habíamos recorrido ya cinco o seis veces la longitud de un pasillo de un edificio normal. O tal vez nos limitáramos a ir y venir por un lugar semejante a un grabado de Escher. En todo caso, pasáramos por donde pasásemos, el entorno no variaba lo más mínimo. Suelo de mármol, paredes amarillo pálido, puertas de madera con numeración disparatada y pomos de acero inoxidable. No se veía ninguna ventana. Los altos tacones de la joven repiqueteaban por el corredor con un martilleo regular y constante, mientras mis zapatillas de deporte producían un ruido pegajoso, como de goma fundida, a sus espaldas. El ruido gomoso de mis zapatillas resonaba más de lo habitual, y acabé por preguntarme seriamente si las suelas habían empezado a fundirse. Lo cierto era que caminaba por primera vez en mi vida sobre mármol con zapatillas de deporte, y por tanto no podía juzgar si aquel sonido era normal o anormal. Imaginé que debía de ser medio normal y medio anormal. Y es que me daba la impresión de que allí todo se regía por una proporción similar.

Cuando ella se detuvo de repente, yo estaba tan absorto en el sonido de las suelas de las zapatillas que, sin darme cuenta, la embestí con el pecho. Su espalda era suave y mullida como un nubarrón de contornos bien definidos y su nuca exhalaba aquel olor a agua de colonia con fragancias de melón. Con el ímpetu del choque, la lancé hacia delante y tuve que echarla hacia atrás agarrándola precipitadamente por los hombros.

–Lo siento –me disculpé–. Es que estaba distraído, pensando.

La joven gorda me miró con el rostro ligeramente enrojecido. No puedo asegurarlo, pero diría que no estaba enojada.

«¿Ketaseru?», dijo esbozando una sonrisa. Y se encogió de hombros. «Sera», añadió. Pero no lo pronunciaba, claro está. Ya sé que me repito, pero ella se limitó a formar esta palabra con los labios.

–¿Ketaseru? –dije en voz alta, como si hablara conmigo mismo–. ¿Sera?

«¿Sera?», repitió ella, convencida.

A mí aquello me sonaba a turco, aunque no dejaba de ser un problema el hecho de que yo jamás hubiera oído una palabra en aquel idioma. Así que quizá no fuera turco. Cada vez me sentía más aturdido y, al final, renuncié a conversar con ella. Aún estaba muy verde en la técnica de lectura de labios. Leer los labios es una operación muy delicada, no es algo que puedas dominar a la perfección con un cursillo municipal de dos meses.

La joven se sacó una pequeña llave electrónica ovalada del bolsillo de la chaqueta y la encajó en la cerradura de la puerta que lucía la placa «728». Con un clic, la cerradura se desbloqueó. Un mecanismo notable.

Ella abrió la puerta. De pie en el umbral, sosteniendo la puerta abierta con una mano, se volvió hacia mí y dijo:

«Somu to, sera».

Y yo asentí y entré, claro está.

# 2
## EL FIN DEL MUNDO
## Las bestias doradas

Al irrumpir el otoño, las bestias se revestían de un largo pelaje de color dorado. Dorado en el más puro sentido de la palabra. En aquel color no se mezclaba ningún otro. Su dorado nacía como el color del oro en este mundo y existía en este mundo como tal. Y entre todos los cielos y todas las tierras, las bestias se teñían del más puro color del oro.

Cuando llegué a la ciudad –sucedió en primavera–, las bestias lucían pelambres de distintos colores. O negro, o castaño, o blanco, o caoba. También las había que combinaban varios colores en sus pieles moteadas. Y revestidas de pelajes de diversas tonalidades, las bestias vagaban en silencio y soledad, como arrastradas por el viento, por la superficie de la tierra cubierta de vegetación joven. Eran tan sosegadas que casi podía calificárselas de meditabundas. Incluso su aliento era discreto como la neblina matinal. Pacían la hierba verde sin el menor ruido y, al saciarse, doblaban las patas, se tumbaban en el suelo y descabezaban un corto sueño.

La primavera pasó, acabó el verano y, en el momento en que la luz adquiría ya una tenue transparencia y el primer viento de otoño comenzaba a rizar el agua estancada de los ríos, las bestias sufrieron una metamorfosis. Pelos dorados empezaron a aparecer en su pelaje, al principio de forma dispersa, como fruto del azar, igual que una planta brota a veces fuera de temporada, pero pronto se convirtieron en innumerables tentáculos que fueron enzarzándose en el corto pelo hasta acabar recubriéndolo por entero de un brillante color dorado. La metamorfosis de las bestias duró, de principio a fin, una semana escasa; empezó de manera casi simultánea y acabó casi al mismo tiempo. A lo largo de una semana, todas, sin excepción, mudaron en bestias de color de oro. Y al ascender el sol y teñir el mundo de una nueva luz dorada, el otoño descendió sobre la superficie de las cosas.

Sólo el largo cuerno que les crecía en medio de la frente era de un delicado color blanco. Su frágil finura hacía pensar, más que en un cuerno, en una esquirla de hueso que hubiese rasgado la piel por accidente y se hubiese enquistado. Con la excepción del blanco cuerno y del azul de los ojos, las bestias se metamorfosearon por entero en el color del oro. Y, como si desearan probar su nuevo traje, sacudían la cabeza arriba y abajo infinitas veces y punzaban el cielo alto de otoño con la punta de los cuernos. Remojaban las patas en el agua ya fresca de los ríos y tendían la cabeza hacia los frutos rojos de los árboles otoñales y los devoraban con avidez.

Cuando el crepúsculo empezaba a teñir las calles de azul, subí a una de las atalayas situadas en la zona oeste de la muralla a contemplar el ritual del guardián agrupando a las bestias al son del cuerno. Un toque largo y tres cortos. Era la señal convenida. Cuando oía sonar el cuerno, yo siempre cerraba los ojos y dejaba que su dulce sonido se infiltrara calladamente en mi cuerpo. El eco del cuerno era distinto a cualquier otro sonido. Atravesaba en silencio las calles del crepúsculo como un pez transparente con una ligera pincelada de azul e iba impregnando las piedras redondas del pavimento y las paredes de piedra de las casas y las tapias de las calles que bordeaban el río. Su reverbero se escurría a través de las fallas del tiempo que se hallaban en la atmósfera y penetraba calladamente en todos los rincones de la ciudad.

Cuando el cuerno resonaba por las calles, las bestias alzaban la cabeza, enfrentadas de súbito a recuerdos ancestrales. Las bestias, en un número que excedía el millar, alzaban la cabeza al unísono hacia donde sonaba el cuerno adoptando, todas, idéntica postura. Algunas dejaban de mordisquear fatigosamente las hojas de la aulaga; otras, tumbadas sobre el pavimento de piedra, dejaban de golpear el suelo con sus cascos; otras despertaban de su siesta bajo los últimos rayos de sol de la tarde, y todas alargaban sus cuellos hacia el cielo.

En ese instante, todo se detenía. Si algo se movía era sólo el pelaje dorado de las bestias, dulcemente mecido por el viento del anochecer. No sé qué pensarían en aquellos momentos ni dónde clavarían la mirada. Se quedaban inmóviles, los cuellos doblados en un mismo ángulo e idéntica dirección, los ojos fijos en el espacio. Luego, aguzaban el oído hacia los reverberos del cuerno. Poco después, cuando las pálidas tinieblas del anochecer ya habían absorbido los últimos ecos, las bestias se erguían, como si se acordaran súbitamente de algo, e iniciaban la marcha en una dirección determinada. El efímero hechizo se había roto, el ruido de innumerables cascos cubría la ciudad. Aquel ruido evocaba siempre en mí la imagen de incontables burbujitas efervescentes brotando de las profundidades de la tierra. Las burbujas envolvían las calles, trepaban por las tapias de las casas y acababan cubriendo por entero incluso la torre del reloj.

Sin embargo, eso no era más que una ilusión del crepúsculo. Al abrir los ojos, las burbujas se esfumaban en el acto. No era más que el golpeteo de los cascos: en la ciudad, nada había cambiado. La columna de bestias se deslizaba como un río por las tortuosas calles empedradas. Nadie iba a la cabeza, nadie la conducía. Con la mirada baja y las espaldas sacudidas por un leve temblor, las bestias se limitaban a seguir el curso del río del silencio. A pesar de ello, todas parecían unidas por un estrecho lazo, invisible pero innegable, de íntimos recuerdos.

La columna que bajaba del norte cruzaba el Puente Viejo, confluía con la fila de sus compañeras que venían del este a lo largo de la ribera sur del río, y juntas atravesaban el área industrial que bordeaba el canal, se dirigían hacia el oeste por el camino que atravesaba la fábrica de fundición de hierro y aparecían más allá del pie de la Colina del Oeste. En la pendiente de la Colina del Oeste les aguardaban las bestias viejas y las de corta edad que no podían alejarse mucho de la puerta. En este punto, la columna torcía hacia el norte, cruzaba el Puente del Oeste y caminaba hasta alcanzar el portal.

Cuando las bestias que iban en cabeza llegaban ante la Puerta del Oeste, el guardián la abría. Era, a todas luces, una puerta pesada y maciza, reforzada a lo largo y a lo ancho con gruesas planchas de hierro. Tenía de cuatro a cinco metros de altura y estaba coronada por agudos y afilados clavos, como una montaña de agujas, insertados en la parte superior para que nadie pudiera saltarla. El guardián, tirando hacia sí, abría sin dificultad la pesada puerta y hacía salir a las bestias. La puerta tenía dos hojas, pero el guardián sólo abría una. El batiente izquierdo permanecía siempre cerrado a cal y canto. Cuando todas las bestias habían atravesado el portal, el guardián volvía a cerrar la puerta y echaba el cerrojo.

La Puerta del Oeste, al menos que yo supiera, era la única vía de acceso a la ciudad. Ésta estaba rodeada por una larga y ancha muralla de siete u ocho metros de alto que sólo podían franquear los pájaros.

Al llegar la mañana, el guardián abría de nuevo la puerta, tocaba el cuerno y hacía entrar a las bestias. Y cuando todas habían penetrado en el interior de la ciudad, volvía a cerrar la puerta y echaba el cerrojo.

–La verdad es que no hace falta echar el cerrojo –me explicó el guardián–. Porque sólo yo puedo abrir esa puerta tan pesada. Ni siquiera podrían moverla varias personas juntas. Lo hago porque así está establecido.

Tras pronunciar estas palabras, el guardián se caló la gorra de lana justo hasta encima de las cejas y enmudeció. Era un gigante: yo jamás había visto a nadie de un tamaño igual. Era muy corpulento, y la camisa y la chaqueta amenazaban con estallar bajo la presión de sus músculos. Pero, de vez en cuando, cerraba los ojos sin más y se sumía en un profundo silencio. Yo era incapaz de juzgar si era presa de la melancolía o si, por una razón u otra, se había producido un colapso en sus actividades vitales. En todo caso, cuando el manto del silencio caía sobre él, lo único que podía hacer era aguardar a que volviera en sí. Y cuando al fin recobraba la conciencia, abría los ojos lentamente, me observaba largo rato con mirada vaga y se frotaba repetidas veces los dedos sobre las rodillas como tratando de comprender la razón de mi presencia allí.

–¿Por qué, al anochecer, agrupas las bestias y las haces salir de la ciudad y luego, por la mañana, vuelves a meterlas? –le pregunté en cierta ocasión, cuando volvió en sí.

El guardián me clavó una mirada desprovista de emoción.

–Porque así está establecido –dijo–. Porque es así. De la misma manera que el sol sale por el este y se pone por el oeste.

El guardián destinaba la mayor parte del tiempo que le dejaba libre su tarea de abrir y cerrar la puerta al cuidado de sus objetos cortantes. En su cabaña se alineaban hachas, destrales y cuchillos de diferentes tamaños y, en cuanto disponía de un instante, los afilaba cuidadosamente en una piedra. Los filos aguzados de los cuchillos despedían inquietantes y gélidos destellos blancos y, más que reflejar la luz del exterior, a mí me daba la impresión de que ocultaban en su interior algo que irradiaba luz propia.

Mientras los contemplaba, el guardián me observaba con cautela torciendo las comisuras de los labios en un amago de sonrisa satisfecha.

–¡Cuidado! Sólo con tocarlos podrías cortarte. –El guardián me señaló la hilera de cuchillos con un dedo sarmentoso como una raíz–. Son muy distintos de los que puedes ver por ahí. Yo he forjado todas las hojas, una a una. Antes era herrero, los he hecho todos yo. Están bien afilados, el equilibrio es perfecto. Y no es fácil elegir un mango que se ajuste a la perfección al peso muerto de la hoja. Coge uno, ¡vamos! El que quieras. Pero ¡cuidado!, no te vayas a cortar.

Entre todos los objetos cortantes que se alineaban sobre la mesa, yo elegí el hacha de menor tamaño y la blandí varias veces en el aire con cautela. Sólo con conferir un poco de fuerza a la torsión de la muñeca –o sólo con pensar siquiera en conferírsela–, la hoja reaccionaba con viveza, como un perro de caza bien adiestrado, y rasgaba el aire con un silbido seco. El guardián tenía razones suficientes para enorgullecerse de ellas.

–Los mangos también los he tallado yo, con la madera de fresnos de diez años. Para los mangos, todo el mundo tiene sus preferencias, pero a mí me gusta el fresno de diez años. Antes, es demasiado joven y no sirve; y si el árbol ha crecido demasiado, tampoco vale. A los diez años la madera está en su punto. Fuerte, con el grado de humedad exacto, flexible. En los bosques del este crecen muchos fresnos.

–¿Y para qué utilizas todos esos cuchillos?

–Para varias cosas –dijo el guardián–. Al llegar el invierno son muy útiles. Cuando eso suceda, podrás comprobarlo por ti mismo. Porque el invierno aquí es muy largo, ¿sabes?

Al otro lado de la puerta está el recinto de las bestias. Durante la noche duermen. Por allí discurre un riachuelo y pueden beber agua. Más allá, en lo que alcanza la vista, se extienden los manzanos. Los árboles se suceden hasta el infinito como un mar de vegetación.

En la parte oeste de la muralla se alzaban tres atalayas a las que se accedía por escalas. Las torres tenían ventanas enrejadas, provistas de sencillos sobradillos para protegerlas de la lluvia, desde donde podía observarse, allá abajo, a las bestias.

–Sólo tú vienes a verlas, ¿sabes? –dijo el guardián–. Bueno, es lógico. Es porque acabas de llegar. Cuando lleves cierto tiempo aquí, te acostumbrarás y harás como todo el mundo. Dejarán de interesarte, ya lo verás. Porque sólo durante la primera semana de primavera las cosas son distintas, ¿sabes?

El guardián me contó que, sólo durante la primera semana de primavera, la gente subía a las atalayas a contemplar cómo luchaban las bestias. Sólo durante ese periodo –únicamente una semana antes de que las hembras empezaran a parir, justo cuando mudaban el pelo–, los machos olvidaban su placidez habitual para desplegar una brutalidad sin límites y herirse unos a otros. Y de la gran cantidad de sangre vertida sobre la tierra nacía un nuevo orden y una nueva vida.

Pero en otoño las bestias, acurrucadas unas junto a otras en silencio, dejaban relucir su largo pelaje dorado al sol del ocaso.

Sin ejecutar un solo movimiento, como esculturas pétreas sobre la tierra, la cabeza enhiesta, aguardaban inmóviles a que los últimos rayos de sol se hundieran en el mar de manzanos. Poco después, cuando el sol se ponía y las tinieblas azuladas del anochecer envolvían sus cuerpos, las bestias dejaban caer la cabeza, bajaban el blanco cuerno hacia el suelo y cerraban los ojos.

Y así concluía el día en la ciudad.

## 3

EL DESPIADADO PAÍS DE LAS MARAVILLAS

## Impermeable. Tinieblos. Lavado

Me había introducido en una habitación grande y vacía. Paredes blancas, techo blanco, moqueta de color café: todos los tonos eran elegantes y de buen gusto. Y es que, por más que uno simplifique diciendo: «blanco», nada tiene que ver un blanco sofisticado con otro vulgar. Los cristales de las ventanas eran opacos y no permitían ver el exterior, pero la luz difusa que penetraba en la estancia era, sin duda, la del sol. Vamos, que aquello no era un subterráneo, lo que significaba que el ascensor había estado subiendo. La constatación de este hecho me tranquilizó. Había acertado en mis suposiciones. La joven me indicó que me acomodara, así que me senté en el sofá de piel que se encontraba en el centro de la habitación y crucé las piernas. En cuanto me senté, ella salió por una puerta distinta de aquella por la que habíamos entrado.

En la estancia apenas había muebles propiamente dichos. Sobre la mesa del tresillo se alineaban un encendedor, un cenicero y una cigarrera de cerámica. Al destapar la cigarrera, vi que no contenía cigarrillos. Ningún cuadro, calendario o fotografía colgaba de las paredes. Una ausencia total de detalles superfluos.

Junto a la ventana había un gran escritorio. Me levanté del sofá, me acerqué a la ventana y, al pasar, miré lo que había sobre el escritorio. La mesa consistía en un macizo tablero de madera con grandes cajones a ambos lados. Encima había una lámpara, tres bolígrafos Bic, un calendario de mesa y, junto a éste, algunos clips esparcidos. Eché una ojeada a la fecha del calendario y comprobé que era correcta. Era la fecha del día.

En un rincón se alineaban tres taquillas metálicas de esas que se encuentran en cualquier parte. No casaban en absoluto con el ambiente de la estancia. Eran demasiado funcionales, demasiado sencillas. Yo hubiera colocado un taquillón de madera más elegante, más en consonancia con el conjunto, pero, en definitiva, no se trataba de mi habitación. Yo sólo había acudido allí a realizar un trabajo y no era de mi incumbencia si había una taquilla metálica de color gris o un *juke-box* de color rosa pálido.

En la pared de la izquierda había un armario ropero empotrado. Las puertas eran de acordeón, de tablillas largas y estrechas. Ése era todo el mobiliario. No había ni reloj ni teléfono ni afilador de lápices ni jarra de agua. Tampoco librerías, ni estantes en la pared para la correspondencia. Imposible adivinar a qué estaría destinado aquel cuarto, no tenía ni idea sobre cuál sería su función. Volví al sofá, crucé de nuevo las piernas y bostecé.

A los diez minutos, regresó la joven. Sin dedicarme siquiera una mirada, abrió una de las hojas de la taquilla, cogió algo negro y liso que había en su interior y lo depositó sobre la mesa del tresillo. Se trataba de un impermeable plastificado y de unas botas de goma, todo cuidadosamente doblado. Encima del fardo había incluso unas gruesas gafas como las que llevaban los pilotos de la Primera Guerra Mundial. No entendía en absoluto qué estaba sucediendo.

La mujer se acercó a mí y me dijo algo, pero movía los labios demasiado rápido y no la entendí.

–¿Podrías hablar más despacio? Es que leer los labios no se me da muy bien, ¿sabes? –dije.

Esta vez habló despacio, abriendo mucho la boca.

«Póngaselo encima de la ropa», dijo.

Por gusto, no me lo hubiese puesto, pero como no quería complicarme la vida protestando, opté por seguir sus instrucciones sin rechistar. Me quité las zapatillas de deporte y las sustituí por las botas de goma, y me puse el impermeable encima de mi camisa informal.

Aunque el impermeable pesaba lo suyo y las botas eran uno o dos números mayores que el mío, seguí sin objetar nada. La joven se puso frente a mí, me abotonó el impermeable hasta los tobillos y me cubrió la cabeza con la capucha. Cuando me la puso, la punta de mi nariz rozó su frente lisa.

–Hueles muy bien –dije yo. Le alabé el agua de colonia.

«Gracias», dijo ella, y fue abrochándome, uno a uno, los corchetes de la capucha hasta debajo de la nariz. Después me colocó las gafas por encima de la capucha. Gracias a ello, cobré el aspecto de una momia en un día lluvioso.

Entonces abrió un batiente del armario y, tras introducirme en él llevándome de la mano, encendió una luz y cerró la puerta a nuestras espaldas. Estábamos dentro de un ropero empotrado. Claro que, por más que lo denomine «ropero», allí no había ropa alguna, sólo colgaban algunas perchas y bolas de alcanfor. Imaginé que no se trataba de un simple ropero, sino que allí debía de nacer algún pasaje secreto o algo por el estilo. De lo contrario, ¿qué sentido tenía que me hubiera hecho poner el impermeable y me hubiese hecho entrar en él?

La joven manipuló un asa metálica que había en un rincón del ropero y, de pronto, como era de esperar, un panel del tamaño del portaequipajes de un coche pequeño se abrió hacia dentro. Vi un agujero oscuro como boca de lobo y percibí claramente en mi piel una corriente de aire húmedo y frío procedente de allí. Un aire que producía una sensación muy poco agradable, por cierto. También se oía un gorgoteo incesante, como de fluir de agua.

«Por ahí dentro pasa un río», dijo.

Gracias al rumor del agua, me dio la sensación de que su insonora manera de hablar cobraba cierto realismo. Parecía que ella hablara de verdad y que la corriente ahogara sus palabras. Tal vez fuese simple sugestión, pero lo cierto es que sus palabras se me hicieron más comprensibles. Si quieren, llámenlo extraño, porque, en efecto, lo era.

«Remonta la corriente y, al final, encontrarás una gran cascada. Pasa por debajo. Al fondo está el laboratorio de mi abuelo. Cuando llegues, él te dirá lo que tienes que hacer.»

–Cuando llegue allí, ¿tu abuelo me estará esperando?

«Sí», dijo la joven y me entregó una gran linterna a prueba de agua que colgaba de una correa. No me apetecía en absoluto sumergirme en aquella negrura, pero me dije que no era momento de hacer objeciones y, resignado, introduje una pierna en las negras tinieblas que se abrían ante mí. Después, encorvándome, pasé la cabeza y los hombros y, finalmente, arrastré la otra pierna dentro. No era fácil moverse envuelto en aquel rígido impermeable, pero, de un modo u otro, logré desplazar mi cuerpo desde el armario al otro lado de la pared. Y, desde allí, dirigí una mirada a la joven gorda, de pie dentro del armario ropero. Vista a través de las gafas desde el fondo del negro agujero, me pareció muy bonita.

«Ten cuidado. No te alejes del río. Y no tomes ningún desvío», dijo ella, inclinada, mirándome fijamente.

–¡Todo recto hasta la cascada! –dije yo a voz en grito.

«Todo recto hasta la cascada», repitió ella.

Para probar, dibujé con los labios la palabra «sera» sin emitir ningún sonido. Ella sonrió y me dijo, asimismo, «sera». Y cerró la puerta de golpe.

Cuando la puerta se cerró, me encontré inmerso en la oscuridad más absoluta. Era, literalmente, una oscuridad absoluta en la que ni siquiera brillaba una luz diminuta, tan pequeña como la punta de una aguja. No veía nada. Ni la palma de mi mano cuando me la aproximé a la cara. Durante unos instantes me quedé clavado, lleno de desconcierto, sobre mis pies, como si me hubiesen atizado un golpe. Presa de una fría impotencia, me sentí como un pescado envuelto en celofán que ve cómo lo arrojan dentro del frigorífico y cierran la puerta a sus espaldas. Me habían abandonado, sin preparación mental alguna, en la oscuridad más absoluta: no era de extrañar que, de repente, experimentara una enorme lasitud. Si la joven pensaba cerrar la puerta, al menos podría haberme avisado.

Pulsé a tientas el interruptor de la linterna y un chorro de familiar luz amarillenta se proyectó, en línea recta, a través de las tinieblas. Primero iluminé el suelo, bajo mis pies, y luego dirigí el haz de luz a mi alrededor. Me hallaba en una plataforma de cemento de unos tres metros cuadrados, y, a dos pasos de mí, caía a pico un abrupto precipicio sin fondo. Ni barrera ni valla. «Esto también podría habérmelo dicho antes», pensé con cierta indignación.

En un extremo de la plataforma había una escalera de aluminio para bajar. Me colgué la linterna en bandolera y fui descendiendo, uno tras otro, los resbaladizos peldaños apoyando los pies con mucha precaución. A medida que descendía, el rugido de la corriente ganaba en claridad e intensidad. ¡Un precipicio oculto en una oficina de un edificio bajo el que discurría, en el abismo, un río! Jamás había oído nada parecido. ¡Y en pleno centro de Tokio! Cuanto más lo pensaba, más me dolía la cabeza. Primero, aquel inquietante ascensor. A continuación, la joven gorda que hablaba sin palabras. Y luego, aquello. Quizá debía rechazar el trabajo y volver a casa. Era demasiado peligroso, delirante de principio a fin. Con todo, me resigné y seguí bajando hacia el abismo. Por una parte, estaba mi orgullo profesional y, por otra, la rolliza joven del traje chaqueta de color rosa. Por una razón u otra, ella me había gustado y no me apetecía rechazar el trabajo e irme.

Tras descender veinte peldaños, me tomé un descanso; bajé dieciocho peldaños más y llegué al fondo. Una vez al pie de la escalera, dirigí medrosamente el haz de luz en torno a mí. Me hallaba sobre una dura y lisa plataforma rocosa y, un poco más allá, corría un río de unos dos metros de ancho. A la luz de la linterna vi cómo la superficie de las aguas se agitaba como una bandera al viento. El curso de la corriente parecía muy rápido, pero no pude aventurar nada sobre la profundidad del río o el color de sus aguas. Lo único que descubrí fue que corría de izquierda a derecha.

Alumbrando justo delante de los pies, avancé por la superficie rocosa, siempre junto al río y remontando su curso. De vez en cuando notaba la presencia de algo cerca de mi cuerpo y dirigía velozmente el haz de luz en esa dirección, pero no logré descubrir nada. Sólo la corriente de agua y las escarpadas paredes de roca irguiéndose a ambos lados. Posiblemente, las negras tinieblas que me rodeaban habían acabado crispándome los nervios.

Tras cinco o seis minutos de marcha, el gorgoteo del agua me indicó que el techo descendía bruscamente. Iluminé sobre mi cabeza, pero las tinieblas eran tan densas que me impidieron distinguir el techo. En las paredes de ambos lados, vislumbré los desvíos sobre los que me había advertido la joven. De hecho, en lugar de «desvíos» sería más adecuado denominarlas «hendiduras en la roca» y, del fondo de éstas, fluía un hilillo de agua que formaba un pequeño riachuelo que desembocaba en el río. A fin de inspeccionar un poco, me aproximé a una de las hendiduras y la alumbré con la linterna, pero no vi nada. Sólo descubrí que, a diferencia de su angosta boca de entrada, el interior parecía inesperadamente amplio. Pero no me seducía lo más mínimo penetrar en ellas.

Con la linterna asida con fuerza en la mano derecha, remonté la corriente del río; me sentía a punto de transformarme en un pez. La plataforma rocosa era húmeda y resbaladiza, por lo que tenía que avanzar paso a paso con extrema precaución. Sumido en aquella negra oscuridad, si resbalaba y me caía a la corriente, o si se me rompía la linterna, me hallaría en un brete. Tanta atención prestaba al suelo bajo mis pies que, al principio, no me di cuenta de que ante mí oscilaba una débil luz. Al alzar los ojos vi, unos siete u ocho metros más adelante, una pequeña luz que se aproximaba. En un acto reflejo, apagué la linterna, introduje una mano por la abertura del impermeable y saqué una navaja del bolsillo trasero del pantalón. Desplegué la hoja a tientas. El rugido de la corriente me envolvía por completo.

Cuando apagué la linterna, la débil luz amarillenta se detuvo de golpe. Después describió dos grandes círculos en el aire. La señal parecía indicar: «¡Tranquilo! ¡No te preocupes!». No obstante, no bajé la guardia y me mantuve en la misma posición, esperando la reacción del otro. Acto seguido, la luz empezó a oscilar de nuevo. Parecía un enorme insecto luminoso dotado de un sofisticado cerebro que se dirigiese hacia mí flotando oscilante en el espacio. Con la navaja asida con fuerza en la mano derecha y la linterna apagada en la izquierda, clavé los ojos en aquella luz.

La luz se aproximó hasta unos tres metros de distancia, se detuvo, se alzó y volvió a detenerse. Era tan débil que al principio no logré descubrir qué estaba alumbrando, pero, al aguzar la vista, vislumbré lo que parecía un rostro humano. Al igual que yo, aquel rostro llevaba unas gruesas gafas y se ocultaba por completo bajo una capucha negra. Lo que llevaba en la mano era un pequeño farol portátil de esos que venden en las tiendas de artículos deportivos. Mientras se iluminaba el rostro con el farol, el hombre se desgañitaba tratando de decirme algo, pero el rugido del agua ahogaba sus palabras, y como además la oscuridad me impedía verle la boca, me era imposible leer el movimiento de sus labios.

–... así que... por eso... lo siento... y... –decía el hombre, pero yo no tenía ni la más remota idea de a qué se estaba refiriendo. De todos modos, no parecía existir ningún peligro, así que encendí la linterna, me iluminé la cara de lado y me señalé la oreja con el dedo indicándole que no oía nada.

Convencido, el hombre asintió varias veces y, acto seguido, bajó el farol, se embutió las manos en los bolsillos y empezó a removerse con gesto inquieto: de súbito, el rugido del agua a mi alrededor fue disminuyendo rápidamente de intensidad, como si descendiera de pronto la marea. Creí que estaba a punto de desmayarme. Que mis sentidos flaqueaban y que, por ello, el sonido se iba apagando dentro de mi cabeza. Entonces –aunque no entendía por qué tenía yo que perder la conciencia– tensé todos los músculos del cuerpo preparándome para la caída.

Sin embargo, el tiempo transcurría y yo no me desplomaba; además, era plenamente dueño de mis sentidos. Lo único que ocurría era que el sonido había disminuido. Nada más.

–He venido a buscarle –dijo el hombre, y esta vez distinguí su voz con claridad.

Sacudí la cabeza, me puse la linterna bajo el brazo, plegué la hoja de la navaja y me metí ésta en el bolsillo. Tenía el presentimiento de que me esperaba un día absurdo.

–¿Qué le ha pasado al sonido? –le pregunté al hombre.

–¡Ah! ¿El sonido? Había mucho ruido, ¿verdad? Lo he bajado. Lo siento mucho. Ya no le molestará más –dijo el hombre asintiendo repetidas veces. El rugido de la corriente había bajado de volumen hasta convertirse en el murmullo de un riachuelo–. ¿Qué? ¿Vamos?

El hombre me dio la espalda y se encaminó río arriba con paso seguro. Yo lo seguí, iluminando el suelo bajo mis pies.

–¿Ha bajado usted el sonido? Entonces, ¿era artificial? –grité dirigiéndome a lo que parecía ser su espalda.

–No. El sonido era natural.

–¿Y cómo puede bajar un sonido natural?

–Para ser exactos, no lo he bajado –respondió–. En realidad, lo he quitado.

Dudé unos instantes, pero opté por dejar de inquirir. No estaba en situación de acribillarlo a preguntas. Yo sólo había ido a desempeñar un trabajo, y no era asunto mío si la persona que requería mis servicios apagaba el sonido, lo quitaba o lo mezclaba como si fuera un vodka con lima. Lo seguí en silencio sin añadir una palabra más.

De todos modos, gracias a la desaparición del ruido, el silencio reinaba ahora en los alrededores. Incluso distinguía el roce de las suelas de goma sobre el pavimento. Por encima de mi cabeza, oí dos o tres veces un sonido extraño, como si alguien frotara dos guijarros, pero luego cesó.

–Había indicios de que los tinieblos rondaban por aquí, ¿sabe? Y estaba preocupado. Por eso he venido a buscarle. No suelen llegar hasta esta zona, pero cabe esa posibilidad. Son un verdadero problema, ¿sabe usted? –dijo el hombre.

–¿Los tinieblos? –pregunté.

–¡Vaya susto se llevaría usted si se topara de pronto con alguno por aquí! –dijo, y soltó una gran risotada.

–Pues sí, la verdad –dije yo, tratando de contemporizar con mi interlocutor. Ni tinieblos ni nada. No me apetecía lo más mínimo toparme con cosas raras en la oscuridad.

–Por eso he venido a buscarle –repitió el hombre–. Los tinieblos son un verdadero problema.

–Se lo agradezco –dije.

Tras avanzar un poco, empecé a oír un ruido similar al de un chorro de agua saliendo del grifo. Era la cascada. Sólo la enfoqué un instante con la linterna y no pude verla al detalle, pero parecía bastante grande. Si no hubiera eliminado el sonido, posiblemente el rugido sería considerable. Al llegar ante el salto de agua, las salpicaduras me empaparon completamente las gafas.

–¿Tenemos que pasar por debajo? –pregunté.

–Sí –repuso el hombre. Y, sin agregar nada más, se dirigió con paso rápido hacia la cascada y desapareció por completo en su interior. No me quedó más remedio que seguirlo a toda prisa.

Por fortuna, el pasaje por donde atravesamos la cascada era el punto donde el chorro era menos caudaloso, pero, pese a todo, el agua poseía la fuerza suficiente para aplastarnos contra el suelo. Aunque el hombre fuera con impermeable, tener que sufrir el azote de aquel chorro de agua cada vez que entraba o salía del laboratorio me parecía, por más que lo mirara con buenos ojos, una imbecilidad. Posiblemente abrigaba el propósito de salvaguardar algún secreto; aun así, sin duda había maneras un poco más refinadas de conseguirlo. Una vez bajo la cascada, me caí y me golpeé con fuerza la rótula contra una roca. Al desaparecer el sonido, se había alterado por completo el equilibrio entre éste y la realidad que lo producía, lo que me provocaba un gran desconcierto. Una cascada debe estar dotada del volumen de sonido que le corresponde.

Detrás del salto de agua se abría una caverna que permitía apenas el paso de una persona y, recto, al fondo había una puerta de hierro. El hombre extrajo del bolsillo del impermeable algo parecido a una pequeña calculadora y, al aplicarla a la ranura de la puerta y manipularla, la puerta se abrió hacia dentro sin ruido.

–Ya hemos llegado. Adelante –dijo cediéndome el paso. Acto seguido, entró él y cerró la puerta–. Ha sido muy duro, ¿verdad?

–La verdad es que sí, no se lo negaré –respondí con discreción.

Todavía con el farol colgado del cuello, la capucha en la cabeza y las gafas puestas, el hombre se rió. Tenía una risa extraña. Era algo así como: «¡Jo! ¡Jo! ¡Jo!».

Habíamos penetrado en un cuarto grande y frío como el vestuario de una piscina y, en un estante, se alineaban cuidadosamente doblados media docena de impermeables, negros como el mío, con sus botas de goma y gafas correspondientes. Me quité las gafas, me desprendí del impermeable y lo colgué en una percha, y dejé las botas de goma en la estantería. Por último, colgué la linterna de un gancho metálico de la pared.

–Siento haberle causado tantas molestias –dijo–. Pero no puedo descuidar las medidas de seguridad. Debo extremar las precauciones a causa de esos tipos que merodean por ahí.

–¿Los tinieblos? –aventuré con intención de sonsacarle.

–Exacto. Entre otros, los tinieblos –dijo el hombre asintiendo para sí.

Me condujo hasta el fondo del vestuario y entramos en una sala. Bajo el impermeable, apareció un anciano bajito y de porte distinguido. Sin ser grueso, era de complexión fuerte y robusta. Tenía la tez sonrosada y, al ponerse unas gafas sin montura que sacó del bolsillo del impermeable, cobró el aire de un importante político de la época de preguerra.

Me invitó a sentarme en el sofá y él, a su vez, tomó asiento tras el escritorio. La estancia era igual a aquella en la que me habían introducido hacía un rato. El color de la moqueta, las luces, el color de las paredes, el sofá: todo era idéntico. Sobre la mesa del tresillo descansaba un juego de fumador. Sobre el escritorio había una agenda de mesa idéntica a la otra y un montón de clips esparcidos de manera similar. Tanto que me dio la sensación de que, tras dar una vuelta, había regresado a la misma habitación. Tal vez fuera así o tal vez no. Por lo que a mí respecta, no recordaba con exactitud cómo estaban esparcidos los clips sobre el escritorio.

El anciano me observó unos instantes. Después tomó un clip, lo enderezó y se retiró la cutícula de una uña. La cutícula de la uña del dedo índice de la mano izquierda. Tras rasparse la cutícula unos instantes, lanzó el clip desdoblado al cenicero. Me dije que, si me reencarnaba en algo, no quería hacerlo en clip. No me satisfacía demasiado servir para retirar las cutículas de las uñas de un anciano extravagante y ser arrojado luego al cenicero.

–Según mis informaciones, los tinieblos se han unido a los semióticos –dijo el anciano–. Claro que una alianza entre ellos no puede ser muy sólida: los tinieblos son extremadamente precavidos y los semióticos, por el contrario, demasiado lanzados. Pero es una mala señal. Y que los tinieblos ronden por las inmediaciones cuando jamás deberían llegar hasta aquí es muy mal asunto. Si las cosas siguen así, tarde o temprano la zona se llenará de tinieblos. Y yo me veré en un gran aprieto.

–Sí, desde luego –dije yo. No tenía la menor idea de qué diablos eran los tinieblos, pero si los semióticos se habían aliado con alguna otra fuerza, era posible que las cosas tomaran mal cariz incluso para mí. Me refiero a que nuestra rivalidad con los semióticos descansaba sobre un equilibrio muy frágil y que la entrada en liza de otra fuerza, por pequeña que ésta fuera, podía provocar un vuelco en la situación. Para empezar, el simple hecho de que yo nunca hubiera oído hablar de los tinieblos y de que aquellos tipejos sí, ya indicaba que el equilibrio se había roto. Claro que tal vez yo no supiera nada porque era un trabajador autónomo de categoría inferior y que, en cambio, quizá los capitostes de la organización conocieran su existencia desde hacía mucho tiempo.

–Bueno, sea como sea, me gustaría que se pusiera a trabajar enseguida. ¿Qué le parece?

–Perfecto –dije.

–Le pedí a mi agente que me enviara al mejor calculador. Por lo visto, goza usted de una reputación excelente. Todo el mundo canta sus excelencias. Dicen que es usted muy competente, audaz, responsable en el trabajo. Exceptuando ciertas dificultades para el trabajo en equipo, nada que reprochar.

–Me abruma usted –dije. Soy una persona modesta.

El anciano volvió a carcajearse.

–En realidad, su capacidad para trabajar en equipo me interesa muy poco. Lo que importa es la audacia. La iniciativa es imprescindible para convertirse en un calculador de primera categoría. En fin, su sueldo va a ser tan alto como corresponde a sus servicios.

No había nada que decir, así que permanecí en silencio. El viejo volvió a reírse y después me condujo a la estancia contigua: su cuarto de trabajo.

–Soy biólogo –dijo el anciano–. Bueno, más que la biología en sí, mi trabajo abarca un campo muy amplio, difícil de resumir en una palabra. Va desde la fisiología cerebral hasta la acústica, la filología y la teología. No tengo empacho en decirle que estoy llevando a cabo una investigación muy original, de gran valor. Últimamente he centrado mis estudios en el paladar de los mamíferos.

–¿En el paladar?

–Sí, en la boca. En la constitución de la boca. Cómo se mueve, cómo se emite la voz: eso es lo que investigo ahora. Mire allá.

Tras pronunciar esas palabras, accionó un interruptor de la pared y encendió la luz del cuarto. Una estantería ocupaba por entero la pared del fondo, y en sus estantes se alineaban, muy juntos, los cráneos de todo tipo de mamíferos. Desde la jirafa, el caballo y el panda hasta la rata, había reunidas allí todas las cabezas de mamífero imaginables. Hablando en cifras, habría de trescientas a cuatrocientas. También había calaveras humanas, claro está. Cabezas de raza blanca, negra, asiática, de indios americanos, cada una de ellas con sus cráneos masculino y femenino correspondientes.

–Los cráneos de ballena y de elefante los tengo en un depósito del subterráneo. Como comprenderá, ocupan demasiado espacio –dijo el anciano.

–Sí, por supuesto –dije. Ciertamente, con la cabeza de una ballena ya se hubiera llenado la habitación.

Como si se hubiesen puesto de acuerdo, todos los animales tenían la boca abierta de par en par y con las cuencas de los ojos vacías miraban hacia la pared opuesta. Por más que las calaveras estuvieran destinadas a un uso científico, no era muy agradable verse rodeado de tantos huesos. En otra estantería se alineaban –aunque su número no era tan elevado como el de los cráneos– todo tipo de lenguas, orejas, labios, laringes y paladares conservados en formol.

–¿Qué le parece? Una colección estupenda, ¿verdad? –dijo el anciano, contento–. En este mundo hay quien colecciona sellos o discos. También hay quien almacena botellas de vino en la bodega, y ricos que disfrutan decorando sus jardines con tanques. Pues yo colecciono cráneos. En este mundo hay de todo. Ahí radica su interés. ¿No le parece?

–Tiene usted razón –dije.

–Desde una edad relativamente temprana ya sentía un gran interés por los cráneos de los mamíferos y los he ido coleccionando poco a poco. Empecé hace casi cuarenta años. Comprender los huesos requiere más tiempo del que se imagina. En este sentido, es mucho más sencillo comprender al ser humano cuando está dotado de un cuerpo con carne. Estoy plenamente convencido de ello. Claro que usted es joven y supongo que le interesará más la carne, ¿me equivoco? –Prorrumpió de nuevo en carcajadas–. He tardado treinta años en comprender el sonido que emiten los huesos. ¡Y treinta años no son moco de pavo!

–¿Sonido? –pregunté–. ¿El sonido que emiten los huesos?

–En efecto –dijo el anciano–. Cada hueso tiene un sonido propio. Es, como si dijéramos, la señal secreta de los huesos. Y no digo que los huesos hablen en un sentido metafórico, sino literal. La investigación que realizo en estos momentos tiene como objeto analizar esa señal. Porque si llegáramos a descodificar esas señales, podríamos controlarlas artificialmente.

–Hum... –gruñí. Los detalles se me escapaban, pero si era como decía el anciano, no cabía duda de que se trataba de una investigación de gran valor.

–Parece una investigación muy valiosa –dije.

–Lo es, en efecto –dijo el anciano y asintió con un movimiento de cabeza–. Precisamente por eso van detrás de mis estudios. Porque esa gente tiene el oído muy fino. Y quieren hacer un mal uso de mis investigaciones. Porque si, por ejemplo, pudieran obtenerse los recuerdos a través de los huesos, ya no haría ninguna falta torturar a nadie. Bastaría con matar a la persona, arrancarle la carne y limpiar los huesos.

–¡Qué espanto!

–Para bien o para mal, mis investigaciones todavía no han llegado hasta ese punto. En el estadio en que se encuentran actualmente, para obtener recuerdos precisos es mejor extraer el cerebro.

–¡Estamos apañados! –exclamé. Extraer los huesos o extraer el cerebro: no veía una gran diferencia entre una cosa y otra.

–Por eso necesito sus cálculos. Para que los semióticos no puedan piratear los datos de mis experimentos –dijo el anciano muy serio–. La ciencia, se utilice para fines malvados o buenos, ha puesto a la civilización contemporánea en una situación crítica. Yo creo que la ciencia debe existir por y para sí misma.

–En cuestión de creencias, yo ni entro ni salgo –repuse–. Pero sí querría aclararle algo. Es un asunto práctico. Esta vez no han sido ni la oficina central del Sistema ni ningún agente oficial los que han requerido mis servicios, sino usted quien ha contactado directamente conmigo. Eso es algo excepcional. Hablando con franqueza, existe la posibilidad de que esté contraviniendo las normas. Y, en caso de infracción, pueden sancionarme, e incluso podría llegar a perder la licencia. ¿Me comprende?

–Le comprendo muy bien –dijo el anciano–. Su preocupación es muy lógica. Pero yo he cursado una solicitud formal al Sistema. Sólo que, a fin de preservar el secreto, me he puesto en contacto directamente con usted sin seguir la vía administrativa normal. Usted no será sancionado ni nada por el estilo.

–¿Puede garantizármelo?

El anciano abrió un cajón del escritorio, sacó una carpeta y me la entregó. La hojeé. Contenía la solicitud oficial al Sistema. No cabía la menor duda: el formulario y la firma eran correctos.

–Está bien, supongo –dije y le devolví la carpeta a mi interlocutor–. Mi categoría es escala doble, ¿le parece bien? La escala doble implica...

–El doble de la tarifa ordinaria. No hay problema. Esta vez, con la inclusión de la prima, ascenderá a escala triple.

–Es usted muy generoso.

–Se trata de unos cálculos muy valiosos y, además, ha tenido que pasar por debajo de la cascada –dijo el anciano y volvió a reírse.

–Por lo pronto, muéstreme los valores numéricos. La fórmula la decidiré después de verlos. ¿Quién se encargará de los cálculos informáticos?

–De la informática me ocuparé yo. Usted puede encargarse del trabajo previo y del posterior. ¿Le parece bien?

–Perfecto. Así se agiliza el proceso.

El anciano se levantó de la silla, palpó el muro que había a sus espaldas y lo que parecía ser una simple pared se abrió de repente de par en par. Todo muy bien pensado. El anciano sacó otra carpeta y cerró la puerta. Al cerrarla, el muro volvió a convertirse en una pared blanca sin peculiaridad alguna. Cogí la carpeta y leí las detalladas cifras que atiborraban siete páginas. Los valores numéricos no presentaban en sí mismos ningún problema. Eran simples cifras.

–Para algo de este nivel, bastará un simple lavado –dije–. Con una analogía de frecuencia como ésta, no hay que temer la instalación de ningún puente provisional. Ya sé que teóricamente existe esa posibilidad, pero no podría demostrarse la validez del puente provisional en cuestión y, al no ser posible acreditarla, tampoco se podrían controlar todos los errores que conllevaría. Eso equivaldría a cruzar el desierto sin brújula. Moisés lo logró, pero...

–Moisés logró incluso atravesar el mar.

–De eso hace ya mucho tiempo. Por lo que a mí respecta, no conozco ningún precedente de que los semióticos hayan logrado introducirse a este nivel.

–¿Me está diciendo que basta con una conversión simple?

–Es que una conversión doble comportaría un riesgo demasiado elevado. Ya sé que reduciría a cero la posibilidad de introducción de un puente provisional, pero, en esa etapa, es un malabarismo. El proceso de conversión aún no se ha fijado. La investigación todavía no ha concluido.

–No estoy hablando de una conversión doble –dijo el anciano y empezó de nuevo a retirarse la cutícula con un clip. Ahora, la del dedo corazón de la mano izquierda.

–¿A qué se refiere, entonces?

–A un *shuffling*. Estoy hablando de un *shuffling*. Quiero que haga un *shuffling* y un lavado de cerebro. Por eso lo he llamado. Para un simple lavado de cerebro, no habría sido necesario hacerlo venir.

–No lo entiendo –dije, descruzando las piernas y volviéndolas a cruzar–. ¿Cómo es que conoce usted el *shuffling*? Es información estrictamente confidencial. Nadie ajeno al programa debería conocerlo.

–Pues yo lo conozco. Tengo un canal de información directo con las altas esferas del Sistema, ¿comprende?

–En ese caso, indague a través de ese canal. Porque resulta que ahora el sistema *shuffling* está cancelado. No sé por qué. Posiblemente haya surgido algún problema. En fin, no importa. Lo cierto es que ahora está prohibido utilizar el *shuffling*. Y si se descubriera que yo lo he hecho, el asunto no acabaría en una simple sanción.

El anciano volvió a tenderme la carpeta.

–Mire con atención la última hoja. Tiene que haber adjunta una autorización de uso del sistema *shuffling*.

Tal como me pedía, abrí la última hoja y eché un vistazo al documento. No cabía duda de que contenía una autorización para usar el sistema *shuffling*. La releí repetidas veces, pero era oficial. Contenía cinco firmas. ¿En qué estarían pensando los capitostes de la organización? No lograba entenderlo. Excavas un hoyo y, acto seguido, te dicen que lo rellenes; y lo haces, aplanas la tierra, y entonces te dicen que vuelvas a excavarlo. Y los que sufren las molestias son los mandados como yo.

–Hágame fotocopias en color de todos los documentos de solicitud. Si no los tengo, podría verme en un aprieto.

–¡Oh, claro! –exclamó el anciano–. Claro que sí. Usted no debe preocuparse por nada. Todos los trámites se han realizado en la más absoluta legalidad. Y respecto al sueldo, ahora le pagaré la mitad, y el resto se lo entregaré cuando termine el trabajo. ¿Le parece bien?

–Perfecto. El lavado de cerebro lo haré ahora mismo. Después volveré a casa con los valores numéricos lavados y allí realizaré el *shuffling*. Para ello son necesarios diversos preparativos. Y cuando estén listos los datos que obtenga del *shuffling*, se los traeré.

–Lo necesito sin falta para dentro de tres días al mediodía.

–Es suficiente –aseguré.

–Le suplico que no se retrase –urgió el anciano–. Si se retrasara, sucedería algo terrible.

–¿Se hundiría el mundo, tal vez? –pregunté.

–Pues, *en cierto sentido, sí* –dijo el anciano con aire de misterio.

–No se preocupe. Siempre he respetado los plazos –dije–. Si es posible, desearía un termo con café caliente y agua con hielo. También querría una cena ligera. Porque creo que me espera una larga sesión de trabajo.

Tal como suponía, fue una larga sesión de trabajo. La ordenación de los valores numéricos fue, en sí, una tarea relativamente sencilla, pero, dado el alto número de variables, el cálculo requirió más tiempo del esperado. Introduje los valores numéricos resultantes en el hemisferio derecho del cerebro y, tras codificarlos y convertirlos en valores totalmente diferentes, los pasé al hemisferio izquierdo, extraje de éste unos valores numéricos completamente distintos y los imprimí en papel. En eso consiste el lavado de cerebro, expresado de una manera muy simple. Las cifras convertidas varían según el calculador. Estos valores numéricos difieren de la tabla de números aleatorios en el sentido de que son susceptibles de ser representados en un diagrama. Y la clave radica en la partición del hemisferio derecho e izquierdo del cerebro (ésta es una terminología arbitraria, por supuesto. En realidad, no existe una división neta entre las partes derecha e izquierda). Si lo dibujásemos, vendría a ser algo así:

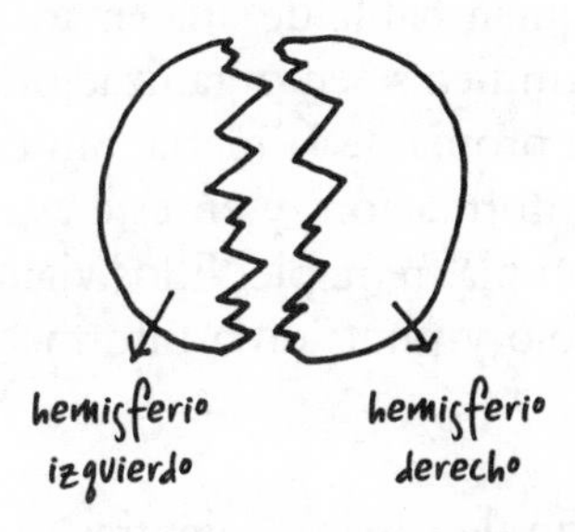


En resumen, si los bordes mellados no se acoplan a la perfección, es imposible devolver los valores numéricos a su forma original. Sin embargo, los semióticos intentan descodificarlos tendiendo puentes provisionales desde su ordenador a las cifras pirateadas. Es decir, que analizan los valores numéricos y reproducen la melladura en un holograma. Unas veces lo logran, y otras veces no. Si nosotros perfeccionamos el nivel técnico, ellos contraatacan perfeccionándolo a su vez. Nosotros protegemos los datos; ellos los roban. La clásica historia de policías y ladrones.

Los semióticos transfieren al mercado negro gran parte de la información que consiguen de manera ilícita y obtienen con ello pingües beneficios. Y lo que es peor: se reservan para ellos la información más valiosa y la utilizan en beneficio propio de un modo muy eficaz.

Nuestra organización es conocida generalmente como el Sistema, y la organización de los semióticos, la Factoría. En sus inicios, el Sistema era un conglomerado de empresas privadas, pero a medida que crecía su importancia, se fue invistiendo de un carácter semigubernamental. Funciona de manera parecida a la Bell Company estadounidense. Los calculadores estamos en la base de la organización y somos trabajadores autónomos, igual que los asesores fiscales y los abogados, pero necesitamos una licencia oficial expedida por el Estado y sólo podemos aceptar trabajo del Sistema o de los agentes oficiales acreditados por éste. Esa medida cautelar tiene como objeto impedir que la Factoría haga un uso ilícito de la técnica, y a quienes la contravienen se les impone una sanción y les retiran la licencia. Sin embargo, no tengo muy claro si es o no una medida acertada. Porque los calculadores que pierden la acreditación oficial suelen ser absorbidos por la Factoría, se pasan al terreno de la ilegalidad y acaban convirtiéndose en semióticos.

No sé cómo está estructurada la Factoría. Al principio surgió como una empresa de alto riesgo de pequeña envergadura, pero creció de forma acelerada. Hay quien habla de una «mafia de datos», y lo cierto es que su manera de ramificarse en organizaciones clandestinas de diversa índole tal vez sea propia de la mafia. Sin embargo, la Factoría únicamente trata con información, y en este aspecto difiere de la mafia. La información es limpia, rentable. Ellos vigilan los ordenadores a los que han echado el ojo y piratean la información.

Proseguí el lavado de cerebro mientras me bebía un termo entero de café. Trabajar una hora y descansar media: ésta es mi norma. Si no lo hago así, la juntura entre el hemisferio derecho y el izquierdo pierde precisión y los valores numéricos se emborronan.

Durante la media hora de descanso estuve charlando con el anciano. No importa sobre qué, pero mover los labios y hablar es la mejor manera de recobrarse de la fatiga mental.

–¿De qué son esos datos? –le pregunté.

–Son las cifras de las mediciones de mi experimento –dijo el anciano–. Los frutos de mi trabajo de este último año. La combinación de la conversión en cifras de las imágenes tridimensionales de la capacidad de los cráneos y paladares de cada uno de los animales junto con el producto de la descomposición en tres elementos de sus voces. Ya le he dicho antes que he tardado treinta años en comprender el sonido propio de cada hueso, pero cuando concluya los cálculos, seremos capaces de extraer el sonido, no de forma *empírica,* sino *teórica.*

–¿Y podremos controlarlo de forma artificial?

–En efecto –dijo el anciano.

–Y cuando lo controlemos artificialmente, ¿qué ocurrirá?

El anciano permaneció en silencio; mientras, se pasaba la lengua por el labio superior.

–Muchas cosas –dijo poco después–. La verdad es que sucederán muchas cosas. No puedo decírselo, pero ocurrirán cosas que ni usted puede imaginar.

–¿La eliminación del sonido es una de ellas? –pregunté.

El anciano rió, divertido.

–Sí. Exacto. Ajustándose a las señales propias del cráneo del ser humano, se podrá eliminar o reducir el sonido. Dado que la forma del cráneo de cada persona es distinta, el sonido no podrá eliminarse del todo, pero sí reducirse considerablemente. Para resumir, se trata de acoplar la vibración del sonido a la del antisonido y hacer que suenen de manera conjunta. La eliminación del sonido es uno de los logros más inofensivos de mi investigación.

Si aquello era inofensivo, figúrense el resto. Al imaginar a todo el mundo apagando o bajando el sonido a su antojo, experimenté cierto fastidio.

–La eliminación del sonido puede efectuarse en su producción o en su recepción –dijo el anciano–. Es decir, que puede eliminarse el sonido no oyéndolo, como antes ha ocurrido con el ruido del agua, o no emitiéndolo. En el caso de la emisión de voz, al ser algo personal, la efectividad es del cien por cien.

–¿Tiene usted la intención de hacerlo público?

–¡En absoluto! –El anciano agitó las manos–. No tengo la menor intención de enseñar a los demás una cosa tan interesante. Lo hago para entretenerme.

Volvió a prorrumpir en carcajadas. Yo también me reí.

–Mi investigación se limita a un campo muy especializado, y la fonética no interesa a casi nadie –prosiguió–. Además, me extrañaría que los asnos del mundo académico entendieran algo de mi teoría. Ningún científico me hace caso, ¿sabe usted?

–Sí, pero los semióticos no son idiotas. Son unos genios analizando. Seguro que entenderían muy bien su investigación.

–Por eso extremo las precauciones. Mantuve en secreto los datos y los procedimientos, y publiqué sólo la teoría en forma de hipótesis. De ese modo, no hay peligro de que lo descifren. Puede que el mundo científico me ignore, pero dentro de cien años se probará mi teoría. Con eso me basta.

–Hum...

–Precisamente por eso, todo depende de su lavado y de su *shuffling*.

–Ya veo –dije.

Después, volví a concentrarme una hora más en los cálculos. Y me tomé otro descanso.

–Me gustaría hacerle una pregunta –dije.

–¿Sobre qué? –dijo el anciano.

–Sobre la joven de la entrada, una chica rellenita con un traje chaqueta de color rosa... –dije.

–Es mi nieta –dijo el anciano–. Una chica muy inteligente. Pese a lo joven que es, ya me ayuda en los experimentos.

–Verá, quería preguntarle si es muda de nacimiento o si la han sometido a alguna prueba de eliminación del sonido, porque...

–¡Oh, no! –exclamó el anciano dándose una fuerte palmada en la rodilla–. ¡Se me había olvidado por completo! Hice con ella un experimento de eliminación del sonido y me olvidé de devolverla a su estado natural. ¡Qué desastre, qué desastre! Tendré que ir enseguida y restablecer su sistema de sonido.

–Sí, es una buena idea –dije yo.

# 4
## EL FIN DEL MUNDO
## La biblioteca

El centro de la ciudad lo constituía una plaza semicircular que se extendía por el lado norte del Puente Viejo. La otra mitad del círculo, es decir, su parte inferior, estaba en el lado sur, separada por el río. Aunque a ambos semicírculos se los denominaba la Plaza Norte y la Plaza Sur, y eran concebidos como una unidad, de hecho eran tan distintos que casi podía decirse que causaban una impresión diametralmente opuesta. En la Plaza Norte reinaba una atmósfera extraña, densa y asfixiante, como si en ella confluyera el silencio de las calles circundantes. En la Plaza Sur, por el contrario, había poco que sentir; sobre ella flotaba una vaga sensación de pérdida. En comparación con la zona que se extendía al norte del puente, al sur los edificios escaseaban y las piedras redondas del pavimento y los parterres estaban poco cuidados.

En el centro de la Plaza Norte se erguía alta, apuntando al cielo, la gran torre del reloj. En lugar de torre del reloj, en realidad tal vez hubiera sido más exacto decir que tenía la forma de una torre del reloj. Porque, un día, sus agujas se inmovilizaron y el reloj perdió por completo su función.

Aquella torre cuadrada de piedra, con sus cuatro aristas apuntando a los cuatro puntos cardinales, se iba estrechando conforme ganaba en altura. En su cima había cuatro esferas, una en cada cara, con las ocho agujas señalando, para toda la eternidad, las diez y treinta y cinco minutos. Por los ventanucos que se vislumbraban un poco más abajo cabía suponer que la torre estaba hueca y que se podía ascender a la cima por una escalera o algo similar, pero no se veía entrada alguna. La torre era altísima, tanto que, para distinguir la hora que señalaban las agujas, era necesario cruzar el río y pasar al lado sur.

La plaza estaba rodeada de varias hileras de edificios de piedra y ladrillo dispuestos en forma de abanico. Sin adornos ni indicaciones, sin nadie que entrara o saliera por sus puertas cerradas a cal y canto, nada distinguía un edificio de otro. Tal vez fuesen oficinas de correos que hubieran perdido sus cartas, o compañías mineras que hubiesen perdido a sus mineros, o crematorios que hubiesen perdido a sus difuntos. Sin embargo, extrañamente, aquellos edificios mudos, desiertos, no suscitaban una sensación de abandono. Cada vez que atravesaba esas calles, me daba la impresión de que, en su interior, personas desconocidas contenían el aliento mientras realizaban labores que yo ni sospechaba.

La biblioteca se encontraba en una de esas calles desiertas. Para tratarse de una biblioteca, era un edificio de piedra normal y corriente, sin nada que lo diferenciase del resto. Ningún distintivo o rasgo externo indicaba que lo fuese. Con sus viejos y descoloridos muros de piedra de lúgubres tonalidades, sus ventanas con barrotes y estrechos sobradillos y su puerta maciza, habría podido confundirse con un granero. Si el guardián no me hubiera anotado detalladamente el camino en un papel, tal vez jamás la hubiese hallado ni reconocido.

–En cuanto te hayas instalado, irás a la biblioteca –me había dicho el guardián el día de mi llegada a la ciudad–. Hay allí una chica, ella sola se encarga de vigilarla. Y esa chica me ha dicho que la ciudad desea que leas los viejos sueños.

El guardián, que, con un cuchillo pequeño, tallaba una cuña redonda de un pedazo de madera, se detuvo, recogió las virutas desparramadas sobre la mesa y las echó a la basura.

–¿«Viejos sueños»? –solté sin pensar–. ¿Y eso qué es?

–Los viejos sueños son... viejos sueños. En la biblioteca los hay a montones. Tú coge tantos como quieras y léelos con calma.

El guardián estudió detenidamente el trozo de madera cuya punta acababa de pulir y, convencido al fin, lo depositó en un estante que había a sus espaldas. En éste se alineaban una veintena de objetos de madera tallados y afilados de la misma forma.

–Tú eres libre de preguntar y yo soy libre de responderte –dijo el guardián cruzando las manos detrás de la nuca–. También hay cosas a las que no puedo contestar. Sea como sea, a partir de ahora irás todos los días a la biblioteca y leerás viejos sueños. Éste será tu trabajo. Te presentarás allí a las seis de la tarde y leerás sueños hasta las diez o las once de la noche. La cena te la preparará la chica. El resto del tiempo podrás emplearlo como quieras. Sin limitaciones de ningún tipo. ¿Comprendido?

–Comprendido –dije–. Por cierto, ¿hasta cuándo tendré que realizar ese trabajo?

–¡Vete a saber! Tampoco lo sé yo. Hasta que llegue el momento –dijo el guardián. Y extrajo otro trozo de madera de un montón de leña y empezó a tallarlo de nuevo con el cuchillo.

–Ésta es una ciudad pequeña y pobre. No puede permitirse mantener a ociosos. Todo el mundo debe desempeñar la tarea que le corresponde. Tú leerás viejos sueños en la biblioteca. Supongo que no vendrías aquí con la idea de pasarte los días ocioso, ¿verdad?

–Para mí trabajar no representa ningún sacrificio. Es más agradable hacer algo que estar mano sobre mano –dije.

–Muy bien –asintió el guardián sin despegar los ojos de la punta del cuchillo–. Entonces, será mejor que empieces a trabajar cuanto antes. A partir de ahora, te llamarás «el lector de sueños». Ya no tendrás otro nombre. Tú serás «el lector de sueños», igual que yo soy «el guardián». ¿Comprendido?

–Comprendido –contesté.

–Y de la misma forma que sólo hay un guardián en la ciudad, sólo habrá un lector de sueños. Porque, para serlo, hay que cumplir ciertos requisitos. Y yo ahora voy a facilitarte las cosas para que los cumplas.

Tras decir eso, el guardián sacó de la alhacena un platito plano de color blanco, lo depositó sobre la mesa y vertió aceite en él. Después, prendió una cerilla e hizo arder el aceite. Acto seguido, entre los objetos cortantes que se alineaban en el estante, tomó un peculiar cuchillo, de punta achatada, parecido a un cuchillo para la mantequilla, y calentó largamente la punta. Después apagó el fuego de un soplo y lo dejó enfriar.

–Es para marcarte –dijo el guardián–. Pero no va a dolerte en absoluto. No debes tener miedo. Además, terminaré en un abrir y cerrar de ojos.

Me alzó con un dedo el párpado del ojo derecho, lo abrió y me pinchó el globo ocular con la punta del cuchillo. Sin embargo, tal como me había anunciado, no me dolió; tampoco sentí, extrañamente, ningún temor. El cuchillo mordió mi globo ocular de forma dulce y callada, como si su punta fuera de gelatina. Acto seguido, repitió la misma operación con el ojo izquierdo.

–Cuando dejes de ser lector de sueños, la herida cicatrizará por sí misma –dijo el guardián retirando el plato y el cuchillo–. Porque, en definitiva, esta herida es la marca del lector de sueños. Pero hay algo que debes tener en cuenta: con esos ojos no puedes mirar la luz del sol. Si lo haces, recibirás el merecido castigo. Así pues, a partir de ahora sólo podrás salir de noche o cuando esté nublado. Los días soleados procura mantener la habitación a oscuras y enciérrate en ella.

El guardián me entregó unas gafas de cristales oscuros y me indicó que las llevara siempre puestas, excepto mientras dormía. Y así fue como perdí la luz del sol.

Unos días después, al atardecer, empujé la puerta de la biblioteca. La pesada puerta de madera se abrió con un chirrido: detrás se extendía, en línea recta, un largo pasillo. El aire estaba enrarecido y polvoriento, como si llevara largos años estancado. Las tablas del entarimado se habían desgastado por el roce de las suelas de los zapatos y las paredes de yeso habían adquirido la misma tonalidad amarillenta que la luz de la lámpara.

A ambos lados del pasillo había varias puertas, pero una blanca capa de polvo cubría las cadenas que colgaban de sus pomos. La única puerta sin cadena era la del fondo del pasillo, una puerta de delicada hechura, con un cristal esmerilado detrás del cual se vislumbraba la luz de una lámpara. Llamé varias veces con los nudillos, pero nadie me abrió. Apoyé la mano en el pomo y lo giré con suavidad: la puerta se abrió hacia dentro sin un sonido. En la habitación no había un alma. Una estancia simple y desierta, mayor que la sala de espera de una estación de tren, sin ventana alguna, sin objetos decorativos. Sólo una mesa tosca y tres sillas, una vieja estufa de hierro de carbón. Y un reloj de pared, y el mostrador. Sobre la estufa, una cafetera negra con el esmalte desconchado de la que se alzaba una nube blanca de vapor. Al otro lado del mostrador había una puerta con cristal esmerilado, idéntica a la de la entrada, y detrás de ésta se vislumbraba, como era de esperar, la luz de una lámpara. Dudé si llamar a la puerta o no, pero al final decidí no hacerlo y esperar a que apareciera alguien.

Sobre el mostrador había esparcidos unos clips plateados. Los cogí y, tras juguetear con ellos unos instantes, me senté en la silla que había frente a la mesa.

La chica apareció por la puerta de detrás del mostrador unos diez o quince minutos más tarde. En la mano llevaba una especie de carpeta. Me miró con fijeza, ligeramente sorprendida, y sus mejillas se arrebolaron unos instantes.

–Perdone –dijo ella–. No sabía que hubiera entrado alguien. Tendría que haber llamado a la puerta. He estado todo el rato en la habitación del fondo, ordenando las cosas. Es que está todo patas arriba, ¿sabe?

Permanecí largo tiempo inmóvil, sin decir nada, contemplando su rostro. Me daba la sensación de que, de un momento a otro, su cara iba a recordarme algo. Poseía algo que removía con suavidad un blando *poso* sepultado en el fondo de mi conciencia. Pero era incapaz de calibrar qué significaba, y las palabras se hundían en lejanas tinieblas.

–Como sabrá, ya no viene nadie por aquí. Lo único que queda son viejos sueños. Nada más.

Sin apartar la mirada de su rostro, esbocé un pequeño gesto de asentimiento. Intenté obtener alguna información a partir de sus ojos, de sus labios, de su frente ancha, de su cabello negro recogido atrás, pero, cuanto más me concentraba en los detalles, más se desdibujaba, más lejana se me antojaba la imagen de conjunto. Descorazonado, cerré los ojos.

–Perdone, pero ¿no se habrá confundido usted de edificio? Todos se parecen –dijo ella depositando la carpeta sobre el mostrador, junto a los clips–. El único que puede entrar aquí y leer los viejos sueños es el lector de sueños. No se permite la entrada a nadie más.

–Yo he venido a leer los sueños –afirmé–. La ciudad me ha dicho que lo haga.

–¿Le importaría quitarse las gafas?

Me quité las gafas oscuras y la miré de frente. Ella fijó la vista en mis dos pupilas, que habían adquirido la pálida tonalidad de la marca del lector de sueños. Me dio la impresión de que su mirada me atravesaba la carne hasta penetrar en la médula de mis huesos.

–Muy bien. Vuelva a ponerse las gafas –dijo–. ¿Le apetece un café?

–Sí, gracias.

Ella trajo dos tazas de la habitación del fondo, las llenó de café de la cafetera y tomó asiento al otro lado de la mesa.

–Aún no he terminado de prepararlo todo. Empezaremos a leer sueños mañana –me dijo ella–. ¿Te parece bien leerlos aquí? La sala de lectura está cerrada, pero, si lo prefieres, la abriré.

Repuse que me parecía bien allí, y pregunté:

–¿Me ayudarás tú?

–Sí. Mi trabajo consiste en guardar los viejos sueños y en ayudar a leerlos.

–¿Es posible que nos hayamos visto antes en alguna parte?

Ella alzó los ojos y me miró fijamente. Rebuscó en su memoria, tratando de encontrar algún vínculo conmigo, pero al final desistió y sacudió la cabeza.

–Como sabes, en esta ciudad los recuerdos son muy poco precisos, terriblemente inciertos. Hay cosas que podemos recordar y cosas que no. Al parecer, tú perteneces al segmento de las cosas imposibles de recordar. Lo siento.

–No importa –repliqué–. No tiene la menor importancia.

–Es posible que nos hayamos visto antes. Yo he vivido siempre en la ciudad y no es muy grande.

–Sí, pero yo he llegado hace sólo unos días.

–¿Unos días? –se sorprendió–. Entonces, seguro que me confundes con otra persona. Yo he vivido aquí toda mi vida, jamás he salido de la ciudad. Debe de tratarse de alguien parecido a mí.

–Es posible –dije. Y tomé un sorbo de café–. Pero a veces lo pienso, ¿sabes? Me pregunto si, hace tiempo, no habremos vivido todos en un lugar completamente distinto, si no habremos llevado todos una vida completamente diferente. Y si, por una razón u otra, estas vivencias no se han borrado de nuestra memoria y vivimos ignorándolas. ¿No lo has pensado nunca?

–Nunca –dijo ella–. Pero es posible que se te ocurran estas cosas porque eres el lector de sueños. El lector de sueños piensa y siente de una manera muy distinta a los demás.

–No sé –dije yo.

–Entonces, ¿tú sabes qué hacías y dónde?

–No, no me acuerdo –dije. Me dirigí al mostrador, cogí uno de los clips que estaban desparramados por encima y lo contemplé durante unos instantes–. Pero siento que hay algo. Tengo la certeza. Y también me da la impresión de que a ti te he conocido antes en algún otro lugar.

El techo de la biblioteca era alto, la estancia estaba tan silenciosa como el fondo del mar. Con el clip en la mano, sin pensar en nada, barrí la sala con ojos distraídos. Sentada ante la mesa, ella seguía tomándose el café sola, con calma.

–Tampoco sé por qué he venido aquí –dije.

Al posar la vista en el techo, vi cómo las partículas de luz amarillenta de la lámpara que descendían desde lo alto se hinchaban y encogían. Posiblemente se debiera a mis pupilas heridas. El guardián me había transformado los ojos para que pudiera ver cosas excepcionales. En la pared, un reloj grande y viejo desmenuzaba el tiempo lentamente, sin hacer el menor ruido.

–Tal vez haya venido a la ciudad por algún motivo, pero no consigo recordar cuál –añadí.

–Esta ciudad es muy tranquila. Si has venido en busca de paz, seguro que te gustará.

–Sí, seguro que sí –repuse–. ¿Y qué tengo que hacer hoy aquí?

Ella hizo un ademán negativo con la cabeza, se levantó con movimientos pausados y recogió las dos tazas vacías.

–Hoy no puedes hacer nada aquí. Empezaremos a trabajar mañana. Mientras, vuelve a casa y descansa.

Alcé de nuevo los ojos hacia el techo y luego volví a clavarlos en su rostro. Sin duda aquel rostro estaba estrechamente ligado a algo del fondo de mi corazón. Y ese algo me producía una emoción suave y dulce. Cerré los ojos y rebusqué dentro de mi mente confusa. Al cerrar los ojos, sentí cómo el silencio, semejante a un fino polvo, iba cubriendo mi cuerpo.

–Vendré mañana a las seis –dije.

–Adiós –dijo ella.

Al salir de la biblioteca, me acodé en la barandilla del Puente Viejo y, mientras escuchaba el murmullo del agua, contemplé la ciudad, que las bestias ya habían abandonado. Las primeras y pálidas sombras de la noche teñían de azul la torre del reloj, los muros de piedra que circundaban la ciudad, las hileras de edificios que bordeaban el río y la Sierra del Norte. Mis oídos percibían sólo el murmullo del agua. Incluso los pájaros se habían ido ya a alguna parte.

Ella me había dicho: «Si has venido en busca de paz...». Pero yo no podía jurar eso.

Cuando las negras tinieblas cayeron sobre la ciudad y empezaron a encenderse las farolas que se sucedían en el camino que bordeaba el río, me dirigí hacia la Colina del Oeste por las calles desiertas.

# 5

## EL DESPIADADO PAÍS DE LAS MARAVILLAS

## Cálculos. Evolución. Deseo sexual

El anciano regresó a la superficie para restituir la voz original a su nieta insonorizada, y yo proseguí a solas mis cálculos mientras tomaba café.

No sé cuánto tiempo estuvo ausente. Yo había programado mi reloj de pulsera digital de modo que la alarma sonara, alternativamente, a la hora y a la media hora, a la hora y a la media hora... para así entregarme al cálculo y al descanso, al cálculo y al descanso, guiándome por la señal. Apagué la esfera del reloj para no ver la hora. Si estoy pendiente del tiempo, me cuesta más concentrarme en mis cálculos. Y es que la hora real no guarda relación con mis operaciones matemáticas. Cuando inicio mis cálculos, empieza la jornada de trabajo; cuando los concluyo, termina. Para mí, el único tiempo válido es el ciclo hora-media hora, hora-media hora.

Mientras el anciano permaneció fuera, descansé dos o tres veces. En las pausas me tendí en el sofá y dejé vagar libremente mis pensamientos, fui al lavabo, hice flexiones. El sofá era muy cómodo. Ni demasiado duro ni demasiado blando, y el cojín se adaptaba a la perfección a la forma de mi cabeza. En todos los sitios a los que voy a trabajar, cuando llega la hora del descanso acostumbro a echarme un rato en el sofá, y lo cierto es que hay poquísimos que valgan realmente la pena. Los sofás son en su mayoría verdaderas chapuzas; parecen comprados para salir del paso, y a menudo, incluso en el caso de los más lujosos, esos cuya calidad se aprecia a simple vista, al acostarte en ellos te llevas una gran decepción. No comprendo cómo la gente es tan descuidada a la hora de elegir un sofá.

Siempre he creído –aunque tal vez sea un prejuicio, vete a saber– que, en la elección del sofá, uno demuestra su categoría. El mundo del sofá tiene unas reglas propias que no puedes transgredir. Pero eso sólo puede entenderlo quien haya crecido sentado en un buen sofá. Sucede como con quien ha crecido leyendo buenos libros o escuchando buena música. Un buen sofá crea buenos sofás, un mal sofá crea malos sofás. Es así como funciona.

Conozco a varios individuos que, pese a conducir automóviles de lujo, tienen en su casa sofás de segunda o tercera categoría. Esos tipos no me merecen excesiva confianza. Un automóvil de lujo tendrá su valor, nadie lo niega, pero no es más que un coche caro. Cualquiera que tenga dinero puede comprarlo. Sin embargo, para adquirir un buen sofá, hace falta juicio, experiencia y filosofía. Cuesta dinero, pero no basta con gastar dinero. Es imposible hacerse con un sofá excelente si no se tiene una imagen clara y definida de lo que es un sofá.

El sofá en el que estaba tendido yo en aquellos momentos era, a todas luces, un sofá de primera categoría. Eso despertó mis simpatías hacia el anciano. Acostado en el sofá, con los ojos cerrados, estuve dándole vueltas a su extravagante conversación y a su extraño modo de reírse. Al recordar lo de la eliminación del ruido, me dije que no cabía duda de que, como científico, pertenecía a la categoría superior. Un científico mediocre jamás podría eliminar o introducir el sonido a su antojo. Es más, a un científico mediocre ni siquiera se le pasaría por la cabeza que cupiera tal posibilidad. También era innegable que el hombre era terco. Entre los científicos abundaban los excéntricos o los misántropos, pero no conocía a ninguno que llegara al extremo de construirse un laboratorio subterráneo detrás de una cascada para huir de las miradas de la gente.

Imaginé las astronómicas cifras que podrían derivarse de la comercialización de la técnica de eliminación e introducción del sonido. Para empezar, los equipos PA desaparecerían de las salas y locales de conciertos. Ya no harían falta aparatosas máquinas para amplificar el sonido. Y también sería posible lo contrario: eliminarlo. Si se dotara a los aviones de mecanismos para anular el sonido, las personas que viven cerca de los aeropuertos lo agradecerían. Al mismo tiempo, era innegable que la industria armamentística y el mundo de la delincuencia también harían uso de esa técnica. Bombarderos silenciosos, armas con silenciador, bombas con el volumen amplificado para hacer estallar el cerebro humano y otros artefactos por el estilo irían apareciendo, uno tras otro, y con ellos la matanza institucionalizada de seres humanos a gran escala alcanzaría un grado de sofisticación sin precedentes. Me parecía estar viéndolo con mis propios ojos. Quizá el anciano fuera consciente de ello y, precisamente por ese motivo, no se atreviera a publicar los resultados de su estudio y se los guardara para él. La simpatía que sentía hacia el anciano aumentó.

Regresó cuando yo había completado ya cinco o seis veces el ciclo de trabajo. De su brazo colgaba una gran cesta.

–He traído café recién hecho y emparedados –dijo el anciano–. De pepino, de jamón y de queso. ¿Le gustan?

–Gracias. Son mis preferidos –dije.

–¿Va a comérselos enseguida?

–Cuando acabe este ciclo, gracias.

Cuando sonó la alarma del reloj, había completado ya el lavado de cinco de las siete hojas de listas de valores numéricos. Faltaba poco. Lo dejé en este punto, me levanté y, después de desperezarme largamente, empecé a comer.

Había montañas de emparedados, muchos más de los que te sirven los restaurantes y bares en un plato. Devoré dos tercios del montón en silencio. No creo que haya ninguna razón en particular, pero un lavado de cerebro prolongado me despierta un hambre canina. Fui embutiéndome en la boca, por ese orden, emparedados de jamón, de pepino y de queso, acompañándolos de café caliente.

Mientras yo devoraba tres, el anciano mordisqueaba uno. Por lo visto, le gustaba el pepino y, tras levantar la rebanada de pan y salar el pepino con gran cuidado, lo masticaba con fruición entre pequeños crujidos. No sé por qué, pero parecía un grillo bien educado.

–Coma, coma. Coma tanto como quiera –me animó el anciano–. A mi edad, cada vez se come menos. Se come poco y se trabaja poco. Pero los jóvenes tienen que comer mucho. Es bueno comer mucho y engordar. La gente odia engordar. A mi modo de ver, es porque engorda mal. Y cuando engorda mal, pierde la salud y la belleza. Pero si uno engorda bien, eso no sucede. Al contrario: vive la vida en su plenitud, el deseo sexual aumenta, tiene la mente más lúcida. Yo, cuando era joven, también estaba muy gordo. Ahora soy una sombra de lo que era, ¿sabe? –El hombre se rió a carcajadas, frunciendo los labios–. ¿Qué? ¿Qué le parecen? Están buenos, ¿verdad?

–Pues sí. Riquísimos –los alabé. Eran deliciosos. Soy tan exigente con los emparedados como con los sofás, pero aquéllos superaban con creces el límite de lo aceptable. El pan era tierno, esponjoso, cortado con un cuchillo limpio y bien afilado. Por cierto, eso es algo que suele pasar inadvertido, pero para preparar un buen emparedado es indispensable contar con un buen cuchillo. Por excelentes que sean los ingredientes, si el cuchillo es malo, es imposible preparar emparedados que merezcan tal nombre. En aquel caso, la mostaza era de calidad superior; la lechuga, crujiente; la mayonesa, hecha a mano, o lo parecía. Hacía tiempo que no comía unos emparedados tan bien hechos.

–Los ha preparado mi nieta. Como señal de agradecimiento hacia usted –dijo el anciano–. Es su especialidad, ¿sabe?

–Son fantásticos. Ni un profesional los prepararía mejor.

–¡Qué bien! Cuando se lo diga, se pondrá muy contenta. Es que, ¿sabe?, como casi nunca tenemos visitas, tiene poquísimas oportunidades de conocer la opinión de terceros sobre sus emparedados. Los prepara ella, pero siempre nos los comemos nosotros dos.

–¿Viven ustedes dos solos? –le pregunté.

–Sí, desde hace tiempo. Yo me relaciono muy poco con el mundo exterior y he acabado contagiando mi actitud a mi nieta. Eso, la verdad, me preocupa. La niña tendría que salir más. Es inteligente y tiene muy buena salud: debería relacionarse más con el mundo exterior. Es joven. Y el deseo sexual tiene que satisfacerse de una manera adecuada. ¿Qué? ¿Qué le parece? ¿Verdad que es atractiva mi nieta?

–¡Oh, sí! Por supuesto.

–El deseo es una energía positiva. Esto está muy claro. Pero, si no se satisface, se acumula y la mente pierde lucidez, y el cuerpo, su equilibrio. Esto les pasa tanto a los hombres como a las mujeres. En el caso de las mujeres, se producen desarreglos menstruales que, a su vez, provocan inestabilidad emocional.

–¡Ah! –exclamé.

–La niña debería tener relaciones lo antes posible con un hombre adecuado. Estoy convencido de ello, como tutor y como biólogo –dijo el anciano sazonando el pepino.

–¿Ah, sí?... Por cierto, ¿ya le ha devuelto el sonido? –le pregunté. En pleno trabajo, no me apetecía demasiado hablar del deseo sexual de los demás.

–¡Vaya! Me había olvidado de decírselo –dijo el anciano–. Sí, por supuesto. Le agradezco mucho que me lo comentara. Si no lo hubiera hecho, la pobre niña habría pasado unos días más insonorizada. Es que me voy a encerrar aquí y no subiré hasta dentro de algunos días. Y vivir sin sonido comporta algunos inconvenientes, ¿sabe usted?

–Pues sí, me lo imagino –asentí.

–La niña, tal como acabo de decirle, apenas se relaciona con la gente, así que el problema no sería tan grave, pero si la llama alguien por teléfono... En ese caso, sería un inconveniente. Mire, yo mismo la llamé desde aquí varias veces y me extrañó mucho que no contestara. ¡Qué desastre!

–Y si no puede hablar, tendrá problemas al ir de compras, supongo.

–No, no. Para comprar no hay ningún problema –dijo el anciano–. En los supermercados, aunque no digas una palabra, puedes comprar lo que quieras. Son muy prácticos. A mi nieta le encantan los supermercados, siempre compra allí. En realidad, se pasa la vida yendo de la oficina al supermercado y del supermercado a la oficina.

–¿Y no regresa nunca a casa?

–A mi nieta le encanta la oficina. Hay cocina, ducha... Nada le impide llevar una vida normal. A casa vuelve, a lo sumo, una vez a la semana.

Asentí, porque me pareció que debía hacerlo, y tomé un sorbo de café.

–Por cierto, creo que usted ha logrado entenderla –dijo el viejo–. ¿Cómo lo ha hecho? ¿Por telepatía?

–Mediante la lectura de labios. Aprendí hace tiempo, en un cursillo municipal. En aquella época disponía de mucho tiempo libre, y pensé que quizá algún día me sería útil.

–¡Vaya! ¡Conque lectura de labios! –dijo el anciano y asintió repetidas veces, convencido–. Una técnica muy efectiva. Yo también la domino un poquito. ¿Y si intentamos hablar un rato sin pronunciar en voz alta las palabras?

–No, no. Dejémoslo. Es mejor que hablemos normal –me apresuré a replicar. Ese día ya había tenido más que suficiente de aquel asunto.

–Por otro lado, es una técnica muy primitiva y presenta varios inconvenientes. Si está oscuro no entiendes nada, y te obliga a mirar constantemente los labios de tu interlocutor. Pero como medida provisional es eficaz. Al aprenderla, demostró ser muy previsor, ¿sabe usted?

–¿Como medida provisional?

–Exacto –dijo el anciano, y asintió con un movimiento de cabeza–. A usted sí puedo decírselo: en el futuro, el mundo será insonoro.

–¿Insonoro? –repetí sin pensar.

–Sí. Completamente insonoro. Para la evolución del hombre, la emisión de sonidos no sólo es innecesaria sino que, encima, es dañina. Por lo tanto, voy a hacerla desaparecer.

–¡Vaya! –exclamé–. ¿Y qué pasará con el canto de los pájaros, con el murmullo del agua de los ríos o con la música? ¿Todo eso desaparecerá también?

–Por supuesto.

–Pues me parece muy triste, la verdad.

–La evolución es así. La evolución siempre es despiadada, y triste. No existe una evolución alegre –dijo el viejo, y tras pronunciar estas palabras se levantó, se dirigió a la mesa, sacó un pequeño cortaúñas del cajón, volvió al sofá y empezó a cortarse las diez uñas de las manos, por orden, empezando por la uña del dedo pulgar de la mano derecha y acabando por la del meñique de la izquierda–. La investigación aún no ha concluido y no puedo darle más detalles, pero en líneas generales viene a ser eso. Pero no quiero que se lo revele a nadie. Sería catastrófico que llegara a oídos de los semióticos.

–No se preocupe. A los calculadores nadie nos gana en discreción.

–Me tranquiliza oírlo –dijo el anciano. Con el borde de una tarjeta postal recogió los trocitos de uña, esparcidos por encima de la mesa, y los echó a la basura. Después cogió otro emparedado de pepino, lo espolvoreó con sal y lo mordisqueó con deleite.

–Quizá no me corresponda a mí decirlo, pero está buenísimo –dijo.

–¿Cocina muy bien su nieta? –le pregunté.

–No, no. Sólo sus emparedados son excepcionales. Los otros platos que prepara no están mal, pero no se pueden comparar con los emparedados.

–Vamos, que tiene una especie de talento genuino para eso –dije yo.

–Pues sí –dijo el viejo–. Parece que usted entiende muy bien a mi nieta. A usted sí podría confiársela sin ningún temor.

–¿A mí? –me sorprendí–. ¿Sólo porque he alabado sus emparedados?

–¿No le han gustado?

–Sí, mucho –dije. Y dejé volar mis pensamientos hacia la joven gordita, eso sí, controlándolos en todo momento para que no interfirieran en mis cálculos. Después tomé café.

–Creo que usted tiene algo. O que le falta algo. En realidad, tanto da una cosa como otra.

–A veces yo también pienso lo mismo –le respondí con franqueza.

–A ese estado los científicos lo llamamos estar en pleno proceso evolutivo. Como usted mismo comprenderá antes o después, la evolución es dura. Y lo más duro de todo, ¿qué cree que es?

–No lo sé. Dígamelo usted –repuse.

–Pues que uno no tiene elección. No puede elegir a su gusto. Se parece a una inundación, a un alud o a un terremoto. Nadie sabe cuándo se producirá, y en el momento en que ocurre no caben objeciones.

–Hum... Y esa evolución de la que habla, ¿tiene algo que ver con la insonorización a la que se refería? Quiero decir, con el hecho de que el hombre pierda la capacidad de hablar.

–No del todo. Poder hablar o no, en sí mismo, carece de importancia. No es más que una etapa.

Le dije que no lo entendía. Soy una persona bastante honesta. Cuando entiendo las cosas, lo digo, y, cuando no las entiendo, también. No me gustan las medias tintas. La mayor parte de los problemas, creo yo, surgen por expresarse con poca claridad. Y estoy convencido de que la mayoría de la gente habla de manera ambigua porque, en su fuero interno, busca problemas. Eso creo yo.

–En fin, dejémoslo aquí –dijo el anciano y volvió a reírse con aquellas carcajadas tan ásperas al oído–. Hablar de cosas tan complicadas acabará interfiriendo en sus cálculos. Ya proseguiremos otro día.

No tuve nada que objetar. En ese instante sonó la alarma del reloj y reemprendí el lavado de cerebro. El anciano sacó de un cajón de la mesa una especie de tenazas de acero inoxidable de las que se usan para las brasas, las cogió con la mano derecha y empezó a ir y venir por la estantería donde se alineaban los cráneos; con las tenazas daba golpecitos a algún que otro cráneo y aguzaba el oído a su resonancia. Parecía un gran maestro del violín que paseara entre su colección de Stradivarius y que los fuese cogiendo y pellizcara sus cuerdas con los dedos para ver cómo sonaban. Incluso en el simple acto de escucharlos, mostraba hacia los cráneos un amor fuera de lo común. Pensé que, aunque se llamaran todos cráneos por igual, cada uno producía una resonancia muy distinta. Uno sonaba como un vaso de whisky; otro, como una enorme maceta. Todos habían estado en su día recubiertos de carne y de piel, todos habían contenido cerebros –si bien de diferentes capacidades–, todos habían estado dominados por la idea de la comida o por el deseo sexual. Pero ahora todo eso había desaparecido y sólo quedaba una amplia gama de sonidos. Resonancias parecidas a las de un vaso, a las de una maceta, una fiambrera o una tubería de plomo.

Traté de imaginar mi propia cabeza, desollada, con la carne arrancada y el cerebro extraído, alineada en aquella estantería mientras el anciano iba dándole golpecitos con las tenazas de acero inoxidable. La idea me produjo una sensación extraña. ¿Qué diablos descifraría el anciano de la resonancia de mi cráneo? ¿Podría leer mis recuerdos? ¿O tal vez descubriría otras cosas aparte de la memoria? Me invadió un gran desasosiego.

No temía a la muerte en sí. Como dijo William Shakespeare: «Si mueres este año, no tendrás que morir el año que viene». Al pensarlo, parecía muy simple. Sin embargo, la idea de que, después de muerto, colocaran mi cabeza en una estantería y le dieran golpecitos con unas tenazas no me entusiasmaba. Me deprimía pensar que, una vez muerto, alguien pudiera extraer algo de mi interior. La vida no es nada fácil, pero uno puede ir trampeando, a su buen juicio. Igual que Henry Fonda en *El hombre de las pistolas de oro*. Pero, al menos después de muerto, me gustaría que me dejasen descansar en paz. Creí entender el deseo de los faraones del antiguo Egipto de que los encerraran dentro de una pirámide al morir.

Unas horas más tarde, concluí finalmente el lavado de cerebro. Como no había calculado el tiempo, ignoraba cuántas horas había necesitado, pero, a juzgar por el cansancio de mi cuerpo, deduje que debían de haber sido unas ocho o nueve horas. Un trabajillo, vamos. Me levanté del sofá, me desperecé largamente, desentumecí algunos músculos. En el manual del calculador hay unas ilustraciones que muestran la forma de desentumecer un total de veintiséis músculos. Si al terminar los cómputos se desentumecen bien los músculos, la fatiga mental desaparece y, si ésta desaparece, se prolonga la vida profesional del calculador. La profesión de los calculadores no ha cumplido siquiera diez años, por eso nadie sabe cuánto puede durar nuestra vida profesional. Hay quien dice que diez años, hay quien defiende que veinte. También hay quien dice que puede prolongarse hasta la muerte. Y quien opina que, antes o después, un calculador acaba quedando incapacitado. Ninguna de estas teorías pasa de ser una simple conjetura. Así que lo único que puedo hacer es desentumecer correctamente mis veintiséis músculos. Y dejar las teorías a las personas adecuadas.

Cuando acabé de desentumecer los músculos, me senté en el sofá, cerré los ojos y uní lentamente el hemisferio derecho y el izquierdo. Con ello, mi tarea finalizó por completo. Tal como indica el manual.

El anciano puso encima del escritorio un cráneo de lo que parecía ser un perro de gran tamaño, midió algunos detalles con un calibrador y apuntó las medidas con lápiz en una fotografía del cráneo.

–¿Ya ha terminado? –preguntó.

–Sí –dije yo.

–Muchas gracias por todo –dijo.

–Ahora me voy a casa. Mañana o pasado mañana haré el *shuffling* y se lo traeré sin falta antes de tres días al mediodía. ¿Le parece bien?

–Muy bien, muy bien –asintió el anciano–. Pero le ruego la mayor puntualidad. Si no llegara antes de mediodía, me vería en serios apuros.

–Lo tendré en cuenta –dije.

–Y extreme las precauciones para que no le roben las listas. Si eso llegara a suceder, yo tendría problemas, y usted también.

–Pierda cuidado. Nosotros, los calculadores, hemos recibido una buena formación al respecto. No nos dejamos robar fácilmente los datos recién procesados. No se preocupe.

De un bolsillo especial, oculto en la parte interior del pantalón, saqué una cartera de metal blando para llevar documentos importantes, introduje las listas de valores y la cerré.

–Esta cerradura sólo puedo abrirla yo. Si otra persona lo intenta, los documentos que hay en su interior se destruyen.

–Veo que está muy bien preparado –dijo el anciano.

Devolví la cartera al bolsillo interior del pantalón.

–Por cierto, ¿le apetece otro emparedado? Aún quedan algunos y yo, mientras trabajo, apenas como. Sería una pena tirarlos.

Aún tenía hambre, así que acepté su ofrecimiento y me zampé todos los emparedados que quedaban. El anciano se había dedicado en exclusiva a los de pepino y sólo había de jamón y de queso, pero, como a mí no me apasiona el pepino, no me importó. El anciano me llenó la taza de café recién hecho.

Me cubrí de nuevo con el impermeable, me puse las gruesas gafas y, linterna en mano, volví al subterráneo. Esta vez, el anciano no me acompañó.

–He ahuyentado a los tinieblos con ondas sonoras, así que no tiene nada que temer. Ésos, de momento, no aparecerán por aquí –dijo el anciano–. Ahora deben de ser ellos los que tienen miedo de asomar la nariz. A ésos basta con amenazarlos un poco, sólo vienen porque se lo piden los semióticos.

Por más optimistas que fueran las palabras del anciano, oír que había unas criaturas llamadas tinieblos pululando por el subsuelo me quitó las pocas ganas que me quedaban de vagar por allí a oscuras. Lo que más me aterraba era desconocer qué diablos eran los tinieblos, qué hábitos y qué forma tenían, no saber, en definitiva, cómo defenderme de ellos. Con la linterna en la mano izquierda y agarrando la navaja con la derecha, emprendí el camino de vuelta a lo largo del río subterráneo.

Dada la situación, al avistar la figura de la joven gordita del traje de color rosa al pie de la larga escalera de aluminio que había descendido a la ida, me sentí a salvo. Me hacía señales, oscilando la luz de la linterna. Cuando llegué hasta ella, me dijo algo, pero el rugido del agua, que volvía a oírse, ahogaba sus palabras, y además estaba demasiado oscuro para poder leer en sus labios, así que no entendí nada de lo que me decía.

Por lo pronto, decidí subir la escalera y salir a la luz. Yo iba delante y ella me seguía. La escalera era altísima. A la ida, como estaba muy oscuro y no veía nada, había descendido sin miedo, pero ahora, mientras subía un peldaño tras otro, al imaginar la altura, mi rostro y mis axilas se cubrieron de un sudor helado. En un edificio, aquella altura habría correspondido a tres o cuatro pisos y, además, los peldaños estaban tan resbaladizos por la humedad que me veía obligado a ascender con grandes precauciones para no sufrir un accidente.

A medio camino quise tomarme un respiro; sin embargo, al pensar en la joven que me seguía, comprendí que no era el momento adecuado y, al final, subí hasta arriba de un tirón. Me deprimía pensar que tres días después tendría que volver al laboratorio por ese mismo camino, pero lo cierto era que no había más remedio: la ruta estaba incluida en el plus.

Tras cruzar el armario empotrado y salir a la habitación, la joven me quitó las gafas y me despojó del impermeable. Yo me quité las botas y dejé la linterna.

–¿Ha ido bien el trabajo? –me preguntó. Su voz, que oía por primera vez, era dulce y clara.

Mirándola fijamente, asentí:

–Si no hubiera ido bien, no habría vuelto. Mi trabajo es así –añadí.

–Gracias por haberle dicho a mi abuelo lo del sonido. Me has hecho un gran favor. Ya llevaba una semana así.

–¿Y por qué no me lo comunicaste por escrito? Todo habría sido más rápido, me hubiese ahorrado un mal rato.

Sin responder, la joven rodeó el escritorio y se colocó bien los enormes pendientes que llevaba en las orejas.

–Son las normas –dijo.

–¿No comunicar nada por escrito?

–Ésa es una de las normas.

–Hum...

–Está prohibido todo lo que pueda ir contra la evolución.

–Ya veo –dije, admirado. Realmente, se tomaba las cosas en serio.

–¿Cuántos años tienes? –me preguntó.

–Treinta y cinco –dije–. ¿Y tú?

–Diecisiete –contestó–. Eres el primer calculador que conozco. Tampoco he visto nunca a ningún semiótico.

–¿Es verdad que sólo tienes diecisiete años? –le pregunté, sorprendido.

–Sí. ¿Por qué iba a mentirte? Tengo diecisiete años. Pero no lo parece, ¿verdad?

–No –le respondí con sinceridad–. La verdad es que aparentas veinte o más.

–Es que no me gusta aparentar diecisiete –dijo ella.

–¿Y no vas a la escuela?

–No quiero hablar de eso. Al menos, ahora. La próxima vez que nos veamos te lo explicaré todo.

–Hum... –musité. Debía de tener sus razones.

–Y dime, ¿qué vida lleva un calculador?

–Verás, los calculadores, o los semióticos, cuando no trabajamos somos personas normales y corrientes, como todo el mundo.

–La gente será corriente, pero no normal.

–Bueno, ésa es una opinión –dije–. Lo que quiero decir es que somos de lo más vulgar. Que cuando nos sentamos al lado de alguien en el tren no llamamos la atención, que comemos como todo el mundo, que bebemos cerveza... Por cierto, gracias por los emparedados. Eran deliciosos.

–¿De verdad? –preguntó ella, y sonrió.

–Es difícil encontrar emparedados tan buenos. ¡Y he comido muchos en mi vida!

–¿Y el café?

–El café también estaba bueno.

–¿Te apetece tomar otro antes de irte? Así podremos hablar un rato.

–No, gracias. Más café, no –dije–. Abajo he tomado demasiado, ya no me cabe ni una gota más. Además, quiero volver a casa cuanto antes y dormir.

–¡Qué lástima!

–Sí, es una lástima.

–Bueno, te acompaño hasta el ascensor. Porque solo no creo que consigas llegar. El corredor es muy largo y complicado.

–Sí, no creo que pudiera –dije.

Ella cogió una especie de sombrerera redonda que había sobre la mesa y me la entregó. La tomé y la sopesé. Para lo grande que era, apenas pesaba. Si realmente contenía un sombrero, éste debía de ser de dimensiones considerables. La caja estaba rodeada de una gruesa cinta adhesiva para que no se abriera.

–¿Y esto qué es?

–Un regalo de mi abuelo. Ábrelo cuando llegues a casa.

Sacudí ligeramente la caja, de arriba abajo, con las dos manos. No se oyó ningún ruido, no se produjo ningún efecto.

–Cuidado, que se rompe –dijo la joven.

–¿Es un jarrón o algo por el estilo?

–No lo sé. Cuando llegues a casa y lo mires, lo sabrás.

Después abrió un bolso de mano de color rosa y me entregó un cheque metido dentro de un sobre. En él figuraba una cantidad ligeramente superior a la que esperaba. Lo metí en la cartera.

–¿Un recibo?

–No hace falta –dijo ella.

Salimos de la habitación y nos dirigimos al ascensor, doblando esquinas, subiendo y bajando por el mismo corredor que a la ida. Sus altos tacones resonaban por el pasillo con un agradable martilleo, como antes. Su gordura había dejado de inquietarme casi por completo. Andando a su lado, apenas me acordaba de que estaba gorda. Posiblemente, con el tiempo, llegara a familiarizarme con su gordura.

–¿Estás casado? –quiso saber la joven.

–No –dije–. Lo estuve hace tiempo, pero ahora no.

–¿Te divorciaste al hacerte calculador? La gente dice que los calculadores no pueden tener un hogar.

–Eso no es verdad. Hay muchos calculadores que tienen familia y a los que, además, les va muy bien. Si bien es cierto que la mayoría piensa que se trabaja mejor sin una familia. Nuestro trabajo comporta un desgaste nervioso enorme, es peligroso, y a veces una mujer e hijos suponen un impedimento.

–Y en tu caso, ¿cómo fue?

–Yo me hice calculador después del divorcio. Así que no tiene nada que ver con mi trabajo.

Se quedó pensativa y dijo:

–Perdona que te haga preguntas raras. Es la primera vez que veo un calculador y tenía ganas de saber muchas cosas.

–No importa –dije yo.

–He oído decir que a los calculadores, al acabar un trabajo, os aumenta mucho el deseo sexual. ¿Es verdad?

–Pues no lo sé. Tal vez sí. Es que nuestro trabajo conlleva una tensión nerviosa muy peculiar.

–Y, en esas ocasiones, ¿con quién te acuestas? ¿Tienes novia?

–No –contesté.

–Entonces, ¿con quién te acuestas? Porque no eres ni homosexual ni una de esas personas que no sienten interés por el sexo, ¿verdad? ¿No quieres contestar?

–¿Y por qué no voy a querer contestar? –repuse. No soy en absoluto un hombre que vaya divulgando su vida por todas partes, pero, como no tengo nada que ocultar, si me preguntan, respondo–. Pues me acuesto con diferentes mujeres, según la ocasión –dije.

–¿Te acostarías conmigo?

–No. Creo que no.

–¿Por qué?

–Por principios. Casi nunca me acuesto con chicas que conozco. Suele traer complicaciones. Tampoco me acuesto con mujeres con las que tengo una relación laboral. Tratándose de un trabajo en el que guardas secretos ajenos, es necesario marcar un límite entre ambas cosas.

–¿No será porque estoy gorda y me encuentras fea?

–No estás tan gorda y, además, no eres nada fea –dije.

Volvió a quedarse pensativa.

–¿Con quién te acuestas entonces? ¿Se lo propones a chicas que encuentras por ahí?

–Alguna vez ha ocurrido.
–¿O te acuestas con prostitutas?
–También ha ocurrido eso.
–Si yo me acostara contigo a cambio de dinero, ¿aceptarías?
–No. No lo creo –respondí–. La diferencia de edad es demasiado grande. Y yo, con chicas demasiado jóvenes, no consigo encontrarme cómodo.
–En mi caso, es diferente.
–Tal vez. Pero no quiero buscarme más problemas de los necesarios. En lo posible, deseo vivir tranquilo.
–Mi abuelo dice que, la primera vez, es mejor que me acueste con un hombre de más de treinta y cinco años. Y dice que, cuando el deseo sexual se acumula y llega a cierto grado de intensidad, se pierde la lucidez.
–Sí, a mí también me lo ha dicho –dije yo.
–¿Crees que es cierto?
–No soy biólogo, no lo sé –dije–. Pero creo que esto depende de cada persona y que no se pueden hacer afirmaciones tan categóricas.
–¿Tú eres de los que tienen una intensidad muy alta?
–Supongo que lo normal –respondí tras reflexionar unos instantes.
–Yo aún sé muy poco sobre mi deseo sexual –dijo la joven gorda–. Por eso quería comprobar algunas cosas.
Mientras dudaba sobre qué responderle, llegamos ante el ascensor. El ascensor se abrió y esperó pacientemente a que yo subiera, como un perro bien adiestrado.
–¡Hasta la próxima! –se despidió.
Las puertas del ascensor se cerraron sin hacer el menor ruido. Yo me apoyé en las paredes de acero inoxidable y suspiré.

# 6
## EL FIN DEL MUNDO
## La sombra

Cuando ella depositó el viejo sueño sobre la mesa, tardé en darme cuenta de que aquello era un viejo sueño. Tras permanecer largo rato con los ojos clavados en él, alcé la cabeza y me volví hacia la muchacha, que estaba de pie, a mi lado. Ella miraba el viejo sueño que descansaba sobre la mesa, bajo sus ojos. Pensé que el nombre de «viejo sueño» no cuadraba con aquel objeto. Las palabras «viejo sueño» sugerían un texto antiguo o, en todo caso, algo de contornos más vagos e imprecisos.

–Eso es un viejo sueño –dijo. Y en el tono de su voz se apreciaba una resonancia indefinida y sin rumbo que decía que, más que explicármelo a mí, se lo confirmaba a sí misma–. Para ser exactos, el viejo sueño está en su interior.

Asentí, todavía sin comprender.

–Cógelo –dijo ella.

Tomé el objeto con cuidado y lo recorrí con los ojos, buscando algún vestigio de viejo sueño. Pero, por más atentamente que lo observé, no descubrí el menor indicio. Aquello era un simple cráneo de animal. De un animal no muy grande. El hueso frontal del cráneo estaba reseco, como si hubiera permanecido largo tiempo expuesto al sol y su color original hubiera palidecido. La mandíbula, proyectada con fuerza hacia delante, permanecía ligeramente abierta, como si hubiera quedado congelada en el preciso instante en que se disponía a decir algo, y las dos pequeñas cuencas oculares, despojadas de su contenido, conducían a su vacío interior.

El cráneo poseía una ligereza antinatural y, debido a ello, había perdido casi toda su cualidad material. No quedaba reminiscencia alguna de la vida que había vibrado en él. Le habían arrebatado toda la carne, todos los recuerdos, todo el calor. En medio de la frente tenía una pequeña cavidad, rugosa al tacto. Cuando la palpé con el dedo y la observé, se me ocurrió que podía tratarse de la huella de un cuerno desaparecido.

–¿Es el cráneo de uno de los unicornios de la ciudad? –le pregunté a la chica.

Ella asintió.

–Los viejos sueños se han infiltrado en su interior y están ahí –respondió en voz baja.

–¿Y debo leerlos ahí?

–Ése es el trabajo del lector de sueños –dijo ella.

–¿Y qué tengo que hacer con lo que lea?

–Nada. Sólo tienes que leer.

–No lo comprendo –dije–. Entiendo que tenga que leer los sueños de los cráneos. Pero no entiendo que baste con eso. No sé, me da la sensación de que eso no es un trabajo. Un trabajo debe tener algún objetivo. Como, por ejemplo, apuntar lo que leo en alguna parte, ponerlo en orden alfabético y clasificarlo.

Ella sacudió la cabeza.

–No sé explicarte bien dónde está el sentido. Tal vez lo descubras por ti mismo conforme vayas leyendo. En todo caso, el sentido de tu trabajo no tiene mucho que ver con tu trabajo en sí.

Puse el cráneo sobre la mesa y, esta vez, probé a observarlo desde lejos. Lo envolvía un profundo silencio que hacía pensar en la nada. Sin embargo, tal vez el silencio no procediera de fuera sino que brotase de su interior, como el humo. Fuera como fuese, era de una naturaleza extraña. Me pregunté si aquel silencio no ligaría con fuertes lazos aquellos huesos con el centro de la Tierra. El cráneo, mudo e inmóvil, clavaba unos ojos sin sustancia en un punto de la nada.

Cuanto más lo observaba, más me parecía que el cráneo quería decirme algo. A su alrededor flotaba un aire de tristeza, pero era incapaz de explicarme a mí mismo qué expresaba esa tristeza. Había perdido las palabras precisas.

–Lo leeré –dije, y volví a coger el cráneo de encima de la mesa y lo sopesé–. Sea como sea, no tengo elección.

Ella esbozó una sonrisa, tomó el cráneo de mis manos, limpió cuidadosamente el polvo que se acumulaba en su superficie con dos trapos distintos y depositó aquellos huesos, que habían acrecentado su blancura, sobre la mesa.

–Bueno, voy a enseñarte cómo se leen los viejos sueños –dijo–. Pero sólo te explicaré el proceso, por supuesto. Yo no soy capaz de leerlos. Él único que puede hacerlo eres tú. Mira con atención. Primero, pones el cráneo mirando de frente hacia ti y, luego, apoyas suavemente los dedos de ambas manos aquí, en las sienes. –Posó los dedos sobre los huesos parietales del cráneo y me dirigió una mirada, como para cerciorarse de que la entendía–. Después fijas la vista en el hueso frontal. No lo hagas con mucha intensidad, míralo dulcemente, con suavidad. Pero no puedes desviar la mirada. Por más que te deslumbre, no la apartes.

–¿Deslumbrar?

–Sí, en efecto. Cuando lo mires fijamente, el cráneo despedirá luz y calor, así que tú sólo has de descifrar con calma esta luz con las yemas de los dedos. Así podrás leer los viejos sueños.

Repetí para mis adentros el procedimiento que me había enseñado. No podía imaginar, claro está, cómo era la luz de la que hablaba ni qué tacto debía de tener, pero, por lo pronto, había asimilado el procedimiento. Mientras contemplaba los finos dedos de la muchacha posados sobre los huesos, me asaltó la vívida impresión de que ya había visto antes aquel cráneo en algún otro lugar. Tanto los huesos –tan blancos que parecían haber sufrido repetidos lavados– como la cavidad de la frente provocaban una peculiar sacudida en mi corazón, tal como me había sucedido con el rostro de la muchacha cuando la vi por primera vez. Sin embargo, no pude discernir si era un auténtico retazo de memoria o sólo una ilusión causada por una deformación momentánea del espacio y del tiempo.

–¿Qué te pasa? –preguntó ella.

Sacudí la cabeza.

–Nada. Estaba pensando. Me parece que he entendido bien qué debo hacer. Ahora falta ponerlo en práctica.

–Cenemos primero –dijo ella–. Es que, en cuanto nos pongamos a trabajar, ya no tendremos tiempo.

De una cocina pequeña que había al fondo, trajo una olla y la puso a calentar sobre la estufa. La comida consistía en potaje de verduras con cebollas y patatas. No tardó en calentarse y, en cuanto comenzó a hervir, produciendo un sonido muy agradable, la muchacha vertió el contenido de la olla en los platos y los llevó a la mesa junto con pan de nueces.

Sentados frente a frente, cenamos sin decir palabra. La comida era frugal y era la primera vez que probaba los condimentos que la aliñaban, pero no sabía mal y, además, al terminar, sentí que me había entonado. Luego, la muchacha sirvió té caliente. Un té verde, con un regusto amargo, hecho de plantas medicinales.

La lectura de los sueños no era una tarea tan sencilla como las explicaciones de la chica daban a entender. El rayo de luz era muy fino y, por más que concentrara toda mi atención en las yemas de los dedos, no lograba orientarme a través de aquel confuso laberinto. Con todo, mis dedos podían percibir con nitidez la presencia de los viejos sueños. Éstos consistían en una especie de rumor, un torrente de imágenes deshilvanadas. Pero mis dedos todavía no eran capaces de traducirlos y convertirlos en mensajes claros. Sólo alcanzaban a constatar su existencia.

Cuando finalmente terminé de leer dos sueños, ya habían dado las diez de la noche. Le devolví a la chica los cráneos, cuyos sueños acababa de descifrar, me quité las gafas y me masajeé despacio los ojos embotados.

–Estás cansado, ¿verdad? –me preguntó ella.

–Un poco –respondí–. Mis ojos todavía no están acostumbrados. Al clavar la vista, absorben la luz de los viejos sueños y, al final, acaba doliéndome la cabeza. Es un dolorcillo sin importancia, pero la vista se me nubla y ya no puedo fijarla.

–Al principio, a todos les pasa lo mismo –dijo ella–. Hasta que los ojos no se habitúan, cuesta. Pero tranquilo: pronto te acostumbrarás. Durante un tiempo, será mejor que nos lo tomemos con calma.

–Sí, creo que será lo mejor.

Ella inició los preparativos para volver a casa. Levantó la tapa de la estufa, recogió con una pequeña pala las brasas de carbón al rojo vivo y las enterró en un cubo de arena.

–No dejes que el cansancio se adueñe de tu corazón* –dijo ella–. Mi madre siempre me lo decía. Me decía que, aunque el cansancio llegue a dominar nuestro cuerpo, debemos seguir siendo dueños de nuestro corazón.

* La palabra «corazón», en japonés, tiene un significado más amplio que en castellano; abarca ámbitos del conocimiento, los sentimientos y la voluntad, de manera que incluye conceptos como pensamiento, mente, alma y espíritu. *(N. de la T.)*

–Sí, es un buen consejo –dije.

–Lo cierto es que no sé qué es el corazón. No sé qué significa exactamente, ni tampoco sé cómo se usa. Sólo he aprendido la palabra.

–El corazón no se usa –dije–. El corazón está ahí y basta. Es como el viento. Es suficiente con que puedas sentir su latido.

Ella tapó la estufa, llevó la cafetera esmaltada y las tazas al fondo, las lavó y, una vez que hubo terminado, se envolvió en un abrigo de una tosca tela azul. Un azul sombrío, como un jirón arrancado del cielo que, a lo largo del tiempo, hubiese ido perdiendo sus recuerdos primigenios. Sin embargo, ella permaneció de pie, al lado de la estufa apagada, sumida en sus reflexiones.

–¿Vienes de otro país? –me preguntó como si se acordara de repente.

–Sí.

–¿Y cómo era tu tierra?

–No me acuerdo de nada –dije yo–. Lo siento, pero no tengo ni un solo recuerdo. Cuando me quitaron la sombra, todos los recuerdos de mi viejo mundo se fueron juntos. En todo caso, era una tierra muy lejana.

–Pero tú sabes qué es el corazón, ¿verdad?, tienes uno.

–Creo que sí.

–Mi madre también tenía corazón –dijo ella–. Pero ella desapareció cuando yo tenía siete años. Y seguro que fue por culpa de que tenía un corazón, como tú.

–¿Desapareció?

–Sí, desapareció. Pero cambiemos de tema. Aquí es de mal agüero hablar de las personas desaparecidas. Háblame de la ciudad donde vivías. De algo te acordarás, ¿no?

–Sólo recuerdo dos cosas –dije–. Una, que la ciudad donde vivía no estaba rodeada por ninguna muralla y, otra, que todos caminábamos arrastrando una sombra.

Sí. Todos arrastrábamos una sombra. Pero al llegar a esta ciudad, tuve que confiar mi sombra al guardián de la puerta.

–Con ella no puedes entrar –me dijo el guardián–. O dejas tu sombra, o te despides de entrar en la ciudad. Tú eliges.

Y yo abandoné mi sombra.

El guardián me hizo permanecer de pie en un descampado que se encontraba junto a la puerta. El sol de las tres de la tarde proyectaba con nitidez mi sombra sobre el suelo.

–Quédate quieto –dijo el guardián. Y se sacó un cuchillo del bolsillo, introdujo la afilada hoja entre la sombra y el suelo, empezó a blandir el cuchillo, como si tanteara algo, de izquierda a derecha, y con mano experta arrancó de un tirón la sombra del suelo.

La sombra tembló un poco, como si se debatiera, pero finalmente se dejó despegar del suelo y, exangüe, se acurrucó en un banco. Desgajada de su cuerpo, ofrecía un aspecto mucho más mísero y exhausto del que yo esperaba.

El guardián plegó la hoja de la navaja. Ambos permanecimos unos instantes contemplando aquella sombra huérfana de su propio cuerpo.

–¿Qué te parece? Cuando se despega, tiene un aspecto muy extraño, ¿verdad? –dijo–. Total, no sirve para nada. Sólo pesa, nada más.

–Lo siento, pero tendremos que separarnos por un tiempo –le dije a la sombra mientras me acercaba a ella–. No tenía intención de dejarte, pero no me queda más remedio. Así que, por algún tiempo, ten paciencia y quédate aquí sola esperando, ¿de acuerdo?

–¿Por algún tiempo, dices? ¿Hasta cuándo? –preguntó la sombra.

Le respondí que no lo sabía.

–¿Estás seguro de que no te arrepentirás? –me dijo la sombra en voz baja–. Desconozco las circunstancias, pero eso de que una persona se separe de su sombra me parece muy extraño. ¿A ti no te lo parece? Es un error y, además, juraría que este lugar ya es por si solo una equivocación. Una persona no puede vivir sin su sombra y una sombra no puede vivir sin su persona. Sin embargo, aquí, nosotros viviremos divididos en dos existencias. Aquí hay algo que no es normal. ¿No te parece?

–Tienes razón. Es antinatural –reconocí–. Pero aquí todo es antinatural. Y en un lugar antinatural, no queda otro remedio que hacer las cosas adecuándote a esa falta de naturalidad.

La sombra sacudió la cabeza.

–Eso sólo son palabras. Pero yo veo más allá de esas palabras. El aire de aquí no me sienta bien. Es diferente del de cualquier otro lugar. El aire de aquí no nos conviene ni a ti ni a mí. No deberían haberte obligado a abandonarme. Hasta ahora nos había ido muy bien a los dos juntos, ¿o no? ¿Por qué me abandonas?

De todos modos, ya era demasiado tarde. La sombra había sido ya arrancada de mi cuerpo.

–Dentro de poco, en cuanto me instale, vendré a buscarte –le prometí–. Es probable que nuestra separación sea sólo temporal. No puede durar eternamente.

La sombra lanzó un pequeño suspiro y, exangüe, levantó hacia mí una mirada perdida. El sol de las tres de la tarde caía sobre nosotros. Yo sin sombra, la sombra sin cuerpo.

–Eso no es más que una esperanza –dijo la sombra–. Las cosas no funcionarán. ¿Sabes?, tengo un mal presentimiento. A la primera ocasión que se presente, huyamos los dos. Volvamos juntos al mundo de donde venimos.

–No podemos regresar a nuestro mundo. Yo no sé cómo volver, y tú tampoco, ¿me equivoco?

–Ahora, no. Pero encontraré la manera de escapar, aun a costa de mi vida. Quiero que nos veamos de vez en cuando y hablemos. ¿Vendrás a visitarme?

Asentí, posé una mano sobre su hombro y luego me dirigí hacia donde se encontraba el guardián. Éste, mientras yo hablaba con mi sombra, había estado recogiendo las piedras caídas en la explanada frente a su cabaña y las había ido amontonando en un lugar donde no molestaran. Cuando me acerqué, el guardián se limpió en los faldones de la camisa el polvo blanco que tenía adherido a las manos y posó su manaza en mi espalda. No logré adivinar si era un gesto de familiaridad o, por el contrario, una exhibición de la fuerza de su mano.

–Cuidaré muy bien de tu sombra –dijo el guardián–. Le daré de comer tres veces al día, la sacaré a pasear una vez al día. Puedes estar tranquilo. No tienes por qué preocuparte.

–¿Podré verla de vez en cuando?

–Veamos... –dijo el guardián–. No podrás verla en cualquier momento, cuando se te ocurra. Pero tampoco existe ninguna razón que impida que puedas verla alguna que otra vez. Cuando la ocasión sea propicia y las circunstancias lo permitan, si a mí me parece bien, podrás verla.

–Y cuando quiera que me la devuelvas, ¿qué tendré que hacer?

–Por lo visto, aún no has entendido bien cómo funcionan aquí las cosas –dijo el guardián, todavía con la mano posada en mi espalda–. En esta ciudad nadie puede tener sombra. Por otra parte, una vez que entras en la ciudad ya no puedes salir de ella. Así que tu pregunta no tiene ningún sentido.

Y, de este modo, perdí mi sombra.

Al salir de la biblioteca, me ofrecí a acompañarla a casa.

–No es necesario que me acompañes –dijo ella–. No me da miedo volver sola y tu casa está en la dirección opuesta.

–Me gustaría acompañarte –dije–. Estoy muy nervioso y, aunque vuelva directamente a casa, no creo que pueda dormir.

El uno al lado de la otra, cruzamos el Puente Viejo en dirección al sur. El viento todavía frío de principios de primavera mecía las ramas de los sauces que crecían en las isletas del río, y la luz de la luna, extrañamente directa, arrancaba destellos de las piedras redondas del suelo, a nuestros pies. El aire cargado de humedad erraba, brumoso y pesado, sobre el paisaje. Ella se soltó el pelo, que llevaba atado con una cinta, lo recogió con la mano, se lo echó hacia un lado y lo introdujo dentro del abrigo.

–Tienes un pelo muy bonito –le dije.

–Gracias –repuso ella.

–¿Te lo había dicho alguien antes?

–No, nunca. Tú eres el primero.

–¿Y qué efecto te ha producido?

–Pues no sé –dijo y, con las manos embutidas en los bolsillos del abrigo, me miró a la cara–. Ya he comprendido que has alabado mi pelo. Pero, en realidad, no es más que eso. Mi pelo ha despertado algo en tu interior y es de eso de lo que estás hablando, ¿verdad?

–No. Yo estoy hablando de tu pelo.

Ella esbozó una pequeña sonrisa y pareció buscar algo en el aire.

–Lo siento. Es que no logro acostumbrarme a tu manera de hablar.

–No importa. Ya te acostumbrarás.

Su casa estaba en el barrio obrero. El barrio obrero era una zona venida a menos situada en el sudoeste del área industrial. De hecho, la mayor parte del área industrial era un lugar triste que desprendía una intensa sensación de abandono. Incluso los grandes canales, antes llenos a rebosar de agua y por los que habían transitado gabarras y lanchas, tenían ahora las compuertas de las esclusas cerradas y el agua se había secado, mostrando, aquí y allá, el lecho. Un cieno blanco, endurecido, emergía como el cadáver arrugado de un enorme animal prehistórico. En la orilla había amplias escalinatas para la descarga de las mercancías, ahora en desuso, y altos hierbajos hundían con fuerza las raíces entre las grietas de las piedras. Cascos de botellas y piezas oxidadas de maquinaria asomaban entre el cieno y, a su lado, se pudrían las cubiertas planas de las barcas de madera.

A lo largo del canal se sucedían las fábricas desiertas. Las puertas cerradas, las ventanas sin cristales, la hiedra trepando por las paredes, las barandillas oxidadas de las escaleras de emergencia cayéndose a pedazos, los hierbajos invadiéndolo todo.

Tras atravesar las hileras de fábricas, se llegaba al barrio obrero. Lo constituían unos edificios de cinco plantas. Antaño habían sido elegantes apartamentos para gente adinerada, me dijo ella, pero, al cambiar los tiempos, los habían subdividido y los habían destinado a viviendas de obreros pobres. Sin embargo, esos obreros habían dejado de serlo. Porque la mayor parte de las fábricas donde trabajaban habían cerrado sus puertas. Y ahora que sus cualificaciones técnicas ya no tenían utilidad alguna, se limitaban a construir los pequeños objetos que la ciudad necesitaba. Su padre era uno de ellos.

Al otro lado del pequeño puente de piedra, sin barandilla, que atravesaba el último canal, estaba el barrio donde ella vivía. De un edificio a otro, cruzaban unas galerías que recordaban a las escalas que se tendían hacia las murallas durante las guerras medievales.

Ya casi era medianoche y las luces de la mayoría de las ventanas estaban apagadas. Ella me tiró de la mano y, como si quisiera huir de la mirada de un enorme pájaro que acechara a los hombres desde lo alto, cruzó a paso rápido aquellos corredores parecidos a laberintos. Luego, se detuvo frente a un edificio y me dijo adiós.

–Buenas noches –le dije yo.

Y subí solo la Colina del Oeste, de regreso a casa.

# 7
## EL DESPIADADO PAÍS DE LAS MARAVILLAS
## Cráneo. Lauren Bacall. Biblioteca

Regresé a mi apartamento en taxi. Cuando salí a la calle, ya había anochecido por completo y la ciudad estaba llena de gente que volvía de trabajar. Como además lloviznaba, tardé bastante en encontrar un taxi libre.

Ya de ordinario, me cuesta mucho encontrar taxi. Por razones de seguridad siempre dejo pasar de largo dos taxis libres, como mínimo, antes de subir a uno. He oído que los semióticos cuentan con varios taxis falsos y que se sirven de ellos para recoger a los calculadores cuando éstos han acabado un trabajo y llevárselos quién sabe adónde. Quizá sea sólo un rumor. Ni a mí ni a nadie que conozca le ha sucedido nada parecido. Pero es mejor andarse con cien ojos.

Por eso siempre procuro ir en metro, o en autobús, pero en aquellos instantes estaba exhausto, muerto de sueño, llovía y, sólo pensar en coger un tren o un autobús, atestados de gente a la hora punta de la tarde, me daban escalofríos: total, que decidí parar un taxi, tardara lo que tardase. Una vez dentro del taxi, estuve varias veces a punto de dormirme y tuve que luchar denodadamente para no sucumbir a la somnolencia. Cuando llegara a casa y me tendiese en la cama, podría dormir cuanto quisiera. No era el momento. Era un lugar demasiado peligroso.

De modo que concentré toda mi atención en un partido de béisbol que retransmitían por la radio. No entiendo demasiado de béisbol profesional, pero me decanté, sin más, por el equipo atacante y fui en contra del que defendía el campo. Mi equipo perdía por tres a uno. El segunda base, con dos *out*, bateó, pero el corredor se aturdió, tropezó y cayó entre la segunda y la tercera bases, con lo cual los *out* acabaron siendo tres y el equipo no pudo anotar ningún punto. El comentarista dijo que aquello era horroroso, y pensé que tenía toda la razón. Es cierto que cualquiera puede atolondrarse y caer, pero, en pleno partido de béisbol, es mejor no hacerlo entre la segunda y la tercera bases. Además, tal vez debido al abatimiento que le produjo este percance, el lanzador envió un tiro directo descafeinado al bateador del equipo contrario, que acabó anotando un *home run* en el ala izquierda del campo, con lo que el marcador subió a cuatro a uno.

Cuando el taxi se detuvo frente a mi casa, el marcador seguía cuatro a uno. Pagué el importe de la carrera y me apeé con la sombrerera y mi cabeza embotada. La lluvia había cesado casi por completo.

En el buzón no había ninguna carta. En el contestador automático tampoco había ningún mensaje. Por lo visto, nadie me necesitaba. Perfecto. Yo tampoco necesitaba a nadie. Saqué hielo del refrigerador y, en un vaso grande, me preparé un generoso whisky con hielo, al que añadí un poco de soda. Luego me desnudé, me metí en la cama y, recostado en la cabecera, fui tomándome el whisky a sorbitos. Tenía la sensación de que iba a desmayarme de un momento a otro, pero no era razón suficiente para renunciar a mi exquisito ritual de final del día. Estos breves instantes que van desde que me acuesto hasta que me duermo no tienen parangón. Me meto en la cama con algo de beber y escucho música, o leo. A mi modo de ver, estos momentos equivalen a una hermosa puesta de sol o a respirar aire puro.

Iba por la mitad de mi whisky cuando sonó el teléfono. El aparato está sobre una mesa redonda, a unos dos metros de los pies de la cama. Esa noche no me apetecía lo más mínimo levantarme y acercarme al teléfono, así que me quedé mirándolo y oyendo cómo sonaba con ojos distraídos. Sonó trece o catorce veces, pero lo ignoré. En una película antigua de dibujos animados el aparato hubiese vibrado a cada timbrazo, pero, por supuesto, en la realidad no ocurrió nada de eso. El aparato sonó y sonó, acurrucado sobre la mesa, inmóvil. Lo estuve mirando mientras me tomaba el whisky.

Al lado del teléfono, yo había dejado la cartera, la navaja y la sombrerera que me habían regalado. De pronto, se me ocurrió que tal vez fuese mejor abrirla enseguida y ver qué contenía. Quizá fuera algo que había que meter en el frigorífico, o tal vez un ser vivo. O quizá algo de gran valor. Pero estaba demasiado cansado. En primer lugar, de tratarse de algo así, tendrían que haberme dicho algo al respecto. Esperé a que el teléfono dejara de sonar, apuré el whisky de un trago, apagué la luz de la mesilla y cerré los ojos. Al cerrarlos, como si hubiera estado aguardando la ocasión, el sueño se precipitó sobre mí desde el cielo como una gigantesca red negra. Mientras me sumergía en sus profundidades, me dije: «Vete a saber lo que iba a ocurrir a continuación».

Cuando me desperté, la estancia estaba a oscuras. El reloj señalaba las seis y cuarto, pero no logré distinguir si era por la mañana o por la noche. Me puse los pantalones, fui a la puerta del apartamento, la abrí y miré hacia la puerta del piso de al lado. Allí estaba la edición matinal del periódico: así averigüé que era por la mañana. En estos casos, es muy práctico estar suscrito a un periódico. Tal vez yo también debía suscribirme a uno.

Total, que había dormido alrededor de diez horas. Como el cuerpo me pedía más descanso y, además, no tenía nada que hacer en todo el día, me planteé echar otra cabezadita, pero al final cambié de opinión y decidí levantarme. El placer de despertarse junto a un sol nuevo, todavía por estrenar, no tiene precio. Me metí bajo la ducha, me lavé bien, me afeité. Después de hacer los veinte minutos de gimnasia acostumbrados, desayuné lo que encontré. El frigorífico estaba casi vacío, tenía que hacer acopio de provisiones. Me senté a la mesa de la cocina y, mientras tomaba un zumo de naranja, anoté a lápiz la lista de la compra. No me bastó con una hoja, necesité dos. De todas formas, como el supermercado todavía no estaba abierto, decidí que haría la compra cuando saliera a almorzar.

Arrojé dentro de la lavadora toda la ropa sucia que había en la cesta del cuarto de baño y, cuando estaba frotando mis zapatillas de tenis en el fregadero, me acordé de pronto del misterioso regalo del anciano. Dejé de lavar la zapatilla derecha, me sequé las manos con un trapo de cocina, volví al dormitorio y cogí la sombrerera. La caja seguía pareciéndome muy ligera en relación con su tamaño. Su ligereza producía una sensación desagradable. Era liviana en exceso. Me daba que pensar. Tal vez fuese una especie de intuición profesional; algo, no obstante, sin fundamento.

Recorrí la habitación con la mirada. Estaba extrañamente silenciosa. Parecía que hubieran eliminado el sonido, pero, cuando carraspeé para cerciorarme, se oyó un carraspeo normal. Abrí la hoja de mi navaja y probé a dar golpecitos en la mesa con la empuñadura: también esta vez se oyó el «toc-toc» habitual. Al parecer, cuando experimentas el fenómeno de la eliminación del sonido, durante un tiempo tiendes a sentir hacia el silencio una suspicacia mayor que la acostumbrada. Abrí la ventana de la galería. El ruido de los coches y los trinos de los pájaros penetraron en la habitación de un modo tranquilizador. ¡Qué evolución ni qué ocho cuartos! El mundo debe estar lleno de sonidos diferentes.

Después corté con la navaja multiusos, con sumo cuidado para no dañar su contenido, la cinta adhesiva. La parte superior de la caja estaba repleta de bolas de papel de periódico arrugado. Desplegué dos o tres hojas y las leí: eran noticias normales y corrientes de un *Mainichi Shimbun* de tres semanas atrás, de modo que fui a la cocina a buscar una bolsa de basura y, tras estrujar los papeles, los arrojé en su interior. En la caja habían embutido el papel de los periódicos de dos semanas enteras. Todos del *Mainichi Shimbun*. Una vez retirado todo el papel, debajo apareció un blando relleno de polietileno, o quizá de estireno espumoso, en trozos del tamaño del dedo de un niño. Fui sacándolo con ambas manos y arrojándolo a la bolsa de basura. No tenía la menor idea de qué había dentro de la sombrerera, pero lo cierto era que aquel regalo daba mucho trabajo. Cuando hube apartado aproximadamente la mitad de polietileno, o de estireno espumoso, topé con algo envuelto en papel de periódico. Ya estaba un poco harto del asunto, así que volví a la cocina, saqué una lata de Coca-Cola de la nevera, me la llevé a la habitación y me la bebí despacio, sentado sobre la cama. Luego, sin más, se me ocurrió cortarme las uñas con la navaja. Un pájaro con el pecho de color negro se acercó a la galería y empezó a picotear con voracidad las migas de pan que había esparcidas sobre la mesa, como de costumbre. Una mañana tranquila.

No tardé en recuperar los ánimos. Me dirigí a la mesa y extraje de la caja, con sumo cuidado, el objeto envuelto en papel de periódico. Estaba rodeado de varias vueltas de cinta adhesiva de un modo que recordaba una obra de arte contemporáneo. Por la forma, parecía una sandía, pero larga y estrecha, muy liviana. Dejé la caja y la navaja en el suelo y, sobre la amplia superficie de la mesa, fui desprendiendo con cuidado el papel y la cinta adhesiva. Apareció el cráneo de un animal.

«¡Diantres!», pensé. ¿Qué le había hecho suponer al viejo que me haría ilusión tener un cráneo? Porque, lo mirases como lo miraras, nadie en su sano juicio iba por ahí regalando calaveras.

La forma de la cabeza se parecía a la de un caballo, pero el tamaño era mucho menor. En todo caso, deduje basándome en mis conocimientos de biología, aquel cráneo debía de haber pertenecido a un mamífero no muy voluminoso, herbívoro, con pezuñas o cascos, y cabeza alargada y delgada. Pensé en algunos animales con esas características. El ciervo, la cabra, la oveja, la gacela, el reno, el asno... Posiblemente hubiera algunos más, pero no logré recordar los nombres de otros animales con esos rasgos.

De momento, decidí poner el cráneo sobre el televisor. No era una visión demasiado atractiva, cierto, pero no se me ocurría otro sitio mejor. Seguro que Ernest Hemingway lo habría puesto sobre la chimenea, junto con las cabezas de ciervo, pero en mi casa, como es lógico, no hay chimenea. Por no haber, no hay ni aparador. Ni siquiera un triste mueble zapatero. De modo que el único lugar donde podía poner el cráneo de aquel animal de filiación incierta era sobre el televisor.

Al arrojar a la basura el relleno que quedaba en la caja, descubrí en el fondo -envuelto, obviamente, en papel de periódico- un objeto largo y delgado. Al abrirlo, descubrí que eran las tenazas de acero inoxidable que el anciano utilizaba para golpear los cráneos. Las sostuve en la palma de la mano y me quedé observándolas unos instantes. A diferencia del cráneo, las tenazas eran muy pesadas y tan imponentes como la batuta de marfil que utilizaba Furtwängler para dirigir la Filarmónica de Berlín.

Sólo para ver qué pasaba, me planté, tenazas en mano, delante del televisor y di un golpecito en la frente del cráneo del animal. Se oyó un «aggh» parecido a la respiración nasal de un perro de gran tamaño. Yo esperaba un sonido más duro, la verdad, un «toc» o un «tac», y no negaré que me pareció un poco raro, pero eso no me daba ningún derecho a quejarme. Porque si haces de eso un problema y empiezas a buscarle los tres pies al gato, no acabas nunca. Total, por más que refunfuñes, el sonido no cambiará y, aunque lo hiciera, ¿cambiarían con ello las cosas?

Cuando me harté de contemplar el cráneo y de darle golpecitos, me aparté del televisor, me senté en la cama, me puse el teléfono sobre las rodillas y marqué el número de mi agente del Sistema para confirmar mi agenda. El agente contestó al teléfono y me dijo que tenía un trabajo para dentro de cuatro días y me preguntó si había algún inconveniente. Le dije que no. A fin de evitar posibles problemas en el futuro, se me pasó por la cabeza consultarle acerca de la legalidad del uso del *shuffling*, pero cambié de idea pensando que, si lo hacía, la cosa se alargaría demasiado. Los documentos eran oficiales y me habían remunerado debidamente. Además, el anciano me había dicho que no había contactado conmigo a través del agente para preservar el secreto. ¿Para qué complicar innecesariamente las cosas?

A eso tenemos que añadirle que yo no sentía una gran simpatía por el agente que me habían asignado. Era un hombre de unos treinta años, alto y delgado, el típico sujeto que cree saberlo todo. Con un individuo así, era preferible evitar, en lo posible, embrollar las cosas.

Tras concretar algunos aspectos prácticos de mi próximo trabajo, colgué, me senté en el sofá de la sala de estar, abrí una lata de cerveza y empecé a ver la cinta de vídeo de *Cayo Largo,* con Humphrey Bogart. Me encanta Lauren Bacall en esta película. También está bien en *El sueño eterno,* por supuesto, pero en *Cayo Largo* tiene algo especial que no le encuentro en otras películas. He visto *Cayo Largo* montones de veces para descubrir a qué diablos se debe, pero todavía no he hallado la respuesta. Quizá sea porque, en ella, Bacall simboliza la necesidad de simplificar la existencia humana. Pero no podría jurarlo.

Aunque trataba de mantener la mirada fija en la pantalla, los ojos se me iban automáticamente hacia el cráneo, que estaba sobre el televisor. De modo que, incapaz de concentrarme en la película tal como acostumbraba, en el instante en que llega el huracán detuve la cinta, dejé de ver la película y, mientras me terminaba la cerveza, me quedé mirando distraídamente la calavera de encima del televisor. Entonces me asaltó la sensación de que ya la había visto antes en alguna otra parte. Pero no lograba recordar nada más. Saqué una camiseta de un cajón, cubrí el cráneo con ella y seguí viendo *Cayo Largo*. De este modo conseguí por fin concentrar toda mi atención en Lauren Bacall.

A las once salí de mi apartamento, compré toda la comida que se me antojó en el supermercado de cerca de la estación y, luego, me pasé por la bodega para comprar vino tinto, agua mineral con gas y zumo de naranja. Recogí una chaqueta y dos sábanas en la tintorería, compré un bolígrafo, sobres y papel de carta en la papelería y, en la droguería, adquirí una piedra de afilar del grano más fino que encontré. Me pasé por la librería y compré dos revistas; entré en la ferretería y adquirí bombillas y cintas de casete; en la tienda de fotografía, compré un carrete de fotos para una Polaroid. De paso, me acerqué a la tienda de discos y me hice con varios discos. Gracias a ello, los asientos traseros de mi pequeño coche se llenaron de bolsas de la compra. Es posible que sea un comprador nato. En cada una de mis esporádicas salidas a la ciudad, acabo reuniendo una montaña de pequeños objetos, igual que una ardilla en noviembre.

El coche lo utilizo exclusivamente para las compras. Ha sido así desde el primer día: lo adquirí porque había comprado demasiadas cosas y no podía acarrearlas hasta casa. Con los brazos llenos de bolsas, entré en un local donde vendían coches de segunda mano que descubrí por casualidad y me encontré con que había todo tipo de vehículos. A mí los coches no me gustan y tampoco entiendo gran cosa, así que solté: «Uno cualquiera que no sea muy grande».

Mi interlocutor, un hombre de mediana edad, sacó un catálogo para que yo pudiera elegir el modelo, pero yo no tenía ningunas ganas de mirarlo, así que le expliqué que deseaba un coche para utilizarlo cuando fuera de compras. No pensaba correr con él por la autopista, ni llevar de paseo a ninguna chica, ni ir de viaje con la familia. No necesitaba un motor de gran potencia, ni aire acondicionado, ni radio, ni ventana en el techo, ni neumáticos de alto rendimiento. Le dije que quería un coche pequeño, de buena calidad, fiable, que maniobrara bien, que no despidiera mucho humo por el tubo de escape, que no fuera muy ruidoso y que se averiara poco. En cuanto al color, si lo tenían en azul marino, perfecto.

El vendedor me recomendó un pequeño coche amarillo de fabricación nacional. El color no era de mi agrado, pero, al probarlo, vi que el coche era fiable y que maniobraba bien. Me gustó su diseño sencillo y que no tuviera ningún accesorio superfluo; además, como se trataba de un modelo viejo, era barato.

–Un coche es básicamente eso –me dijo el vendedor–. Hablando con franqueza, la gente está loca.

Le dije que tenía toda la razón.

Así fue como adquirí un coche para las compras. Jamás lo utilizo para otra cosa.

Al terminar las compras, metí el coche en el aparcamiento de un restaurante que había por allí cerca, pedí una cerveza, ensalada de gambas y aros de cebolla fritos y me los fui comiendo solo, en silencio. Las gambas estaban demasiado frías; el rebozado de la cebolla, un poco hinchado. Sin embargo, cuando barrí el interior del local con la mirada, no vi a ningún cliente que llamara a la camarera y protestara o que estrellara su plato contra el suelo, de modo que decidí comérmelo todo sin chistar. Por la ventana del restaurante se veía la autopista. Por ella circulaban coches de diferentes colores y estilos. Mientras los contemplaba, pensé de nuevo en el excéntrico anciano y en su nieta rellenita. Por más simpatía que les tuviera, ellos vivían en un mundo insólito que superaba con creces mi comprensión. El absurdo ascensor, el enorme agujero al fondo del armario, los tinieblos, la eliminación del sonido: todo era de lo más singular. ¡Y, encima, me ofrecían un cráneo de animal como regalo de despedida!

Para matar el tiempo mientras me traían el café de sobremesa, rememoré, uno a uno, diferentes detalles de la joven rolliza: sus pendientes rectangulares, su traje chaqueta de color rosa, sus tacones, sus pantorrillas, su nuca gordezuela, sus facciones... Esa clase de cosas. Recordaba con relativa claridad cada una de las partes, pero la imagen global, la suma de todas ellas, resultaba extrañamente imprecisa. Quizá se debiera a que, en los últimos tiempos, no me había acostado con ninguna mujer rolliza. Y por eso era incapaz de evocar su figura. Hacía ya casi dos años que no me acostaba con ninguna gorda.

Sin embargo, tal como había dicho el anciano, por más que se las llame igual, existen en el mundo diferentes tipos de gordura. Una vez –creo que fue el año en que ocurrió el incidente del Ejército Rojo Japonés–, me acosté con una chica con unas caderas y unos muslos tan enormes que casi se los podría calificar de excepcionales. Ella trabajaba en un banco y, a fuerza de encontrarnos cara a cara, empezamos a intimar, fuimos a tomar una copa y, de pasada, nos acostamos. Fue entonces cuando descubrí que la parte inferior de su cuerpo era extraordinariamente voluminosa. Como ella siempre había permanecido sentada tras el mostrador, jamás hasta esa noche había alcanzado a ver la mitad inferior de su cuerpo.

–Eso es porque, cuando estudiaba, practicaba el ping-pong –me explicó ella, pero aquella relación causa-efecto no me convenció. Porque jamás había oído que el ping-pong produjese tal cosa.

Pero su gordura era muy atractiva. Al aplicar la oreja sobre su cadera, tenía la sensación de estar tendido en el campo una tarde de primavera. Sus muslos eran mullidos como una colcha bien aireada y, a partir de ellos, descendiendo en una suave curva, se llegaba a su sexo. Cuando alabé su gordura –si me gusta algo, enseguida me vienen palabras de alabanza a los labios–, ella se limitó a decir: «¿Ah, sí?», como si no me creyera.

Claro que también me he acostado con mujeres de obesidad uniforme. Con mujeres sólidas y macizas. La primera fue una profesora de órgano electrónico, y la última, una estilista autónoma.

Vamos, que la gordura también posee diferentes matices. Y es que, con cuantas más mujeres te acuestas, más tiendes a la doctrina científica. El goce del acto sexual en sí va decreciendo. El deseo, por supuesto, nada tiene que ver con la doctrina. Sin embargo, cuando el deseo sexual sigue los debidos canales, surge una catarata llamada acto sexual y, al final, se acaba llegando al fondo de la cascada que rebosa de cierto tipo de doctrina. Y, exactamente igual que con los perros de Pavlov, el deseo sexual genera un circuito consciente que te lleva directamente al fondo de la cascada. Pero esto, en definitiva, quizá se deba únicamente a que estoy cumpliendo años.

Dejé de pensar en el cuerpo desnudo de la joven gorda, pagué la cuenta y salí del restaurante. Después me dirigí a la biblioteca del barrio y, detrás del mostrador de consultas, encontré a una joven delgada de pelo largo.

–¿Tienen algo sobre los cráneos de los mamíferos? –pregunté.

Ella estaba absorta en la lectura de un libro de bolsillo, pero alzó la cabeza y me miró.

–¿Cómo? –dijo.

–Algo... sobre los cráneos... de los mamíferos –repetí, separando bien cada cláusula.

–Cráneos-demamíferos –dijo ella como si cantara una canción. Pronunciado de aquella forma, sonaba como el título de un poema. Como cuando el poeta, antes de recitar un poema, anuncia el título a su audiencia. Me dije que, le consultaran lo que le consultasen, ella debía de repetirlo de la misma forma.

«Lahistoria-delteatro-deguiñol.»

«Introducción-alTaichi.»

Pensé que sería divertido que existiera realmente un poema con este título.

Ella reflexionó unos instantes, mordisqueándose el labio inferior, y dijo:

–Espere un momento. Voy a comprobarlo.

Se dio la vuelta y tecleó simplemente: «mamíferos». Aparecieron unos veinte títulos en la pantalla del ordenador. La muchacha borró dos terceras partes con el lápiz óptico. Tras guardar el resto en la memoria, tecleó concisamente: «cráneos». Salieron siete u ocho títulos más; ella borró sólo dos y puso los demás debajo de los que había guardado antes. También la biblioteca había cambiado. La época en que metían las fichas de préstamo en una funda de plástico situada en la contraportada del libro era ya un sueño. Cuando era pequeño, me encantaba mirar las fichas de préstamo con las fechas estampadas una junto a otra.

Mientras ella se valía del teclado con mano experta, yo contemplé su espalda delgada y su pelo largo. Me costaba decidir si podía resultarme simpática o no. Era hermosa, amable, parecía inteligente y recitaba los títulos de los libros como si fueran títulos de poemas. No había ninguna razón que me impidiese sentir simpatía hacia ella.

La muchacha pulsó el interruptor de la impresora, imprimió la lista que había en la pantalla del ordenador y me la entregó.

–Puede elegir entre estos nueve libros –me dijo.

Eran los siguientes:

1. *Mamíferos: introducción a su estudio*
2. *Enciclopedia ilustrada de los mamíferos*
3. *El esqueleto de los mamíferos*
4. *Historia de los mamíferos*
5. *Yo, un mamífero*
6. *Anatomía de los mamíferos*
7. *El cerebro de los mamíferos*
8. *El esqueleto animal*
9. *Los huesos hablan*

Con mi carné podía pedir prestados tres libros. Elegí los números 2, 3 y 8.

*Yo, un mamífero* y *Los huesos hablan* también parecían interesantes, pero no guardaban una relación directa con el problema que me ocupaba en esos instantes.

–Lo siento mucho, pero *Enciclopedia ilustrada de los mamíferos* es un libro de consulta y no está en préstamo –dijo rascándose la sien con el bolígrafo.

–Escucha –le dije–, es un asunto muy importante. Te lo devolveré sin falta mañana por la mañana. No te causaré ninguna molestia, ya lo verás. ¿Podrías prestármelo sólo por hoy?

–Es que los libros con ilustraciones y gráficos los consulta mucha gente, ¿sabes? Y si mis jefes se enteran de que te lo he dejado en préstamo, me echarían una bronca.

–Sólo por hoy. Nadie se dará cuenta.

Permaneció unos instantes dudando qué hacer. Mientras, se pasaba la punta de la lengua por detrás de los dientes de abajo. Tenía una lengua rosada, muy bonita.

–De acuerdo. Pero sólo por esta vez. Y tráelo mañana antes de las nueve y media de la mañana.

–Gracias –dije yo.

–De nada –dijo ella.

–Por cierto, querría hacer algo para agradecerte el favor. ¿Qué te gustaría?

–Aquí enfrente hay un Thirty One Ice Cream. ¿Podrías ir a comprarme un helado? Un cucurucho doble, con pistacho debajo y café con ron encima. ¿Te acordarás?

–Un cucurucho doble, con pistacho debajo y café con ron encima –verifiqué yo.

Salí de la biblioteca y me dirigí al Thirty One Ice Cream; ella fue hacia el fondo a buscarme los libros. Cuando regresé con el helado, todavía no había vuelto, de modo que me quedé ante el mostrador, con el helado en la mano izquierda, esperando pacientemente a que volviera. Unos ancianos que leían el periódico sentados en los bancos lanzaban miradas de extrañeza, alternativamente, hacia mi rostro y hacia el helado que sostenía en la mano. Por fortuna, el helado estaba muy duro y tardaba en fundirse. Sólo que, plantado allí con un helado que no me comía en la mano, me sentía incómodo, como si fuera una estatua de bronce abandonada.

Sobre el mostrador, descansaba de bruces, como un conejito dormido, el libro de bolsillo que ella leía cuando entré. Era el segundo volumen de *El viajero del tiempo,* la biografía de H.G. Wells. Al parecer, el libro no era de la biblioteca, sino suyo. Al lado había, uno junto a otro, tres lápices bien afilados. Y siete u ocho clips esparcidos. ¿Cómo es que había clips por todas partes? No conseguía entenderlo.

O, por una u otra razón, los clips habían invadido el mundo de repente, o era una simple casualidad y yo le concedía excesiva importancia. Con todo, era extraño, muy difícil de explicar. Fuera a donde fuese, había clips esparcidos de forma que yo pudiera verlos, como si formaran parte de un plan preconcebido. Me daba que pensar. Últimamente, había demasiadas cosas que me daban que pensar. El cráneo de animal, los clips. Tenía la sensación de que existía alguna conexión entre ellos, pero no se me ocurría qué clase de conexión podría haber entre un cráneo de animal y unos clips.

Poco después, la chica de pelo largo volvió con los tres tomos entre los brazos. Me entregó los libros, tomó, a cambio, el helado, se agachó detrás del mostrador para que no pudieran verla desde delante y empezó a comérselo. Vista desde arriba, su nuca, que se mostraba sin defensa, era muy hermosa.

–Muchas gracias –dijo ella.

–De nada. Por cierto, ¿para qué usas estos clips?

–¿Los-clips? –repitió ella como si cantara–. Pues los utilizo para unir hojas de papel. Ya sabes para qué sirven, ¿no? Los hay por todas partes, todo el mundo los utiliza.

Tenía toda la razón. Le di las gracias, cogí los libros y salí de la biblioteca. Clips, los había por todas partes. Por mil yenes, podría adquirir los clips que gastaría a lo largo de toda mi vida. Me pasé por la papelería y compré mil yenes de clips. Y volví a casa.

Ya en casa, metí la comida en la nevera. Envolví bien la carne y el pescado en celofán, y congelé lo que tenía que congelar. También congelé el pan y el café en grano. El tofu lo introduje en un bol con agua. La cerveza la metí en el refrigerador, y puse delante las verduras menos frescas. Colgué en el armario la chaqueta de la tintorería, dejé el detergente en el estante de la cocina. Luego esparcí los clips junto al cráneo, encima del televisor.

Una extraña combinación.

Curiosa como la de una almohada de plumas y un helado o como un tintero y una lechuga. Salí a la galería y los contemplé de lejos, pero la impresión fue la misma. Aquellos objetos no tenían un solo punto en común. Sin embargo, no cabía duda de que, en algún lugar que yo no conocía –o que no recordaba–, debía de existir un puente secreto.

Me senté en la cama y me quedé largo tiempo con la vista clavada en el televisor. Pero no conseguí acordarme de nada. Simplemente, el tiempo fue transcurriendo deprisa. Una ambulancia y un coche con un altavoz haciendo propaganda de derechas pasaron por el barrio. Me entraron ganas de tomarme un whisky, pero me aguanté. Debía mantenerme sobrio, tenía que pensar. Poco después, volvió el coche de derechas. Quizá se hubiese perdido por mi barrio. En esa zona había muchas curvas y era fácil perderse.

Descorazonado, me levanté, me senté ante la mesa de la cocina y hojeé los libros que había traído de la biblioteca. Decidí buscar primero los mamíferos herbívoros de tamaño medio y, luego, ir mirando sus esqueletos, uno a uno. El número de herbívoros de tamaño medio era muy superior al que suponía. Sólo en la familia de los cérvidos ya había unos treinta.

Tomé el cráneo de encima del televisor, lo deposité sobre la mesa de la cocina y lo fui comparando con todas las ilustraciones del libro, una tras otra. Empleé una hora y veinte minutos en mirar noventa y tres cráneos distintos, pero ninguno se correspondía con el que tenía en la mesa. Me encontraba de nuevo en un callejón sin salida. Cerré los tres libros y los amontoné en una esquina de la mesa. No podía hacer nada.

Desalentado, me tumbé encima de la cama y empecé a ver la cinta de vídeo de *El hombre tranquilo,* de John Ford. Entonces sonó el timbre de la puerta. Al atisbar por la mirilla, vi a un hombre de mediana edad con el uniforme de la Compañía de Gas de Tokio. Sin quitar la cadena de seguridad, abrí la puerta y le pregunté qué quería.

–La revisión periódica de fugas de gas –dijo el hombre.

–Espera un momento –repuse.

Volví al dormitorio, me metí en el bolsillo la navaja que había dejado sobre la mesa y abrí la puerta. Hacía sólo un mes que habían venido a hacer la revisión periódica de la instalación del gas. Tampoco la actitud del hombre era natural.

A pesar de ello, fingí indiferencia y continué viendo *El hombre tranquilo*. El hombre inspeccionó primero el gas del cuarto de baño con un instrumento parecido a un aparato para medir la tensión arterial y después se dirigió a la cocina. El cráneo seguía sobre la mesa. Con el sonido del televisor alto, me dirigí de puntillas a la cocina y, tal como esperaba, me encontré al hombre introduciendo el cráneo en una bolsa negra de basura. Abrí la hoja de la navaja, entré precipitadamente en la cocina, me planté a sus espaldas, lo sujeté por detrás metiendo los brazos por debajo de sus axilas y, cruzándolos sobre su nuca, le puse la punta de la navaja en la nuca, justo bajo mi nariz. El hombre arrojó la bolsa de plástico a toda prisa sobre la mesa.

–No tenía intención de hacerlo –se justificó con voz temblorosa–. Simplemente, al verlo, de repente me han entrado ganas de quedármelo y lo he metido en una bolsa. Ha sido un impulso. ¡Perdóneme!

–No voy a perdonarte –dije yo. Jamás había oído que un empleado de la compañía del gas sintiera el impulso irrefrenable de quedarse unos huesos de animal que veía sobre la mesa de una cocina–. ¡O me dices la verdad o te rebano el cuello!

A mis oídos estas palabras sonaron completamente falsas, pero el hombre no pareció considerarlas así.

–¡Perdón! Se lo diré todo. ¡Perdóneme! –dijo–. La verdad es que me han ofrecido dinero por robarlo. Se me han acercado dos hombres por la calle, me han preguntado si quería hacer un trabajillo y me han dado cincuenta mil yenes. Me han dicho que, cuando se lo llevara, me pagarían cincuenta mil más. Yo no quería hacerlo, pero uno de los hombres era enorme y tenía toda la pinta de que, si me negaba, me las haría pasar moradas. No me ha quedado más remedio, créame. Me han obligado. ¡Por favor, no me mate! Tengo dos hijas que van al instituto.

–¿Las dos? –pregunté, escamado.

–Sí, una está en primero, y la otra en tercero –dijo el hombre.

–Hum... ¿Y a qué instituto van?

–La mayor al instituto municipal de Shimura, y la pequeña, al Futaba de Yotsuya –dijo el hombre.

La combinación era extraña, pero el hombre parecía sincero. Decidí creerle.

Por si acaso, manteniendo todavía la navaja en su nuca, le saqué la cartera del bolsillo trasero del pantalón y miré su contenido. Llevaba sesenta y siete mil yenes, cincuenta mil en billetes nuevos. Aparte del dinero, llevaba el carné de empleado de la Compañía del Gas de Tokio y fotografías en color de su familia. Las dos hijas aparecían luciendo sus mejores galas de Año Nuevo. Ninguna de las dos era especialmente guapa. Como ambas tenían la misma figura, no pude discernir cuál era la de Shimura y cuál la de Futaba. También tenía un abono de los ferrocarriles nacionales, de Sugamo hasta Shinanomachi. El hombre parecía inofensivo, de modo que bajé el cuchillo y me aparté de su lado.

–Puedes irte –dije, y le devolví la cartera.

–Muchas gracias –dijo–. Pero ¿qué me pasará ahora? He aceptado el dinero, pero no podré llevarles el objeto.

Le dije que tampoco yo sabía qué iba a sucederle. Los semióticos –porque seguro que eran ellos– actuaban de manera impredecible. Lo hacían adrede, para que nadie pudiera descifrar sus pautas de conducta. Tanto podían arrancarle los dos ojos con la punta de un cuchillo como entregarle cincuenta mil yenes más y darle las gracias. Imposible adivinarlo.

–¿Y dices que uno era muy grande? –quise saber.

–Sí, enorme. Y el otro era muy pequeño. De un metro cincuenta, más o menos. El pequeño iba muy bien vestido. Los dos parecían unos tipos de cuidado.

Le enseñé cómo podía salir por detrás a través del aparcamiento, que da a un callejón estrecho. Una vez allí, le sería fácil orientarse. Con un poco de suerte, lograría volver a casa sin encontrarse con aquellos dos tipos.

–¡Muchas gracias! –dijo el hombre como si acabara de salvarle la vida–. No le dirá nada a la empresa, ¿verdad?

Le dije que no. Lo hice salir, cerré la puerta con llave y eché la cadena. Después me senté en la silla de la cocina, dejé la navaja con la hoja plegada sobre la mesa y saqué la calavera de la bolsa de plástico. Como mínimo, había averiguado algo. Que los semióticos iban detrás de aquel cráneo. Lo que quería decir que, para ellos, la calavera tenía un gran valor.

En aquellos instantes, ellos y yo nos encontrábamos en una posición equivalente. Yo tenía el cráneo, pero no sabía por qué era importante. Ellos conocían su valor –o lo intuían–, pero no tenían el cráneo. Estábamos empatados. Respecto al siguiente paso que podía dar, tenía dos opciones. Una era ponerme en contacto con el Sistema, explicarles la situación y pedirles que me ofrecieran protección frente a los semióticos o que se llevaran el cráneo a alguna parte. La otra era contactar con la joven gorda y pedirle que me explicara qué valor tenía ese cráneo. Sin embargo, la idea de involucrar al Sistema en aquel tinglado no me entusiasmaba. Probablemente me someterían a fastidiosas investigaciones y preguntas. A mí no me van las grandes organizaciones. Carecen de flexibilidad, suponen una gran pérdida de tiempo y esfuerzo. Hay demasiados cretinos dentro.

Contactar con la gordita tampoco era factible. No sabía el número de teléfono de su oficina. Cabía la posibilidad de ir directamente al edificio, pero en aquel momento era peligroso salir de casa y, además, era impensable que pudiera entrar, sin cita previa, en un edificio dotado de medidas de seguridad tan estrictas.

En conclusión, al final opté por no hacer nada.

Cogí las tenazas de acero inoxidable y le di otro golpecito en lo alto de la testa. Volvió a oírse el mismo «aggh» de antes. Era un sonido muy lúgubre, como si el animal, del que desconocía el nombre, estuviese vivo y gimiera. Tomé el cráneo en la mano y lo estudié con calma, preguntándome por qué produciría un sonido tan singular. Volví a golpearlo ligeramente con las tenazas. Se oyó el mismo «aggh».

Pero, al prestar atención, me pareció que el sonido salía de un solo punto del cráneo.

Lo golpeé repetidas veces hasta que logré hallar el lugar exacto. El «aggh» salía por un orificio de unos dos centímetros de diámetro que tenía en la frente. Pasé con suavidad las yemas de los dedos por el interior del orificio. El tacto era más rugoso que el que acostumbran a tener los huesos. Era como si le hubiesen arrancado violentamente algo. Algo... que podía ser un cuerno.

¿Un cuerno?

Si se trataba de un cuerno, entonces lo que yo tenía en la palma de la mano era el cráneo de un unicornio.

Hojeé otra vez la *Enciclopedia ilustrada de los mamíferos* buscando alguno que tuviera un cuerno en la frente. Pero, por más que busqué, no encontré ninguno. Sólo el rinoceronte cumplía, mal que bien, este requisito, pero, a juzgar por el tamaño y la forma del cráneo, era imposible que fuera de este animal.

Sin saber qué camino tomar, saqué hielo de la nevera y me tomé un Old Crow con hielo. Empezaba a anochecer y bien podía permitirme un whisky. También me comí una lata de espárragos. Me encantan los espárragos blancos. Cuando me terminé la lata, me preparé un emparedado de ostras ahumadas con pan de molde y me lo comí. Después me tomé un segundo whisky.

Arbitrariamente, decidí que el antiguo dueño de aquel cráneo debía de haber sido un unicornio. Porque, de no ser así, me encontraba en un punto muerto.

Estaba en poder de un cráneo de unicornio.

«¡Vaya por Dios!», me dije. «¿Por qué no dejan de pasarme cosas raras? ¿Qué he hecho yo? Soy un calculador independiente, un tipo práctico y realista. No soy ni ambicioso ni interesado. No tengo familia, amigos ni novia. Ahorro cuanto puedo para aprender violonchelo o griego cuando me jubile y pasar una vejez tranquila. ¿Por qué diablos me encuentro metido en historias estrambóticas de unicornios o de eliminación del ruido?»

Cuando me terminé el segundo whisky con hielo, fui al dormitorio, busqué en el listín telefónico, llamé a la biblioteca y dije:

–La encargada de consultas, por favor.

Diez segundos después se ponía la chica del pelo largo.

–*Enciclopedia ilustrada de los mamíferos* –dije.

–Gracias por el helado –repuso ella.

–De nada –dije yo–. Por cierto, ¿podría pedirte otro favor?

–¿Un-favor? –preguntó–. Depende...

–Querría que me buscaras algo sobre unicornios.

–¿Sobre-unicornios? –repitió.

–¿No puede ser?

Siguió un largo silencio. Supuse que debía de estar mordisqueándose el labio inferior.

–¿Y qué tendría que buscarte exactamente?

–Todo –le dije.

–Mira, son ya las cuatro y cincuenta y cinco minutos, y antes de la hora de cierre hay mucho trabajo. Ahora no puedo. ¿Por qué no vienes mañana cuando abramos? Podrás buscar todo lo que quieras sobre unicornios y tricornios.

–Es que me corre mucha prisa. Es muy importante.

–Hum... Importante, ¿hasta qué punto?

–Tiene que ver con la evolución –dije.

–¿La-evolución? –repitió.

Un poco sorprendida sí parecía. Debía de preguntarse si estaba ante un auténtico loco o ante una persona cuerda con visos de estar loca. Rogué por que se decidiera por la segunda opción. En este caso, quizá sintiera cierto interés humano hacia mí. Por unos instantes se extendió un silencio parecido a un péndulo mudo.

–Supongo que te refieres a la evolución que tuvo lugar a lo largo de millones de años, ¿no? Pues, no sé, pero diría que no es tan urgente. Creo que un día podrá esperar, ¿no te parece?

–Hay evoluciones que tardan millones de años y otras que no tardan más de tres horas. Mira, no es algo que pueda explicarte por teléfono. Es muy complicado. Pero necesito que me creas. Es un asunto de importancia capital. Tiene que ver con una nueva evolución del hombre.

–¿Como *2001: Una odisea en el espacio*?

–Exacto –dije. Esa película la había visto varias veces en vídeo.

–Oye, ¿sabes lo que pienso de ti?

–Pues supongo que todavía no tienes claro si soy un loco inofensivo o un loco peligroso. Ésta es la impresión que me da.

–Sí, más o menos –dijo ella.

–Ya sé que no soy el más indicado para decirlo, pero no soy mala persona –dije–. Y tampoco estoy loco. Algo terco y obstinado sí soy. Y un poco creído, también. Pero no estoy loco. Hasta ahora, por más inquina que me hayan tenido, jamás me han llamado loco.

–Hum... La verdad es que tu discurso suena coherente. No pareces mala persona, es verdad, y además me has comprado un helado. Está bien. Podemos quedar a las seis y media en una cafetería que está cerca de la biblioteca. Entonces te pasaré los libros. ¿De acuerdo?

–Verás, no es tan fácil. Resulta un poco difícil de explicar, pero hoy no puedo salir de casa. Lo siento muchísimo.

–Es decir –dijo y empezó a golpearse los incisivos con la punta de las uñas, o al menos, por el ruido, eso parecía–, que me estás pidiendo que te lleve los libros a casa. ¿Es eso? La verdad, no acabo de entenderlo.

–Hablando con franqueza, sí –dije–. Pero te lo pido como un favor, por supuesto.

–¿Apelando a mis buenos sentimientos?

–Exacto –dije–. Tengo mis razones.

Se produjo un largo silencio. Sin embargo, gracias a la melodía de *Annie Laurie* que anunciaba el cierre de la biblioteca, supe que no se debía a la eliminación del sonido. La joven había enmudecido. Nada más.

–En los cinco años que trabajo en la biblioteca, jamás me he topado con un caradura como tú –dijo ella–. Nunca me habían pedido que les llevara los libros a casa. Y, además, ¡el primer día! ¿No eres un poco sinvergüenza?

–La verdad es que sí. Pero ahora no tengo alternativa. Estoy en un callejón sin salida. No me queda más remedio que apelar a tus buenos sentimientos.

–¡Lo que me faltaba! –exclamó–. En fin... ¿Me indicas cómo llegar a tu casa?

Se lo indiqué con mucho gusto.

8

EL FIN DEL MUNDO

# El coronel

–No creo que exista la menor posibilidad de que puedas recuperar tu sombra –me dijo el coronel, tomándose el café a sorbitos.

Como la mayoría de personas acostumbradas durante largos años a dar órdenes a los demás, el coronel hablaba con la espalda bien recta y el mentón proyectado hacia delante. Sin embargo, en su actitud no había altanería o prepotencia alguna. De su larga vida castrense había conservado una postura erguida, una vida regular y una ingente cantidad de recuerdos. Para mí, era el vecino ideal. Amable, tranquilo y buen jugador de ajedrez.

–El guardián tiene razón –dijo el anciano coronel–. Tanto en el aspecto teórico como en el práctico, las probabilidades de que puedas recuperar tu sombra son nulas. Mientras estés en esta ciudad, no puedes tenerla, y tú ya no podrás salir jamás de aquí. Esta ciudad es lo que en el ejército se llama una ratonera. Se puede entrar, pero no salir. Al menos, mientras esté rodeada por la muralla.

–Yo no sabía que iba a perder mi sombra para siempre –dije–. Pensé que era algo provisional. Nadie me lo explicó.

–En esta ciudad nadie te explicará nunca nada –dijo el coronel–. La ciudad sigue su propio ritmo. No le importa quién sabe qué o quién no sabe qué. Pero sí: es una verdadera lástima.

–¿Y qué será de la sombra a partir de ahora?

–No le pasará nada. Se va a quedar allí y ya está. Hasta que muera. ¿Has vuelto a verla después?

–No. Lo he intentado varias veces, pero el guardián no me lo ha permitido. Dice que es por razones de seguridad.

–¡Ah! Entonces, no hay nada que hacer –dijo el anciano sacudiendo la cabeza–. La custodia de la sombra corresponde al guardián, en él recae toda la responsabilidad. Nada puedo hacer yo. Ese hombre tiene muy mal genio y es muy rudo, casi nunca hace caso de lo que le dicen. La única solución es tener paciencia y esperar a que le cambie el humor.

–Eso haré –dije–. Pero no entiendo qué diablos le preocupa tanto.

Cuando acabó de tomarse el café, el coronel dejó la tacita sobre el plato, se sacó un pañuelo del bolsillo y se limpió las comisuras de los labios. Al igual que el resto de su ropa, el pañuelo era viejo, y estaba muy usado, pero limpio y bien cuidado.

–Le preocupa que tú y tu sombra volváis a uniros. Porque, entonces, tendría que volver a empezar desde el principio.

Tras pronunciar estas palabras, volvió a concentrarse en el tablero de ajedrez. Este juego tenía unas piezas y unos movimientos un poco distintos al ajedrez que yo conocía, por lo que, generalmente, ganaba el anciano.

–El mono se come al prior, ¿de acuerdo?

–Adelante –dije. Y moví la torre para cortar la retirada del mono.

Tras asentir varias veces, el anciano volvió a quedarse con los ojos clavados en el tablero. Los lances del juego auguraban una victoria casi segura del anciano coronel, pero éste, en vez de atacar sin darme tregua, movía las piezas con tiento, tras considerar reflexivamente cada uno de los pasos que daba. Para él, el juego consistía más en poner a prueba su propia capacidad que en vencer al adversario.

–Separarte de tu sombra y dejarla morir es muy duro –dijo el anciano y, con un hábil movimiento en diagonal del caballero, bloqueó el espacio entre el rey y la torre. De este modo, mi rey quedó totalmente desprotegido. Tres jugadas más y me daría jaque mate–. Todos hemos tenido que pasar por ahí. Yo también. Si te despojan de tu sombra antes de que la hayas conocido, cuando todavía eres un niño que apenas se entera de nada, aún es soportable. Pero cuando ocurre a edades más avanzadas, duele más. A mí se me murió a los sesenta y cinco años. Y, a esta edad, ¡tienes tantos recuerdos!

–¿Cuánto tiempo puede vivir una sombra después de que la hayan separado de su cuerpo?

–Depende de la sombra –dijo–. Hay sombras llenas de ánimo y otras que no lo tienen. Pero en esta ciudad no sobreviven mucho tiempo. Esta tierra no les sienta bien. Aquí el invierno es largo y crudo. Ninguna sombra alcanza a ver dos primaveras.

Permanecí unos instantes con la mirada fija en el tablero, pero finalmente me di por vencido.

–En cinco jugadas se puede ganar cualquier partida –aseguró el coronel–. Merece la pena intentarlo, ¿no crees? En cinco jugadas cabe la posibilidad de que el adversario cometa un error. Hasta el final, nunca se puede cantar victoria.

–Voy a intentarlo –dije.

Mientras yo pensaba, el anciano se acercó a la ventana, entreabrió con los dedos las gruesas cortinas y a través de la rendija contempló el paisaje.

–Ahora estás atravesando el momento más duro. Pasa como cuando se te cae un diente de leche, hasta que te sale el nuevo. ¿Entiendes lo que quiero decir?

–¿Cuando te arrancan la sombra y todavía no ha muerto?

–Exacto –asintió el anciano–. Yo aún lo recuerdo. Eres incapaz de mantener bien el equilibrio *entre las cosas del pasado y las que pertenecen al futuro*. Por eso vacilas. Pero en cuanto te salga el diente nuevo, te olvidarás del otro.

–¿Cuando pierda mi corazón, quiere decir?

El anciano no respondió a eso.

–Perdone que le haga tantas preguntas –me disculpé–. Apenas sé nada de esta ciudad y muchas cosas me desconciertan. Cómo funciona la ciudad, por qué la rodea una muralla tan alta, por qué cada día salen y entran las bestias, qué son los viejos sueños: no sé nada. Y usted es la única persona a quien puedo preguntárselo.

–No creas que yo conozco las razones de todo –dijo el anciano con calma–. Además, hay cosas que no pueden explicarse con palabras y otras que no tengo por qué explicarte. Pero no temas. La ciudad, en cierto sentido, es justa. A partir de ahora te irá mostrando, una a una, las cosas que necesites, las cosas que debas saber. Y tú tendrás que ir entendiéndolas por ti mismo, una tras otra, conforme te vayan llegando. ¿Comprendes? Esta ciudad es perfecta. Y perfección significa tenerlo todo. Pero si tú no eres capaz de asimilar de manera provechosa las cosas que te sucedan, te encontrarás con que no hay nada. Un vacío perfecto. Recuerda bien lo que voy a decirte: lo que puedan enseñarte los demás acaba en sí mismo, lo que aprendes por tu propia cuenta forma parte de ti. Y te será de gran ayuda. Abre los ojos, aguza el oído, haz trabajar la cabeza, descifra el significado de las cosas que te muestra la ciudad. Ya que tienes corazón, sírvete de él mientras puedas. Es lo único que puedo enseñarte.

Si el barrio obrero donde vivía ella era una zona que había visto desaparecer el fulgor de antaño en las tinieblas, el barrio de residencias oficiales que se extendía en la parte sudoeste de la ciudad era una zona que iba perdiendo el color, sin pausa, envuelta en una luz seca. La gracia que le había aportado la primavera se había diluido durante el verano, y el viento que soplaba en otoño había acabado de erosionarla. Sobre la suave y extensa ladera de la llamada Colina del Oeste se sucedían blancas residencias oficiales de dos plantas. En su origen, aquellos edificios habían sido concebidos para albergar cada uno a tres familias, y el único espacio comunitario que tenían era el amplio vestíbulo situado en su parte central. Los remates de madera de cedro de la fachada, los marcos de las ventanas, los porches estrechos, los antepechos de las ventanas: todo estaba pintado de blanco. Hasta donde alcanzaba la vista, todo era blanco. La ladera de la Colina del Oeste mostraba todos los matices del blanco. Un blanco recién pintado, tan brillante que parecía artificial; un blanco que amarilleaba tras permanecer largo tiempo expuesto al sol; un blanco al que la lluvia y el viento parecía que le hubieran arrebatado la esencia y hubiese quedado reducido a nada, a pura inexistencia: todos esos matices del blanco se sucedían hasta el infinito a lo largo de los caminos de grava que cruzaban la colina. Las casas no tenían cercas. A los pies de los estrechos porches sólo había largos parterres de un metro de anchura. Los parterres estaban muy bien cuidados y, en primavera, en ellos florecían el azafrán, los pensamientos y las caléndulas, y, en otoño, los cosmos. Por contraste con las flores, los edificios parecían aún más ruinosos.

Antiguamente, debía de haber sido un barrio elegante. Al pasear por la colina, encontraba, aquí y allá, vestigios de un refinamiento pasado. Sin duda en aquellas calles habían jugado los niños, habían sonado acordes de piano, habían flotado los olores de cenas recién cocinadas. Yo, como si atravesara varias puertas transparentes, podía sentir en mi piel todos estos recuerdos.

Tal como indicaba su nombre, Residencia Oficial, el barrio había estado habitado antaño por funcionarios del gobierno. Ni de alto ni de bajo rango, personas que ocupaban puestos de categoría intermedia. Y, en aquel lugar, todos habían intentado llevar adelante sus modestas vidas.

Pero ahora ya no quedaba ni rastro de ellos. ¿Adónde habían ido? Lo ignoraba.

Después habían llegado los militares retirados. Habían perdido sus sombras y vivían día tras día, como mudas de insectos adheridas a los muros soleados, en la Colina del Oeste barrida por los fuertes vientos. Poco les quedaba por proteger o defender. En cada edificio vivían de seis a nueve viejos soldados.

El guardián me había asignado un cuarto en una de las viviendas de la Residencia Oficial. En el mismo edificio vivían un coronel, dos comandantes, dos tenientes y un sargento. El sargento se encargaba de la comida y de los pequeños quehaceres de la casa, y el coronel emitía juicios. Igual que en el ejército. Los ancianos eran, todos ellos, seres solitarios que –eternamente ocupados en los preparativos de la guerra, en combates, en retiradas, en revoluciones y contrarrevoluciones– habían perdido la oportunidad de formar una familia.

Por la mañana se levantaban temprano, desayunaban deprisa, por la fuerza de la costumbre, y luego emprendían su trabajo sin que nadie se lo hubiese ordenado. Unos raspaban con la espátula la pintura vieja de las paredes, otros arrancaban los hierbajos del jardín delantero, otros reparaban los muebles y otros arrastrando un carrito, bajaban al pie de la colina a buscar las raciones de comida. Cuando acababan su sesión de trabajo matutino, los ancianos se reunían en un rincón soleado y hablaban de sus recuerdos.

Me habían asignado una habitación del primer piso orientada al este. Una pequeña elevación me obstruía la vista y el paisaje que se divisaba desde mi ventana no era bonito, pero, en un extremo, se veía el río y la torre del reloj. El cuarto parecía llevar largo tiempo deshabitado, el yeso de las paredes tenía manchas oscuras por todas partes y una blanca capa de polvo se acumulaba en el quicio de la ventana. Había una cama vieja, una mesa pequeña y dos sillas. En la ventana colgaban gruesas cortinas que olían a moho. La madera del suelo estaba en mal estado y chirriaba a cada paso que daba.

Por las mañanas, mi vecino, el coronel, venía a mi cuarto y desayunábamos juntos; por las tardes, corríamos las cortinas y manteníamos la habitación a oscuras.

–Eso de correr las cortinas y encerrarse en una habitación a oscuras, en días soleados como hoy, debe de ser muy duro para un joven, ¿verdad? –dijo el coronel.

–Pues sí.

–Para mí es de agradecer haber encontrado a alguien para jugar al ajedrez. A los tipos de aquí el juego no les interesa demasiado. Siempre soy el único que quiere jugar.

–¿Por qué abandonó usted su sombra?

El anciano estaba contemplando sus dedos bañados por la luz del sol que penetraba por la rendija de la cortina, pero se apartó enseguida de la ventana y tomó asiento de nuevo frente a mí.

–Supongo que fue porque llevaba mucho tiempo defendiendo esta ciudad. Y debí de tener la sensación de que, si dejaba la ciudad y me iba a otra parte, mi vida perdería su sentido. Claro que ahora esto carece ya de importancia.

–¿Se ha arrepentido alguna vez de haberla abandonado?

–No, nunca –dijo el anciano negando varias veces con la cabeza–. Nunca me he arrepentido. No es algo de lo que tenga que arrepentirme.

Le maté el mono con la torre y, de esta forma, abrí espacio para que pudiera moverse mi rey.

–Buena jugada –dijo el anciano–. Con la torre puedes proteger los cuernos y, además, liberas el rey. Pero, ¿te das cuenta?, al mismo tiempo mi caballero gana en movilidad.

Mientras el anciano pensaba con calma la jugada, calenté agua y preparé otro café.

Me dije que en el futuro pasaría muchas tardes como aquélla. En esa ciudad rodeada por la alta muralla, tenía muy pocas opciones.

## 9

## EL DESPIADADO PAÍS DE LAS MARAVILLAS
## Apetito. Conmoción. Leningrado

Mientras la esperaba, preparé una cena sencilla. Machaqué *umeboshi** en el mortero e hice una salsa para aliñar la ensalada; preparé una fritura de sardinas, *aburaage*** y ñame, y un cocido de carne de ternera con apio. No me salió nada mal. Como me sobraba tiempo, mientras me tomaba una cerveza preparé jengibre cocido aliñado con salsa de soja y judías con salsa de sésamo. Luego me tumbé en la cama y puse un viejo disco de *Conciertos para piano y orquesta* de Mozart, interpretados por Robert Casadesus. Creo que la música de Mozart suena mejor en las grabaciones antiguas. Aunque tal vez sea sólo un prejuicio.

Eran más de las siete y, al otro lado de la ventana, ya era noche cerrada, pero ella seguía sin aparecer. Al final, acabé escuchando enteros los conciertos para piano número 23 y 24. Tal vez hubiera cambiado de opinión y hubiese decidido no venir. De ser así, lo cierto era que no podría reprochárselo. Lo miraras como lo mirases, lo más normal era que no se presentase.

Sin embargo, mientras buscaba otro disco, resignado ya a la idea de que no viniera, sonó el timbre. Al atisbar por la mirilla, vi a la joven encargada de las consultas de la biblioteca en el pasillo con unos libros en los brazos. Todavía con la cadena puesta, abrí la puerta y le pregunté si había alguien más en el pasillo.

–No, nadie –contestó.

Quité la cadena y la invité a pasar. En cuanto hubo entrado, cerré enseguida la puerta y eché la cadena.

–¡Qué bien huele! –dijo ella olfateando el aire–. ¿Puedo echar un vistazo a la cocina?

* Ciruelas secas encurtidas en sal. *(N. de la T.)*
** Pasta de soja frita. *(N. de la T.)*

–Adelante. Pero ¿estás segura de que no había nadie sospechoso en el portal? ¿Hacían obras en la calle? ¿Has visto a alguien dentro de un coche en el aparcamiento?

–No había nadie –dijo ella, y dejó de golpe los libros sobre la mesa de la cocina y empezó a destapar las cazuelas que estaban sobre los fogones–. ¿Lo has cocinado todo tú?

–Sí. Si tienes hambre, te invito. Pero no es nada del otro mundo.

–¡Qué dices! Me encantan estos platos.

Serví la comida en la mesa y me quedé contemplando, lleno de admiración, cómo devoraba un plato tras otro. Valía la pena cocinar para alguien que tuviera tan buen apetito. Me preparé un Old Crow con hielo en un vaso grande, pasé *atsuage** por la sartén, a fuego vivo, le eché jengibre por encima y empecé a comérmelo junto con el whisky. Ella comía a dos carrillos. La invité a beber algo, pero rehusó.

–¿Me dejas probar ese *atsuage*? –pidió.

Empujé hacia ella la mitad que me quedaba y yo me tomé el whisky a palo seco.

–Si te apetece, tengo arroz y *umeboshi*. También puedo prepararte un *misoshiru*.**

–¡Ah! ¡Sería genial! –dijo ella.

En un instante, hice caldo con bonito seco, le preparé un *misoshiru* con *wakame**** y cebolleta tierna, y se lo serví junto con arroz y *umeboshi*. Se lo zampó en un abrir y cerrar de ojos. Cuando hubo dado buena cuenta de todo, y sobre la mesa sólo quedaban los huesos de las *umeboshi*, lanzó un suspiro de satisfacción.

–¡Estaba buenísimo! –exclamó.

Era la primera vez que veía a una chica tan atractiva y esbelta como ella devorando con tal voracidad. Pero, en fin, según como lo mires, un apetito tan exacerbado también puede considerarse digno de admiración. Incluso después de que hubiese acabado de comer, continué observándola con una mirada vaga, mezcla de admiración y estupor.

–Dime, ¿siempre comes tanto? –me decidí a preguntar.

–Sí. Más o menos –dijo ella sin darle la menor importancia.

–Pero no engordas.

* Es un tipo de *aburaage;* consiste en tofu cortado grueso y frito. *(N. de la T.)*

** Sopa de *miso* (pasta de soja fermentada). Se diluye *miso* en el caldo y se le pueden añadir verduras, tofu, algas o marisco. *(N. de la T.)*

*** Un tipo de alga. *(N. de la T.)*

–Tengo dilatación gástrica –dijo ella–. Por eso como tanto y no engordo.

–Hum... Pues debes de gastar un dineral en comida, ¿no?

Lo cierto era que incluso se me había zampado lo que tenía para almorzar al día siguiente.

–Una barbaridad –dijo–. Cuando como fuera, tengo que ir a dos sitios. Primero me tomo algo ligero: *rāmen** o unas *gyōza.*** Es una especie de calentamiento, ¿sabes? Y, luego, como de verdad. Imagínate. La mayor parte del sueldo se me va en comida.

Volví a ofrecerle una copa. Me dijo que le apetecía una cerveza. Saqué una del refrigerador y, por si acaso, saqué dos buenos puñados de salchichas pequeñas de Frankfurt y las pasé por la sartén. No daba crédito a lo que veía, pero mientras yo picoteaba sólo dos, ella ya había devorado el resto. Su apetito era tan impetuoso como una ametralladora pesada abatiendo un granero. Ante mis ojos se habían esfumado las provisiones que había comprado para toda la semana. Con aquellas salchichas tenía previsto preparar un delicioso *Sauerkraut.*

Le serví una ensalada de patatas precocinada a la que le había añadido *wakame* y atún, y ella la devoró en un santiamén junto con una segunda cerveza.

–¿Sabes? Me siento muy feliz –dijo.

Y yo, sin haber comido apenas, iba por el tercer whisky con hielo. Mirando, fascinado, cómo comía ella, se me había ido el apetito.

–Si te apetece postre, tengo pastel de chocolate –le ofrecí.

Y se lo comió, por supuesto. Sólo con mirarla a ella, empecé a sentir cómo la comida me subía a la garganta y pugnaba por salir. A mí me gusta cocinar, pero como más bien poco.

Quizá no logré tener una erección por eso. Porque estaba obsesionado con el estómago. Desde los Juegos Olímpicos de Tokio,*** era la primera vez que tenía problemas de erección. Hasta aquel día había tenido siempre una confianza casi ilimitada en esta capacidad física y, por lo tanto, sufrí una conmoción considerable.

–No te preocupes. Tranquilo. No tiene ninguna importancia –me

* Fideos chinos. *(N. de la T.)*

** Empanadillas de origen chino rellenas de carne y verduras. *(N. de la T.)*

*** Tuvieron lugar en 1964. *(N. de la T.)*

dijo ella. La chica del pelo largo y la dilatación gástrica, la responsable de las consultas de la biblioteca.

Después del postre, habíamos escuchado dos o tres discos tomando whisky y cerveza y luego nos habíamos escurrido entre las sábanas. Me había acostado con muchas chicas hasta entonces, pero era la primera vez que lo hacía con una bibliotecaria. También era la primera vez que me resultaba tan fácil tener relaciones sexuales con una chica. Quizá fuera porque la había invitado a cenar. Pero, en resumidas cuentas, como ya he dicho, mi pene no consiguió una erección. Me daba la sensación de que tenía la barriga hinchada como la de un delfín y no logré insuflar fuerzas a mi bajo vientre.

Ella pegó su cuerpo desnudo a mi costado y me pasó el dedo anular unas cuantas veces, unos diez centímetros arriba y abajo, por el centro de mi pecho.

–Eso le puede suceder a cualquiera. No le des más importancia de la que tiene.

Sin embargo, cuanto más intentaba consolarme ella, más se abatía sobre mí, con toda su crudeza, la evidencia de que no había sido capaz de tener una erección. Me acordé de que había leído alguna vez que el pene era más estético fláccido que en erección, pero eso tampoco era un gran consuelo.

–¿Cuándo fue la última vez que te acostaste con una chica? –me preguntó.

Destapé la caja de los recuerdos y rebusqué, con cierto nerviosismo, en su interior.

–Hace unas dos semanas, creo –dije.

–¿Y entonces funcionó?

–Por supuesto –aseguré. Al parecer, empezaba a ser normal que me interrogaran a diario sobre mis costumbres sexuales. Claro que tal vez lo hiciera todo el mundo en los últimos tiempos.

–¿Y con quién?

–Con una prostituta. La llamé por teléfono.

–Y al acostarte con una mujer así, ¿no tuviste tal vez..., no sé, algún sentimiento de culpabilidad?

–No era una mujer –la corregí–. Era una chica, una chica de veinte o veintiún años. Y no, no me sentí especialmente culpable. Fue algo muy natural, sin complicaciones. Además, tampoco era la primera vez que me acostaba con una prostituta.

–Y después, ¿te has masturbado alguna vez?

–No –dije. Después había estado tan ocupado que, hasta hoy, no había tenido tiempo de ir a buscar siquiera mi chaqueta favorita a la tintorería. No había tenido ni un momento para masturbarme.

Cuando se lo dije, ella asintió, convencida.

–Claro. Es por eso, seguro –dijo.

–¿Porque no me he masturbado?

–¡Por supuesto que no, tonto! –exclamó–. Es por culpa del trabajo. Dices que has estado muy ocupado, ¿no?

–Por ejemplo, anteayer no pude dormir en veintiséis horas.

–¿Y en qué trabajas?

–En informática –respondí. Cuando me preguntaban por mi trabajo, yo respondía invariablemente que era informático. En líneas generales, eso no dejaba de ser cierto, y como la gente no solía dominar la materia, no iba más allá y dejaba de preguntar.

–Seguro que al haber estado sometido a una intensa actividad cerebral durante mucho tiempo, has acumulado un estrés impresionante y eso te ha afectado de forma temporal. Sucede con frecuencia, ¿sabes?

–Hum... –Tal vez tuviese razón. Aparte de estar cansado, la larga serie de sucesos inverosímiles que me habían ocurrido en los dos últimos días me habían provocado cierto nerviosismo. Si a ello le sumamos la visión de aquel apetito, que no era desacertado calificar de violento y brutal, no era de extrañar que sufriera una impotencia transitoria. Era plausible.

Pero tenía la sensación de que la raíz del problema era un poco más profunda. Debía de haber algo más. En el pasado, había habido ocasiones en que había estado tan cansado y tan nervioso como entonces, y sin embargo había hecho gala de una potencia sexual satisfactoria. Tal vez se debiera a alguna particularidad de la chica.

Particularidad.

Dilatación gástrica, pelo largo, bibliotecaria...

–Ven, pon la oreja sobre mi estómago –dijo ella. Y retiró la manta hasta sus pies.

Su cuerpo era hermoso y suave. Esbelto, sin un gramo de grasa superflua. Los pechos tenían el tamaño justo. Tal como me decía, apliqué la oreja al espacio, liso como un papel de dibujo, que se extendía entre los senos y el ombligo. Parecía un milagro que, tras atiborrarse de aquella forma, su barriga no estuviese hinchada en absoluto. Era como si, engullido por su gran apetito, todo hubiera desaparecido bajo el abrigo de Harpo Marx. La piel era fina, suave, cálida.

–¿Oyes algo? –me preguntó.

Conteniendo el aliento, agucé el oído. Aparte del lento latido del corazón, no se oía nada. Me dio la sensación de que estaba tumbado en un silencioso bosque y que oía, a lo lejos, el ruido del hacha del leñador.

–No oigo nada –le dije.

–¿No se oye el estómago? ¿No se oye cómo hace la digestión?

–No entiendo mucho del tema, pero diría que no hace ruido. Los jugos gástricos van disolviendo la comida y nada más. Aunque se produzcan algunos movimientos peristálticos, no creo que se oiga nada.

–Pues yo siento cómo mi estómago trabaja con todas sus fuerzas. Va, escucha otra vez.

Permanecí en la misma postura, prestando atención, mientras contemplaba, con mirada distraída, su vientre y el pubis cubierto de vello que se alzaba, abombado, al final. Pero no oí ruido alguno de actividad gástrica. Sólo se percibía, más allá, el latido del corazón. Me vino a la mente una escena de *Duelo en el Atlántico*. Bajo el punto donde yo aplicaba el oído, su estómago gigantesco llevaba a cabo la digestión en silencio, igual que el submarino en el que navegaba Curd Jürgens.

Al final, me aparté, me recosté en la cabecera y le pasé un brazo alrededor de los hombros. Me llegó el olor de su pelo.

–¿Tienes agua tónica? –me preguntó.

–En la nevera –le dije.

–Me gustaría tomarme un vodka con tónica, ¿puedo?

–Claro.

–¿Tú también tomarás algo?

–Lo mismo que tú.

Ella se levantó desnuda de la cama y, mientras estaba en la cocina preparando los dos vodka con tónica, coloqué sobre el plato el disco de Johnny Mathis que contiene *Teach Me Tonight,* volví a la cama y empecé a canturrear en voz baja. Yo, mi pene fláccido y Johnny Mathis.

–El cielo es una gran tabla negra... –cantaba yo cuando volvió ella con los dos vasos utilizando los libros sobre unicornios a modo de bandeja. Nos tomamos el vodka con tónica a sorbitos mientras escuchábamos el disco de Johnny Mathis.

–¿Cuántos años tienes? –me preguntó.

–Treinta y cinco –contesté. La información clara y concisa es una de las cosas más recomendables de este mundo–. Me divorcié hace tiempo y ahora estoy solo. No tengo hijos. Tampoco novia.

–Yo tengo veintinueve. Dentro de cinco meses cumpliré los treinta.

La miré de nuevo a la cara. No los aparentaba. A lo sumo, veintidós o veintitrés. Tenía el trasero empinado, ni una arruga. Me dije que estaba perdiendo rápidamente la facultad de adivinar la edad de las mujeres.

–Parezco más joven, pero tengo veintinueve –insistió–. Por cierto, ¿tú no serás jugador de béisbol o algo por el estilo?

De la sorpresa, estuve a punto de tirarme por encima del pecho el vodka con tónica.

–¡¿Qué?! Hace más de quince años que no juego al béisbol. ¿Cómo se te ha ocurrido eso?

–Es que tengo la sensación de haber visto tu cara por la tele. Y lo único que veo son los partidos de béisbol y las noticias. Entonces, quizá te haya visto en las noticias.

–Tampoco he salido en las noticias.

–¿Y en un anuncio?

–Tampoco.

–Pues debe de ser alguien que se parece mucho a ti... Es que, ¿sabes?, no tienes pinta de informático –dijo ella–. Y, claro, con todas esas historias de la evolución, de los unicornios, y con una navaja en el bolsillo...

Ella señaló mis pantalones tirados por el suelo. En efecto: la navaja asomaba por el bolsillo trasero del pantalón.

–Estoy procesando datos relacionados con la biología, en concreto con la biotecnología, y entran en juego intereses empresariales. Toda precaución es poca. Ya sabes cómo está últimamente el asunto de la piratería de datos...

–Hum... –musitó con expresión de incredulidad.

–También tú trabajas con ordenadores y, sin embargo, no tienes pinta de informática –dije.

Ella se golpeó los incisivos con la punta de las uñas.

–En mi caso, se trata sólo de tareas administrativas. Introduzco los títulos de los libros clasificados por materias, los busco para las consultas, compruebo la disponibilidad de los libros, esas cosas. También puedo hacer cálculos, claro. Cuando salí de la universidad, fui durante dos años a una escuela de informática para aprender a manejar un ordenador.

–¿Qué ordenador utilizas en la biblioteca?

Me lo dijo. Era un último modelo de gama intermedia de ordenadores para oficina, mejor de lo que parecía a primera vista. Usado debidamente, podía realizar cálculos bastante complejos. Yo lo había utilizado una sola vez.

Mientras permanecía con los ojos cerrados pensando en aquel ordenador, ella fue a preparar otros dos vodkas con tónica y los trajo a la cama. Recostados en la cabecera, bebimos a sorbos nuestras respectivas bebidas. Cuando se acabó el disco, la aguja del sistema automático volvió a posarse sobre el comienzo del disco de Johnny Mathis. Y yo volví a canturrear: «El cielo es una gran tabla negra...».

–Oye, ¿crees que hacemos buena pareja, tú y yo? –me preguntó. El culo de su vaso de vodka con tónica rozaba de vez en cuando mi costado, provocándome escalofríos.

–¿Buena pareja? –repetí.

–Sí. Tú tienes treinta y cinco años, yo veintinueve. ¿No te parece que estamos en la edad justa?

–¿La edad justa? –repetí. Al parecer, se me habían contagiado sus maneras, al estilo loro.

–A estas edades, podemos entendernos a las mil maravillas, los dos estamos solteros, nos llevamos bien. Además, yo no interferiría en tu vida, puedo apañármelas muy bien sola. ¿Te resulto desagradable?

–Claro que no –dije–. Tú tienes dilatación gástrica y yo impotencia. Sí, tal vez hagamos buena pareja.

Riendo, alargó la mano y tomó con suavidad mi pene fláccido. Era la mano que había sostenido el vaso de vodka con tónica: estaba tan fría que casi di un brinco.

–Lo tuyo se arregla enseguida –me susurró al oído–. Ya te curaré yo. Pero eso puede esperar. Mi vida gira más alrededor de la comida que del sexo, así que a mí ya me va bien así. El sexo, para mí, es como un buen postre. Si lo hay, tanto mejor, pero si no lo hay, tampoco pasa nada. Mientras lo demás valga la pena, claro.

–¿Un buen postre? –repetí de nuevo.

–Un buen postre –repitió ella a su vez–. Pero esto ya te lo explicaré en otra ocasión. Antes tenemos que hablar de los unicornios. A fin de cuentas, para eso me has pedido que viniera, ¿no?

Asentí, tomé los vasos vacíos y los dejé en el suelo. Ella soltó mi pene y cogió los dos tomos que descansaban en la mesilla de la cama. Uno era *Arqueología animal*, de Burtland Cooper, y el otro *El libro de los seres imaginarios*, de Jorge Luis Borges.

–Los he hojeado antes de venir. En resumen, éste –dijo cogiendo *El libro de los seres imaginarios*– los considera seres fantásticos, como el dragón o la sirena, y este otro –dijo cogiendo *Arqueología animal*– parte de la premisa de que no puede descartarse que hayan existido alguna vez y aborda el tema desde un punto de vista científico. Por desgracia, ni en uno ni en otro hay muchas descripciones de unicornios. Sorprende que haya muchas menos que de dragones o de gnomos, por ejemplo. Quizá sea porque los unicornios llevaban una existencia mucho más solitaria. Vaya, al menos eso me parece a mí. Lo siento, pero esto es todo lo que tenemos en la biblioteca.

–Es suficiente. Con una sinopsis me basta. Gracias.

Ella me tendió los dos volúmenes.

–¿Te importaría leerme los puntos más importantes? –le dije–. Escuchándote, me será más fácil captar las ideas generales.

Asintió, cogió en primer lugar *El libro de los seres imaginarios* y lo abrió por la primera página.

–«Ignoramos el sentido del dragón como ignoramos el sentido del universo» –leyó ella–. Esto está en el prólogo.

–¡Ah, ya! –dije.

Después abrió el libro por una página situada hacia el final del volumen, donde había introducido un punto de lectura.

–Ante todo he de comentarte que hay dos tipos de unicornio. El primero pertenece a Europa occidental y surgió en un rincón de Grecia. El otro es el unicornio chino. Entre ambos hay grandes diferencias, tanto formales como en lo que respecta a la concepción que la gente tenía de ellos. El unicornio griego y latino, por ejemplo, es, como transcribe Borges, "semejante por el cuerpo al caballo, por la cabeza al ciervo, por las patas al elefante, por la cola al jabalí. Su mugido es grave; un largo y negro cuerno se eleva en medio de su frente. Se niega a ser apresado vivo".

»En cambio, el unicornio chino presenta otras características:

»"Tiene cuerpo de ciervo", cuenta Borges, "cola de buey y cascos de caballo. El cuerno que le crece en la frente está hecho de carne; el pelaje del lomo es de cinco colores entreverados; el del vientre es pardo o amarillo". Son bastante diferentes, ¿verdad?

–Pues sí –dije.

–Y no sólo en la forma. Los unicornios orientales y los occidentales presentan también grandes diferencias en cuanto a su carácter y a su significado. Los occidentales lo consideraban un animal agresivo y feroz. Piensa que tenía un cuerno de casi un metro de largo. Según Leonardo da Vinci, únicamente hay un modo de capturar a un unicornio y es aprovechándose de su sensualidad. Al ponerle una doncella delante, el deseo sexual lo domina, olvida su fiereza y apoya la cabeza en el regazo de la muchacha: entonces se lo puede capturar. Supongo que comprendes el significado del cuerno, ¿no?

–Yo diría que sí.

–Por el contrario, el unicornio chino es un animal sagrado y de buen agüero. Junto con el dragón, el fénix y la tortuga, forma parte de los cuatro animales emblemáticos de la mitología china y es el primero de los animales cuadrúpedos de la Tierra. Es extremadamente plácido. Cuando camina, va con precaución para no pisar a ningún animal pequeño y se alimenta no de pasto verde, vivo, sino de hierba seca. Alcanza los mil años de vida y la aparición de un unicornio augura el nacimiento de un rey virtuoso. La madre de Confucio, por ejemplo, vio un unicornio cuando estaba encinta.

»"Setenta años después", explica Borges, "unos cazadores mataron un *K'i-lin* que aún guardaba en el cuerno un trozo de cinta que la madre de Confucio le ató. Confucio lo fue a ver y lloró porque sintió lo que presagiaba la muerte de ese inocente y misterioso animal y porque en la cinta estaba el pasado."

»¿Qué te parece? Interesante, ¿no? En el siglo XIII aún se encuentran unicornios en la historia de China. La avanzada de caballería que envió Gengis Khan cuando proyectaba invadir la India se encontró en medio del desierto con un extraño animal que tenía un cuerno en medio de la frente, el pelaje de color verde, se parecía a un ciervo y hablaba el idioma de los seres humanos. Les dijo: "Ya es hora de que vuelva a su tierra vuestro señor".

»Un ministro chino de Gengis Khan que fue consultado al respecto le explicó que aquel animal era una variedad de *K'i-lin*. Le dijo que a lo largo de cuatro inviernos los ejércitos habían combatido en las tierras occidentales. Y el Cielo, que aborrecía el derramamiento de sangre, les enviaba ese aviso. Y el emperador renunció a sus planes bélicos.

»Es curioso lo distintos que son los unicornios orientales y los occidentales. En Oriente, el unicornio simboliza la paz y la tranquilidad; en Occidente, la agresividad y la lujuria. Pero ambos son animales mitológicos y, justamente por este motivo, se les puede conferir diversos sentidos.

–¿Y en la realidad no existen animales con un solo cuerno?

–En los cetáceos hay una ballena, el narval, pero, hablando con propiedad, no tiene cuerno, sino un colmillo de la mandíbula superior que le crece hacia fuera. Este cuerno mide unos dos metros y medio de largo, es recto y retorcido como un taladro. Pero este animal pertenece a una especie acuática muy singular que los hombres del Medievo tenían poquísimas ocasiones de ver. Y, por lo que respecta a los mamíferos, entre las especies que aparecieron en el Mioceno y que fueron extinguiéndose después, sí se encuentran algunos animales parecidos al unicornio. Por ejemplo...

Tras pronunciar estas palabras, cogió *Arqueología animal* y abrió el libro en un punto a dos terceras partes del inicio.

–Aquí tienes dos rumiantes que se cree que vivieron en el Mioceno, hace unos veinte millones de años, en el norte del continente americano. El de la derecha es un *Synthetoceras,* y el de la izquierda, un *Cranioceras*. Ambos eran tricornes, pero es evidente que uno de los tres cuernos era independiente.

Tomé el libro y miré las ilustraciones. El *Synthetoceras* parecía la síntesis de un caballo pequeño y un ciervo; en la frente tenía dos cuernos parecidos a los de una vaca y, en el morro, un largo cuerno bífido en forma de Y. El *Cranioceras* tenía la cara más redonda y, en la frente, lucía una cornamenta parecida a la del ciervo. Tenía, además, en lo alto de la cabeza, un cuerno curvado hacia atrás. Ambos animales ofrecían un aspecto de lo más grotesco.

–Pero casi todos los animales con un número impar de cuernos se han extinguido –dijo ella tomando el libro de mis manos–. Si nos limitamos a los mamíferos, pocos cuentan con un solo cuerno o con un número impar de ellos, y, dentro del proceso evolutivo, son especímenes anómalos o, dicho de otro modo, huérfanos de la evolución. Y si no nos circunscribimos a los mamíferos y pensamos, por ejemplo, en los dinosaurios, sí había especímenes de gran tamaño con tres cuernos, pero eran excepciones. Esto se debe a que el cuerno es un arma con un alto grado de focalización. Lo entenderás si lo comparas con un tenedor. Al tener tres puntas, aumenta la resistencia de la superficie y es más difícil clavarlo. Además, en caso de acometer un objeto duro, desde el punto de vista de la dinámica, las probabilidades de clavarse con éxito en el cuerpo del contrincante son mayores con un solo cuerno que con tres.

»Además, cuando se enfrenta a múltiples enemigos, a un animal tricorne le cuesta más extraer los cuernos, tras hincarlos en el cuerpo de uno de los adversarios, para atacar al siguiente contrincante.

–Como la resistencia es mayor, cuesta más –dije.

–Exacto –dijo ella y me clavó tres dedos en el pecho–. Éste es el defecto del tricornio. Primera proposición: dos cuernos, o uno solo, son más funcionales que más de dos. Pasemos ahora a ver los defectos del cuerno único. No, quizá sea mejor que te explique antes la necesidad de los dos cuernos. La primera ventaja de los dos cuernos es que respeta la simetría. El movimiento de todos los animales está determinado por el mantenimiento del equilibrio bilateral, es decir, por la división de las fuerzas y de las capacidades por la mitad. La nariz tiene dos orificios, la boca mantiene una simetría derecha-izquierda y, en realidad, funciona dividida en dos. Ombligo, tenemos sólo uno, pero es un órgano atrofiado.

–¿Y el pene? –pregunté.

–El pene y la vagina, juntos, forman una unidad. Como el panecillo y la salchicha.

–¡Ah, claro! –dije. Era evidente.

–Lo más importante son los ojos, que funcionan como una especie de torre de control, tanto para el ataque como para la defensa, y por eso lo más lógico es que los cuernos mantengan un estrecho contacto con los ojos. Un buen ejemplo es el rinoceronte. En su origen, tiene un solo cuerno, pero lo cierto es que es un animal terriblemente corto de vista. Y, mira por dónde, la miopía del rinoceronte tiene su origen en que tiene un solo cuerno. Vamos, que es un tullido. Las razones por las cuales el rinoceronte ha sobrevivido a pesar de este defecto tienen que ver con el hecho de que es un herbívoro y que está cubierto por una dura coraza. El rinoceronte apenas tiene necesidad de defenderse. En este sentido, tal como se puede comprobar con sólo verlo, se parece al dinosaurio. Pero el unicornio, a juzgar por las ilustraciones, no responde a tales características. No está cubierto de una coraza y es muy..., ¿cómo lo diría?...

–Vulnerable –dije.

–Exacto. En cuanto a vulnerabilidad, está en la misma categoría del ciervo. Si encima fuera miope, estaría condenado a la extinción. Por más que hubiese desarrollado el sentido del oído o del olfato, cuando lo acorralaran no tendría ninguna posibilidad de defenderse. Atacar a un unicornio sería como disparar a un pato en tierra con una escopeta de alta precisión. Otra desventaja del cuerno único es que, si éste sufre algún daño, el animal está irremisiblemente perdido. En fin, que es lo mismo que atravesar el desierto del Sáhara sin una rueda de recambio. ¿Entiendes lo que quiero decir?

–Sí.

–Un defecto más del cuerno único es que, con él, no se puede ejercer mucha fuerza. Piensa en los dientes molares e incisivos: se ejerce más fuerza con las muelas que con los incisivos, ¿verdad? Volviendo al equilibrio del que hablábamos antes: cuanto más pesado es el instrumento con el que se aplica una fuerza, mayor es la estabilidad global del cuerpo. En fin, esto demuestra que el unicornio es una mercancía defectuosa, ¿no crees?

–Lo he entendido a la perfección –dije–. Te explicas muy bien.

Ella sonrió y deslizó un dedo por mi pecho.

–Pero hay algo más. En teoría hay una única razón por la cual el unicornio podría haber logrado escapar a la extinción. Es algo fundamental. ¿Adivinas qué es?

Crucé las manos por encima del pecho y estuve uno o dos minutos reflexionando. Había una única respuesta posible.

–Que no fuera la presa de ningún depredador natural –dije yo.

–¡Has acertado! –dijo y me dio un beso en los labios–. Imagina un posible hábitat sin depredadores –siguió.

–Tendría que ser un lugar aislado, donde no pudieran penetrar otros animales –dije–. Una especie de «mundo perdido», como el concebido por Conan Doyle. Una región que se encontrara a gran altitud o, si no, en una depresión muy profunda. O rodeada por una escarpada pared de roca, como una caldera volcánica, por ejemplo.

–Sobresaliente –dijo ella, dándome un golpecito con el dedo índice sobre el corazón–. Y precisamente en un hábitat como ése descubrieron el cráneo de un unicornio.

Tragué saliva. Sin darme cuenta, me estaba aproximando al meollo de la cuestión.

–Lo encontraron en 1917, en el frente ruso. En septiembre de 1917.

–Un mes antes de la Revolución de Octubre, durante la Primera Guerra Mundial. Bajo el gabinete Kerenski –dije yo–. Justo antes de que se produjera la insurrección bolchevique.

–Lo encontró un soldado ruso mientras excavaba una trinchera en el frente de Ucrania. El soldado pensó que era un cráneo de vaca o de ciervo y lo arrojó fuera. El asunto habría terminado allí y el cráneo habría surgido de las profundas simas de la historia para volver a caer de inmediato en ellas, si el teniente que comandaba aquella tropa no hubiese sido un estudiante de posgrado de la Facultad de Biología de la Universidad de Petrogrado, pues así se llamaba entonces San Petersburgo. El teniente recogió el cráneo, se lo llevó al campamento y lo examinó detenidamente. Y descubrió que pertenecía a una especie desconocida. Se puso en contacto inmediatamente con el catedrático de biología de la Universidad de Petrogrado y esperó la llegada del equipo encargado de la investigación, pero éste jamás llegó. En aquellos tiempos reinaba en Rusia el caos más absoluto, se declaraban huelgas por todas partes, y ni siquiera las provisiones, las municiones y los medicamentos llegaban con regularidad a las tropas: no era una situación propicia para que una expedición científica alcanzara el frente. Y aunque lo hubiese logrado, no creo que hubieran dispuesto del tiempo necesario para realizar un trabajo de campo. Porque lo cierto era que el ejército ruso iba de derrota en derrota y que la línea del frente no dejaba de retroceder. Tal vez aquella zona hubiese caído ya en manos del ejército alemán.

–¿Y qué le pasó al teniente?

–En noviembre de ese año lo colgaron de un poste de telégrafo. La mayoría de los oficiales hijos de familias burguesas corrieron idéntica suerte y fueron colgados de los postes de telégrafo que se sucedían a lo largo del camino que iba de Ucrania a Moscú. El joven no tenía relación alguna con la política, era estudiante de biología.

Me representé la imagen de los oficiales colgados, uno por uno, en los postes telegráficos que se alineaban a lo largo de la llanura rusa.

–Pero justo antes de que el ejército bolchevique tomara el poder, el teniente confió el cráneo a un hombre de su confianza, a un soldado herido que iba a ser enviado a la retaguardia, y le prometió que, si se lo entregaba a un catedrático de la Universidad de Petrogrado, recibiría una generosa recompensa. Pero el soldado no pudo llevar el cráneo a la universidad hasta febrero del siguiente año, cuando fue dado de alta del hospital, y por entonces la universidad había sido temporalmente clausurada: los estudiantes estaban consagrados a la revolución, y la mayoría de los profesores habían sido obligados a exiliarse o habían muerto. Como no tenía alternativa, el soldado pospuso la entrega y dejó la caja con el cráneo bajo la custodia de un cuñado que era guarnicionero para caballerías en Petrogrado y se volvió a su pueblo natal, a unos trescientos kilómetros de la ciudad. Sin embargo, por motivos que ignoro, el soldado no pudo regresar jamás a Petrogrado y la caja permaneció abandonada largo tiempo en el almacén del taller de guarnicionería de su cuñado.

»El cráneo no volvió a ver la luz del día hasta el año 1935. San Petersburgo, y luego Petrogrado, se llamaba entonces Leningrado, Lenin había muerto, Trotski estaba en el exilio y Stalin ostentaba el poder. En Leningrado ya casi nadie montaba a caballo, así que el dueño de la guarnicionería decidió liquidar la mitad de las existencias y, con la otra mitad, abrir una pequeña tienda de artículos de hockey.

–¿De hockey? –salté–. ¿En la Rusia soviética de los años treinta estaba de moda el hockey?

–No tengo ni idea. Yo sólo te digo lo que pone aquí. Pero el Leningrado de después de la revolución soviética debía de ser una ciudad relativamente moderna, ¿no? Es posible que la gente jugara al hockey, digo yo.

–¡Uf! ¡Vete a saber! –repliqué.

–En fin, sea como sea, mientras este hombre ordenaba el almacén, encontró la caja que su cuñado le había dejado en 1918 y la abrió. Encima de todo, encontró la carta dirigida al catedrático fulano de tal de la Universidad de Petrogrado, donde ponía: «Por tal y cual razón, he confiado este cráneo a tal persona. Le ruego que lo recompense debidamente». No hace falta decir que el guarnicionero llevó la caja a la universidad (esto es, a la que entonces era Universidad de Leningrado) y solicitó una entrevista con el catedrático en cuestión. Sin embargo, éste era judío y, simultáneamente a la caída de Trotski, había sido deportado a Siberia. O sea, que el guarnicionero se quedó sin nadie que le pagara la recompensa y con perspectivas de conservar hasta el fin de sus días un cráneo que no sabía de qué era y que no le iba a reportar beneficio alguno. De modo que el hombre buscó a otro catedrático de biología, le explicó la situación, cedió el cráneo a la universidad por una cantidad irrisoria y se volvió a casa.

–Al menos, después de dieciocho años el cráneo consiguió llegar a la universidad.

–Entonces –siguió ella–, este catedrático estudió el cráneo centímetro a centímetro y llegó a la misma conclusión que el joven teniente dieciocho años atrás. Es decir, que el cráneo no pertenecía a ninguna especie que existiera en el presente y tampoco a ninguna que se supusiera que hubiese existido en el pasado. El cráneo recordaba al del ciervo, y la forma de la mandíbula lo situaba, por analogía, entre los herbívoros ungulados, pero, por lo visto, había tenido las mejillas más prominentes que éstos. Con todo, la mayor diferencia que presentaba con respecto al ciervo era que tenía un cuerno en mitad de la frente. Es decir, que era un unicornio.

–¿Quieres decir que tenía un cuerno de verdad?

–Sí. Tenía un cuerno. Aunque no entero, por supuesto. El cuerno estaba roto a unos tres centímetros de la base. A partir del fragmento que quedaba, dedujeron que debía de haber alcanzado los veinte centímetros y que debía de haber sido recto como el de un antílope. El diámetro de la base era de..., a ver, sí, de unos dos centímetros.

–¡Dos centímetros! –repetí. El orificio del cráneo que me había regalado el anciano justamente tenía dos centímetros de diámetro.

–El profesor Béroff, pues así se llamaba el catedrático, se dirigió a Ucrania acompañado de varios ayudantes y alumnos de posgrado y, durante un mes, hicieron trabajo de campo en el mismo lugar donde tiempo atrás había abierto la trinchera la tropa del joven teniente. Por desgracia, no lograron encontrar otro cráneo igual, pero salieron a la luz diversos hechos muy interesantes sobre el territorio. Aquella zona, conocida como la meseta de Vultafil, forma un montículo relativamente elevado en medio de la región occidental de Ucrania, rica en llanuras, y es un punto geográfico de gran importancia estratégico-militar. Por esta razón, durante la Primera Guerra Mundial, los ejércitos alemán y austrohúngaro se enzarzaron en repetidas y sangrientas luchas cuerpo a cuerpo con el ejército ruso para hacerse con el dominio de cada metro de aquella colina, y durante la Segunda Guerra Mundial recibió tantas cargas de artillería y tantos bombardeos por parte de ambos contendientes que sufrió cambios orográficos, pero esto ocurrió después. Lo que atrajo entonces la atención del profesor Béroff fue el hecho de que los huesos de los animales que desenterraron en la meseta de Vultafil diferían de manera notable con la distribución de especies del resto de la región. A partir de ahí, el profesor formuló la hipótesis de que, antiguamente, no tenía la forma de meseta que ofrecía en la actualidad, sino que debía de haber constituido una especie de caldera volcánica. Y que, en el interior de esta caldera volcánica, debió de existir un sistema biológico específico. Vamos, lo que tú llamas un «mundo perdido».

–¿Una caldera volcánica?

–Sí, una meseta circular rodeada de una alta pared rocosa. Ésta se habría ido erosionando a lo largo de millones de años hasta convertirse en una colina normal y corriente. Y, en su interior, el unicornio, un eslabón perdido de la evolución, habría llevado una vida aislada libre de depredadores. En la meseta abundaba el agua, la tierra era fértil: la hipótesis era viable. De modo que el profesor elaboró una lista de un total de sesenta y tres ejemplos pertenecientes al campo de la zoología, la botánica y la geología, adjuntó el cráneo del unicornio y elevó su tesis a la Academia Soviética de las Ciencias bajo el título *Estudio del sistema biológico de la meseta de Vultafil.* Corría el año 1936.

–La acogida no debió de ser muy buena, ¿no?

–No, no lo fue. Nadie lo apoyó. Además, por desgracia, en aquella época la Universidad de Moscú y la de Leningrado se disputaban el control de la Academia de las Ciencias. La Universidad de Leningrado, que llevaba por entonces las de perder, recibió con frialdad una tesis «antidialéctica» como aquélla. Con todo, nadie podía negar la existencia del cráneo de unicornio. A diferencia de la hipótesis, era una realidad indiscutible. De modo que algunos científicos estudiaron el cráneo durante un año y, al final, no tuvieron más remedio que admitir que el cráneo no era una falsificación y que pertenecía sin duda alguna a un animal con un solo cuerno. Finalmente, el comité de la Academia de las Ciencias dictaminó que era un simple cráneo de ciervo con una deformación sin consecuencias evolutivas y que no merecía la pena dedicarle más tiempo. Y lo devolvieron al profesor Béroff, a la Universidad de Leningrado. Y aquí terminó la historia.

»El profesor Béroff esperó a que cambiaran los tiempos y llegara un momento propicio para que reconocieran su investigación, pero, en 1941, con el inicio de la guerra contra Alemania, sus esperanzas se desvanecieron y murió en 1943 en medio de la desesperación más absoluta. El cráneo también desapareció durante el cerco de Leningrado. La universidad fue derruida hasta los cimientos por el fuego alemán y por el ruso, y no se sabe adónde fue a parar el cráneo. Así se perdió la única prueba que confirmaba la existencia de un unicornio.

–Entonces, ¿ya no queda nada?

–Aparte de las fotos, no.

–¿Fotos? –dije yo.

–Sí, fotografías del cráneo. El profesor Béroff sacó cerca de cien fotografías del cráneo. Algunas se salvaron de la destrucción de la guerra y ahora se conservan en el archivo de la Universidad de Leningrado. Mira, aquí tienes una.

Tomé el libro de sus manos y dirigí los ojos hacia la fotografía que me señalaba. Era una fotografía muy mala, pero se reconocía la forma del cráneo. Lo habían colocado sobre una mesa cubierta con una tela blanca y, a su lado, habían puesto un reloj de pulsera para mostrar el tamaño real. En mitad de la frente, un círculo blanco mostraba la ubicación del cuerno. No cabía duda: el cráneo era igual al que me había regalado el anciano. La única diferencia era que uno conservaba la base del cuerno; por lo demás, eran idénticos. Dirigí los ojos hacia el cráneo que descansaba sobre el televisor. Visto de lejos, totalmente cubierto por la camiseta, parecía un gato durmiendo. Dudé entre contarle a la chica que yo tenía el cráneo o callar. Decidí no comentarle nada. Cuanta menos gente sepa un secreto, mejor.

–¿Y es seguro que el cráneo fue destruido durante la guerra? –pregunté.

–¡Vete a saber! –dijo ella toqueteándose el flequillo con el dedo meñique–. Según este libro, los combates del cerco de Leningrado fueron tan violentos y brutales que arrasaron la ciudad, manzana tras manzana, como si las aplastara una apisonadora. Además, el barrio donde se encontraba la universidad resultó de los más dañados, así que es prácticamente seguro que el cráneo fue destruido. Cabe la posibilidad de que el profesor Béroff lo escondiera antes en alguna parte, o que el ejército alemán se lo llevara como botín de guerra... Pero lo cierto es que nadie ha vuelto a verlo desde entonces.

Volví a mirar la fotografía, cerré el libro de golpe y lo dejé sobre la cama. Me pregunté si el cráneo que yo tenía era el de la Universidad de Leningrado o si se trataba del cráneo de otro unicornio que hubieran desenterrado en otro lugar. Lo más sencillo era preguntárselo directamente al anciano. ¿Dónde encontró el cráneo? ¿Y por qué me lo dio a mí? Como tenía que verle para entregarle los datos resultantes del *shuffling*, se lo preguntaría entonces. De momento, no tenía sentido preocuparse.

Mientras, con los ojos clavados en el techo, estaba absorto en estos pensamientos, ella apoyó la cabeza sobre mi pecho y pegó su cuerpo al mío. La rodeé con mis brazos. Tras averiguar algo más sobre los unicornios, me sentía un poco más aliviado, pero el estado de mi pene seguía sin mejorar. No obstante, ella, sin importarle si mi pene lograba o no una erección, con la punta del dedo empezó a dibujar en mi barriga unas figuras indescifrables.

# 10

## EL FIN DEL MUNDO

## La muralla

Una tarde nublada, cuando bajé a la cabaña del guardián, me encontré a mi sombra ayudándolo a reparar una carreta. Ambos la habían arrastrado hasta el centro de la explanada, habían sacado las tablas viejas del fondo y de los lados y ahora estaban reemplazándolas por otras nuevas. El guardián cepillaba las tablas nuevas con mano experta y la sombra las claveteaba con el martillo. Su aspecto apenas había cambiado desde que nos habíamos separado. Parecía gozar de buena salud, pero sus movimientos eran un poco más desmadejados y, en el contorno de sus ojos, se dibujaban unas arrugas de malhumor.

Cuando me acerqué, ambos se detuvieron y alzaron la cabeza.

–¿Me buscabas? –preguntó el guardián.

–Sí. Quiero hablar contigo –le dije.

–Ve adentro y espera a que acabe esto –me dijo el guardián, mirando la tabla que cepillaba en aquellos momentos.

La sombra se limitó a dirigirme una ojeada y, acto seguido, volvió a enfrascarse en su trabajo. Parecía enfadada conmigo.

Entré en la cabaña del guardián, me senté ante la mesa y lo esperé. La mesa estaba tan desordenada como de costumbre. El guardián sólo la limpiaba cuando tenía que afilar los cuchillos. Sobre ella se amontonaban, sin orden ni concierto, platos sucios, tazas, una pipa, café molido, virutas. Sólo los cuchillos estaban colocados con una pulcritud casi prodigiosa en la estantería.

El guardián tardaba lo suyo. Pasé un brazo por el respaldo de la silla y me dispuse a matar el tiempo con la mirada perdida en el techo. En aquella ciudad había tiempo hasta la náusea. Todo el mundo aprendía con naturalidad pasmosa su particular forma de perder el tiempo.

Fuera, proseguían los ruidos del cepillo y del martillo.

Poco después se abrió la puerta, pero quien entró en la cabaña no fue el guardián sino mi sombra.

–No puedo entretenerme mucho –dijo pasando junto a mí–. Sólo he venido a buscar clavos.

Abrió la puerta del fondo y cogió una caja de clavos de la alacena que estaba a mano derecha.

–Escúchame con atención –dijo la sombra mientras comprobaba la longitud de los clavos que había en la caja–. Ante todo, tienes que dibujar un mapa de la ciudad. No lo hagas preguntando a los demás, sino según lo que tú puedas comprobar con tus propios ojos y tus propios pies. Dibuja todo lo que veas, sin dejarte nada. Ni el detalle más insignificante.

–Eso lleva tiempo.

–Basta con que me lo des antes de que acabe el otoño –dijo la sombra hablando con rapidez–. Y también quiero explicaciones escritas. Necesito, en particular, que investigues bien la forma de la muralla, el bosque que hay al este, por dónde entra y sale el río. Sólo eso. ¿Comprendido?

En cuanto me hubo dicho esto, sin mirarme siquiera, la sombra abrió la puerta y salió. Me repetí lentamente lo que acababa de decirme. La forma de la muralla, el bosque del este, por dónde entraba y salía el río. Bien pensado, hacer un mapa no era mala idea. De esta forma podría averiguar cómo era la ciudad y aprovecharía el tiempo que me sobraba. Ante todo, lo que más feliz me hacía era ver que mi sombra todavía confiaba en mí.

El guardián vino poco después. Al entrar en la cabaña, se secó el sudor con una toalla y se limpió las manos. Luego, se dejó caer pesadamente sobre una silla, al otro lado de la mesa.

–Bueno, ¿qué quieres?

–He venido a ver a mi sombra –dije.

Tras asentir repetidas veces, el guardián llenó de tabaco la pipa, prendió una cerilla y la encendió.

–Todavía no es posible –dijo el guardián–. Lo lamento, pero aún es demasiado pronto. En esta estación, la sombra todavía es demasiado fuerte. Tienes que esperar hasta que los días sean más cortos. Lo siento. –Con los dedos, partió la cerilla por la mitad y la arrojó en un plato de encima de la mesa–. También lo hago por ti, no creas. Si te encariñas ahora con ella, luego será peor. Lo he visto montones de veces. Es un buen consejo, créeme. Ten un poco de paciencia.

Asentí en silencio. Dijera lo que dijese, no iba a escucharme y, además, yo había logrado ya hablar con ella. Lo único que podía hacer era esperar con paciencia a que me diera permiso.

El guardián se levantó de la silla, se acercó al fregadero y se sirvió varias veces agua en una taza de cerámica.

–¿Va bien el trabajo?

–Me voy acostumbrando poco a poco –dije.

–Estupendo –aprobó–. Trabajar bien es lo más importante. Las personas que no trabajan bien sólo piensan en tonterías.

Se oía cómo mi sombra seguía clavando clavos en el exterior.

–¿Te apetece dar un paseo? –propuso el guardián–. Quiero enseñarte algo interesante.

Salí detrás del guardián. En la explanada, mi sombra, subida en la carreta, claveteaba la última tabla lateral. A excepción del eje y de las ruedas, la carreta había quedado completamente nueva.

El guardián cruzó la explanada y me condujo hasta la atalaya. Era una tarde nublada y sofocante. Sobre la muralla, el cielo estaba cubierto de negros nubarrones que venían del oeste y parecía que fuera a empezar a llover de un momento a otro. La camisa del guardián, totalmente empapada en sudor, se adhería a su corpachón y despedía un olor desagradable.

–Ésta es la muralla –dijo dándole palmadas como si fueran las ancas de un caballo–. Mide siete metros de altura y rodea toda la ciudad. Los pájaros son los únicos que pueden franquearla. No hay más puerta que ésta. Hace tiempo, teníamos la Puerta del Este, pero ahora está tapiada. La muralla, como ves, es de ladrillos, pero no son ladrillos normales. Nadie ni nada puede dañarlos o derribarlos, ni los cañonazos, ni los terremotos, ni las tormentas. –Recogió un trozo de madera que estaba a sus pies y empezó a afilarlo con el cuchillo. El cuchillo cortaba de una manera asombrosa y, en un santiamén, el trozo de madera se convirtió en una afilada cuña–. Fíjate bien –dijo el guardián–. Entre un ladrillo y otro no hay argamasa de ningún tipo. Porque no hace falta. Los ladrillos están tan sólidamente unidos que, en los intersticios, no conseguirías meter ni un pelo.

Trató de introducir la afilada punta de la cuña entre un ladrillo y otro, pero la madera no pudo penetrar ni un milímetro en la juntura. Acto seguido, tiró la cuña y rascó la superficie del ladrillo con la punta de la hoja de su navaja. Produjo un desagradable chirrido, pero no logró siquiera arañar la superficie de la piedra. El guardián, tras comprobar el estado de la hoja, plegó la navaja y se la guardó en el bolsillo.

–Nada puede erosionarla ni destruirla. Tampoco se puede escalar. Porque la muralla es perfecta. Recuérdalo bien: nadie puede salir de aquí. Así que no pienses en tonterías. –Luego, posó su manaza en mi espalda–. Comprendo tu amargura, pero todo el mundo tiene que pasar por esto. Y tú también tienes que soportarlo. Después, sin embargo, te llegará la salvación. Y entonces se desvanecerán tus inquietudes y tu dolor. Todo desaparecerá. Créeme: las sensaciones efímeras nada valen. Hazme caso y olvida a tu sombra. Esto es el fin del mundo. El mundo acaba aquí, no se puede ir más allá. Tú ya no puedes ir a ninguna parte.

Tras pronunciar estas palabras, el guardián me dio unas palmadas en la espalda.

En el camino de vuelta, me detuve en medio del Puente Viejo y, acodado en la barandilla, mientras contemplaba el río, reflexioné sobre lo que me había dicho el guardián.

El fin del mundo.

Pero ¿por qué había tenido que dejar mi viejo mundo y venir aquí? No lograba acordarme ni de las circunstancias, ni del sentido, ni del propósito de todo aquello. Algo, alguna fuerza me había enviado a este mundo. Una fuerza poderosa y arbitraria. Por su culpa yo había perdido la sombra y los recuerdos, y ahora iba a perder el corazón.

A mis pies, el río discurría con un agradable murmullo. Había unas isletas donde crecían los sauces. La corriente mecía suavemente las ramas de los sauces que colgaban y rozaban la superficie del río. El agua era límpida y transparente, y en los remansos alrededor de las rocas se veían las siluetas de los peces. Cuando contemplaba el río, siempre me invadía una sosegada paz.

Desde el puente, por unas escaleras se accedía a una de las isletas, donde habían colocado un banco a la sombra de los sauces. Siempre había algunas bestias dormitando alrededor. Yo solía bajar a la isleta, desmenuzaba el pan que llevaba en los bolsillos y se lo daba a las bestias. Éstas, tras titubear unos instantes, tendían el cuello y tomaban las migas de pan de la palma de mi mano. Pero sólo eran las bestias viejas y las de corta edad las que comían de mi mano.

Conforme avanzaba el otoño, los ojos de las bestias, que recordaban las profundas aguas de un lago, iban tiñéndose paulatinamente del color de la tristeza. También las hojas de los árboles cambiaban de color y la hierba empezaba a secarse: todo les anunciaba que se aproximaba la larga y dura estación del hambre. Y, tal como me había predicho el anciano, la estación prometía ser larga y dura también para mí.

# 11

## EL DESPIADADO PAÍS DE LAS MARAVILLAS

## Ropa. Sandía. Caos

Las agujas del reloj señalaban las nueve y media cuando ella saltó de la cama, recogió la ropa esparcida por el suelo y empezó a vestirse con calma, tomándose su tiempo. Apoyado en un codo hincado en la cama, yo la miraba con el rabillo del ojo. Su figura, mientras deslizaba una prenda tras otra sobre su cuerpo, suavemente, sin movimientos innecesarios, irradiaba la quietud y la calma de un esbelto pájaro de invierno. Se subió la cremallera de la falda, se abrochó, uno tras otro, de arriba abajo, los botones de la blusa y, al final, se sentó en la cama y se puso las medias. Luego, me dio un beso en la mejilla. Tal vez haya muchas chicas que sepan quitarse la ropa de un modo seductor, pero pocas son capaces de ponérsela con gracia. Una vez vestida, se echó el pelo hacia atrás, despejándoselo con el dorso de las manos, y al verlo sentí que una corriente de aire fresco penetraba en la habitación.

–Gracias por la cena –me dijo.

–De nada.

–¿Siempre preparas tanta comida?

–Cuando no estoy ocupado, sí –dije–. Pero cuando tengo trabajo, no puedo cocinar. Me acabo las sobras, o voy a comer fuera.

Se sentó en una silla de la cocina, sacó un cigarrillo del bolso y lo encendió.

–Yo cocino poco. No me entusiasma cocinar, la verdad. Además, volver a casa a las siete, preparar un montón de comida y luego zampármela toda, sin dejar una miga, me deprime. Sólo pensarlo me da algo. Parece que sólo viva para comer, ¿no?

Me dije que quizá tuviera razón.

Mientras me vestía, ella sacó una agenda de su bolso, apuntó algo con bolígrafo y arrancó la página.

–El teléfono de mi casa –dijo–. Si te entran ganas de verme o te sobra comida, llámame. Vendré enseguida.

Cuando se hubo marchado, llevándose los tres volúmenes sobre mamíferos para devolverlos a la biblioteca, me dio la sensación de que un silencio extraño se adueñaba del apartamento. Me planté ante el televisor, levanté la camiseta y observé una vez más el cráneo del unicornio. No tenía ninguna prueba determinante, pero empecé a preguntarme si no sería aquél el enigmático cráneo que el desdichado teniente de infantería había descubierto en el frente de Ucrania. Cuanto más lo miraba, más convencido estaba de que un halo de misterio flotaba a su alrededor. Por supuesto, tal vez esa impresión se debía a la historia que acababa de escuchar. Sin más, volví a darle otro golpecito con las tenazas de acero inoxidable.

Después recogí los platos y los vasos, los lavé en el fregadero y pasé una bayeta por encima de la mesa de la cocina. Ya era hora de iniciar el *shuffling*. Para que no me interrumpieran, puse el contestador automático, desconecté el timbre de la puerta y apagué todas las luces de la casa excepto la lámpara de la mesa de la cocina. Durante como mínimo un par de horas, necesitaba estar solo, con toda la atención centrada en el *shuffling*.

Mi contraseña del *shuffling* es «el fin del mundo». Es el título de un culebrón estrictamente personal en el que me baso para pasar los valores numéricos lavados al cálculo informático. Aunque lo llame «culebrón», nada tiene que ver con los que dan por la tele. Es mucho más caótico y no tiene un argumento claro. Lo llamo «culebrón» como podría llamarlo de otro modo. En todo caso, jamás me han explicado qué contiene. Sólo sé que se llama «el fin del mundo».

Este culebrón lo crearon los científicos del Sistema. Realicé un año de prácticas específicas para ser calculador y, tras aprobar los exámenes finales, me congelaron durante dos semanas, a lo largo de las cuales analizaron al detalle mis ondas cerebrales, extrajeron el núcleo de mi conciencia, fijaron en éste un culebrón-contraseña de acceso al *shuffling* y, una vez implantado, volvieron a introducir el núcleo dentro de mi cerebro. Y me dijeron: «El título es "el fin del mundo" y será tu contraseña de acceso al *shuffling*». Por eso mi conciencia está estructurada en dos partes. Es decir, en primer término, existe una conciencia global y caótica, y en su interior, igual que el hueso de una *umeboshi,* se encuentra el núcleo de la conciencia que sintetiza este caos.

Pero ellos no me explicaron qué contenía el núcleo de la conciencia.

–No tienes por qué saberlo –me dijeron–. Porque, en este mundo, no hay nada más exacto que la inconsciencia. Al llegar a cierta edad (lo hemos calculado con sumo cuidado y la hemos establecido en los veintiocho años), la conciencia global del ser humano ya no experimenta cambios. Lo que se denomina generalmente «transformaciones de la conciencia», si lo analizamos desde el punto de vista del funcionamiento global del cerebro, vemos que no son más que insignificantes oscilaciones superficiales. Sin embargo, «el fin del mundo», tu nuevo núcleo de la conciencia, funcionará hasta el fin de tus días con una exactitud inalterable. ¿Lo has comprendido hasta aquí?

–Sí –contesté.

–Todos los métodos de lógica y de análisis son inútiles, como tratar de partir una sandía con la punta de un alfiler. Arañarán la cáscara, pero jamás alcanzarán la pulpa. Precisamente por eso, nosotros hemos tenido que separar claramente la cáscara y la pulpa. Aunque lo cierto es que, en este mundo, hay quien se contenta con mordisquear la cáscara.

»En resumen –prosiguieron–, nosotros tenemos que proteger eternamente tu culebrón-contraseña de las oscilaciones superficiales de tu conciencia. Supón que te explicamos que "el fin del mundo" consiste en esto y aquello. Vamos, que te pelamos la sandía. En este caso, sin duda, tú lo toquetearías todo e intentarías mejorarlo: que si esto quedaría mejor así, o que si yo le añadiría lo de más allá... Entonces, la universalidad del culebrón-contraseña se esfumaría en un abrir y cerrar de ojos y el *shuffling* dejaría de ser viable.

–Por lo tanto, hemos provisto a tu sandía de una corteza muy gruesa –dijo otra persona–. Y tú puedes acceder al núcleo. Porque, al fin y al cabo, ése eres tú. Pero no puedes conocerlo. Todo se desarrolla en el mar del caos. Porque si tú te sumerges en el mar del caos con las manos vacías, saldrás de él con las manos vacías. ¿Lo entiendes?

–Creo que sí –contesté.

–Y todavía hay otra cuestión –dijeron ellos–. *¿Debe el ser humano conocer con exactitud su propia conciencia?*

–No lo sé –admití.

–Nosotros tampoco –dijeron ellos–. Esta cuestión queda más allá de los límites de la ciencia. A un problema similar se enfrentaron los científicos que desarrollaron la bomba atómica en Los Álamos.

–Quizá sea incluso un problema más crucial que el de Los Álamos –dijo uno–. Empíricamente hablando, es imposible concluir de otra forma. Por ese motivo podemos afirmar que éste es, en cierto sentido, un experimento sumamente arriesgado.

–¿Experimento? –pregunté.

–Experimento –repitieron ellos–. No podemos decirte más. Lo sentimos.

Luego me enseñaron el método del *shuffling*. Debo ejecutarlo solo, de noche, ni ahíto ni con el estómago vacío. He de escuchar tres veces la grabación preestablecida que me permite acceder al culebrón llamado «el fin del mundo». Sin embargo, de modo simultáneo, mi conciencia se hunde en el caos. Y, sumido en ese caos, yo efectúo el *shuffling* de los valores numéricos. Cuando concluyo el *shuffling*, la conexión con «el fin del mundo» se interrumpe y mi conciencia emerge del caos. El *shuffling* se completa y yo no recuerdo nada. El contra-*shuffling* es, literalmente, ir en dirección contraria. Para efectuar el contra-*shuffling* escucho una grabación de contra-*shuffling*.

Llevo este programa implantado en mi interior. En otras palabras, no soy más que un túnel de la inconsciencia. Todo pasa a través de mí. De ahí que, cada vez que efectúo un *shuffling*, me sienta terriblemente vulnerable e inseguro. El lavado de cerebro es distinto. Aunque sea un proceso largo y pesado, mientras lo realizo puedo sentirme orgulloso de mí mismo. Porque allí concentro toda mi capacidad.

Por el contrario, en el *shuffling* nada pintan mi orgullo ni mi capacidad. Soy un simple objeto de uso. Alguien procesa algo, sin que yo me dé cuenta, utilizando una conciencia que me pertenece pero que desconozco. Por lo que atañe a la ejecución del *shuffling*, ni siquiera me considero digno de llamarme calculador.

Por supuesto, no tengo derecho a elegir el tipo de proceso que prefiero. Estoy autorizado a realizar ambos tipos, el lavado de cerebro y el *shuffling*, y a los calculadores no se nos permite obrar como se nos antoje. Quien no esté de acuerdo, debe dejar el trabajo, no hay más opciones. Y yo no tengo la menor intención de dejar de ser calculador. Mientras no te crees problemas con el Sistema, ningún otro trabajo te permite desarrollar con mayor libertad tus capacidades individuales y, además, el sueldo es bueno. Trabajando unos quince años, puedes ahorrar lo suficiente como para retirarte y vivir tranquilo el resto de tus días. Por eso pasé una infinidad de pruebas y soporté un entrenamiento espartano.

La embriaguez no es ningún impedimento a la hora de efectuar un *shuffling*. Al contrario, como el alcohol contribuye a relajar la tensión nerviosa, incluso se recomienda beber con moderación, pero yo, por principio, antes del *shuffling*, procuro eliminar el alcohol de mi cuerpo. Y en aquella ocasión, debido a la «cancelación» del método *shuffling*, yo llevaba dos meses sin practicarlo; debía actuar con prudencia. Me duché con agua fría, hice unos quince minutos de intenso ejercicio y me tomé dos tazas de café. Con eso ya debía de haber eliminado la mayor parte de alcohol.

Después abrí la caja fuerte, saqué las listas de valores numéricos convertidos y un pequeño magnetófono, y los coloqué en la mesa de la cocina. Cogí cinco lápices muy afilados y una libreta y tomé asiento frente a la mesa.

Primero, preparé la cinta. Tras ajustarme los auriculares a las orejas, puse el magnetófono en marcha, hice correr el marcador digital hasta el 16, a continuación lo hice retroceder al 9 y, después, avanzar hasta el 26. Esperé unos diez segundos; entonces, se apagó el número del contador y sonó una señal. Si se realizan otras operaciones, la grabación se borra automáticamente.

Ya preparada la cinta, coloqué a mi derecha un cuaderno nuevo y, a mi izquierda, los valores numéricos convertidos. Con eso finalizaban los preparativos. La luz roja indicaba que estaban conectados los dispositivos de alarma de la puerta y de las ventanas por las que se podía acceder a la casa. No había error posible. Al alargar la mano y apretar el botón de *play*, empezó a oírse la señal y, poco después, un tibio caos fue aproximándose, sin el menor ruido, y yo fui engullido por completo.

(Yo)

fui engullido —— poco después    tibio caos ——>

oírse la señal y, poco desp

12

EL FIN DEL MUNDO

# El mapa del fin del mundo

Al día siguiente de ver a mi sombra, emprendí sin dilación la tarea de dibujar un mapa de la ciudad.

Al caer el sol, ascendí la Colina del Oeste y observé el panorama. Pero la colina no tenía altura suficiente para dominar toda la ciudad, y como además mi vista se había debilitado mucho, fui incapaz de distinguir con claridad la silueta de la muralla. Lo único que alcancé a ver, con mayor o menor nitidez, fue la forma de la ciudad.

La ciudad no era ni demasiado grande ni demasiado pequeña. Es decir, que no era tan extensa como para sobrepasar mi imaginación o capacidad de retención, ni tan pequeña como para que pudiera captar con facilidad todos los detalles. Eso descubrí, en suma, en la cima de la Colina del Oeste. La alta muralla rodeaba la ciudad, el río la atravesaba de este a oeste, y el cielo del atardecer teñía de gris oscuro las aguas del río. Pronto, el cuerno resonó y el ruido de los cascos de las bestias, como burbujas, cubrió las calles.

Al final, se me ocurrió que la única manera de descubrir qué forma tenía la muralla era bordearla. No sería una empresa fácil. Yo sólo podía caminar por el exterior al atardecer o en días muy nublados, e incluso entonces no podía alejarme mucho de la Colina del Oeste. Alguna vez en que me hallaba fuera, el cielo se había despejado de repente o había empezado a llover a cántaros. Así que todas las mañanas le preguntaba al coronel qué aspecto tenía el cielo. Sus predicciones sobre el tiempo solían ser acertadas.

–Es que es en lo único en que pienso, ¿sabes? –me decía el anciano, orgulloso, pese a todo, de su talento–. Si te pasas el día mirando las nubes, al final aprendes.

Sin embargo, ni siquiera él podía prever los súbitos cambios meteorológicos, así que era arriesgado que me alejara demasiado.

Además, cerca de la muralla se acumulaban arbustos, árboles y pedregales, lo que me impedía bordearla con facilidad e, incluso, distinguirla. Todas las casas se apiñaban a lo largo del río a su paso y, en cuanto me alejaba de ellas unos metros, me costaba encontrar un camino transitable. Cada vez que descubría un sendero de hierba poco frecuentado, resultaba que acababa bruscamente o que moría engullido por arbustos espinosos, y yo me veía obligado a dar un rodeo o a volverme por donde había venido.

Decidí empezar mi investigación por el extremo oeste de la ciudad, es decir, por las inmediaciones de la Puerta del Oeste, donde estaba la cabaña del guardián, para recorrer luego la ciudad en el sentido de las agujas del reloj. Al principio, me resultó más sencillo de lo que imaginaba. Al norte de la puerta, junto a la muralla, se extendía hasta el infinito, sin obstáculos a la vista, una pradera de espesa hierba, alta hasta la cintura, atravesada por bonitos senderos. Unos pájaros parecidos a alondras, que habían anidado en el campo, alzaban el vuelo de entre la hierba, revoloteaban por el cielo en busca de alimento y después regresaban. También se dejaban ver, aunque en bajo número, algunas bestias. Sus cuellos y lomos asomaban entre la hierba, como si flotaran en el agua, y se iban desplazando lentamente por el campo en busca de brotes verdes comestibles.

Avancé un trecho a lo largo de la muralla y, tras torcer a la derecha en dirección al sur, descubrí unos antiguos barracones del ejército en ruinas. Tres edificios de dos plantas, sencillos, sin ornamento alguno, alineados el uno junto al otro. A cierta distancia se apiñaban unos edificios de menor tamaño que parecían las viviendas de los oficiales. Las casas estaban rodeadas por muros bajos de piedra y, entre una y otra, habían plantado árboles a intervalos regulares; ahora, unos altos hierbajos lo invadían todo y no se veía un alma. Tal vez fuera allí donde habían vivido antes los militares de mi edificio. Y, por algún motivo, quizá los habían trasladado a la residencia de la Colina del Oeste y, en consecuencia, las casas habían ido convirtiéndose en ruinas. Por lo visto, aquel amplio terreno había sido utilizado en aquella época como campo de entrenamiento y entre la hierba se veían, aquí y allá, restos de antiguas trincheras y una base de piedra para plantar el asta de la bandera.

Avanzando hacia el este, moría la pradera y comenzaba el bosque. Cada vez surgían más arbustos de entre la hierba, y pronto acabaron formando un matorral. Crecían con los delgados troncos entrelazados y, a una altura que iba de mi hombro a mi cabeza, extendían sus ramas en toda su amplitud. A sus pies crecía una hierba rala y, aquí y allá, asomaban flores oscuras del tamaño de la yema de un dedo. A medida que el matorral ganaba en espesura, el terreno se volvía más abrupto y entre los arbustos empezaban a alzarse altos árboles de especies diferentes. El silencio era absoluto y sólo lo rompían los gorjeos de algún pájaro que saltaba de rama en rama.

A medida que el sendero de hierba iba adentrándose en el bosque, más se espesaba éste y más tupido era el manto que las ramas entretejían sobre mi cabeza. Mi campo visual se redujo poco a poco, hasta que perdí de vista la muralla. No me quedó más remedio que tomar una estrecha senda que torcía hacia el sur y regresar. Al entrar en la zona urbanizada, crucé el Puente Viejo y volví a casa.

Se acercaba el otoño, pero yo seguía sin poder trazar algo más que un perfil extraordinariamente vago de la ciudad. A grandes rasgos, la zona urbanizada se extendía hacia el este y hacia el oeste, a lo largo del río. Lindaba, al norte, con el bosque del norte y, al sur, con una colina que, en su ladera este, se convertía en un áspero y duro pedregal que llegaba hasta la muralla. Al este de la ciudad, un bosque mucho más salvaje y lóbrego que el bosque del norte se extendía a ambos lados del río. Apenas lo cruzaban caminos. Sólo uno, un sendero que bordeaba el río y conducía a la Puerta del Este, permitía atisbar a trechos el contorno de la muralla. La Puerta del Este, tal como me había dicho el guardián, estaba tapiada con cemento, o algo similar, y nadie podía franquearla.

El río se precipitaba con brío desde la Sierra del Este y después pasaba por debajo de la muralla, junto a la Puerta del Este; luego, ya dentro del recinto amurallado, volvía a asomar al exterior y discurría hacia el oeste, en línea recta, por el centro de la ciudad formando, a la altura del Puente Viejo, unas hermosas isletas. Tres puentes colgaban sobre el río: el Puente del Este, el Puente Viejo y el Puente del Oeste. El Puente Viejo era el más antiguo, el más grande y, también, el más hermoso. El río, poco después del Puente del Oeste, torcía bruscamente hacia el sur y, trazando una suave curva, alcanzaba la muralla. Antes de llegar a ésta, el cauce acometía el flanco de la Colina del Oeste y después excavaba un angosto valle.

Sin embargo, el río no cruzaba la muralla. Antes de alcanzar el muro, formaba un lago cuyas aguas eran absorbidas hacia el interior de unas cavernas de roca caliza. Según me había explicado el coronel, bajo el páramo de roca caliza que se extendía hasta el horizonte, al otro lado de la muralla, innumerables venas de agua formaban una tupida red subterránea.

Mientras tanto, claro está, yo seguía leyendo a diario viejos sueños. A las seis, empujaba la puerta de la biblioteca, cenaba con la bibliotecaria y, después, leía viejos sueños.

Ya era capaz de leer cinco o seis por noche. Mis dedos reseguían con habilidad el intrincado laberinto de rayos de luz y yo percibía con mayor nitidez su imagen y sus resonancias. Seguía sin comprender qué sentido tenía leerlos y ni siquiera entendía sobre qué fundamentos se asentaban los viejos sueños, pero, por la reacción de la joven, comprendía que mi labor era satisfactoria. Los ojos ya no me dolían al exponerlos a la luz que emitían los cráneos, y ahora me cansaba menos. Conforme yo acababa de leer los sueños, la joven iba alineando los cráneos sobre el mostrador. Pero al día siguiente, cuando yo llegaba a la biblioteca, los cráneos habían desaparecido sin dejar rastro.

–Haces grandes progresos –dijo ella–. El trabajo avanza más rápido de lo que suponía.

–¿Y cuántos cráneos hay?

–Muchísimos. Mil, quizá dos mil. ¿Quieres verlos?

Me hizo pasar al almacén, situado detrás del mostrador. Era una gran estancia, semejante al aula de una escuela, donde se alineaban un sinfín de estanterías, y sobre los anaqueles, sucediéndose hasta el infinito, descansaban los cráneos blancos de las bestias. Era una visión más propia de un cementerio que de una biblioteca. El aire gélido que exhalaban los muertos flotaba, mudo, por el interior de la estancia.

–¡Cielos! –dije yo–. ¿Y cuántos años tardaré en leer todo esto?

–No tienes por qué leerlos todos tú –dijo ella–. Basta con que leas los que puedas. Los que queden, los leerá el siguiente lector. Los viejos sueños seguirán durmiendo hasta entonces.

–¿Y tú ayudarás también al siguiente lector?

–No, yo sólo te ayudo a ti. Así está decidido. Un bibliotecario sólo puede ayudar a un lector de sueños. De modo que, cuando tú dejes de leer, yo también dejaré esta biblioteca.

Asentí. Aunque ignoraba por qué debía ser así, lo que me contaba me pareció lo más natural del mundo. Permanecimos unos instantes apoyados en la pared contemplando los blancos cráneos alineados en los anaqueles.

–¿Has ido alguna vez al lago que hay al sur? –le pregunté.

–Sí. Hace mucho tiempo. Mi madre me llevó cuando era pequeña. La gente normal no acostumbra a ir allí. Pero mi madre era un poco especial. ¿Qué pasa con el lago?

–Pues que me gustaría ir.

Ella negó con la cabeza.

–Es un lugar mucho más peligroso de lo que crees. No debes acercarte al lago. No tienes ninguna necesidad de ir y, además, allí no hay nada que merezca la pena ver. ¿Por qué quieres ir allí?

–Quiero conocer bien esta tierra. De punta a punta. Pero si tú no me acompañas, iré solo.

Me miró fijamente por unos instantes, pero pronto lanzó un pequeño suspiro de resignación.

–De acuerdo. No pareces una persona fácil de convencer y no puedo permitir que vayas solo. Pero recuerda: a mí me da mucho miedo el lago y ésa será la última vez que vaya. Allí hay algo que no es natural.

–No te preocupes –la tranquilicé–. Si vamos los dos juntos y somos prudentes, no nos pasará nada, ya lo verás.

Ella sacudió la cabeza.

–Tú no has ido nunca, por eso no sabes el miedo que da. El agua de allí no es un agua normal. Es un agua que parece que llame a la gente.

–Nos andaremos con cuidado y no nos acercaremos mucho –le prometí, y le cogí la mano–. Sólo lo miraremos desde lejos. Pero quiero verlo con mis propios ojos.

Una tarde oscura de noviembre, después de comer, nos dirigimos hacia el lago, situado al sur. Un poco antes del lago, el río creaba una profunda depresión, como si hubiese excavado la ladera oeste de la Colina del Oeste, y espesos arbustos invadían el camino a lo largo de la ribera, impidiendo el paso; de modo que, para llegar al lago, tuvimos que rodear por el este la Colina del Sur. Como había llovido durante toda la mañana, la gruesa capa de hojarasca que cubría el camino chapoteaba bajo nuestros pies. A mitad del trayecto nos cruzamos con dos bestias. Pasaron junto a nosotros con aire inexpresivo, balanceando lentamente, de derecha a izquierda, sus cuellos dorados.

–La comida se acaba –dijo ella–. Se acerca el invierno y buscan con desesperación los últimos frutos de los árboles. Por eso han venido, porque lo cierto es que las bestias no suelen llegar hasta aquí.

En cuanto nos alejamos de la ladera de la colina, dejamos de encontrar bestias. El camino propiamente dicho moría allí. A medida que avanzábamos, atravesando campos secos donde no se veía un alma y grupos de casas deshabitadas y semiderruidas, nos llegaba cada vez con mayor claridad el rumor del agua del lago.

El rumor no se parecía a ningún sonido que hubiera oído jamás. Era diferente del rugido de las cascadas, del ulular del viento, del retumbar de la tierra. Parecía un áspero suspiro exhalado por una garganta gigantesca. Decrecía y aumentaba de volumen, se interrumpía a intervalos, se alteraba como si se atragantase.

–Parece que esté gritándole a alguien –dije yo.

Ella se limitó a volverse hacia mí sin decir palabra. Iba delante, con las manos enfundadas en guantes, abriéndose paso a través de los arbustos.

–El camino está mucho peor que antes –dijo–. La otra vez que lo recorrí no fue tan duro. Quizá sería mejor volver, ¿no crees?

–Ya que hemos llegado hasta aquí, sigamos mientras podamos.

Tras avanzar unos diez minutos a través de los arbustos guiándonos por el rumor del agua, súbitamente se abrió ante nuestros ojos un amplio panorama. Allí acababa el extenso terreno lleno de matas espinosas y nacía una amplia llanura que bordeaba el río. A mano derecha vimos el angosto valle que había excavado la corriente. Tras atravesar el valle, la corriente se ensanchaba y, deslizándose entre los arbustos, llegaba a la llanura donde estábamos nosotros. Tras doblar el último recodo, cerca ya de la llanura, la corriente empezaba a estancarse, se remansaba, y, cobrando un siniestro tono azul oscuro, avanzaba lentamente para acabar, un poco más allá, hinchándose como una serpiente que acabara de tragarse un pequeño animal, y formar un lago gigantesco. Nos dirigimos hacia el lago, bordeando el río.

–¡No te acerques demasiado! –me previno, agarrándome suavemente del brazo–. No te fíes de la superficie. Ya sé que no hay ni una onda y que las aguas parecen en calma, pero debajo hay un remolino terrible. Una vez que te engulle, jamás vuelves a salir a la superficie.

–¿Es muy profundo el lago?

–No te lo puedes ni imaginar. Y el remolino es como un taladro que va horadando continuamente la roca del fondo, por eso cada vez es más profundo. Dicen que, antiguamente, arrojaban ahí a los herejes y a los malhechores.

–¿Y qué les pasaba?

–Pues que jamás regresaban a la superficie. Has oído hablar de las cavernas, ¿verdad? Debajo del lago se abren muchísimas grutas y, si eres absorbido hacia el interior, estás condenado a vagar eternamente a través de las tinieblas.

El enorme jadeo, que brotaba del lago como si fuera vapor, dominaba las inmediaciones. Parecía que de las profundidades surgieran los gemidos de agonía de infinitos muertos.

Buscó un trozo de madera del tamaño de la palma de una mano y lo arrojó hacia el centro del lago. La madera impactó en el agua, flotó unos cinco segundos y, de repente, con un pequeño temblor, desapareció bajo el agua como si alguien tirara de ella y ya no volvió a emerger.

–Ya te he dicho que hay un remolino muy potente que lo succiona todo hacia el fondo. Has visto lo que le ha ocurrido a la madera, ¿no?

Nos sentamos en la hierba, a unos diez metros del lago, y empezamos a mordisquear el pan que llevábamos en los bolsillos. Desde esa perspectiva, el paisaje de los alrededores desbordaba paz y calma. Las flores otoñales coloreaban el campo, las hojas de los árboles se teñían de un rojo nítido y allí, en el centro, estaba el lago, liso como un espejo, sin una sola onda que turbara su superficie. Al otro lado del lago se alzaba un terreno de roca caliza y, más allá, se erguía, imponente, la muralla de ladrillos negros. Aparte del jadeo del lago, en los alrededores reinaba un silencio total, y ni las hojas de los árboles se movían.

–¿Y para qué quieres el mapa? –preguntó ella–. Aunque lo tengas, jamás podrás salir de la ciudad. –Se sacudió las migas de pan de encima de las rodillas y dirigió la mirada hacia el lago–. ¿Quieres salir de esta ciudad?

Sacudí la cabeza en silencio. Ni siquiera yo sabía si, con este gesto, quería decir que no, o que todavía no lo había decidido. No sabía siquiera eso.

–No lo sé –contesté–. Sólo quiero conocer mejor esta ciudad. Qué forma tiene, cómo está constituida, dónde vive la gente, qué vida lleva: eso quiero saber. Qué es lo que decide por mí, qué es lo que me hace mover. Porque no sé lo que voy a encontrarme en el futuro.

Ella movió despacio la cabeza, de derecha a izquierda, y me miró fijamente a los ojos.

–Pero si no hay futuro –dijo–. ¿Acaso todavía no lo sabes? Esto es el fin del mundo. Nosotros tendremos que quedarnos eternamente aquí.

Me tumbé boca arriba y alcé la vista al cielo. El cielo que yo podía ver era siempre un cielo oscuro y nublado. El suelo, empapado por la lluvia de la mañana, estaba húmedo y frío, pero, a pesar de ello, me envolvía un agradable olor a tierra.

Unos pájaros de invierno alzaron el vuelo desde los arbustos con un batir de alas y, tras pasar por encima de la muralla, desaparecieron en el cielo rumbo al sur. Sólo los pájaros podían sobrevolar la muralla. Las nubes bajas que cubrían el cielo anunciaban que se aproximaba el crudo invierno.

13

EL DESPIADADO PAÍS DE LAS MARAVILLAS

# Frankfurt. Puerta. Organización independiente

Como siempre, fui recobrando la conciencia de manera progresiva, a partir de los extremos de mi campo visual. Primero, en el ángulo derecho, emergió la puerta del cuarto de baño; luego, en el izquierdo, la lámpara de la mesa de la cocina; poco después, la visión fue extendiéndose hacia el centro y, del mismo modo que el hielo va cubriendo la superficie de un estanque, acabó confluyendo en un punto central. Y, justo allí, había un reloj despertador. Las agujas señalaban las once y veintiséis minutos. Este despertador me lo dieron, recuerdo, en una boda. Para apagar el zumbido de la alarma tienes que apretar simultáneamente un botón rojo que hay en el lado izquierdo y otro negro que hay en el derecho. Si no, el despertador continúa sonando. Este original mecanismo tiene como objetivo impedir que sigas una norma de conducta muy extendida que consiste en parar, en un gesto reflejo, el despertador y seguir durmiendo. Y lo cierto era que para apagarlo tenía que levantarme, ponerme el despertador sobre las rodillas y apretar a la vez los dos botones con las manos izquierda y derecha, con lo cual mi mente ya se había adentrado uno o dos pasos en el reino de la vigilia. Acabo de decir que me lo regalaron en una boda. Pero no logro recordar en la boda de quién. Hubo una época en que yo tenía un montón de amigos y conocidos que rondaban los veinticinco años y en la que los casamientos se sucedían uno tras otro. Total, que no recuerdo en qué boda me lo regalaron. Porque lo cierto es que yo no me hubiera comprado jamás un despertador tan engorroso como aquél, que requería que se apretaran dos botones a la vez para detener el zumbido. Y es que suelo despertarme de muy buen humor.

Cuando mi visión confluyó en el punto donde estaba el reloj despertador, yo, en un acto reflejo, lo cogí, me lo puse sobre las rodillas y apreté con ambas manos los botones rojo y negro. Después me di cuenta de que no había estado sonando. Como no había estado durmiendo, no había tenido necesidad alguna de poner el despertador; me había limitado a colocarlo, sin más, sobre la mesa de la cocina. Había estado haciendo un *shuffling*. No tenía por qué parar el despertador.

Dejé el reloj sobre la mesa y miré a mi alrededor. Todo continuaba igual que antes. La luz roja indicaba que la alarma seguía conectada; en un rincón de la mesa había una taza de café vacía. En el posavasos que hacía las veces de cenicero, la colilla del cigarrillo que ella se había fumado se mantenía tiesa. Era un Marlboro Light. Sin manchas de carmín. Pensándolo bien, ella no llevaba maquillaje.

Después examiné el cuaderno y los lápices que tenía delante. De los cinco lápices F bien afilados, dos estaban rotos, dos completamente gastados y sólo uno seguía intacto. En el dedo anular de la mano derecha notaba el ligero entumecimiento propio de cuando se ha escrito mucho tiempo seguido. El *shuffling* había concluido. Unas pulcras y apretadas cifras se sucedían en el cuaderno a lo largo de dieciséis páginas.

Tal como indicaba el manual, tras confrontar las cantidades de las listas de los valores numéricos resultantes del *shuffling* con las de los valores numéricos convertidos del lavado, cogí las segundas y las quemé en el fregadero. Metí el cuaderno en una caja de seguridad y lo guardé con el magnetófono en la caja fuerte. Luego me senté en el sofá del cuarto de estar y lancé un suspiro. La mitad del trabajo ya estaba hecha. Todavía me quedaba un día libre.

Me serví dos dedos de whisky en un vaso, cerré los ojos y me lo bebí en dos tragos. El alcohol tibio pasó por mi garganta, cruzó mi esófago y se aposentó en mi estómago. Transportado por mis venas, el calor se extendió pronto a todos los rincones de mi cuerpo. Primero se caldearon mi pecho y mis mejillas; después, mis manos y, por último, mis pies. Fui al cuarto de baño, me cepillé los dientes, bebí dos vasos de agua, oriné y, a continuación, me dirigí a la cocina, afilé los lápices y los coloqué ordenadamente en la bandeja de los lápices. Luego puse el despertador en la mesilla y desconecté el contestador automático del teléfono. El reloj señalaba las once y cincuenta y siete minutos. El día siguiente lo tenía libre, todo entero para mí. Me desnudé deprisa, me puse el pijama, me escurrí entre las sábanas y, tras subirme la manta hasta el mentón, apagué la luz de la mesilla. Estaba decidido a dormir doce horas seguidas. Nadie podría impedirme dormir doce horas seguidas. Aunque los pájaros cantaran, aunque la gente cogiera el tren para ir al trabajo, aunque algún volcán entrara en erupción, aunque una división acorazada israelí arrasara algún pueblo de Oriente Medio, yo seguiría durmiendo.

Luego, fantaseé sobre la vida que llevaría después de la jubilación. Por entonces, habría ahorrado ya una cantidad considerable y, junto con el dinero de la jubilación, podría vivir sin agobios, y aprender griego y violonchelo. Cargaría el estuche del violonchelo en los asientos traseros del coche, me iría a la montaña y allí, solo, con tranquilidad, haría mis ejercicios musicales...

Y si me iban bien las cosas, tal vez incluso pudiera adquirir una casita en la montaña. Un pequeño chalé, con una cocina bien equipada. Y pasaría los días leyendo, escuchando música, viendo películas antiguas en vídeo, cocinando... Cocinando. En este punto, me acordé de la chica del pelo largo, la encargada de las consultas de la biblioteca. Pensé que no me importaría que estuviese conmigo... allí, en el chalé de la montaña. Yo cocinaría y ella comería.

Pensando en la comida, terminé durmiéndome. El sueño cayó de repente sobre mí, como si el cielo se derrumbara sobre mi cabeza. El violonchelo, el chalé, la comida... Todo se esfumó, convertido en pequeños fragmentos. Sólo quedé yo, durmiendo a pierna suelta.

Alguien me había abierto un boquete en la cabeza con un taladro y ahora me estaba introduciendo una dura cinta de papel dentro del agujero. La cinta era muy larga y muy dura e iba penetrando y penetrando sin fin. Yo intentaba apartarla con un movimiento de la mano, pero no lo conseguía y la cinta iba deslizándose rápidamente hacia el interior de mi cráneo.

Me incorporé y me pasé ambas manos por la cabeza, pero no encontré ninguna cinta. Tampoco palpé agujero alguno. Era un timbre. Un timbre que sonaba sin parar. Agarré el reloj despertador, me lo puse sobre las rodillas y apreté con ambas manos los botones rojo y negro. Pero el timbre seguía sonando. Era el teléfono. Las agujas del reloj señalaban las cuatro y dieciocho minutos. Fuera todavía estaba oscuro. O sea, que eran las cuatro y dieciocho minutos de la madrugada.

Salté de la cama, me dirigí a la cocina y agarré el teléfono. Siempre que me llaman a altas horas de la noche, me digo que, en lo sucesivo, antes de acostarme me llevaré el teléfono al dormitorio, pero luego me olvido. Y después acabo golpeándome la espinilla con la pata de la mesa de la cocina o con la estufa de gas.

–¿Diga? –pregunté.

Ningún sonido. Parecía que el teléfono estuviese enterrado en la arena.

–¡¿Diga?! –grité, enfadado.

Al otro lado de la línea reinaba un silencio absoluto. Ni siquiera se oía el ruido de una respiración. El silencio era tan denso que me daba la sensación de que iba a llegar a través del hilo telefónico y a arrastrarme hacia su interior. Enfadado, colgué, saqué leche de la nevera, bebí a grandes tragos y regresé a la cama.

El teléfono volvió a sonar a las cuatro y cuarenta y seis minutos de la madrugada. Me levanté, seguí el mismo itinerario, alcancé el teléfono y descolgué.

–¿Diga?

–¿Sí? ¿Me oyes? –dijo una voz femenina. No logré adivinar quién era–. Perdona por lo de antes. Es que el sonido sufre alteraciones. Desaparece de vez en cuando, ¿sabes? –dijo.

–¿Que el sonido desaparece?

–Sí, exacto –dijo ella–. Desde hace rato, hay un gran desbarajuste sonoro. Seguro que le ha pasado algo a mi abuelo. ¿Me oyes?

–Sí, te oigo –dije. Era la nieta del estrafalario anciano que me había regalado el cráneo del unicornio. La gordita del traje chaqueta de color rosa–. Mi abuelo todavía no ha vuelto a casa. Y el sonido se ha alterado de repente. Estoy segura de que le ha sucedido algo malo. He llamado al laboratorio, pero no contesta... Estoy convencida de que lo han atacado los tinieblos y le han hecho algo malo.

–¿Estás segura? ¿No es normal en él eso de enfrascarse en sus experimentos y no volver a casa? Acuérdate de que ni siquiera se había dado cuenta de que te había dejado insonorizada toda la semana. No sé, pero me da la impresión de que es una persona que se sumerge en algo y se olvida de todo lo demás.

–No, no es eso. Yo lo sé. Entre mi abuelo y yo hay una conexión muy fuerte, ¿sabes?, y notamos si le ha ocurrido algo al otro. A mi abuelo le ha sucedido algo, te lo digo yo. Algo horrible. Además, han destruido la barrera del sonido, estoy segura. Por eso el sonido está tan alterado en el subterráneo.

–¿Qué es eso de la barrera del sonido?

–Es un dispositivo que emite un sonido especial para ahuyentar a los tinieblos. La han destrozado y el sonido de la zona se ha desequilibrado por completo. Los tinieblos han atacado a mi abuelo.

–¿Y para qué?

–Todos van detrás de las investigaciones de mi abuelo. Los tinieblos, los semióticos, toda esa gente. Intentan apoderarse de sus investigaciones. Le propusieron un trato, pero mi abuelo lo rechazó y ellos se enfadaron muchísimo. ¡Por favor! ¡Ven enseguida! Está ocurriendo algo horrible. ¡Ayúdame! ¡Por favor!

Me imaginé a los tinieblos vagando por el tenebroso subterráneo. Sólo con pensar en bajar allá en esos momentos se me ponían los pelos de punta.

–Mira, lo siento en el alma, créeme. Pero yo soy calculador. En mi contrato no están estipulados otros servicios y, además, no creo que te sirviera de mucho. Me encantaría ayudarte, por supuesto, pero luchar contra los tinieblos y rescatar a tu abuelo sobrepasa con mucho mis posibilidades. Yo acudiría a la policía, o a los especialistas del Sistema, no sé, a gente entrenada para eso.

–Llamar a la policía está descartado. Si lo hiciera, todo saldría a la luz. Y las consecuencias serían fatales. Si las investigaciones de mi abuelo se hicieran públicas, el mundo se acabaría.

–¿Que se acabaría el mundo, dices?

–¡Por favor! –insistió la muchacha–. ¡Ven a ayudarme! ¡Y deprisa! Si no lo haces, las consecuencias serán irreparables. Y, después de mi abuelo, vas tú. Porque al siguiente a quien buscarán será a ti.

–¿A mí? ¿Y por qué tienen que ir a por mí? Si yo no sé nada sobre la investigación de tu abuelo...

–Pero tú eres la llave. Sin ti, no lograrán abrir la puerta.

–No entiendo de qué me estás hablando –dije.

–Ahora, por teléfono, no hay tiempo para entrar en detalles. Pero tiene una importancia capital, mayor de la que te imaginas, créeme. Es de suma importancia *para ti*. No hay tiempo que perder. O será el fin. No te miento.

–¡Lo que me faltaba! –dije y miré el reloj–. En todo caso, es mejor que salgas de ahí. Si es verdad lo que dices, corres peligro.

–¿Y adónde tengo que ir?

Le indiqué un supermercado de Aoyama que no cerraba en toda la noche.

–Espérame en la cafetería. Llegaré antes de las cinco y media.

–Tengo mucho miedo. Es que no

El sonido se perdió de nuevo. Vociferé ante el auricular, pero no obtuve respuesta. El silencio ascendía desde el auricular como el humo sale por la boca de la escopeta. Tal vez volvía a haber problemas de insonorización. Colgué el auricular, me quité el pijama, y me puse una sudadera y unos pantalones de algodón. Luego fui al cuarto de baño, me afeité a toda prisa con la maquinilla eléctrica, me lavé la cara y, frente al espejo, me peiné. Debido a la falta de sueño, tenía la cara hinchada como un pastel de queso. Sólo deseaba dormir a pierna suelta. Dormir largo y tendido, recuperar las fuerzas y llevar una vida normal y corriente. ¿Por qué la gente no me dejaba en paz? Que si unicornios por aquí, que si tinieblos por allá..., ¿qué tenía que ver todo eso conmigo?

Encima de la sudadera me puse un anorak de nailon y, en el bolsillo, me metí la cartera, algo de calderilla y la navaja. Tras dudar unos segundos, envolví el cráneo del unicornio en un par de toallas, lo metí, junto con las tenazas, en una bolsa de deporte y, al lado, arrojé el cuaderno de los valores numéricos resultantes del *shuffling*. Mi apartamento no era seguro. Un profesional tardaría tanto tiempo en forzar la cerradura del piso y la de la caja fuerte como en lavar un pañuelo.

Al final, me puse las zapatillas de tenis a medio lavar, cogí la bolsa de deporte y salí de casa. En el descansillo no se veía un alma. Evité el ascensor, bajé por las escaleras. Aún no había amanecido y el edificio estaba sumido en el silencio más absoluto. En el aparcamiento del subterráneo tampoco se veía un alma.

Era extraño. Estaba todo demasiado tranquilo. Si iban detrás del cráneo, lo normal era que hubieran dejado al menos a un tipo vigilando. Y allí no había nadie. Era como si se hubiesen olvidado de mí.

Abrí la puerta del coche, dejé la bolsa en el asiento del copiloto y di la vuelta a la llave del motor. Eran casi las cinco de la madrugada. Salí del aparcamiento mirando atentamente en todas direcciones y me dirigí a Aoyama. La carretera estaba desierta. Apenas circulaban coches, sólo algún taxi que volaba de regreso a casa y algún camión de transporte nocturno. De vez en cuando echaba una ojeada al retrovisor, pero ningún coche me seguía.

Los acontecimientos se estaban desarrollando de una manera extraña. Conocía muy bien la manera de actuar de los semióticos. Cuando hacían algo, se dejaban la piel en ello. Sobornar a un chapucero empleado del gas o relajar la vigilancia de la persona que buscaban no era su estilo. Siempre escogían el método más eficaz y no pestañeaban a la hora de llevarlo hasta las últimas consecuencias. Una vez, dos años atrás, secuestraron a cinco calculadores y les levantaron la tapa de los sesos con un cuchillo eléctrico. Les extrajeron el cerebro y trataron de descifrar los datos que contenían mientras aún estaban vivos. Fracasaron en el intento y, al final, encontraron los cinco cadáveres, sin el cerebro y sin la parte superior del cráneo, flotando en la bahía de Tokio. Esa gente no se andaba con chiquitas. Allí pasaba algo raro.

Entré en el aparcamiento del supermercado a las cinco y veintiocho minutos: casi a la hora de la cita. Por el este, el cielo ya había empezado a cobrar una tonalidad lechosa. Con la bolsa en los brazos, entré en el supermercado. El amplio recinto estaba casi desierto y, en la caja, un chico con un uniforme de rayas, sentado en una silla, leía una de las revistas que estaban a la venta. Una mujer de edad y profesión indefinidas rondaba por los pasillos apilando latas de conserva y comida precocinada en su carrito. Doblé la esquina de la sección de bebidas alcohólicas y enfilé hacia la cafetería.

La joven no estaba sentada en ninguno de los doce taburetes alineados a lo largo de la barra. Me senté en un extremo y pedí leche fría y un emparedado. La leche estaba tan fría que no sabía a nada y el pan del emparedado –uno de esos sándwiches envueltos en papel de celofán– estaba gomoso y húmedo. Lo comí despacio, con calma, mordisco a mordisco, y me bebí la leche a pequeños sorbos. Durante un rato me entretuve mirando un cartel turístico de Frankfurt que había en la pared. Era otoño y las hojas de los árboles de la orilla del río habían enrojecido, los cisnes surcaban la superficie del agua y un anciano, con un abrigo negro y tocado con una gorra de paño, les daba de comer. Había un majestuoso puente de piedra y, al fondo, se veía la torre de la catedral. Al mirar con atención, descubrí, en ambos extremos del puente, unas casitas de piedra, como garitas, con unos ventanucos. No sé para qué servirían. El cielo era azul, las nubes blancas. Había mucha gente sentada en los bancos de la orilla del río. Todos llevaban abrigos y la mayoría de mujeres se cubrían la cabeza con pañuelo. Era una hermosa fotografía, pero, sólo con mirarla, me entraba frío. El paisaje otoñal de Frankfurt ya lo sugería, cierto, pero a mí, cada vez que veía una torre alta con aguja, me entraban escalofríos.

Así que dirigí los ojos hacia la pared opuesta, donde había un cartel de un anuncio de tabaco. Un joven de piel tersa, con un cigarrillo con filtro encendido entre los dedos, miraba de soslayo con aire abstraído. ¿Por qué los modelos de los anuncios de tabaco tienen siempre ese aire de «no estoy mirando nada, no estoy pensando en nada»?

El cartel de tabaco no daba tanto de sí como el de Frankfurt, así que pronto me di la vuelta y barrí el recinto vacío del supermercado con la mirada.

Enfrente de la barra había unas latas de fruta en conserva apiladas formando montículos parecidos a hormigueros. Había tres pilas: una de latas de melocotón, otra de pomelo y una tercera de naranja. Delante, había una mesa de degustación, pero a aquellas horas, justo después de amanecer, nadie ofrecía fruta. Porque a nadie se le ocurre probar fruta en conserva a las cinco y cuarenta y cinco minutos de la mañana. Junto a la mesa había pegado un anuncio en el que se leía: FERIA DE LA FRUTA DE ESTADOS UNIDOS. En el cartel, se veía una tumbona blanca delante de una piscina y, sentada en la tumbona, una chica comiendo macedonia de frutas. Era una hermosa joven rubia, de ojos azules y piernas largas, muy bronceada. En los anuncios de fruta siempre sacan chicas rubias. La clase de chicas guapas que, por más tiempo que las mires, en cuanto apartas los ojos de ellas, ya no te acuerdas de qué cara tenían. En el mundo existe este tipo de belleza. Que es como los pomelos: indistinta.

La sección de bebidas alcohólicas contaba con una caja registradora propia, pero no había nadie que atendiera. La gente decente no va a comprar alcohol antes de desayunar. De modo que no había nadie en aquella zona: ni clientes ni vendedores, sólo las botellas, alineadas en silencio como pequeñas coníferas producto de una repoblación forestal reciente. Por fortuna, las paredes estaban llenas de carteles publicitarios. Los conté: uno de brandy, otro de bourbon, otro de vodka, tres de whisky escocés, tres de whisky japonés, dos de *sake* y cuatro de cerveza. ¿Por qué habría tantos anuncios de bebidas alcohólicas? Ni idea. Tal vez fuera porque son las bebidas que tienen un carácter más festivo.

En todo caso, me iban de perilla para matar el tiempo y estudié los carteles con detenimiento. Tras observar los quince, concluí que los de whisky con hielo eran los más logrados desde el punto de vista estético. Vamos, que el whisky con hielo es fotogénico. Se arrojan tres o cuatro cubitos dentro de un vaso ancho, se vierte el whisky ambarino. El agua blanquecina del hielo derretido lo sobrenada con gracia durante unos instantes antes de diluirse en el ámbar. Una bonita imagen. Al fijarme, me di cuenta de que, en la mayoría de anuncios de whisky, salía whisky con hielo. De hecho, el whisky con agua es poco atractivo, y al whisky solo, realmente, le falta algo. Otro descubrimiento fue que en ninguno de los carteles se veía nada para picar. Las personas que bebían alcohol en los anuncios se lo tomaban a palo seco. Tal vez los anunciantes creyeran que, junto con algo de comida para picar, el alcohol perdía su pureza. O quizá temieran que, si aparecía algo para picar, la atención de la gente que viera el anuncio se desplazaría hacia la comida. Me dije que era comprensible. Porque todo tiene un motivo, no hay duda.

Mientras miraba los carteles, dieron las seis de la mañana. Pero la joven gorda no aparecía. ¿Por qué tardaba tanto? Era un misterio. Me había urgido a que nos viéramos cuanto antes. Pero de nada servía darle vueltas. Poco más podía hacer yo. Había acudido tan pronto como me había sido posible. El resto era cosa suya. Porque, a mí, aquel asunto ni me iba ni me venía.

Pedí café caliente y me lo tomé despacio, sin azúcar ni leche.

A partir de las seis, el número de clientes fue aumentando poco a poco. Amas de casa que iban a comprar el pan y la leche del desayuno, estudiantes que volvían de pasar la noche de juerga y pedían algo ligero en la cafetería. Una muchacha compró papel higiénico, un oficinista adquirió tres periódicos diferentes. Y dos hombres de mediana edad, con palos de golf, entraron a comprar un botellín de whisky. En realidad, aunque los llame «hombres de mediana edad», debían de tener unos treinta y cinco años, como yo. Pensándolo bien, a mí también se me podría considerar un «hombre de mediana edad», sólo que, como no cargo con palos de golf y no visto ese tipo de ropa, parezco más joven.

Estaba contento por haberla citado en un supermercado. En otro lugar me habría sido más difícil matar el tiempo. Y es que me encantan los supermercados.

Esperé hasta las seis y media y, luego, resignado, salí, subí al coche y fui hasta la estación de tren de Shinjuku. Metí el coche en un aparcamiento, cogí la bolsa, me dirigí a la consigna de equipajes y pedí que me la guardaran. Al advertirle al encargado que la bolsa contenía un objeto frágil y que la manejara con cuidado, colgó del asa una tarjeta roja que llevaba dibujada una copa de cóctel y un letrero donde ponía: FRÁGIL. Vi cómo colocaba mi bolsa de deporte Nike de color azul en un anaquel y recogí el comprobante. A continuación fui al quiosco, compré un sobre y sellos por valor de doscientos sesenta yenes, metí el comprobante en el sobre, lo cerré, pegué los sellos y envié la carta por correo urgente a un apartado de correos secreto que había abierto bajo el nombre de una empresa ficticia. De esta manera, no era probable que dieran con él. A veces utilizaba este medio como precaución.

Después saqué el coche del aparcamiento y volví a casa. Sentía alivio al pensar que ya no tenía nada que pudieran robarme. Metí el coche en el garaje, subí las escaleras, entré en el piso y, después de ducharme, me metí en la cama y dormí como si nada hubiese sucedido.

A las once, tuve visita. Por la manera en que se habían desarrollado los acontecimientos, ya suponía que aparecerían hacia esa hora, de manera que no me sorprendí demasiado. Pero es que aquellos individuos, en vez de tocar el timbre, tiraron la puerta abajo. Además, no sólo derribaron la puerta, la reventaron golpeándola con una barra de hierro de las que se usan para demoler edificios y lo hicieron con tal violencia que incluso el suelo tembló como la gelatina. Fue horrible. Con la fuerza que tenían, podían haber ido directamente al portero y haberle obligado a que les entregara la llave maestra de los apartamentos. Habría sido de agradecer que abrieran tranquilamente con la llave. Así me habría ahorrado la reparación de la puerta. Además, tras semejante alarde de brutalidad, era muy posible que a mí me echaran del piso.

Mientras esa gente golpeaba la puerta para tirarla abajo, me puse los pantalones, me pasé la sudadera por la cabeza, me oculté la navaja detrás del cinturón, fui al lavabo y oriné. Luego, por si acaso, abrí la caja fuerte, pulsé el botón de emergencia del magnetófono y borré la grabación, abrí la nevera, saqué una cerveza y una ensalada de patatas, y me las tomé para almorzar. En la galería había una escalera de incendios, de modo que, de haberlo deseado, habría podido escapar, pero estaba muy cansado y me daba una pereza tremenda andar huyendo de un lugar para otro. Además, si huía, no resolvería ninguno de los problemas a los que me enfrentaba en aquellos momentos. Porque la verdad era que estaba metido –o que me habían involucrado– en una serie de problemas sumamente complejos que era incapaz de resolver yo solo. Y tenía que hablar seriamente de ellos con alguien.

Había ido al laboratorio subterráneo de un científico que había solicitado mis servicios y había procesado unos datos. De pasada, éste me había regalado el cráneo de un unicornio y yo me lo había llevado a casa. A continuación, un empleado del gas, sobornado presuntamente por los semióticos, se había plantado en mi casa y había intentado robarme el cráneo. De madrugada, la nieta del hombre que me había contratado me llamaba por teléfono, me decía que su abuelo había sido atacado por los tinieblos y me pedía ayuda. Nos habíamos citado en un lugar, pero ella no había aparecido. Por lo visto, yo tenía en mi poder dos objetos de gran valor. Uno era el cráneo, y el otro, los datos resultantes del *shuffling*. Y ambos los había dejado en la consigna de la estación de Shinjuku.

Un buen embrollo. Necesitaba que alguien me diera alguna pista. Si no, ya me veía huyendo eternamente con el cráneo bajo el brazo sin entender ni jota.

Apuré la cerveza, me terminé la ensalada de patatas y, en el instante en que, satisfecho, lanzaba un suspiro, se oyó un estruendo similar a una explosión, la puerta blindada se partió por la mitad y apareció el hombre más grande que había visto en toda mi vida. Llevaba una camisa hawaiana de estampado llamativo, unos pantalones militares de color caqui llenos de manchas de aceite y unas zapatillas de tenis tan grandes como unas aletas de bucear. Iba rapado, tenía una nariz rechoncha y el cuello tan grueso como el tórax de una persona normal. Sus párpados eran gruesos y plomizos, y el blanco de sus ojos somnolientos resaltaba de una manera desagradable. Parecían ojos artificiales, pero, mirándolos con atención, comprobé que sus pupilas efectuaban un movimiento rápido de vez en cuando, así que debían de ser auténticos. Mediría un metro noventa y cinco. Tenía los hombros muy anchos y la enorme camisa hawaiana, que envolvía su corpachón como una sábana partida por la mitad, le tiraba tanto a la altura del pecho que los botones parecían a punto de salir disparados.

El gigantón echó una ojeada a la puerta que acababa de reventar con la misma expresión con la que yo miraría el tapón de una botella de vino recién descorchada y luego se volvió hacia mí. No parecía abrigar hacia mi persona sentimientos especialmente complejos. Me miró como si yo formara parte del mobiliario. Y la verdad es que me hubiera gustado serlo.

Se hizo a un lado y, tras él, apareció un hombrecillo de un metro y medio de altura, delgado, de facciones regulares. Llevaba un polo Lacoste de color azul celeste, pantalones chinos de color beige y zapatos marrón claro. Sin duda se vestía en una tienda de ropa infantil de marca. En su muñeca brillaba un Rolex de oro, pero, como no era un Rolex para niños, le quedaba enorme. Recordaba uno de esos aparatos transmisores que llevan los de *Star Trek*. Debía de estar en la segunda mitad de la treintena o a principios de la cuarentena. Con veinte centímetros más, habría podido trabajar como doble de un actor de televisión.

El gigantón entró en la cocina sin quitarse los zapatos, rodeó la mesa hasta situarse frente a mí y agarró una silla. Entonces el canijo entró a paso lento y se acomodó en ella. El gigantón se sentó sobre el fregadero, cruzó sobre el pecho unos brazos del grosor de los muslos de una persona normal y clavó en mi espalda, un poco más arriba de los riñones, unos ojos mortecinos. Debería haber huido por la escalera de incendios, no cabía la menor duda. Había cometido un grave error de apreciación.

El canijo no se dignó mirarme; tampoco me saludó. Sacó un paquete de Benson & Hedges y un encendedor Dupont de oro. A la vista estaba que los gobiernos de los países extranjeros exageraban respecto al desequilibrio de la balanza comercial. El hombrecillo jugueteó con el encendedor, haciéndolo rodar entre dos dedos con gran habilidad. Aquello parecía circo a domicilio, aunque, claro está, yo no recordaba haber solicitado sus servicios.

Busqué por encima del refrigerador, localicé un cenicero con la marca Budweiser que me habían dado en la bodega, le limpié el polvo con los dedos y lo dejé frente al canijo. Éste encendió un cigarrillo con un chasquido breve y claro, y exhaló el humo entrecerrando los ojos. Su pequeñez llamaba la atención. Cara, manos, piernas: todo en él era diminuto y proporcionado. Era como una copia reducida de una persona normal. En consecuencia, el Benson & Hedges parecía largo como un lápiz de colores nuevo.

Sin abrir la boca, el canijo mantenía los ojos clavados en el ascua del cigarrillo. En una película de Jean-Luc Godard, en este punto habría aparecido un subtítulo que indicara: «Él contempla cómo se va consumiendo el cigarrillo», pero, por suerte o por desgracia, las películas de Godard están completamente pasadas de moda. Cuando una gran parte de la punta del cigarrillo se hubo convertido en ceniza, el hombrecillo la sacudió sobre la mesa. El cenicero, ni siquiera lo miró.

–En fin, esa puerta... –dijo el canijo con una voz aguda y penetrante– teníamos que romperla. Así que la hemos roto. De haberlo querido, habríamos podido abrirla tranquilamente con una llave, pero no era el caso. No te lo tomes a mal.

–Aquí no hay nada. Por más que busquéis, no encontraréis nada –insistí.

–¿Buscar? –dijo el canijo como si se sorprendiera–. ¿Buscar? –Con el cigarrillo en la comisura de los labios, se rascó la palma de la mano–. ¿Buscar, dices? ¿Buscar qué?

–Pues no lo sé. Pero algo habréis venido a buscar. Por eso habéis reventado la puerta, ¿no?

–No sé de qué hablas –insistió–. Me parece que estás confundido. Nosotros no queremos nada. Hemos venido a hablar contigo. Sólo a hablar. No buscamos nada, no queremos nada. Bueno, una Coca-Cola, si la tienes, sí me la bebería.

Abrí el refrigerador, saqué dos de las latas de Coca-Cola que había comprado para mezclar con el whisky y las puse encima de la mesa junto con dos vasos. Luego me saqué una lata de cerveza Ebisu para mí.

–Supongo que él también querrá una –dije señalando al gigantón, que estaba a mis espaldas.

En cuanto el canijo lo llamó, doblando un dedo, el otro se acercó silenciosamente y cogió la lata de Coca-Cola de encima de la mesa. Para lo corpulento que era, se movía con una agilidad sorprendente.

–Cuando te la acabes, haz «aquello» –le dijo el canijo. Luego se dirigió hacia mí–: Una pequeña demostración –añadió concisamente.

Me volví y observé cómo el gigantón se bebía la Coca-Cola de un trago. Al terminar, tras darle la vuelta a la lata para comprobar que no quedaba ni una gota, se la puso entre las palmas de las manos y, sin alterar un ápice su expresión, la aplastó por completo. Con un ruido similar al que produce el papel de periódico barrido por el viento, la lata roja de Coca-Cola quedó convertida en una fina lámina de metal.

–Bueno, esto puede hacerlo cualquiera –dijo el canijo. Tal vez pudiera hacerlo cualquiera, pero yo no.

Entonces el gigantón cogió la lámina de metal con los dedos y, esbozando una levísima mueca, la rasgó limpiamente de arriba abajo. En cierta ocasión yo había visto cómo partían una guía de teléfonos, pero era la primera vez que rasgaban, ante mis ojos, una lata de Coca-Cola aplastada. Mientras no lo probara, no podría asegurarlo, pero debía de ser muy difícil.

–También puede doblar una moneda de cien yenes. Y eso no lo hace cualquiera –dijo el hombrecillo.

Asentí con un movimiento de cabeza.

–También puede arrancar un par de orejas de cuajo.

Asentí con otro movimiento de cabeza.

–Hasta hace tres años, era luchador profesional de lucha libre –dijo el canijo–. Era bastante bueno. Si no se hubiera lesionado la rodilla, posiblemente hubiera llegado a ser campeón. Es joven, fuerte y más ágil de lo que parece. Pero con una rodilla lesionada no se puede competir. En la lucha libre tienes que ser rápido.

Como el hombrecillo, en este punto, me clavó la mirada, volví a asentir con la cabeza.

–Desde entonces yo cuido de él. Es mi primo, ¿sabes?

–¡Vaya! Veo que en vuestra familia no hay nadie de tamaño mediano –dije.

–Repite eso –dijo el canijo clavándome la mirada.

–Nada, nada –dije.

El canijo permaneció unos instantes dudando qué hacer, pero, al final, lo dejó correr, tiró el cigarrillo al suelo y lo apagó de un pisotón. Decidí no protestar.

–Tendrías que relajarte un poco. Sincérate conmigo y verás qué tranquilo te sientes después. Si uno no está relajado, no puede hablar con el corazón en la mano, ¿verdad? –dijo el canijo–. Todavía estás demasiado tenso.

–¿Puedo sacar otra cerveza de la nevera?

–¡Faltaría más! Es tu casa, tu nevera y tu cerveza, ¿no es cierto?

–Y mi puerta –añadí.

–Olvídate de la puerta. Si no, volverás a ponerte tenso. Total, esa puerta barata era una porquería. Con el sueldo que ganas, podrías mudarte a un sitio con una puerta de verdad.

Dejé correr el tema de la puerta, saqué otra cerveza del frigorífico y bebí unos sorbos. El canijo se sirvió la Coca-Cola en el vaso y, tras esperar a que el gas dejara de chisporrotear, se tomó la mitad.

–Sentimos mucho haberte puesto nervioso. Mira, voy a explicarte de qué va todo esto: hemos venido a ayudarte.

–¿Tirándome la puerta abajo?

Al oírlo, la cara del hombrecillo enrojeció violentamente y sus fosas nasales se dilataron.

–Ya te he dicho que te olvidaras de la puerta, ¿de acuerdo? –dijo muy despacio.

Luego se volvió hacia el gigantón y le repitió la frase. Éste hizo un gesto de asentimiento, dándole la razón. El canijo parecía un tipo muy irascible. Y a mí no me gusta tener tratos con gente irascible.

–Hemos venido en plan amistoso –siguió el canijo–. Tú estás confuso y nosotros hemos venido a explicarte unas cuantas cosas. En fin, quizá hablar de confusión sea un poco exagerado. Digamos, si lo prefieres, que estás un poco desorientado, ¿de acuerdo?

–Estoy confuso y desorientado. No tengo ninguna información, ninguna pista. Ni siquiera tengo puerta.

El canijo agarró el encendedor de oro y lo arrojó contra la puerta de la nevera. El impacto produjo un siniestro sonido sordo, y en la puerta de la nevera apareció una abolladura bien visible. El gigantón recogió el encendedor del suelo y lo puso sobre la mesa. Todo volvió al estado inicial, sólo quedó la marca en la puerta del frigorífico. Para calmarse, el canijo se bebió el resto de la Coca-Cola. Y es que a mí, cuando me topo con una persona irascible, me entran ganas de poner a prueba su irascibilidad.

–Ya me dirás qué importancia tiene una estúpida puerta como ésta. ¡O dos puertas! Piensa en la gravedad de la situación. Porque la situación es muy grave. Tanto que ni siquiera importaría que te hubiésemos destrozado todo el piso. Así que no vuelvas a mencionar la puerta.

«¡Mi puerta!», pensé en mi fuero interno. No se trataba de que la puerta fuese barata o no. Una puerta es un símbolo.

–De acuerdo, dejemos correr lo de la puerta. Pero después de lo que ha pasado es posible que me echen del apartamento. Este edificio es muy tranquilo y aquí vive gente decente, ¿sabes? –dije.

–Si alguien pretende echarte, llámame. Ya me encargaré yo de que entre en razón. Tú no te preocupes, nadie te molestará.

Me dio la impresión de que eso complicaba aún más las cosas, así que opté por no provocarlo más; asentí en silencio y bebí más cerveza.

–Quizá me esté metiendo donde no me llaman, pero voy a darte un consejo. Pasados los treinta y cinco, es mejor dejar la cerveza –dijo el canijo–. La cerveza es para los estudiantes o para los obreros. Echas barriga, y es una bebida sin clase. Cuando llegas a cierta edad, sientan mejor el vino o el brandy. Orinar demasiado daña el metabolismo. Es mejor dejarla, créeme. Bebe un alcohol más caro. Si bebes cada día un vino de esos que vale veinte mil yenes la botella, tienes la sensación de que te lava el cuerpo.

Asentí y seguí bebiendo cerveza. ¡Menudo entrometido! Para poder beber tanta cerveza como yo quería sin echar barriga, iba a nadar a la piscina, salía a correr.

–Pero, ¡en fin!, no soy quién para dar consejos –dijo el canijo–. Todo el mundo tiene sus debilidades. Las mías son el tabaco y los dulces. Los dulces me vuelven loco. Aunque son malísimos para los dientes y provocan diabetes.

Asentí con un movimiento de cabeza.

El hombre cogió otro pitillo y lo prendió con el encendedor.

–Crecí al lado de una fábrica de chocolate, ¿sabes? Quizá eso me marcó. No creas que era una de esas fábricas importantes, como la Morinaga o la Meiji, no. Era una fábrica de pueblo, poco conocida. Una de esas marcas que se venden en las tiendas de chucherías o en las ofertas del supermercado. En fin, una de esas fábricas de chocolate barato. Total que, todos los días, siempre, en mi casa olía a chocolate. Todo olía a chocolate: las cortinas, la almohada, el gato. Todo. Por eso ahora me gusta tanto el chocolate. Porque cuando lo huelo, me acuerdo de mi infancia.

El hombre echó una ojeada a la esfera de su Rolex. Estuve tentado de volver a sacar a colación la puerta, pero me dije que la historia se alargaría demasiado y cambié de idea.

–Bueno –dijo el canijo–, tenemos poco tiempo, es mejor que dejemos de charlar. ¿Estás un poco más tranquilo?

–Un poco.

–Vayamos entonces al grano –prosiguió–. Tal como te he dicho antes, hemos venido con el propósito de aclarar tus dudas. Así que pregunta lo que quieras. Si puedo, te responderé. –Con la mano me hizo un gesto que indicaba: «¡Vamos! ¡Adelante!»–. Pregunta lo que quieras.

–Primero me gustaría saber quiénes sois y hasta qué punto estáis informados.

–¡Buena pregunta! –dijo y miró a su compañero como en busca de su aprobación. Cuando el gigantón asintió con un gesto, se volvió hacia mí–. La verdad, eres listo. No te andas con rodeos. –Sacudió la ceniza en el cenicero–. Enfócalo de la siguiente manera: nosotros hemos venido a ayudarte. La organización a la que pertenecemos es un asunto, por el momento, irrelevante. Y, respecto a lo que sabemos, pues lo sabemos casi todo. Lo del profesor, lo del cráneo, lo de los datos del *shuffling*, casi todo. También sabemos cosas que tú desconoces. ¡Siguiente pregunta!

–¿Ayer por la tarde pagasteis a un empleado del gas para que me robara el cráneo?

–Eso ya te lo he dicho antes. Nosotros no queremos el cráneo. Nosotros no queremos nada.

–Entonces, ¿quién fue? ¿Quién sobornó al empleado? Porque no me diréis que era un fantasma, ¿verdad?

–Nosotros no sabemos nada de eso –dijo el pequeñajo–. Y hay otra cosa que tampoco sabemos. Tiene que ver con los experimentos del profesor. Conocemos al detalle todo lo que está haciendo en estos momentos. Lo que no tenemos claro es hacia dónde se encaminan sus investigaciones. Y queremos saberlo.

–Tampoco yo lo sé –dije–. Yo no sé nada y, a pesar de eso, todo el mundo me crea problemas sin parar.

–Ya sabemos que tú no estás enterado de nada. A ti sólo te están utilizando.

–¿O sea que no habéis venido a buscar nada?

–Sólo a saludarte –dijo y dio unos golpecitos en el canto de la mesa con el encendedor–. Hemos pensado que era mejor que nos conocieras. Así, en el futuro, nos será más fácil intercambiar información y puntos de vista.

–¿Puedo jugar a imaginar un poco?

–Adelante, adelante. La imaginación es libre como los pájaros, inabarcable como el mar. Nadie puede detenerla.

–Pues yo creo que vosotros no sois hombres ni del Sistema ni de la Factoría. Actuáis de manera distinta. Seguro que pertenecéis a una pequeña organización independiente. Y estáis intentando ampliar vuestra esfera de influencia. Posiblemente, a costa de la Factoría.

–¡Anda! ¡Fíjate tú! –dijo el canijo mirando a su primo–. Ya te he dicho antes que era listo, ¿eh?

El gigantón asintió.

–Tan listo que parece mentira que viva en una porquería de casa como ésta. Tan listo que parece mentira que lo haya dejado su mujer –dijo el canijo.

Hacía tiempo que no me alababan tanto. Me sonrojé.

–Has acertado en casi todo –dijo el canijo–.Vamos detrás de la investigación que está desarrollando el profesor para colocarnos en una buena posición en esta guerra de datos. Estamos preparados y contamos con capital. Ahora te queremos a ti y las investigaciones del profesor. Con vosotros podremos derrocar desde los fundamentos el sistema bipolar Sistema-Factoría. Éste es el aspecto positivo de la guerra de la información. Que es muy equitativo. Quien posee un sistema nuevo y bueno se lleva el gato al agua. Y la victoria está asegurada. Además, la situación es en la actualidad claramente antinatural. Un monopolio clarísimo, ¿no te parece? La parte legal de la información la monopoliza el Sistema, y la parte ilegal, la Factoría. No hay competencia posible. Y esto, lo mires como lo mires, contraviene las leyes del liberalismo económico. ¿Qué? ¿No te parece antinatural?

–A mí eso ni me va ni me viene –dije–. Yo estoy en la base, trabajando como una hormiguita. Y nada más. No opino nada. Así que si habéis venido aquí con la intención de que me una a vosotros...

–Me parece que no lo entiendes –dijo el canijo haciendo chasquear la lengua–. No queremos que te unas a nosotros. Sólo he dicho que te queremos a ti. ¡Siguiente pregunta!

–Quiero saber qué son los tinieblos –dije yo.

–¿Los tinieblos? Pues son unas criaturas que viven en el subsuelo. Están en los túneles del metro, en el alcantarillado, en lugares por el estilo. Se alimentan de los desechos de la ciudad y beben el agua de las cloacas. Apenas se mezclan con los seres humanos. Por eso se sabe tan poco de ellos. En principio, no son peligrosos, aunque de vez en cuando atrapan a alguien que se ha extraviado, solo, bajo tierra, y se lo comen. En ocasiones desaparece algún trabajador cuando hay obras en el metro.

–¿Y el gobierno no sabe nada?

–Claro que sí. El Estado no es tan tonto. Ésos lo saben muy bien. Bueno, sólo los de arriba del todo.

–Entonces, ¿por qué no previenen a la gente? ¿O por qué no los echan?

–En primer lugar –dijo el hombre–, si se informara al país, cundiría el pánico. Es fácil de imaginar, ¿no? A nadie le gustaría tener unos bichos que no se sabe qué son pululando bajo los pies. En segundo lugar, no existe manera de acabar con ellos. Ni siquiera las Fuerzas de Defensa podrían ocupar la totalidad del subsuelo de Tokio y liquidar a los tinieblos. La oscuridad es su hábitat. Acabaría convirtiéndose en una auténtica guerra.

»Y hay otra cosa. Los tinieblos tienen una gran guarida bajo el palacio imperial, ¿sabes? Y si les sucediera algo, podrían abrir un agujero en plena noche, trepar hasta la superficie y arrastrar hacia el subsuelo a quien encontraran arriba. Si hicieran eso, Japón se sumiría en el caos más absoluto, ¿entiendes? Por eso el gobierno hace la vista gorda y no se mete con ellos. Además, piensa en la posibilidad opuesta. Aliándose con ellos, tendrían una fuerza colosal. En caso de un golpe de Estado, o de una guerra, quien tuviera a los tinieblos de su lado obtendría la victoria. Porque, incluso en caso de una guerra nuclear, ellos sobrevivirían. Sin embargo, nadie hasta hoy ha unido sus fuerzas con los tinieblos. Son unas criaturas terriblemente desconfiadas que jamás se relacionan con los humanos.

–Pues he oído decir que se han aliado con los semióticos –dije.

–Sí, corre ese rumor. Pero, aun suponiendo que fuese cierto, seguro que no es más que un pacto temporal que han establecido, por una razón u otra, una pequeña facción de los tinieblos con los semióticos. Una coalición permanente entre ellos es impensable.

–Sin embargo, los tinieblos han secuestrado al profesor.

–También he oído eso. Pero no lo sé a ciencia cierta. También cabe la posibilidad de que todo sea una farsa. De que el profesor haya fingido que lo han capturado para esfumarse. ¡Vete a saber! La situación es tan compleja que puede haber sucedido cualquier cosa.

–¿Y qué investigaba el profesor?

–El profesor llevaba a cabo una investigación especial –dijo y contempló su encendedor desde diversos ángulos–. Una investigación independiente, desde una posición enfrentada tanto a la organización de los calculadores como a la de los semióticos. Los semióticos intentan adelantarse a los calculadores y los calculadores intentan eliminar a los semióticos. El profesor se ha abierto paso a través de este intersticio y lo que estudia trastocará por completo el funcionamiento del mundo. Para eso te necesita a ti. Y no me refiero a tu capacidad como calculador, sino a ti como persona.

–¿A mí? –dije sorprendido–. ¿Y por qué me necesita a mí? No tengo ningún talento especial, soy una persona normal y corriente. Francamente, no me imagino en qué puedo contribuir a la transformación del mundo.

–También nos lo preguntamos nosotros –dijo el canijo jugueteando con el encendedor–. Tenemos una idea, pero no estamos seguros. Sea como sea, él ha desarrollado sus investigaciones centrándose en ti. Y, finalmente, ha concluido los preparativos y ya está listo para acometer el estadio final. Y tú sin enterarte de nada, ¿verdad?

–Y vosotros planeabais apoderaros de mí y de su investigación en cuanto concluyera ese último estadio del que hablas, supongo.

–Pues sí. Pero las cosas se han puesto feas. La Factoría se ha olido algo y ha empezado a moverse. Así que nosotros también nos hemos tenido que mover. ¡Un verdadero problema!

–¿Y el Sistema sabe algo?

–No, creo que todavía no se ha dado cuenta de nada. Pero como conocen al profesor, seguro que andan con los ojos muy abiertos.

–¿Y el profesor quién es?

–Trabajó unos años en el Sistema. No me refiero a tareas prácticas como las que haces tú, claro está. Él estaba en los laboratorios centrales. Su especialidad...

–¿En el Sistema? –dije. La historia se complicaba más y más. Por lo visto, todo giraba alrededor de mí, pero yo era el único que estaba en ayunas.

–Exacto. En resumen, que antes el profesor era colega tuyo –dijo el canijo–. Nunca os visteis, supongo, pero estabais en la misma organización. ¡Uf! Es que, a pesar de ser un único Sistema, la organización de los calculadores abarca un ámbito de actividades tan amplio y tan complejo, y se desarrollan además con tanto secretismo, que sólo un puñado de individuos de la cúspide saben realmente qué pasa, dónde pasa y de qué manera. Es decir, que la mano izquierda no sabe lo que hace la derecha, y el ojo izquierdo y el derecho miran cosas distintas. En pocas palabras, que la información es excesiva para recaer sobre unos mismos hombros. Los semióticos tratan de robar esa información, y los calculadores intentan protegerla. Pero las dos organizaciones han crecido tanto que, en estos momentos, nadie puede procesar ese alud de información.

»En fin, que el profesor dejó la organización de los calculadores y emprendió su propia investigación. Sus estudios, que son interdisciplinarios, abarcan la fisiología cerebral, la fisiología, la craneología y la psicología. El profesor es una eminencia en todos los terrenos relacionados con los mecanismos que determinan la conciencia. Se puede decir, sin exagerar, que es un verdadero sabio, al estilo de los humanistas del Renacimiento, algo muy infrecuente en esta época.

Me sentí un pobre diablo al pensar que había estado explicándole qué era el lavado de cerebro y el *shuffling* a un personaje de tal envergadura.

–Tampoco exageraría si dijera que el sistema procesador de datos de los calculadores es, en su mayor parte, obra del profesor. Es decir, que vosotros sois unas abejitas a las que les han enchufado el sistema de funcionamiento técnico que él inventó. ¿Te molesta esta expresión?

–No, no. Adelante. No hagas cumplidos –contesté.

–En fin, que el profesor se fue. Cuando dejó el Sistema, los semióticos intentaron reclutarlo, por supuesto. Ya sabes que la mayoría de calculadores que dejan la organización se convierten en semióticos. Pero el profesor rechazó su oferta. Les dijo que realizaba una investigación independiente. Y, de este modo, se convirtió en enemigo tanto de los calculadores como de los semióticos. Para la organización de los calculadores, era un tipo que sabía demasiado, y para la de los semióticos, era un competidor. Ya sabes lo que ocurre con los semióticos: o estás con ellos o estás contra ellos. El profesor, muy consciente de eso, montó su laboratorio muy cerca de la guarida de los tinieblos. Has estado en su laboratorio, ¿verdad?

Asentí.

–Tuvo una gran idea. Con los tinieblos pululando por las inmediaciones, no hay quien se acerque al laboratorio. Porque frente a los tinieblos, ni la organización de los calculadores ni la de los semióticos llevan las de ganar, te lo digo yo. Para poder entrar y salir, el profesor emite unas ondas sonoras que los tinieblos detestan. Y, entonces, el paso queda libre, como Moisés cuando cruzó el mar Rojo. Un sistema defensivo perfecto. Aparte de la chica, creo que eres el único que ha entrado en su laboratorio. Imagínate lo valioso que eres para él. Sea como sea, parece que las investigaciones del profesor han entrado en su fase final y que, para completarlas, sólo le faltas tú. Por eso te ha llamado.

–Hum... –Era la primera vez en mi vida que yo significaba tanto para alguien. La idea de mi propia importancia me resultaba muy extraña. No conseguía acostumbrarme a ella–. Es decir –deduje–, que los datos que he procesado han sido un simple señuelo para atraerme y, por sí mismos, no tienen valor alguno, ¿no? Vamos, si es que el propósito del profesor era que yo fuese allí...

–No, ¡en absoluto! –saltó. Y echó otra ojeada al reloj de pulsera–. Los datos constituyen un programa creado con gran minuciosidad. Una especie de bomba de relojería. Ya sabes: cuando se agota el tiempo fijado por el temporizador, explota. Claro que todo esto son simples suposiciones. Hasta que no se lo preguntemos a él directamente, no sabremos la verdad de todo esto. ¡En fin! El tiempo se acaba y es mejor que dejemos la charla aquí. Porque tenemos cosas que hacer.

–¿Y qué le ha ocurrido a la nieta del profesor?

–¿Le ha pasado algo? –se extrañó–. Nosotros no sabemos nada. Es que no podemos controlarlo todo, ¿sabes? ¿Te interesa la chica?

–No –dije. Probablemente, no.

El canijo se levantó de la silla sin apartar los ojos de mi rostro, cogió el tabaco y el encendedor de encima de la mesa y se los guardó en el bolsillo.

–Creo que te han quedado las cosas muy claras y que has captado a la perfección en qué posición te encuentras tú y en qué posición estamos nosotros. Voy a añadir una cosa más. Nosotros tenemos un plan. Mira, nosotros, en estos momentos, conocemos mejor la situación que los semióticos y, por lo tanto, en esta carrera vamos en cabeza. Sin embargo, nuestra organización es mucho más débil que la Fábrica. Si ellos se lanzan a hacer un sprint, es muy probable que nos adelanten y que acaben pulverizándonos. Así que, antes de que esto ocurra, tenemos que distraer a los semióticos, tenemos que entretenerlos. ¿Entiendes?

–Sí –dije. Lo entendía muy bien.

–Pero eso no podemos hacerlo solos. Tenemos que pedir ayuda a alguien. Tú, en nuestro lugar, ¿a quién se la pedirías?

–Al Sistema –dije.

–¡Anda! ¡Fíjate tú! –volvió a decirle el canijo al gigantón–. Ya te lo he dicho antes, ¿no?, que era listo. –Me miró de frente–. Pero para eso necesitamos un señuelo. Sin señuelo, no cae nadie. Y el señuelo lo serás tú.

–Digamos que no me entusiasma la idea –repuse.

–No se trata de que te entusiasme o no. No tenemos alternativa. Y ahora te haré yo una pregunta: de este piso, ¿qué es lo que tiene más valor para ti?

–Nada –contesté–. No hay nada que valga gran cosa. Todo son baratijas.

–Eso salta a la vista. Pero algún objeto habrá, aunque sólo sea uno, que no querrías que rompiéramos, supongo. Por más barato que sea todo, vives aquí, así que...

–¿Romper? –me sorprendí–. ¿Qué quieres decir con «romper»?

–Pues romper es... simplemente eso: romper. Como la puerta –dijo el canijo señalando la puerta retorcida, arrancada de sus goznes–. Romper por romper. Vamos a destrozártelo todo.

–¿Y eso por qué?

–Es muy difícil explicarlo en dos palabras. Además, te lo explique o no, el resultado será el mismo: te lo vamos a romper igual. Así que dime lo que no querrías que rompiésemos. Es un buen consejo, créeme.

–El aparato de vídeo –dije, resignado–. Y el televisor. Los dos son caros y, encima, acabo de comprarlos. Y, luego, el whisky que guardo dentro del armario.

–¿Y qué más?

–La cazadora de cuero y un traje nuevo de tres piezas. La cazadora tiene el cuello de piel, como las de los aviadores del ejército americano.

–¿Y qué más?

Reflexioné unos instantes. No, no había nada más. No soy de los que atesoran en su casa objetos de valor.

–Sólo eso –dije.

El canijo asintió. El gigantón asintió.

Primero, el gigantón fue abriendo todos los armarios, uno tras otro. Y del interior de uno sacó de un tirón un *bullworker** que yo utilizaba a veces para trabajar la musculatura, se lo cruzó por la espalda e hizo un estiramiento dorsal completo. Jamás había visto a nadie que estirara completamente el *bullworker* por la espalda. Era la primera vez que presenciaba algo semejante. Era digno de verse.

Después agarró el *bullworker* con las dos manos, como si fuese un bate de béisbol, y se dirigió al dormitorio. Me asomé para ver qué hacía. Se plantó ante el televisor, blandió el *bullworker* por encima de la cabeza y, apuntando al tubo de rayos catódicos, lo golpeó con todas sus fuerzas. Acompañado del estrépito del cristal al romperse en añicos y de cien destellos de luz, el televisor de veintisiete pulgadas que me había comprado sólo tres meses atrás reventó como una sandía.

–¡Espera! –le dije haciendo ademán de levantarme, pero el canijo me detuvo dando una palmada sobre la mesa.

* En japonés, *buruwaakaa*. Instrumento de entrenamiento de resistencia, diseñado por Gert F. Koelbel, que se puso a la venta por primera vez en 1960. *(N. de la T.)*

Acto seguido, el gigantón levantó el aparato de vídeo y golpeó repetidas veces, con todas sus fuerzas, el panel contra un trozo de televisor. Los botones salieron despedidos, el cable provocó un cortocircuito y un hilo de humo blanco flotó por el aire como un alma que ha alcanzado la salvación. Tras comprobar que el aparato de vídeo estaba destrozado, arrojó la chatarra contra el suelo y se sacó una navaja del bolsillo. La hoja afilada apareció con un nítido y seco chasquido. Luego abrió el armario ropero y me rajó de arriba abajo la cazadora de piloto y el traje de tres piezas de Brooks Brothers; las cuatro prendas me habían costado, en total, casi doscientos mil yenes.

–¡No hay derecho! –le grité al canijo–. ¿No me habías dicho que no me romperíais los objetos de valor?

–Yo no te he dicho eso –repuso el canijo, impasible–. Yo sólo te he preguntado si tenías algo que tuviese valor para ti. No te he dicho que no lo destrozaríamos. De hecho, eso es siempre lo primero que rompemos. Lógico, ¿no te parece?

–¡Estamos apañados! –exclamé, y saqué una lata de cerveza de la nevera y me la bebí. Y, junto al canijo, me quedé contemplando cómo el gigantón destrozaba por completo el pequeño y coqueto apartamento de dos dormitorios, sala y cocina.

# 14
## EL FIN DEL MUNDO
## El bosque

Pronto acabó el otoño. Una mañana, al despertarme, alcé los ojos al cielo y vi que el otoño ya se había ido. Las nubes otoñales de contornos nítidos habían sido sustituidas por plomizos nubarrones que asomaban por encima de la Sierra del Norte como mensajeros portadores de malas noticias. Para la ciudad, el otoño era un visitante hermoso y placentero, pero su estancia era demasiado breve, su partida demasiado repentina.

Cuando el otoño se hubo ido, se produjo un vacío provisional. Un vacío silencioso y extraño que no era ni otoño ni invierno. El color dorado que cubría los cuerpos de las bestias fue perdiendo poco a poco su fulgor y adoptó blancos tonos decolorados, anunciando a los habitantes de la ciudad que la llegada del invierno era inminente. Todos los seres vivos, todos los fenómenos de la naturaleza, escondían la cabeza entre los hombros y tensaban sus cuerpos en previsión de la estación helada. El presagio del invierno cubría la ciudad como un velo invisible. El rumor del viento y el susurro de los árboles, el silencio de la noche e incluso los pasos de las personas se hicieron pesados e indiferentes, como si anunciaran lo que iba a venir, y ni siquiera podía consolarme ya el agradable murmullo del agua de las isletas. Todas las cosas se iban encerrando en sus caparazones, a cal y canto, a fin de preservar su existencia; todo empezaba a teñirse de los colores del fin. El invierno era una estación singular, diferente de cualquier otra. El canto de los pájaros se volvió más agudo e intenso y sólo un esporádico batir de alas quebraba aquel vacío helado.

–Este invierno va a ser muy frío –dijo el anciano coronel–. Se puede saber por la forma de las nubes. Mira allá. –Me llamó junto a la ventana y me señaló unas nubes densas y oscuras suspendidas sobre la Sierra del Norte–. Al llegar esta época, sobre la Sierra del Norte aparecen las primeras nubes de invierno. Parecen exploradores del ejército, ¿sabes? Y, por su forma, podemos prever si el frío del invierno será muy intenso. Las nubes chatas y lisas anuncian un invierno templado. Cuanto más gruesas son las nubes, más crudo será el invierno. Y las peores son las que tienen la forma de un pájaro con las alas extendidas. Cuando llegan esas nubes, significa que se acerca un invierno gélido. Mira. Son aquéllas. Allí.

Entrecerrando los ojos, dirigí la vista hacia donde me decía. Aunque de forma muy vaga, distinguí las nubes. Se extendían de derecha a izquierda, alcanzando casi los dos extremos de la sierra, y, en el centro, mostraban una especie de protuberancia grande e hinchada, semejante a una montaña. En efecto, tal como decía el anciano, tenían la forma de un pájaro con las alas extendidas. Un enorme y funesto pájaro de color gris que llegara del otro lado de la cordillera.

–Será un invierno gélido, de los que sólo hay uno cada cincuenta o sesenta años –dijo el coronel–. Por cierto, ¿ya tienes abrigo?

–No –contesté. Sólo tenía una chaqueta de algodón, no muy gruesa, que me habían entregado al llegar a la ciudad.

El anciano abrió el armario, sacó un capote militar de color azul marino y me lo dio. Lo cogí. Pesaba como una piedra y el burdo tejido de lana me producía un ligero picor en la piel.

–Es un poco pesado, pero es mejor eso que nada. Me hice con él hace poco, para dártelo a ti. Espero que sea de tu talla.

Deslicé los brazos por las mangas. Me iba un poco ancho de hombros y pesaba tanto que, mientras no me habituase a él, corría el peligro de perder el equilibrio y caer, pero era confortable. Además, tal como decía el anciano, mejor aquel abrigo que nada. Le di las gracias.

–Todavía estás dibujando el mapa, ¿verdad?

–Sí –le dije–. Aún me falta algún trozo, pero, si puedo, me gustaría acabarlo. Ya que he llegado hasta aquí...

–A mí no me parece mal que dibujes un mapa. Es cosa tuya y no molestas a nadie. Pero cuando llegue el invierno, olvídate de ir lejos. Es un buen consejo, créeme. No te alejes de las casas. Durante un invierno tan duro como el que se prepara, todas las precauciones son pocas. Esta tierra no es muy grande, pero en invierno hay un montón de parajes peligrosos que tú desconoces. Para acabar el mapa, espera a que llegue la primavera.

–De acuerdo –le dije–. Pero ¿cuándo empieza el invierno?

–Con la nieve. Con el primer copo de nieve que cae, empieza el invierno. Y cuando la nieve acumulada en las isletas empieza a fundirse, el invierno llega a su fin.

Así, tomamos el café de la mañana contemplando las nubes sobre la Sierra del Norte.

–¡Ah! Hay otra cosa que debes saber –me advirtió–. Cuando empiece el invierno, no te acerques al muro. Tampoco vayas al bosque. Porque en invierno cobran una gran fuerza.

–¿Y qué hay en el bosque?

–Nada –dijo el anciano tras reflexionar unos instantes–. No hay nada. Al menos, nada que necesitemos tú o yo. Para nosotros el bosque carece de valor.

–¿Y no vive nadie allí?

El anciano abrió la portezuela de hierro de la estufa, limpió el polvo del interior e introdujo algunos troncos delgados y trozos de carbón mineral.

–Ya va siendo hora de que la usemos. La encenderemos esta noche. Esta leña y este carbón son del bosque; y las setas, el té y otras cosas por el estilo, también. En este aspecto, sí lo necesitamos. Pero sólo para eso. Para nada más.

–Entonces, en el bosque debe de vivir gente. Personas que extraen el carbón, recogen la leña y buscan las setas...

–Sí, claro. Allí viven algunas personas. Nos suministran el carbón, la leña y las setas, y nosotros les damos cereales y ropa. El intercambio lo llevan a cabo, una vez a la semana, determinadas personas en cierto lugar. Pero ése es el único trato que tenemos con los del bosque. Ellos no se acercan por aquí y nosotros no vamos al bosque. Porque somos completamente distintos.

–¿En qué sentido?

–Pues en todos –prosiguió el anciano–, en todos los aspectos que puedas imaginar. Y escúchame bien: no quiero que te intereses por ellos. Son peligrosos. Podrían ejercer una mala influencia sobre ti. Porque tú, de algún modo, todavía no te has centrado. Y mientras no lo hagas, es mejor que no te expongas a peligros innecesarios. El bosque no es más que un bosque. Y, en el mapa, basta con que pongas: «bosque», y ya está. ¿Me has entendido?

–Sí.

–Y, por lo que respecta a la muralla, ten cuidado. Entraña un gran peligro. Al llegar el invierno, el muro estrecha todavía más su cerco alrededor de la ciudad. Quiere asegurarse de que permanecemos todos encerrados en su interior. A la muralla no se le pasa por alto nada de lo que sucede entre sus muros. Así que evita cualquier clase de contacto con la muralla, no te acerques a ella. Te lo repito: tú todavía no te has centrado. Tienes dudas, contradicciones, a veces te arrepientes de lo que has hecho o te sientes débil. Para ti, el invierno es la estación más peligrosa del año.

Pero yo tenía que descubrir algo más sobre el bosque antes de que irrumpiera el invierno. Le había prometido a mi sombra que le entregaría el mapa antes de que acabara el otoño, y ella me había ordenado también que reuniera información sobre el bosque. Además, eso era lo único que me quedaba para concluir el mapa.

Las nubes que se cernían sobre la Sierra del Norte desplegaban sus alas con lenta certidumbre y, a medida que se iban adueñando del cielo de la ciudad, la luz del sol perdía con rapidez su brillo dorado. Una difusa capa de nubes cubría el cielo como si fuese fina ceniza, y la luz debilitada del sol se disipaba en el aire. Era la estación idónea para mis ojos heridos. Los días radiantes habían terminado, ya no cabía la posibilidad de que una repentina ráfaga de viento ahuyentara las nubes y luciera el sol.

Me interné en el bosque por el camino que bordeaba el río y, a fin de no extraviarme, decidí seguir el sendero desde el que se divisaba a cada tanto la muralla y observar desde allí la espesura. Así podría ir apuntando en el mapa la forma de la muralla que circundaba el bosque.

Sin embargo, la investigación no me resultó nada fácil. A medio camino tropecé con una profunda zanja de bordes escarpados, producto de un desprendimiento del terreno, donde crecían tupidos frambuesos de una altura superior a la mía. Una ciénaga me impedía el paso y, por todas partes, colgaban pegajosas telarañas que se me adherían a la cara, al cuello y a las manos. De vez en cuando oía el rumor difuso de algo que se movía entre la espesura. Las gigantescas ramas de los árboles se extendían sobre mi cabeza tiñendo el bosque de unos tonos sombríos que recordaban el fondo del mar. Al pie de los árboles, asomaban setas de diversos tamaños y colores que parecían fruto de una siniestra enfermedad cutánea.

Sin embargo, en una ocasión en que me separé del muro y me adentré unos pasos en el bosque, descubrí un mundo lleno de paz y silencio. La espesa vegetación silvestre exhalaba un fresco aliento que lo llenaba todo y tranquilizaba mi espíritu. Ante mis ojos no se extendía el peligroso paraje sobre el que me había prevenido el anciano coronel. Lo que había allí era el eterno ciclo vital de los árboles, de la hierba y de los pequeños seres vivos, y en cada piedra, en cada pedazo de tierra, se descubría el principio inmutable de la vida.

Cuanto más lejos estaba de la muralla, cuanto más me adentraba en el bosque, más intensa era esta impresión. Las sombras funestas palidecían deprisa, la forma de los árboles y el verde de las hojas se dulcificaban, los trinos de los pájaros eran más alegres y distendidos. Ni en los pequeños claros de hierba que se abrían a trechos, ni en el murmullo de la corriente que discurría entre los árboles, se apreciaba la tensión y la negrura que se percibía en el bosque próximo a la muralla. ¿Por qué serían tan diferentes ambos paisajes? No lo sabía. Quizá se debiera a que el poder del muro alteraba la atmósfera del bosque, o quizá a la configuración del terreno.

Sin embargo, por más agradable que me resultase andar por el interior del bosque, en ningún momento me separé completamente de la muralla. El bosque era extenso y, si me extraviaba, no lograría volver a orientarme. No había senderos, no había señales. Por lo tanto, avanzaba con mil precauciones para no perder de vista la muralla. Aún no sabía si el bosque era mi aliado o mi enemigo y, además, aquella sensación tan placentera podía ser una ilusión creada para arrastrarme hacia sus profundidades. En todo caso, tal como me había dicho el coronel, para la ciudad, yo era un ser débil e inestable. Toda precaución era poca.

Seguro que se debía a que no me había adentrado lo suficiente en el bosque, pero no descubrí el menor vestigio de sus habitantes. Ni de ellos ni de nada que hubiesen dejado atrás. Tenía tanto miedo a encontrarme con ellos como deseos de que eso sucediese. Sin embargo, a pesar de que recorrí aquellos parajes durante varios días, no hallé el menor indicio de su existencia. Supuse que vivirían más hacia el interior. O que, tal vez, me evitaban.

Al tercer o cuarto día de búsqueda, en el punto en que la muralla trazaba una amplia curva en dirección al sur, descubrí, pegado al muro, un pequeño claro de hierba. Encajado en el recoveco de la muralla, el claro se extendía en forma de abanico, formando un pequeño vacío donde no penetraba la exuberante vegetación de los alrededores. Me sorprendió no percibir allí la violenta tensión que se respiraba cerca de la muralla y que, por el contrario, reinasen la calma y el sosiego de las profundidades del bosque. Una blanda alfombra de hierba, corta y húmeda, recubría el suelo y, allá en lo alto, se extendía un cielo recortado en formas extrañas. En un rincón del claro quedaban restos de unos cimientos, lo que indicaba que, en el pasado, se había alzado allí una edificación. Cuando fui siguiendo las piedras, me di cuenta de que debía de haber sido una casa con unos planos bien dibujados. Como mínimo, no se trataba de un cabaña construida de modo provisional. La casa constaba de tres habitaciones independientes, cocina, baño y vestíbulo. Mientras reseguía los restos de los cimientos, intentaba imaginar qué aspecto había tenido la casa en el pasado. Sin embargo, no se me ocurría quién, ni con qué objeto, habría construido una casa en el bosque y por qué razón la habría abandonado después.

Detrás de la cocina quedaban vestigios de un pozo de piedra, pero estaba lleno de tierra y unos espesos hierbajos crecían en su superficie. Posiblemente habían cegado el pozo antes de abandonar la casa. Vete a saber por qué.

Me senté junto al pozo y, recostado en el brocal, alcé los ojos al cielo. El viento del norte mecía suavemente las ramas de los árboles que enmarcaban aquel fragmento de cielo de forma semicircular y hacía susurrar el follaje. Unos nubarrones cargados de humedad cruzaron lentamente el espacio. Con el cuello de la chaqueta levantado, seguí con los ojos el pausado discurrir de las nubes.

Detrás de las ruinas se erguía la muralla. Era la primera vez que, dentro del bosque, la tenía tan próxima. Desde una distancia tan corta podía, literalmente, percibir su respiración. Sentado en el claro del Bosque del Este con la espalda recostada en el brocal del viejo pozo, escuché el rumor del viento y supe que las palabras que había pronunciado el guardián eran ciertas. Si existía algo perfecto en este mundo, sólo podía ser la muralla. Quizá hubiese existido desde el principio. Igual que las nubes discurrían por el cielo y que el agua de la lluvia formaba ríos en la superficie de la tierra.

La muralla era demasiado grande para poder plasmarla en una sola hoja de papel, su aliento era demasiado vigoroso, sus curvas demasiado elegantes. Cada vez que intentaba dibujarla en mi álbum, me invadía una infinita sensación de impotencia. Según el ángulo de observación, la muralla cambiaba de aspecto de una forma asombrosa, y eso hacía difícil reproducirla con exactitud.

Cerré los ojos, decidido a descabezar un sueño. El agudo silbido del viento no cesaba un instante, pero los árboles y la muralla me resguardaban del frío. Antes de dormirme pensé en mi sombra. Había llegado la hora de entregarle el mapa. Los detalles todavía carecían de precisión, evidentemente, y el interior del bosque estaba en su mayor parte en blanco, pero el invierno era inminente y, en cuanto llegara, yo tendría que suspender mis pesquisas. Ya había dibujado la silueta aproximada de la ciudad, y la forma y ubicación de todo lo que contenía; además, había añadido unas notas con la información más exacta que había podido conseguir. A partir de esto, a la sombra seguro que se le ocurriría algo.

No estaba seguro de que el guardián me dejase verla, pero él me había prometido que, cuando los días empezaran a acortarse y la sombra se debilitara, me lo permitiría. Ahora que el invierno estaba tan cerca, se cumplían todas las condiciones.

Después, todavía con los ojos cerrados, pensé en la chica de la biblioteca. Sin embargo, cuanto más pensaba en ella, más profundo era el sentimiento de pérdida que me dominaba. Ignoraba de dónde surgía este sentimiento, ni cómo nacía, pero se trataba sin duda de un puro sentimiento de pérdida. «Estoy perdiendo algo que está relacionado con ella», me dije. Y también este pensamiento se iba perdiendo más y más.

La veía todos los días, pero eso no colmaba el vacío que se abría en mi interior. Cuando leía viejos sueños en la sala de la biblioteca, ella estaba a mi lado. Cenábamos juntos, tomábamos algo caliente y luego la acompañaba a casa. Por el camino charlábamos. Ella me contaba cosas de su padre, de sus dos hermanas pequeñas, de sus quehaceres diarios.

Pero cuando, al llegar a su casa, nos separábamos, me daba la impresión de que el sentimiento de pérdida era aún mayor que antes de verla. No sabía cómo dominar aquella incoherente sensación de vacío. Mi pozo era demasiado profundo, demasiado oscuro, y no existía suficiente cantidad de tierra para cegarlo.

Supuse que aquel sentimiento de pérdida estaba ligado a mis recuerdos desaparecidos. Mi memoria buscaba algo en la joven, pero ni yo sabía qué buscaba, y esta contradicción me dejaba un vacío insalvable. Sin embargo, en aquellos momentos, yo no podía asumir aquello. Yo mismo era demasiado débil, demasiado inseguro.

Ahuyenté esos quebraderos de cabeza y me sumí en las profundidades del sueño.

Cuando desperté de mi sueño, la temperatura había descendido de un modo sorprendente. Tiritando, apreté con fuerza la chaqueta contra mi cuerpo. Anochecía. Me levanté y, cuando me sacudía las briznas de hierba de la chaqueta, el primer copo de nieve me rozó la mejilla. Al levantar la vista al cielo, vi que las nubes eran mucho más bajas que antes, más negras, más siniestras. Grandes y amorfos copos de nieve descendían del cielo y, cabalgando en el viento, caían danzando al suelo. Había llegado el invierno.

Antes de irme miré de nuevo la muralla. Bajo aquel cielo espeso y oscuro donde bailaban los copos de nieve, la muralla erguía, con mayor majestad aún, su silueta perfecta. Cuando alcé los ojos hacia ella, tuve la sensación de que me contemplaba desde las alturas. Estaba plantada ante mí como una criatura primigenia que acabara de despertar. *«¿Por qué estás aquí?»*, parecía preguntarme. *«¿Qué buscas?»*

Pero yo no podía responderle. El corto sueño a la intemperie me había robado todo el calor del cuerpo y mi mente se iba llenando a toda prisa de una confusa mezcla de formas extrañas. Mi cuerpo y mi mente se me antojaron ajenos, como si no fueran míos. Todo era pesado, y confuso.

Crucé el bosque, intentando no mirar la muralla, y corrí hacia la Puerta del Este. El camino era largo, las tinieblas se volvían cada vez más densas. Mi cuerpo había perdido su precario equilibrio. A medio camino, infinitas veces me detuve, descansé e hice acopio de fuerzas para seguir adelante, e intenté coordinar mis nervios embotados y dispersos. Sentía que algo, amparado en la oscuridad, gravitaba pesadamente sobre mí. Me pareció oír el sonido de un cuerno en el interior del bosque, pero el eco cruzó por mi conciencia sin apenas dejar rastro.

Cuando por fin logré atravesar el bosque y llegar a la orilla del río, densas tinieblas cubrían ya el paisaje. Sin estrellas ni luna, la ventisca y el helado rumor del agua lo dominaban todo y, a mis espaldas, se alzaba el oscuro bosque barrido por el viento.

No recuerdo cuánto tardé en llegar a la biblioteca. Lo único que recuerdo es haber andado eternamente por el camino que bordeaba el río. Las ramas de los sauces se balanceaban en la oscuridad, el viento ululaba sobre mi cabeza. Y por más que avanzase, el camino no tenía fin.

Ella me hizo sentar delante de la estufa y posó su mano en mi frente. Tenía la mano helada y la cabeza me dolió como si me hubiesen clavado un carámbano. En un gesto reflejo, traté de apartarla, pero no pude alzar la mano y el simple intento me provocó una náusea.

–Tienes mucha fiebre –constató ella–. ¿Qué has estado haciendo? ¿Y dónde?

Intenté contestar, pero no encontraba las palabras, como si las hubiera perdido. Ni siquiera comprendía del todo las palabras que ella pronunciaba.

Trajo mantas de no sé dónde, me envolvió en ellas y me hizo acostar delante de la estufa. Mientras me ayudaba a acostarme, su pelo rozó mi mejilla. Pensé que no quería perderla, pero era incapaz de discernir si ese pensamiento surgía de mi conciencia o si emergía de algún viejo recuerdo. Había perdido demasiadas cosas, me encontraba demasiado cansado. Sumido en la impotencia, sentía cómo mi conciencia se iba alejando poco a poco. Me asaltó una extraña sensación de disgregación, como si mi conciencia fuera elevándose mientras mi cuerpo intentaba detenerla con todas sus fuerzas. Y yo no sabía con cuál de los dos debía quedarme.

Entretanto, ella apretaba mi mano.

–Duerme –oí que decía. Y me pareció que sus palabras llegaban, después de mucho tiempo, desde lo más profundo de las tinieblas.

# 15
# EL DESPIADADO PAÍS DE LAS MARAVILLAS
## Whisky. Tortura. Turguéniev

El gigantón rompió todas las botellas de whisky –todas, sin dejar ni una– dentro del fregadero. Yo conocía al dueño de la bodega del barrio y, cada vez que había rebajas de whisky de importación, me mandaba unas botellas a casa, con lo cual tenía atesorada una buena cantidad.

Primero, el tipo hizo añicos dos botellas de Wild Turkey, a continuación pasó al Cutty Sark, siguió con tres botellas de I.W. Harper y con dos de Jack Daniels, dio sepultura a un Four Roses, estrelló un Haig y, por último, se cargó de golpe media docena de botellas de Chivas Regal. Armaba un estrépito espantoso, pero el olor era todavía peor. Acababa de liquidar de una tacada la cantidad de whisky que yo me bebía en medio año y, evidentemente, el olor estaba en consonancia. Toda la habitación apestaba a whisky.

–¡Sólo con estar aquí acabas trompa! –se asombró el canijo.

Con la mejilla apoyada en la palma de la mano, yo miraba con resignación cómo las botellas hechas añicos se iban amontonando dentro del fregadero. Pero ya se sabe: todo lo que sube baja y todo lo que tiene forma la pierde. Mezclado con el estrépito del vidrio, se oía el desagradable silbido del gigantón. En realidad, más que silbar parecía que pasara el hilo dental por una fila de dientes separados por intersticios irregulares. A mí no me sonaba aquella musiquilla... En fin, que no existía. El hilo dental pasaba arriba y abajo, por en medio, volvía a pasar por abajo. Nada más. Sólo con escucharlo los nervios sufrían un desgaste considerable. Tras voltear la cabeza varias veces, bebí un trago de cerveza. Mi estómago estaba tan duro como la cartera de piel de un empleado de banco cuando sale a trabajar fuera de su oficina.

El hombre prosiguió su destrucción gratuita. Bueno, para ellos debía de tener algún sentido, pero yo no conseguía encontrárselo. El gigantón dio la vuelta a la cama, rajó el colchón con la navaja, arrojó la ropa fuera del armario, vació el contenido de los cajones en el suelo, arrancó el panel del aire acondicionado, dio la vuelta a la papelera, destrozó todo lo que encontró dentro del armario empotrado. Trabajaba con gran rapidez y eficacia.

Tras arrasar el dormitorio y la sala, la emprendió con la cocina. El canijo y yo nos trasladamos a la sala, devolvimos el sofá, que estaba patas arriba y con la parte posterior hecha trizas, a su posición original, nos sentamos y contemplamos cómo el gigantón destrozaba la cocina. Dentro de la desgracia, era una suerte que la parte delantera del sofá estuviese casi intacta. Era un sofá de muy buena calidad, comodísimo, que había comprado por cuatro chavos a un fotógrafo conocido mío. Era un fotógrafo publicitario muy bueno, pero tuvo problemas psicológicos y se retiró a lo más recóndito de las montañas de la prefectura de Nagano. Y me vendió barato el sofá que tenía en el estudio. Sentí mucho lo de sus problemas nerviosos, pero me consideré muy afortunado de poder hacerme con el sofá. De momento, parecía que al menos no tendría que comprarme uno nuevo.

Yo estaba sentado en el extremo derecho con la lata de cerveza entre las manos, y el canijo, en el izquierdo, con las piernas cruzadas y apoyado en el brazo del sofá. A pesar del estrépito, nadie se había asomado a ver qué ocurría. La mayoría de los vecinos de aquella planta eran personas solteras que, a no ser que surgiera algún imprevisto, entre semana estaban fuera durante todo el día. ¿Sabrían aquel par que podían hacer todo el ruido que les viniese en gana? Probablemente. Seguro que estaban al tanto de todo. Parecían un par de brutos, pero calculaban con cuidado cada uno de sus pasos.

El canijo echaba de vez en cuando una ojeada a su Rolex y controlaba la marcha del trabajo; el gigantón iba destrozando todos los objetos que encontraba, uno tras otro, sin un solo movimiento superfluo. Con una búsqueda tan exhaustiva no habría podido esconder ni un lápiz. Pero ellos –tal como había declarado el canijo– no buscaban nada. Sólo rompían.

¿Por qué?

Quizá quisieran hacer creer a una tercera persona que habían estado buscando algo.

Pero ¿quién era esta tercera persona?

Dejé de pensar, me tomé el último sorbo de cerveza y dejé la lata vacía sobre la mesa. El gigantón abrió la alacena, arrojó todos los vasos al suelo y siguió luego con los platos. La cafetera con filtro, la tetera, el salero, el azucarero y el bote de la harina quedaron destrozados. El arroz, esparcido por el suelo. Los alimentos del congelador corrieron idéntica suerte. Una docena de langostinos congelados, un filete de ternera, helados, mantequilla de primera calidad, unas huevas de pescado saladas de unos treinta centímetros de largo y un bote de salsa de tomate fueron estampándose, sucesivamente, en el suelo de linóleo con el estruendo que produciría un meteorito al estrellarse contra el asfalto de la carretera.

El gigantón levantó entonces la nevera con las dos manos, tiró de ella hacia delante y la arrojó contra el suelo; cayó con la puerta para abajo. Al parecer, se rompió un cable cerca del compresor, porque una lluvia de chispas se desparramó por el aire. Me entró dolor de cabeza al pensar qué explicación podría darle al electricista que viniera a arreglar la avería.

El destrozo concluyó tan súbitamente como había empezado. Sin ningún «pero», sin ningún «si», sin ningún «excepto», la destrucción cesó de pronto y un silencio sepulcral invadió la casa. Plantado en el quicio de la puerta de la cocina, sin silbar siquiera, el gigantón me contemplaba con mirada perdida. Yo no tenía la menor idea de cuánto habría tardado en efectuar aquel prodigioso desguace. ¿Quince, treinta minutos? Por ahí, por ahí. Más de quince, menos de treinta. Pero, a juzgar por el aire satisfecho con que el canijo miraba la esfera de su Rolex, sin duda se aproximaba al promedio de tiempo establecido para destrozar un piso de dos dormitorios con baño y cocina. Y es que el mundo está lleno de promedios de cosas muy variadas: desde el cronometraje de una carrera de maratón hasta la longitud de papel higiénico que se gasta cada vez que uno va al baño.

–Te va a llevar tiempo ordenarlo todo, ¿eh? –dijo el canijo.

–Efectivamente –dije–. Y, encima, me va a costar un dineral.

–El dinero es lo de menos. Esto es la guerra. Si vas contando lo que vale, no puedes ganar.

–Pero ésta no es mi guerra.

–No importa de quién sea. Tampoco quién la paga. La guerra es así. Y uno tiene que conformarse.

El canijo se sacó un pañuelo inmaculado del bolsillo, se lo puso ante la boca y tosió dos o tres veces. Tras examinar el pañuelo, volvió a guardárselo en el bolsillo. Ya sé que es un prejuicio, pero no me fío mucho de los hombres que llevan pañuelo. Yo estoy lleno de prejuicios como ése. Por eso no le caigo bien a la gente. Y, como no le caigo bien a la gente, cada vez tengo más prejuicios.

–Poco después de que nos vayamos, aparecerán los del Sistema. Y tú les hablarás de nosotros. Les dirás que te hemos destrozado el piso porque buscábamos algo. Y que te hemos preguntado dónde estaba el cráneo. Pero que tú no sabes nada sobre ningún cráneo. ¿Me has entendido? Que, como no sabes nada, no has podido decirnos nada y que, como no tienes nada, tampoco has podido darnos nada. Aunque te hayamos torturado. Así que nosotros no hemos tenido más remedio que irnos con las manos vacías.

–¿¡Torturado!? –exclamé.

–No sospecharán de ti. No saben que fuiste al laboratorio del profesor. De momento, nosotros somos los únicos que lo sabemos. Así que no corres ningún peligro. Eres un calculador excelente, seguro que te creerán. Pensarán que somos de la Factoría. Y se pondrán en marcha. Todo está calculado al detalle.

–¿Torturado, decías? –dije–. ¿De qué tortura estás hablando?

–Eso ya te lo explicaré luego. Paciencia –dijo el canijo.

–Y si desembucho y se lo cuento todo a los del Sistema, ¿qué? –pregunté.

–Pues que te eliminarán –dijo el canijo–. No te miento. Tampoco es una amenaza. Es la pura verdad. Has ido a ver al profesor a espaldas del Sistema y has hecho un *shuffling* a pesar de que está terminantemente prohibido. Sólo con eso ya tendrías problemas, pero es que, encima, el profesor te está utilizando en sus experimentos. Y eso no lo pueden permitir. Te encuentras en una situación mucho más peligrosa de lo que te imaginas, ¿sabes? Hablando con franqueza, en estos momentos estás apoyado con una sola pierna sobre la barandilla de un puente. Te aconsejo que pienses bien de qué lado quieres caer. Porque, una vez te hayas roto la crisma, será demasiado tarde.

Desde un extremo y otro del sofá, nos medimos con la mirada.

–Me gustaría que me explicaras algo –dije–. ¿Qué voy a ganar yo colaborando con vosotros y mintiéndole al Sistema? Soy un calculador del Sistema y a vosotros apenas os conozco. ¿Por qué tendría que engañar yo a mi gente y aliarme con unos extraños?

–Es muy sencillo –dijo el canijo–. Nosotros conocemos más o menos la situación en la que te encuentras y dejamos que sigas vivo. Tu organización no sabe casi nada de la situación en la que estás. Y si se enteraran, probablemente se desharían de ti. Nosotros somos una apuesta más segura. Sencillo, ¿no crees?

–Pero el Sistema, antes o después, se enterará de todo. No acabo de comprender a qué situación te refieres, pero el Sistema es enorme y no son estúpidos.

–Quizá tengas razón –dijo él–. Pero aún tardarán cierto tiempo. Y con un poco de suerte, mientras tanto, nosotros podremos resolver nuestros problemas: nosotros y tú. Elegir es eso. Y uno tiene que elegir el bando que le ofrece mayores posibilidades, aunque la diferencia sea sólo de un miserable uno por ciento. Es como en el ajedrez. Te dan un jaque mate, pero tú escapas. Y, mientras te estás escabullendo, es posible que tu adversario meta la pata. Por más poderoso que sea un contrincante, no puede descartarse la posibilidad de que cometa algún error. Bueno...

Tras pronunciar estas palabras, el hombrecillo echó una ojeada al reloj, se volvió hacia el gigantón y chasqueó los dedos. Al oír el chasquido, el gigantón alzó la barbilla, igual que un robot al que acabaran de activar, y se acercó rápidamente al sofá. Se plantó ante mí como un biombo. ¿Biombo, he dicho? Más que un biombo, parecía una pantalla gigante como las de los autocines. Me bloqueó la vista por completo. Su corpachón interceptó la luz del techo y me quedé envuelto en pálidas sombras. Me vino a la mente el día en que, estando en primaria, presencié un eclipse de sol desde el patio de la escuela. Todos miramos el sol a través de un cristal encerado que usamos como filtro. Desde entonces, había transcurrido un cuarto de siglo. Y aquel cuarto de siglo me había conducido a aquella extraña situación.

–Bueno... –repitió el hombre–. Ahora vas a pasar un rato un poco desagradable. En fin, un poco... no. Un rato muy desagradable. Ten paciencia y piensa que es por tu bien. No creas que a nosotros nos gusta hacerte esto. No. Lo hacemos porque no nos queda más remedio. ¡Quítate los pantalones!

Resignado, me quité los pantalones. Tampoco habría conseguido nada negándome.

–Arrodíllate en el suelo.

Obedecí. Me levanté del sofá y me hinqué de rodillas en la alfombra. Era un poco raro estar arrodillado allí con sólo una sudadera y unos bóxer puestos, pero, antes de que pudiera avergonzarme de mi aspecto, el gigantón se colocó a mis espaldas, pasó sus brazos por debajo de mis axilas y me inmovilizó ambas muñecas a la altura de la cadera. Sus movimientos eran ágiles y precisos. La presión no era muy grande, pero, en cuanto intenté revolverme un poco, la nuca y los hombros me dolieron tanto como si me estuvieran desmembrando. Después me inmovilizó los tobillos entre sus piernas. De modo que acabé tan quieto como un pato en el estante de una barraca de tiro al blanco.

El canijo fue a la cocina, cogió la navaja del gigantón, que estaba sobre la mesa, y volvió. Desplegó la hoja, de unos siete centímetros de largo, se sacó el encendedor del bolsillo y pasó por el fuego la punta de la hoja. La navaja no parecía muy peligrosa, pero tampoco era una baratija de ferretería. La hoja medía lo suficiente para rajar a un hombre. A diferencia del oso, el cuerpo del hombre es blando como un melocotón, y una navaja de siete centímetros de hoja puede cumplir perfectamente su cometido.

Tras esterilizar la hoja en la llama, el canijo esperó pacientemente a que se enfriara. Luego, puso la mano izquierda sobre el elástico de la cintura de mis bóxers blancos y los bajó de un tirón hasta un punto en que mi pene quedó medio descubierto.

–Te va a doler un poco. Tú aguanta –dijo.

Sentí que una bola de aire del tamaño de una pelota de tenis subía desde mi estómago hasta la mitad de mi garganta. Noté cómo el sudor cubría la punta de mi nariz. Tenía miedo. Probablemente, temía que me lastimaran el pene. Y que mi pene lastimado no pudiera tener ya nunca más una erección.

Pero el hombre no me hirió en el pene. Efectuó un corte horizontal de unos seis centímetros en el vientre, unos cinco centímetros más abajo del ombligo. La hoja afilada de la navaja, aún caliente, mordió suavemente la carne de mi bajo vientre y se deslizó hacia la derecha como si trazara una línea con una regla. Intenté retirar el vientre hacia atrás, pero, inmovilizado por el gigantón, no pude. Además, el canijo, con la mano izquierda, me agarraba firmemente el pene. Un sudor frío emanaba de cada uno de mis poros. Un instante después me asaltó un dolor intenso. En cuanto el canijo, tras limpiar la sangre con un pañuelo de papel, plegó la hoja de la navaja, el gigantón me soltó. La sangre teñía de rojo mis calzoncillos blancos. El gigantón me trajo una toalla del baño y yo la presioné contra la herida.

–Eso se arregla con siete puntos –dijo el canijo–. Bueno, te quedará una pequeña cicatriz, pero ahí no se ve mucho. Lo siento, el mundo es así. Tómatelo con calma.

Aparté la toalla de la herida y me contemplé el corte. La herida no era muy profunda, pero, mezclada con la sangre, la carne tenía un color rosa pálido.

–Cuando nos vayamos, vendrán los del Sistema. Tú enséñales la herida. Diles que, como no nos decías dónde estaba el cráneo, te hemos amenazado con cortarte un poco más abajo. Pero tú no sabías nada y, por lo tanto, no has podido decirnos nada. Y, entonces, nosotros nos hemos largado. Esto es la tortura de la que hablábamos. Claro que, si fuésemos en serio, sería muchísimo peor. Pero por hoy es suficiente. En la próxima, si surge la ocasión, te enseñaremos con calma cosas mucho mejores.

Con la toalla apretada aún contra mi vientre, asentí. Soy incapaz de explicar por qué, pero me dio la impresión de que era mejor hacer lo que me decía.

–Por cierto, fuisteis vosotros quienes me enviasteis a aquel pobre empleado del gas, ¿verdad? –le pregunté–. Dabais por sentado que el hombre no lo conseguiría y lo único que buscabais era ponerme en guardia y que escondiera el cráneo y los datos en alguna parte. ¿Me equivoco?

–¡Qué listo es! –volvió a admirarse el canijo mirando al gigantón al rostro–. No se le escapa una. Un tipo tan inteligente puede sobrevivir. Con un poco de suerte, claro.

Luego, los dos se marcharon. No tuvieron necesidad de abrir la puerta, ni de cerrarla después. Mi puerta blindada, retorcida y fuera de sus goznes, estaba abierta al mundo entero.

Me quité los calzoncillos manchados de sangre, los arrojé al cubo de la basura y me limpié alrededor de los labios de la herida con una gasa suave empapada en agua. Cuando me movía hacia delante y hacia atrás, sentía un dolor punzante. La manga de mi sudadera también estaba manchada de sangre, así que también tiré a la basura la sudadera. Luego, de entre toda la ropa esparcida por el suelo, escogí una camiseta de un color en el que no resaltaran las manchas de sangre y un pequeño slip, y me los puse. Me costó lo suyo.

Fui a la cocina, bebí dos vasos de agua y, absorto en mis pensamientos, esperé a que aparecieran los del Sistema.

Unos treinta minutos más tarde llegaron tres tipos de la oficina central. Entre ellos estaba el joven presumido que era mi enlace con la organización y que siempre venía a mi casa a recoger los datos. Como de costumbre, llevaba traje oscuro y camisa blanca y una corbata que le confería aspecto de supervisor de créditos bancarios. Los otros dos calzaban zapatillas de tenis y vestían como empleados de alguna compañía de transportes. A pesar de ello, se veía que no trabajaban ni en un banco ni en una compañía de transportes; simplemente, se habían vestido de un modo que no llamara la atención. Pero sus ojos escudriñaban a su alrededor sin cesar y sus músculos estaban tensos y preparados para cualquier contingencia.

Ellos tampoco llamaron a la puerta, claro está, y entraron en mi apartamento sin descalzarse. Mientras los empleados de la empresa de transportes inspeccionaban el piso de punta a punta, mi enlace me tomó declaración. Se sacó una libretita negra del bolsillo interior de la americana y fue apuntando en ella, con un portaminas, los puntos esenciales. Le conté que habían venido dos tipos que andaban tras un cráneo y le mostré mi herida. Él la contempló unos instantes, pero no expresó su opinión.

–¿Y a qué cráneo se referían? –quiso saber.

–No lo sé –dije–. Eso es lo que iba a preguntarte yo.

–¿Seguro que a usted no le suena de nada? –preguntó mi enlace con una voz sin inflexiones–. Todo esto es muy importante, así que intente acordarse, por favor. Después será demasiado tarde para rectificar. Los semióticos no actúan porque sí. Si han venido a su apartamento en busca de un cráneo, es porque tenían fundadas razones para creer que el cráneo se encontraba aquí. Nada surge de la nada. Y si además se molestan en venir a buscarlo, es que ese cráneo tiene un gran valor. Es impensable que usted no tenga ninguna relación con él.

–Bueno, pues si tanto sabes y tan inteligente eres, explícame tú qué valor tiene ese cráneo –le dije.

Mi enlace permaneció unos instantes dando golpecitos con el portaminas en el canto de la libreta.

–Eso es precisamente lo que vamos a investigar –dijo–. A investigar de un modo exhaustivo. Y llegaremos al fondo de la cuestión. Y si resulta que usted oculta algo, tendrá serios problemas. ¿Es consciente de ello?

Le dije que sí. ¡Vete a saber lo que ocurriría en adelante! Nadie puede prever el futuro.

–Sospechábamos que los semióticos maquinaban algo. Habían empezado a moverse. Sin embargo, aún no sabemos qué buscan. Y quizá esté relacionado de algún modo con usted. Tampoco sé qué valor tiene el cráneo. Pero cuantos más indicios vayamos reuniendo, más nos iremos acercando al meollo del asunto. Esto es lo único que puedo asegurarle.

–¿Y qué debo hacer yo?

–Prestar atención. Tomarse un descanso manteniendo los ojos muy abiertos. De momento, le cancelaremos todos los compromisos de trabajo. Si sucede algo, llámenos enseguida. ¿Funciona el teléfono?

Levanté el auricular y lo comprobé. Funcionaba. Me dije que aquel par debían de haber dejado indemne el teléfono a propósito. Aunque ignoraba por qué.

–Funciona –le dije.

–¿Lo ha comprendido bien? Si ocurre algo, por insignificante que sea, llámenos. No pretenda solucionarlo por su cuenta. No intente ocultarnos nada. Esta gente es peligrosa. La próxima vez no se contentarán con hacerle un arañazo en el vientre.

–¿¡Un arañazo!? –solté sin pensar.

Los hombres con pinta de empleados de empresa de transportes, inspeccionado ya el piso, volvieron a la cocina.

–Lo han registrado todo a conciencia –concluyó el de mayor edad–. No se les ha escapado nada y han actuado con método. Un trabajo de profesionales. Esto es cosa de los semióticos.

Cuando mi enlace hizo un gesto de asentimiento, salieron de la habitación. Mi enlace y yo nos quedamos solos.

–Si buscaban un cráneo, ¿cómo es que han rajado incluso la ropa? –pregunté–. Entre la ropa era imposible esconder ningún cráneo, fuera del tamaño o de la clase que fuese.

–Estos tipos son profesionales. Y los profesionales contemplan todas las posibilidades. Usted podría haber metido el cráneo en una consigna automática y haber escondido la llave. Y una llave puede ocultarse en cualquier parte.

–¡Ah, claro! –dije. Claro.

–Por cierto, ¿los semióticos no le han hecho alguna propuesta?

–¿Propuesta?

–Sí. En concreto, la propuesta de unirse a la Factoría. Ofreciéndole dinero o algún cargo. O mediante amenazas.

–No me han dicho nada de eso –dije–. Sólo me han preguntado por el cráneo y me han rajado la tripa.

–Escúcheme con atención. Si le hacen alguna propuesta de este tipo, debe rehusar. Si nos traicionara, aunque tuviéramos que seguirle hasta el fin del mundo, lo encontraríamos y acabaríamos con usted. No le miento. Es una promesa. El Estado está con nosotros. Nada nos es imposible.

–Lo tendré en cuenta.

Cuando se hubieron ido, intenté recapitular los hechos. Pero ni el mejor de los resúmenes podía conducirme a ninguna parte. El quid de la cuestión estaba en qué diablos investigaba y hacía el profesor. Conjeturar sin saber eso representaba una pérdida de tiempo. Y yo desconocía qué ideas bullían en la mente del anciano profesor.

Sólo una cosa estaba clara: yo me había visto obligado a traicionar a los del Sistema. Y si éstos se enteraban –y seguro que se enterarían antes o después–, me vería en un gran aprieto, tal como me había vaticinado mi presuntuoso enlace. Aunque yo hubiera tenido que mentir bajo amenazas; porque, aunque los del Sistema llegaran a saber las circunstancias de mi traición, jamás me lo perdonarían.

Mientras estaba absorto en mis cavilaciones, la herida empezó a dolerme de nuevo, así que decidí buscar en la guía telefónica la empresa de taxis más cercana, pedir uno e ir al hospital a que me curasen la herida. Me apreté una toalla sobre el vientre, me puse unos pantalones holgados y me calcé. Al agacharme para ponerme los zapatos, sentí un dolor tan agudo como si me estuvieran partiendo por la mitad. ¡Y pensar que una herida en el abdomen de apenas dos o tres milímetros de profundidad es capaz de convertir la vida de un hombre en un infierno! Por no poder, ni siquiera podía ponerme bien los zapatos. Ni hablar de subir y bajar escaleras.

Bajé en ascensor, me senté en el macetero del vestíbulo y esperé a que viniera el taxi. El reloj marcaba la una y media de la tarde. Sólo habían pasado dos horas y media desde que aquel par de brutos me habían destrozado la puerta. Habían sido dos horas y media muy largas. Me daba la sensación de que, como mínimo, habían transcurrido diez.

Ante mis ojos fueron desfilando amas de casa que volvían de hacer la compra. Por las bolsas del supermercado asomaban cebolletas y nabos. Me dieron un poco de envidia. A ellas nadie les destrozaba la nevera ni les rajaba la tripa de un navajazo. Sólo tenían que preocuparse por las notas de sus hijos y de cómo cocinar las cebolletas y los nabos para que la vida fuera siguiendo tranquilamente su curso. No tenían necesidad de salir huyendo con un cráneo de unicornio en brazos ni de calentarse los cascos procesando códigos secretos incomprensibles. Ellas llevaban una vida normal y corriente.

Pensé en los langostinos, en el filete de ternera, en la mantequilla y en la salsa de tomate, que debían de estar descongelándose sobre el suelo de la cocina. Tendría que comérmelos antes del día siguiente. Pero no tenía ni pizca de apetito.

El cartero llegó montado en una motocicleta Super Cub de color rojo y fue distribuyendo hábilmente el correo dentro de los buzones alineados a un lado del vestíbulo. Mirándolo, me di cuenta de que había buzones que estaban llenos a rebosar de correo y otros que no recibían ni una triste carta. El mío, ni lo tocó. Ni siquiera le dirigió una mirada.

Al lado de los buzones había un ficus con la maceta llena de palos de polo y de colillas. El ficus parecía tan exhausto como yo. Todo el mundo le arrojaba tantas colillas como se le antojaba, le rompía las hojas. No recordaba desde cuándo estaba allí. A juzgar por la suciedad que acumulaba, debía de llevar mucho tiempo en el vestíbulo. Y yo, aunque pasaba a diario por delante, había ignorado la existencia de aquel ficus hasta el día en que me habían rajado la barriga y había tenido que esperar un taxi en el vestíbulo.

El médico, tras examinarme la herida, me preguntó cómo me la había hecho.

–En una pelea. Un asunto de faldas, ¿sabe? –dije. Es lo único que se me ocurrió. Aunque, a los ojos de cualquiera, era obvio que la herida había sido producida por una navaja.

–En estos casos, tenemos la obligación de denunciar el hecho a la policía –dijo el médico.

–No quisiera mezclar a la policía en este asunto. La verdad es que parte de la culpa fue mía. La herida no es muy profunda y preferiría que todo quedara en privado. Se lo ruego.

El médico refunfuñó un poco, pero al final se dejó convencer, me hizo acostar en la camilla, me desinfectó la zona, me puso varias inyecciones, tomó aguja e hilo y me cosió hábilmente la herida. Cuando el médico hubo terminado de darme los puntos, una enfermera me aplicó una compresa sobre la herida y me rodeó la cintura con una especie de cinturón de goma para fijarla bien. Todo el rato me estuvo mirando con desconfianza.

–No haga movimientos bruscos –dijo el médico–. No beba, no tenga relaciones sexuales ni se ría demasiado. Intente descansar, lea un poco. Y vuelva mañana.

Le di las gracias, pagué en la ventanilla, me hice con un medicamento para evitar que la herida supurara y regresé a casa. Al llegar, me tendí en la cama, tal como me había ordenado el doctor, y empecé a leer *Rudin,* de Turguéniev. De hecho, habría preferido *Aguas primaverales,* pero encontrar el libro entre las ruinas en las que se había convertido mi apartamento era una misión casi imposible y, pensándolo bien, *Aguas primaverales* no era mejor que *Rudin.*

Tumbado en la cama, antes del anochecer, con un vendaje alrededor del vientre y leyendo una vieja novela de Turguéniev, sentí que todo me daba igual. Yo no había provocado ninguna de las cosas que me habían ocurrido a lo largo de los últimos tres días. Ni una sola. Todo me había venido impuesto desde fuera, yo sólo me había visto involucrado en ello.

Fui a la cocina y rebusqué con suma atención entre los cascos acumulados en el fregadero. Casi todas las botellas de alcohol se habían roto y los cristales se habían esparcido por todas partes, pero una botella de Chivas Regal, solamente una, conservaba intacta su parte inferior y, en el fondo de la botella, quedaba un resto de whisky. Lo vertí en un vaso y lo examiné a contraluz, pero no vi ningún fragmento de cristal. Volví a la cama con el vaso y seguí leyendo mientras me tomaba el whisky tibio, solo.

Había leído *Rudin* por última vez cuando estudiaba en la universidad, y de eso hacía ya quince años. ¡Quince años! Al releerlo en esas circunstancias, con el vendaje rodeando mi cintura, me di cuenta de que Rudin, el protagonista, me inspiraba mayor simpatía que antes. Las personas no pueden corregir sus defectos. Las tendencias del ser humano se consolidan antes de los veinticinco años, aproximadamente, y después, por más esfuerzos que uno haga, no puede cambiar, en lo esencial, su naturaleza. El problema radica en cómo reacciona el mundo exterior ante las tendencias de uno. Supongo que el whisky debía de ayudar, pero me identifiqué con Rudin. Los personajes de las novelas de Dostoievski raramente despiertan mi simpatía, pero los de Turguéniev la conquistan de inmediato. Incluso he llegado a identificarme con el protagonista de la serie *Distrito 87.* Quizá se deba a que soy una persona con muchos defectos. Y los que tenemos muchos defectos tendemos a identificarnos con los que tienen tantos defectos como nosotros. A menudo cuesta identificar como tales los defectos de los personajes de Dostoievski, de modo que soy incapaz de sentir una total simpatía hacia éstos. En el caso de los personajes de Tolstói, los defectos son tan desmesurados y trascendentales que se tornan estáticos.

Al acabar de leer *Rudin,* arrojé el libro de bolsillo sobre el estante y volví a rebuscar entre los residuos del fregadero. Descubrí un dedo de líquido en una botella de Jack Daniels Black Label, lo vertí en un vaso, regresé a la cama y, esta vez, me enfrasqué en la lectura de *Rojo y negro,* de Stendhal. A mí me gustan mucho las novelas pasadas de moda. ¿Cuántos jóvenes deben de leer hoy en día *Rojo y negro?* De todos modos, en aquel momento, al leer la novela, me compadecí de Julien Sorel. Lo que me movió a compasión fue que sus defectos ya estuviesen consolidados antes de los quince años. Porque el hecho de que una persona tenga ya determinados antes de los quince años todos los factores que condicionarán su vida, por más objetivamente que uno lo considere, inspira lástima. Es como si se hubiese encerrado a sí mismo en una cárcel de hierro. Como si, confinado en este mundo cercado por una muralla, se dirigiese, paso tras paso, hacia el abismo.

Algo me había conmovido.

La muralla.

Ese mundo estaba rodeado por una muralla.

Cerré el libro y, mientras dejaba deslizar el último trago de Jack Daniels por mi garganta, reflexioné unos instantes sobre ese mundo rodeado de murallas. Podía imaginar con relativa facilidad la muralla y la puerta. La muralla era muy alta y la puerta muy grande. Reinaba un silencio sepulcral. Y yo estaba allí. Pero mi conciencia era muy vaga y no distinguía con claridad el paisaje de mi alrededor. Podía ver nítidamente la ciudad en su conjunto, sólo las imágenes que me rodeaban eran tremendamente vagas y confusas. Y, desde el otro lado de aquel velo opaco, alguien me llamaba.

Parecía la escena de una película, y me pregunté si en alguna de las películas históricas que había visto saldrían imágenes similares. Sin embargo, ni en *El Cid,* ni en *Ben-Hur,* ni en *Los diez mandamientos,* ni en *La túnica sagrada,* ni en *Espartaco* había visto imágenes como aquéllas. Lo que significaba que debían de ser un caprichoso fruto de mi imaginación. «Seguro que la muralla simboliza las limitaciones de mi vida», pensé. «Y que el silencio es una secuela de la eliminación del sonido. El hecho de que los alrededores estén velados se debe a que mi imaginación se enfrenta en estos momentos a una crisis vital decisiva. Y quizá la voz sea la de la joven de rosa que me está llamando.»

Tras aquel análisis simplista de mi desvarío momentáneo, volví a abrir el libro. Pero me fue imposible concentrarme en la lectura. «Mi vida no es nada», pensé. «Cero. Nada. ¿Qué he construido yo hasta ahora? Nada. ¿He hecho feliz a alguien? A nadie. ¿Tengo algo? Nada. No tengo ni familia, ni amigos, ni puerta. Ni siquiera tengo erecciones. Hasta puede que acabe perdiendo mi trabajo.»

Incluso el objetivo ulterior de mi vida, el idílico mundo del violonchelo y del griego, corría ahora un grave peligro. Si perdía el trabajo a raíz de aquello, la holgura económica que habría de permitirme realizar mis sueños se iría al traste. Además, si me viera obligado a ir hasta el fin del mundo huyendo del Sistema, no tendría tiempo para aprender los verbos irregulares griegos.

Cerré los ojos, lancé un suspiro tan profundo como un pozo inca y volví a enfrascarme en la lectura de *Rojo y negro*. Lo perdido, perdido estaba. Por más que me rompiera la cabeza, no habría vuelta atrás.

Comprobé con sorpresa que ya había anochecido y que me envolvían unas tinieblas turguénievo-stendhalianas. Tendido en la cama, la herida no me dolía tanto. De vez en cuando, un dolor vago y sordo como el redoble de un tambor se extendía desde la herida hasta los costados, pero, una vez pasado el ramalazo, casi podía olvidarme de ella. El reloj señalaba las siete y veinte minutos, pero yo seguía sin tener apetito. No había probado bocado desde aquel emparedado insustancial que, junto a la leche, me había echado al estómago a las cinco y media de la mañana, y la ensalada de patatas que había comido después en la cocina, pero sólo con pensar en la comida se me revolvía el estómago. Estaba cansado, falto de sueño, me habían herido en el vientre y en mi piso reinaba un caos tan grande como si lo hubiese volado un cuerpo de zapadores enanos. No era extraño que no tuviera apetito.

Unos años atrás, había leído una novela de ciencia ficción ambientada en un futuro próximo en la que el mundo, lleno a rebosar de objetos de desecho, se encaminaba hacia su destrucción: el cuadro que ofrecía mi casa era idéntico. Por el suelo había esparcidos residuos de todas clases. Desde mi traje de tres piezas rasgado hasta el aparato de vídeo y el televisor rotos, y también las botellas hechas añicos, y el brazo de la lámpara quebrado, y los discos pisoteados, y la salsa de tomate descongelada, y los cables de los altavoces arrancados... La mayor parte de las camisas y de la ropa interior que cubrían por entero el suelo del dormitorio estaban pisoteadas y manchadas de tinta y de granos de uva aplastados, con lo cual habían quedado inservibles. El plato con un racimo de uva que había dejado tres días atrás, a medio comer, sobre la mesilla de noche había acabado por el suelo y pisoteado. Las obras completas de Joseph Conrad y Thomas Hardy estaban empapadas de agua sucia del jarrón. Y los gladiolos, derramados sobre la pechera de mi jersey de cachemir color beige pálido como una ofrenda floral a un fallecido en combate. En las mangas del jersey se extendía una mancha de tinta Pelikan color azul real del tamaño de una pelota de golf.

Todo se había convertido en basura.

En una montaña de basura inútil que no iría a ninguna parte. Los microorganismos mueren y se convierten en petróleo; los grandes árboles caen y se convierten en carbón. Pero todo aquello era auténtica basura, inservible, sin destino alguno. ¿Adónde podría ir a parar un aparato de vídeo roto?

Fui a la cocina, una vez más, y rebusqué entre los cascotes del fregadero. Pero, por desgracia, ya no quedaba ni una gota más de whisky. El whisky ya no acabaría dentro de mi estómago, sino que, deslizándose por las cañerías, había descendido, cual Orfeo, a la nada del subsuelo, al reino de los tinieblos.

Mientras rebuscaba en el fregadero, me corté el dedo corazón de la mano derecha con un fragmento de botella. Permanecí unos instantes contemplando cómo la sangre manaba de la herida de la yema del dedo y goteaba sobre una etiqueta de whisky. Cuando te han causado una herida grande, las pequeñas te parecen una nadería. Nadie había muerto desangrado como consecuencia de una herida en un dedo.

Dejé que la sangre manara libremente hasta que tiñó de rojo toda la etiqueta de la botella de Four Roses, pero después, viendo que no paraba, opté por limpiarme la sangre con un pañuelo de papel y ponerme una tirita.

Por el suelo de la cocina, como cartuchos vacíos después de un tiroteo, corrían siete u ocho latas de cerveza. Al recogerlas, las noté tibias, pero prefería eso que nada. Con una lata en cada mano, volví a la cama y continué leyendo *Rojo y negro* entre pequeños sorbos de cerveza. Pretendía que el alcohol eliminara la tensión de aquellos últimos tres días y poder sumirme así en un sueño profundo. Aunque al día siguiente me aguardaran un sinfín de penalidades –cosa que, sin duda, ocurriría–, de momento quería dormir a pierna suelta durante el tiempo que tardaba la Tierra en girar sobre sí misma igual que lo hacía Michael Jackson. Porque los problemas renovados tenía que recibirlos con renovada desesperación.

Antes de las nueve, el sueño me venció. El descanso llegó incluso a mi humilde piso arrasado como la cara oculta de la luna. Arrojé al suelo *Rojo y negro,* del que llevaba leídas tres cuartas partes, apagué mi lamparilla, que se había librado de la masacre, me puse de costado, me hice un ovillo y me dormí. Yo era un pequeño embrión en mi cuarto destrozado. Hasta que llegara el momento, nadie podría estorbar mi sueño. Yo era un príncipe de la desesperación envuelto en el manto de los sinsabores. Y permanecería sumido en un profundo sueño hasta que un sapo del tamaño de un Volkswagen Golf se acercara a darme un beso.

Pese a mis expectativas, mi sueño no se prolongó más de dos horas. A las once de la noche apareció la joven gorda del traje de color rosa y me sacudió el hombro. Por lo visto, mi sueño se cotizaba muy barato en aquella subasta. Todo el mundo desfilaba por mi casa y daba un puntapié a mi sueño, como si quisiera comprobar el estado de los neumáticos de un coche de segunda mano. No tenían ningún derecho a hacerlo. Tal vez fuera viejo, pero no era ningún automóvil de ocasión.

–¡Déjame en paz! –exclamé.

–Escúchame, por favor. Levántate. ¡Por favor! –dijo la muchacha.

–¡Déjame en paz! –repetí.

–No es hora de dormir –dijo la muchacha y me golpeó con el puño en el costado. Un dolor tan violento como si acabaran de abrir la puerta del infierno recorrió todo mi cuerpo–. ¡Por favor! –insistió ella–. El mundo está llegando a su fin.

# 16

## EL FIN DEL MUNDO

## La llegada del invierno

Al abrir los ojos, me encontré en la cama. El olor me resultaba familiar. Aquélla era mi cama. Y aquél, mi cuarto. Pero me dio la sensación de que todas las cosas eran un poco distintas. Como si aquella escena se reprodujera a partir de mis recuerdos. Incluso las manchas del techo y del yeso de las paredes: todo.

Al otro lado de la ventana llovía. Una lluvia invernal, nítida como el hielo, bañaba la tierra. Oí cómo la lluvia golpeaba el tejado. Pero era incapaz de calcular la distancia. Tan pronto me daba la sensación de que el tejado estaba junto a mi oído como me parecía que se encontraba a más de un kilómetro.

En la habitación, al lado de la ventana, distinguí la silueta del coronel. El anciano había colocado una silla junto al alféizar y, sentado con la espalda tan erguida como de costumbre, inmóvil, contemplaba la lluvia. ¿Por qué miraría la lluvia con tanto interés? No lo entendía. La lluvia era sólo lluvia. Golpeaba el tejado, empapaba la tierra y desembocaba en los ríos. Solamente eso.

Intenté alzar el brazo y tocarme la cara con la palma de la mano, pero no lo conseguí. Todo era terriblemente pesado. Intenté llamar al anciano, pero de mi boca no brotó sonido alguno. No lograba empujar hacia arriba la masa de aire que llenaba mis pulmones. Mi cuerpo, paralizado por completo, había dejado de funcionar. Únicamente era capaz de mantener los ojos abiertos y de mirar la ventana, la lluvia y al anciano. No conseguía recordar por qué mi cuerpo había quedado reducido a aquel estado. Al tratar de pensar, la cabeza me dolió tanto como si estuviera a punto de romperse.

–Es invierno –dijo el anciano. Y golpeó el cristal de la ventana con la punta del dedo–. Ha llegado el invierno. Ahora comprenderás por qué lo tememos tanto.

Hice un pequeño gesto de asentimiento.

Sí... La muralla de invierno me había destrozado. Y yo... había atravesado el bosque y había llegado a la biblioteca. De pronto, recordé el tacto del cabello de la joven en mi mejilla.

–Te trajo a casa la chica de la biblioteca. La ayudó el guardián. Tenías una fiebre altísima. Sudabas a mares. Tanto como para llenar un cubo. Eso fue anteayer.

–Anteayer...

–Sí. Has dormido dos días seguidos. Creí que no despertarías jamás. Fuiste al bosque, ¿verdad?

–Lo siento –dije.

El anciano cogió la olla que se estaba calentando sobre la estufa y vertió el contenido en un plato. Luego me ayudó a incorporarme y me recostó en el cabezal de la cama. La madera rechinó con un crujido de huesos.

–Primero tómate esto –dijo el anciano–. Lo de pensar y disculparte déjalo para más adelante. ¿Tienes hambre?

Le dije que no. Ni siquiera me apetecía respirar.

–Pero esto tienes que tomártelo. Con tres cucharadas es suficiente. Tómate tres y no hará falta que te lo acabes. ¡Ánimo! Tres cucharadas y ya está. ¿Podrás?

Asentí.

La sopa de hierbas medicinales era tan amarga que daba náuseas, pero conseguí tragar tres cucharadas. Al terminar, sentí que las fuerzas abandonaban mi cuerpo.

–Es suficiente con esa cantidad –dijo el anciano y dejó la cuchara dentro del plato–. Es un poco amarga, pero esa sopa eliminará los malos humores de tu cuerpo. Ahora duerme un poco y, al despertar, te encontrarás mucho mejor. Duérmete tranquilo. Cuando te despiertes, me encontrarás aquí.

Cuando abrí los ojos, al otro lado de la ventana ya reinaba la oscuridad. El fuerte viento arrojaba las gotas de lluvia contra los cristales. El anciano estaba a la cabecera de la cama.

–¿Qué tal? Te encuentras mejor, ¿verdad?

–Sí, mucho mejor. ¿Qué hora es?

–Las ocho de la noche.

Intenté levantarme, pero apenas podía tenerme en pie.

–¿Adónde vas? –me preguntó el anciano.

–A la biblioteca. Tengo que leer viejos sueños –dije.

–¡No digas tonterías! Tal como estás, no podrías andar ni cinco metros.

–Es que no puedo faltar al trabajo.

El anciano sacudió la cabeza.

–Los viejos sueños pueden esperar. Tanto el guardián como la chica saben que no puedes moverte. Además, la biblioteca está cerrada. –El anciano suspiró, se acercó a la estufa, se sirvió una taza de té y volvió. El viento golpeaba la ventana a ráfagas regulares–. Al parecer, te gusta la chica de la biblioteca, ¿eh? –dijo el anciano–. No tenía intención de escuchar, pero no he podido evitarlo. He estado todo el rato junto a ti y, con la fiebre, delirabas. No tienes por qué avergonzarte. Es normal que los jóvenes se enamoren. ¿No crees?

Asentí en silencio.

–Es una buena chica. Y estaba muy preocupada por ti. –Tomó un sorbo de té–. Pero, tal como están las cosas, no es conveniente que te enamores de ella. No me gusta tener que decirte eso, pero debo explicarte algunas cosas al respecto.

–¿Y por qué no es conveniente?

–Porque ella jamás podrá corresponder a tus sentimientos. Nadie tiene la culpa. Ni la tienes tú, ni la tiene ella. Me atrevería a decir que la culpa es del mundo, por estar hecho de esta manera. Pero el mundo no se puede cambiar. Sería lo mismo que tratar de invertir el curso de un río.

Me incorporé sobre la cama y me froté las mejillas con ambas manos. Me pareció notar la cara un poco más flaca.

–Se refiere al corazón, ¿verdad?

El anciano asintió.

–¿Me está diciendo que, como yo tengo corazón y ella no, por más que la ame jamás podré recibir nada a cambio?

–Exacto. Lo único que conseguirás será ir destruyéndote. Porque ella, como muy bien dices, no tiene corazón. Tampoco yo lo tengo. Nadie lo tiene.

–Pero usted es muy amable conmigo. Se preocupa por mí, me está cuidando robándole horas al sueño. ¿No le parece que ésa es una de las formas en que se manifiesta el corazón?

–No, es distinto. La amabilidad es una función independiente. Para ser exactos, es una función superficial. Sólo una costumbre. El corazón es otra cosa, es algo más profundo, y más fuerte. Y también más contradictorio.

Cerré los ojos y reuní en uno solo todos mis pensamientos, que se dispersaban en varias direcciones.

–Lo que yo pienso –dije– es que la gente pierde el corazón cuando se les muere la sombra. Sucede así, ¿verdad?

–En efecto.

–Y como la sombra de la chica ya ha muerto, ella nunca podrá recuperar su corazón, ¿no es así?

El anciano asintió.

–He ido al ayuntamiento y he buscado el acta de defunción de su sombra. De modo que no hay error posible. Su sombra murió cuando ella tenía diecisiete años. Y fue enterrada, tal como establecen las leyes, en el manzanar. También hay constancia del entierro. Si quieres más detalles, es mejor que le preguntes directamente a ella. Seguro que te convencerán mucho más si los oyes de sus labios que de los míos. Pero si me dejas añadir algo más, te diré que, cuando le arrancaron la sombra, ella todavía no tenía uso de razón. De modo que ni siquiera recuerda que un día tuvo corazón. En este sentido, es diferente de las personas como yo, que perdimos la sombra, por voluntad propia, de viejos. Yo al menos puedo imaginar los movimientos de tu corazón; ella, ni siquiera eso.

–Pero ella se acuerda muy bien de su madre. Dice que su madre conservó el corazón. Incluso después de que muriera su sombra. No sé por qué ocurrió, pero ¿no ayudaría eso? A lo mejor ella ha heredado una parte del corazón de su madre. ¿No lo cree posible?

El anciano se bebió lentamente el resto de té frío tras agitar varias veces la taza para removerlo.

–Óyeme bien –dijo el coronel–. A la muralla no se le pasa por alto el más mínimo trozo de corazón. Si por casualidad quedara una pequeña fracción, la muralla la absorbería por completo. Y si no pudiera absorberlo, esa persona sería expulsada de la ciudad. Al parecer, eso fue lo que le ocurrió a su madre.

–¿O sea, que no tengo ninguna esperanza?

–No quiero decepcionarte. Pero esta ciudad es fuerte y tú débil. A raíz de lo que te ha sucedido, supongo que tú mismo te habrás dado cuenta. –El anciano permaneció unos instantes con la mirada clavada en el interior de su taza vacía–. Pero puedes conseguirla.

–¿Conseguirla?

–Sí. Puedes acostarte con ella, e incluso podéis vivir juntos. En esta ciudad puedes conseguir lo que quieras.

–Sin que el corazón tenga nada que ver con ello, ¿no?

–El corazón no existe –dijo el anciano–. Pero, dentro de poco, también el tuyo desaparecerá. Y, en cuanto eso suceda, ya no experimentarás sentimientos de pérdida o de desengaño. También se borrará ese amor sin rumbo. Sólo quedará la vida de todos los días. Una vida tranquila y silenciosa. A ti te gusta ella y tú le gustas a ella. Si eso es lo que deseas, tuyo es. Nadie te lo puede arrebatar.

–Es extraño –dije–. Yo aún tengo corazón y, sin embargo, a veces lo pierdo de vista. No. Mejor dicho, posiblemente está siempre perdido y sólo en ocasiones lo recobro. A pesar de eso, tengo la certeza de que volverá, en un momento u otro, y esta certeza es la que, en definitiva, vertebra y sostiene mi existencia. Por eso me cuesta tanto imaginar qué significa perder el corazón.

El anciano asintió repetidas veces en silencio.

–Reflexiona sobre ello con calma. Tú todavía tienes tiempo para reflexionar.

–Eso haré –dije yo.

Después, el sol no mostró su faz durante muchos días. Cuando me bajó la fiebre, salí de la cama, abrí la ventana y respiré el aire del exterior. Incluso entonces, tras levantarme, durante dos días me sentí sin fuerzas, incapaz de sujetarme siquiera a la barandilla de las escaleras o de agarrar el pomo de la puerta. Mientras tanto, el coronel me hacía beber todas las noches aquel brebaje amargo y me preparaba gachas de arroz. Luego, se sentaba a la cabecera de la cama y me contaba historias de antiguas batallas. No volvió a hablarme ni de ella ni de la muralla, y yo tampoco me atreví a hacerle ninguna pregunta. Porque pensé que si hubiera tenido necesidad de explicarme algo, ya lo habría hecho.

Al tercer día me había recuperado hasta el punto de pedirle prestado el bastón al anciano y salir a pasear, despacio, por los alrededores de la Residencia Oficial. Al caminar, me di cuenta de que mi cuerpo se había vuelto terriblemente ingrávido. Probablemente la alta fiebre me había hecho perder peso, pero me daba la sensación de que éste no era el único factor. El invierno confería un peso extraño a todas las cosas que me rodeaban. Y yo era el único que se había quedado a las puertas de ese mundo pesado.

Desde la pendiente de la colina donde se hallaba la Residencia Oficial, se divisaba toda la mitad oeste de la ciudad. Se veía el río, se veía la torre del reloj, se veía la muralla y, a lo lejos, se vislumbraba lo que parecía ser la Puerta del Oeste. Mis débiles ojos ocultos tras las gafas oscuras no lograban distinguir los detalles con mayor precisión; sin embargo, me di cuenta de que el aire invernal dotaba a los contornos de la ciudad una nitidez desconocida. Era como si el gélido viento que soplaba desde la Sierra del Norte barriera por completo aquel polvo de vagos matices oscuros adherido a cada uno de los rincones de la ciudad.

Mientras contemplaba el paisaje me acordé del mapa que tenía que entregarle a mi sombra. Por culpa de mi enfermedad, ya llevaba casi una semana de retraso respecto al día en que había prometido dárselo. Mi sombra debía de estar preocupada por mí, o tal vez hubiese renunciado ya a sus planes creyendo que la había abandonado. Al pensarlo, me entristecí.

Le pedí al coronel unas viejas botas de trabajo y despegué la suela; introduje el mapa, tras doblarlo muchas veces hasta hacerlo diminuto, y volví a pegar la suela. Tenía la certeza de que a mi sombra se le ocurriría desmontar el zapato para buscar el mapa. Luego le di los zapatos al coronel y le pedí que fuera en busca de mi sombra y le entregara los zapatos.

–Es que sólo tiene unas zapatillas ligeras de deporte y, cuando se acumule la nieve, se lastimará los pies –expliqué–. Y del guardián no me fío. Usted seguro que consigue verla.

–Por una nimiedad como ésa, no creo que haya ningún problema –dijo el anciano, y cogió los zapatos.

Al atardecer, volvió diciendo que había visto a mi sombra y que le había entregado los zapatos en mano.

–Estaba preocupada por ti –dijo el anciano coronel.

–¿Qué aspecto tenía?

–Parece que se resiente un poco del frío. Pero todavía está bien. No tienes por qué preocuparte.

Un atardecer, diez días después del acceso de fiebre, al fin pude bajar la colina e ir a la biblioteca.

Tal vez fuesen imaginaciones mías, pero, al empujar la puerta de entrada, la atmósfera del interior me pareció más estancada que antes.

No percibí el menor signo de vida, como si el edificio llevase largo tiempo abandonado. El fuego de la estufa estaba apagado; la cafetera, fría. Al levantar la tapa, vi en su interior un café turbio. El techo me pareció más alto que de costumbre. La luz estaba apagada; sólo mis pisadas resonaban entre las tinieblas de un modo extrañamente polvoriento. No había ni rastro de la bibliotecaria y una fina capa de polvo cubría el mostrador.

Como no sabía qué hacer, tomé asiento en el banco de madera y esperé a que viniera. La puerta no estaba cerrada con llave, de modo que tendría que aparecer en algún momento. La esperé con paciencia, tiritando de frío. Pero, por más que esperé, no apareció. Sólo las tinieblas se hicieron más profundas. Me daba la impresión de que todas las cosas de este mundo habían desaparecido, dejándonos a mí y a la biblioteca atrás. Yo era el único que quedaba en medio del fin del mundo. Por más que alargara la mano, no había nada que tocar.

El peso del invierno se percibía en la estancia. Todos los objetos parecían estar firmemente sujetos, al suelo o a la mesa, con clavos. Y yo, solo, sentado en las tinieblas, tenía la sensación de que diferentes partes de mi cuerpo iban perdiendo el peso que les correspondía y se iban alargando y reduciendo a su antojo. Igual que si estuviera de pie ante un espejo deformante y me moviera despacio.

Me levanté del banco para accionar el interruptor de la luz. Cogí carbón del cubo, lo arrojé en la estufa, prendí una cerilla y, tras encender el fuego, volví a sentarme. Al prender la luz, las tinieblas se tornaron aún más profundas; al encender la estufa, el frío se volvió aún más intenso.

Quizá estuviese demasiado absorto en mis pensamientos. O quizá aquel entumecimiento que quedaba en lo más profundo de mi ser me hubiera sumido en un breve sueño. Pero, de súbito, me di cuenta de que ella estaba de pie ante mí, mirándome en silencio. Los gruesos granos de luz amarillenta de la lámpara bañaban su espalda, desdibujando su silueta. Permanecí unos instantes con los ojos clavados en ella. Llevaba el mismo abrigo azul de siempre, y el pelo recogido en una cola, echado hacia un lado y oculto bajo la solapa del abrigo. Su cuerpo olía a viento frío de invierno.

–Pensaba que ya no vendrías –dije–. Te he estado esperando mucho tiempo.

Ella arrojó el café frío en el fregadero y, tras lavar la cafetera con agua, la llenó de agua limpia y la dejó encima de la estufa. Luego, liberó la mata de pelo de debajo de la solapa, se quitó el abrigo y lo colgó de una percha.

–¿Y por qué pensabas que ya no vendría? –me dijo.

–No lo sé. Simplemente, me daba esa impresión.

–Mientras me necesites, vendré. Y tú me necesitas, ¿verdad?

Asentí. La necesitaba, sin duda. Por más que mi sentimiento de pérdida se intensificara al verla, la necesitaba.

–Quiero que me hables de tu sombra –le pedí–. Tal vez fue a ella a quien encontré en el viejo mundo.

–Puede ser. Eso pensaba yo al principio, cuando decías que quizá me habías conocido antes. –Se sentó ante la estufa y contempló las llamas unos instantes–. Cuando yo tenía cuatro años, me separaron de mi sombra y a ella la echaron al otro lado de la muralla. Y mi sombra vivió en el mundo exterior y yo viví en este mundo. No sé qué hizo allí fuera. Y ella tampoco supo nada de mí. Cuando cumplí los diecisiete años, mi sombra volvió a la ciudad y murió. Cuando una sombra está a punto de morir, siempre vuelve, ¿sabes? Y el guardián la enterró en el manzanar.

–Y entonces tú te convertiste en una verdadera habitante de la ciudad, ¿verdad?

–Sí. El corazón que me quedaba fue enterrado junto a mi sombra. Tú dijiste que el corazón es como el viento, pero somos nosotros los que nos parecemos al viento, ¿no te parece? Porque nosotros nos limitamos a pasar de largo, sin pensar, sin sentir nada. Sin envejecer y sin morir.

–Y cuando tu sombra volvió, ¿la viste?

Ella sacudió la cabeza.

–No, no la vi. Me dio la sensación de que no había razón alguna para verla. Seguro que era completamente distinta a mí.

–Pero es posible que ella fueses tú.

–Quizá sí –dijo–. En todo caso, ahora ya no tiene ninguna importancia. El círculo se ha cerrado.

Sobre la estufa, la cafetera empezó a borbotear, pero ese sonido se me antojó tan lejano como el rugido del viento que soplaba a muchos kilómetros de distancia.

–A pesar de todo, ¿me necesitas todavía?

–Te necesito –respondí.

# 17

## EL DESPIADADO PAÍS DE LAS MARAVILLAS

## Fin del mundo. Charlie Parker. Bomba de relojería

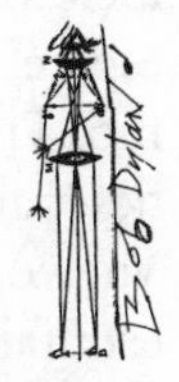

–¡Por favor! –dijo la joven gorda–. ¡Si no hacemos algo, llegará el fin del mundo!

«Por mí, que llegue de una vez», pensé. La herida del vientre me dolía como si me sometieran a un tormento infernal. Era como si unos niños gemelos llenos de vitalidad propinasen patadas, con toda la fuerza que podían desplegar sus cuatro piernecitas, en el estrecho y limitado marco de mi imaginación.

–¿Qué te pasa? ¿Te duele algo? –preguntó la chica.

Inspiré profundamente, cogí una camiseta que tenía a mano y, con los bajos, me enjugué el sudor de la frente.

–Alguien me ha hecho un corte de unos seis centímetros en el vientre con una navaja –dije exhalando el aire.

–¿Con una navaja?

–Como si fuera una hucha –dije.

–¿Y quién te ha hecho esa barbaridad? ¿Y por qué?

–No tengo ni la más remota idea –dije–. Llevo mucho rato dándole vueltas. Y no lo entiendo. Mira, me gustaría hacerte una pregunta: ¿puedes decirme por qué todo el mundo me pisotea como si fuese el felpudo de la puerta?

Ella negó con la cabeza.

–Se me ha ocurrido que aquel par podían ser conocidos tuyos, o colegas. Ya sabes, me refiero a los tipos de la navaja.

La joven gorda me miró unos instantes fijamente con aire de no saber de qué le estaba hablando.

–¿Y por qué piensas eso?

–No lo sé. Quizá porque quiero cargarle las culpas a alguien. Las cosas que no tienen ni pies ni cabeza, si se las endilgas a otro, te sientes mejor.

–Pero con eso no solucionas nada.

–No arreglas nada, cierto –dije–. Pero nada de eso es culpa mía. No lo he puesto yo en marcha. Ha sido tu abuelo quien ha engrasado la máquina y le ha dado al interruptor. A mí me han involucrado en el asunto sin consultarme. ¿Por qué tengo que ser yo quien lo solucione? –Me asaltó de nuevo un violento dolor, así que enmudecí y esperé, como un guardabarrera, a que pasara de largo–. Y hoy, lo mismo. Primero me llamas de madrugada. Me dices que tu abuelo ha desaparecido, me pides ayuda. Salgo y te espero, pero tú no apareces. Vuelvo a casa y, en cuanto me duermo, se presentan un par de tipos estrafalarios que me destrozan el piso y me rajan la barriga con una navaja. A continuación aparecen los del Sistema y me acribillan a preguntas. Y, por último, apareces tú. No me negarás que parece que os hayáis puesto todos de acuerdo, ¿no? Parecéis un equipo de baloncesto. Y tú, ¿hasta qué punto estás al tanto de la situación?

–Si te soy sincera, no creo que sepa más que tú. Ayudaba a mi abuelo en la investigación, pero me limitaba a hacer lo que él me ordenaba. Haz esto, haz lo otro. Ven aquí, ve allá. Llama por teléfono, escribe una carta. Ya sabes, esas cosas. Me encuentro en la misma situación que tú: no tengo la menor idea de qué diablos se proponía.

–Pero tú lo ayudabas en su investigación, ¿no?

–Según como se mire. En realidad, yo sólo procesaba algunos datos y realizaba tareas de ese estilo. La verdad es que apenas tengo conocimientos especializados sobre el tema, y lo que oía o veía, no acababa de entenderlo.

Puse orden en mis ideas mientras me golpeaba los incisivos con la punta de las uñas. Tenía que enfrentarme al problema. Era necesario que desentrañara, al menos un poco, aquel galimatías antes de que las circunstancias acabaran engulléndome por entero.

–Has dicho que, si no hacíamos algo, llegaría el fin del mundo. ¿Y eso por qué? ¿Por qué se va a acabar? ¿Y cómo?

–No lo sé. Lo decía mi abuelo: «Si me ocurre algo, llegará el fin del mundo». Y no bromeaba. Si él decía que llegaría el fin del mundo, es que llegará el fin del mundo. Puedes creerlo. El mundo se acabará.

–No lo entiendo. Eso de que «llegará el fin del mundo», ¿qué significa en realidad? ¿Estás segura de que tu abuelo habló del «fin del mundo» y no de la «desaparición del mundo» o de la «destrucción del mundo», por ejemplo?

–Sí, dijo: «Llegará el fin del mundo».

Di vueltas a la idea del fin del mundo mientras seguía golpeándome los incisivos.

–Eso del fin del mundo está relacionado conmigo, ¿verdad?

–Supongo que sí. Mi abuelo siempre decía que tú eras la clave de todo. Que, desde hacía años, sus investigaciones giraban alrededor de ti.

–Intenta recordar algo más –dije–. ¿Qué diablos es eso de la bomba de relojería?

–¿Una bomba de relojería?

–El tipo que me rajó la barriga me habló de ella. Dijo que los datos que había procesado para tu abuelo eran como una bomba de relojería que explotaría a su debido tiempo. ¿A qué diablos se refería?

–Bueno, no son más que suposiciones mías –contestó la joven gorda–, pero creo que mi abuelo nunca dejó de investigar sobre la conciencia del ser humano. Siempre, desde que creó el sistema *shuffling*. A mí me da la impresión de que, en el sistema *shuffling*, está la base de todo. Porque, ¿sabes?, en la época en que estaba desarrollándolo, mi abuelo me lo contaba todo. Me hablaba de sus investigaciones, de lo que hacía en esos momentos, de lo que haría a continuación: todo. Como te he dicho antes, yo apenas poseo conocimientos especializados, pero las explicaciones de mi abuelo eran muy interesantes y fáciles de entender. A mí me gustaba muchísimo hablar con él de estas cosas.

–¿Y, al concluir el sistema *shuffling*, se volvió de pronto reservado?

–Sí. Mi abuelo empezó a encerrarse día y noche en el laboratorio subterráneo y dejó de hablarme de sus investigaciones. Y cuando yo le preguntaba algo, me respondía lo primero que se le pasaba por la cabeza.

–Debiste de sentirte muy sola, ¿verdad?

–Sí. Terriblemente sola –dijo ella clavándome de nuevo la mirada–. Oye, ¿puedo meterme en tu cama? Es que hace un frío espantoso.

–Está bien. Siempre que no me toques la herida, ni me sacudas –dije yo. ¿Por qué, últimamente, todas las chicas del mundo querrían meterse en mi cama?

Rodeó la cama hasta colocarse al otro lado y se deslizó bajo las mantas sin quitarse el traje rosa. Le cedí una de las dos almohadas que yo usaba, una sobre otra; ella la tomó y, tras darle algunos golpecitos con la palma de la mano para ahuecarla, se la puso bajo la cabeza. Su nuca exhalaba el mismo olor a melón que el primer día en que la vi.

Con gran esfuerzo, cambié de postura y me volví hacia ella. Ambos nos quedamos frente a frente.

–¿Sabes?, es la primera vez que estoy tan cerca de un hombre –dijo la joven gorda.

–¿Ah, sí?

–Y apenas vengo a la ciudad. Por eso no he encontrado el lugar de la cita. Y cuando iba a preguntarte el camino, desapareció el sonido.

–Si se lo hubieras dicho al taxista, él habría sabido llegar hasta allí.

–Es que llevaba muy poco dinero encima. He salido de casa con tanta precipitación que ni siquiera se me ha ocurrido que podía necesitar dinero. Total, que no me ha quedado más remedio que venir andando.

–¿No tienes a nadie más, aparte de tu abuelo? –le pregunté.

–Cuando tenía seis años, perdí a mis padres y a mis hermanos en un accidente de tráfico. Un camión los embistió por detrás, la gasolina se inflamó y murieron todos carbonizados.

–¿Y tú fuiste la única superviviente?

–En aquel momento yo estaba ingresada en el hospital. Sufrieron el accidente cuando venían a visitarme.

–Comprendo.

–Desde entonces, siempre he estado con mi abuelo. No he ido a la escuela, y no salgo casi nunca de casa. Tampoco tengo amigos.

–¿No has ido a la escuela?

–No –contestó como si eso careciera de importancia–. Mi abuelo dijo que no hacía ninguna falta que fuera. Él me enseñó todas las materias, desde inglés y ruso hasta anatomía. Y luego mi tía me enseñó cocina y costura.

–¿Tu tía?

–Bueno, la señora que vivía en casa y se encargaba de la limpieza y de los quehaceres domésticos. Era muy buena mujer. Se murió de cáncer hace tres años. Desde entonces hemos vivido solos mi abuelo y yo.

–¿O sea que, a partir de los seis años, no has ido a la escuela?

–No, pero eso no importa, ¿no crees? Sé hacer un montón de cosas. Hablo cuatro idiomas además del japonés, sé tocar el piano y el saxo alto, sé montar un equipo de telecomunicaciones, he aprendido náutica y funambulismo, he leído montones de libros. Y preparo unos emparedados buenísimos, ¿o no?

–Sí –reconocí.

–La educación escolar dura dieciséis años y, según mi abuelo, lo único que consigue es desgastar el cerebro. Él tampoco fue apenas a la escuela.

–Me dejas estupefacto. Pero, al no tener amigos de tu edad –añadí–, te sentirás un poco sola, supongo.

–No sé. Como estoy tan ocupada, nunca he tenido tiempo de planteármelo. Además, no creo que tuviera mucho de que conversar con la gente de mi edad.

–Ya... –dije. No, quizá no.

–Pero tú, ¿sabes?, tú me interesas mucho.

–¿Yo? ¿Y por qué?

–Es que pareces tan cansado. Pero a ti el cansancio parece darte una especie de energía. Y eso, ¿sabes?, no acabo de entenderlo. No te pareces a ninguna de las personas que conozco. Mi abuelo jamás está cansado, y yo tampoco. Oye, ¿estás cansado de verdad?

–Sí, estoy muy cansado –dije. Tanto que, aun repitiéndolo veinte veces, me quedaba corto.

–¿Y cómo es eso? Me refiero a qué se siente cuando uno está cansado –quiso saber la muchacha.

–Pues gran parte de las emociones van haciéndose más y más confusas. Sientes lástima de ti mismo y te enfadas con los demás, sientes lástima de los demás y te enfadas contigo mismo..., en fin, esas cosas.

–No acabo de entenderlo.

–Al final, acabas por no comprender nada de nada. Igual que una peonza pintada de diversos colores. Cuanto más deprisa gira, más difícil es distinguir cada uno de los colores, hasta que la confusión es total.

–Parece interesante –dijo la muchacha gorda–. Veo que dominas muy bien el tema.

–En efecto –dije. Ese agotamiento que va carcomiendo la vida, o que brota del mismo corazón de la vida, podría explicarlo yo de cien maneras distintas. Ésta debía de ser otra de las cosas que no enseñaban en la escuela.

–¿Sabes tocar el saxo alto? –me preguntó.

–No.

–¿Tienes algún disco de Charlie Parker?

–Creo que sí, pero ahora no es el momento de buscarlo. Además, el equipo de música está roto y tampoco podríamos escucharlo.

–¿Tocas algún instrumento musical?

–No, ninguno –dije.

–¿Puedo tocarte? –preguntó.

–No –contesté–. Según dónde me tocaras, podrías hacerme mucho daño.

–¿Y podré tocarte cuando se te cure la herida?

–Eso será si todavía no ha llegado el fin del mundo, ¿no crees? Por cierto, sigamos hablando de cosas importantes. Creo que estábamos en que tu abuelo, al concluir el sistema *shuffling*, cambió.

–Exacto. A partir de entonces se transformó por completo. Se volvió taciturno, quisquilloso, empezó a hablar consigo mismo...

–¿Te acuerdas de lo que él, es decir, tu abuelo, decía sobre el sistema *shuffling*?

La muchacha reflexionó unos instantes mientras se toqueteaba los pendientes de oro que llevaba puestos.

–Decía que el sistema *shuffling* era una puerta por la que se accedía a un nuevo mundo. En principio, fue creado como un procedimiento adicional para la reorganización de los datos que se introducían en el ordenador, pero mi abuelo decía que, según el uso que se hiciera de él, podría ser capaz de reorganizar la estructura del mundo. Algo parecido a como la física nuclear dio lugar a la bomba atómica.

–Resumiendo, que el sistema *shuffling* es una puerta que abre a un nuevo mundo y que yo soy la llave de esa puerta, ¿no?

–En síntesis, vendría a ser algo así.

Me golpeé los incisivos con la punta de las uñas. Me apetecía tomarme un gran vaso de whisky con hielo, pero tanto el hielo como el whisky habían desaparecido de mi casa.

–¿Crees que el objetivo de tu abuelo era que el mundo acabara? –le pregunté.

–No, seguro que no. Mi abuelo será quisquilloso, algo egoísta y misántropo, pero, en el fondo, es muy buena persona. Como tú y como yo.

–Muchas gracias –dije. Era la primera vez en mi vida que me lo decían.

–Además, a mi abuelo le aterraba que sus investigaciones cayeran en manos de alguien que hiciese mal uso de ellas. Eso significa que él no pensaba hacer nada malo, ¿no crees? Mi abuelo dejó el Sistema porque temía que el Sistema acabara utilizando para fines malvados los frutos de su investigación. Por eso lo dejó y prosiguió su trabajo en solitario.

–¡Pero si los del Sistema son los buenos! Se enfrentan a los semióticos, que piratean la información de los ordenadores y la pasan al mercado negro. El Sistema protege los legítimos derechos de propiedad de la información.

La joven gorda me clavó la mirada y se encogió de hombros.

–A mi abuelo no parece importarle demasiado quiénes son los buenos y quiénes los malos. Dice que la bondad o la maldad son atributos que se hallan entre las cualidades fundamentales del ser humano y que no tienen nada que ver con los derechos de propiedad.

–Sí, tal vez tenga razón.

–Además, mi abuelo no confía en ningún tipo de poder. Perteneció durante un tiempo al Sistema, es cierto, pero trabajó allí para poder acceder a una gran cantidad de datos, a material experimental, a máquinas de simulación de gran envergadura. Por eso, tras concluir el complejo sistema *shuffling*, le fue mucho más cómodo y efectivo proseguir sus investigaciones en solitario. Decía que, una vez creado el sistema *shuffling*, ya no necesitaba todo el equipo y que sólo le quedaba concluir la parte teórica.

–Hum... Cuando tu abuelo dejó el Sistema, ¿es posible que copiara mis datos personales y se los llevara?

–No lo sé –dijo ella–. Pero supongo que, de haberlo querido, habría podido hacerlo sin problemas. Mi abuelo era jefe del laboratorio del Sistema y tenía libre acceso a los datos.

Sin duda había sucedido así. El profesor se había llevado mis datos, los había utilizado en su investigación particular y había desarrollado, llevándola mucho más lejos, la teoría del *shuffling* tomándome a mí como muestra principal. Las piezas iban encajando. Tal como había dicho el canijo, el profesor debía de haber llegado al punto culminante de su investigación, de modo que me había hecho acudir y me había entregado los datos adecuados con la pretensión de que, al hacérmelos procesar por el sistema *shuffling*, mi conciencia reaccionara a un código determinado que se ocultaba en éste.

Si eso era cierto, mi conciencia –o mi falta de conciencia– ya debía de haber empezado a reaccionar. «Una bomba de relojería», había dicho el canijo. Efectué un rápido cálculo mental del tiempo transcurrido desde el momento en que había terminado el *shuffling*. Tras acabar el procesamiento de los datos, había abierto los ojos poco antes de las doce de la noche anterior, lo que significaba que habían transcurrido unas veinticuatro horas. Era mucho tiempo. No sé para cuántas horas después habría programado el mecanismo de relojería para que explotara la bomba, pero, en todo caso, estaba seguro de que las agujas del reloj ya habían marcado veinticuatro horas.

–Tengo una pregunta más –dije–. Has dicho: «llegará el fin del mundo», ¿verdad?

–Sí. Lo dijo mi abuelo.

–¿Y lo dijo antes o después de empezar su investigación con mis datos?

–Después –dijo ella–. Creo que fue después. Porque mi abuelo empezó a decir «llegará el fin del mundo» hace muy poco. ¿Por qué lo preguntas? ¿Crees que guarda alguna relación?

–Tampoco yo lo tengo muy claro, pero hay algo que me da que pensar. ¿Sabes que mi contraseña de acceso al *shuffling* se llama «el fin del mundo»? No puede ser una simple coincidencia.

–¿Y cuál es el contenido de ese «fin del mundo» tuyo?

–No lo sé. A pesar de tratarse de mi conciencia, está en un lugar al que no puedo acceder. Lo único que conozco son estas palabras, «el fin del mundo».

–¿Y no puedes ir y recuperarlo?

–Imposible –dije yo–. Ni una división del ejército conseguiría sustraerlo de la caja fuerte del subterráneo del Sistema. Hay instalado un dispositivo de seguridad especial y la vigilancia es exhaustiva.

–Mi abuelo consiguió sacarlo valiéndose de su posición, ¿verdad?

–Es probable. Pero todo eso son simples especulaciones. La única manera de saberlo con certeza es preguntándoselo directamente a tu abuelo.

–Entonces, ¿lo rescatarás de manos de los tinieblos?

Presionándome la herida del vientre, me incorporé sobre la cama. Sentía unas fuertes punzadas en la cabeza.

–Supongo que no me queda otro remedio –dije–. No sé qué demonios significa lo que tu abuelo llama «el fin del mundo», pero no podemos quedarnos de brazos cruzados. Si no nos ponemos en marcha y lo detenemos pronto, creo que alguien pagará las consecuencias.
–Y ese alguien *posiblemente* sería yo.

–Sea como sea, primero tienes que salvar a mi abuelo.

–¿Porque los tres somos buenas personas?

–Tú lo has dicho –dijo la joven gorda.

# 18
## EL FIN DEL MUNDO
## La lectura de sueños

Sin haber llegado a conocer todavía los recovecos de mi corazón, reemprendí la tarea de leer los viejos sueños. Por una parte, el invierno avanzaba y yo no podía posponer indefinidamente el inicio de mi labor. Además, mientras me concentraba en la lectura, conseguía olvidar de manera momentánea mi sentimiento de pérdida.

Por otra parte, sin embargo, cuantos más sueños leía, más aguda era la sensación de impotencia que me embargaba. Ésta se debía a que yo, por más sueños que leyera, seguía siendo incapaz de comprender el mensaje que se escondía en ellos. Podía leerlos... pero no captar su sentido. Era como leer en voz alta, día tras día, frases ininteligibles. Como contemplar todos los días el fluir de las aguas de un río. No me llevaba a ninguna parte. Mi técnica de leer sueños había mejorado, pero eso no me procuraba consuelo alguno. Únicamente había conseguido leer cierto número de viejos sueños con mayor habilidad. No obstante, el vacío que conllevaba esa tarea se agrandaba cada vez más. Para progresar, el ser humano es capaz de realizar grandes esfuerzos. Pero los míos no me llevaban a ninguna parte.

–No tengo la menor idea de lo que significan los viejos sueños –le dije a la bibliotecaria–. Hace tiempo me dijiste que mi trabajo consistiría en leer los viejos sueños de los cráneos. Pero sólo pasan a través de mi cuerpo. No entiendo ni uno solo y, cuanto más leo, más desgastado me siento.

–Tal vez se deba a que los lees como si estuvieses poseído. Me pregunto por qué.

–No lo sé –contesté sacudiendo la cabeza. Me concentraba en el trabajo para que menguara mi sentimiento de pérdida. Pero incluso yo era consciente de que aquél no era el único factor. Tenía razón ella: me enfrascaba en la lectura de sueños como si estuviese poseído.

–Me pregunto si, en parte, el problema no estará en ti –dijo ella.

–¿En mí?

–Creo que deberías abrir más tu corazón. No sé mucho acerca del corazón, pero percibo que el tuyo es algo que está herméticamente cerrado. Además, de la misma forma que los viejos sueños necesitan que los leas, también tú tienes necesidad de leerlos.

–¿Y qué te hace suponer eso?

–Pues que la lectura de los viejos sueños es así. Igual que, al llegar la estación, los pájaros vuelan hacia el norte o hacia el sur, el lector de sueños continúa leyendo viejos sueños.

Alargó la mano por encima de la mesa y la posó sobre la mía. Y me sonrió. Su sonrisa me pareció un dulce rayo de luz de primavera asomando entre las nubes.

–Abre más tu corazón. No eres ningún prisionero. Eres un pájaro que surca el cielo en busca de sueños.

En todo caso, no tenía más remedio que ir tomando en la mano un viejo sueño tras otro y examinarlos con gran atención. Cogía uno de los viejos sueños de aquellas estanterías que se alineaban en lo que alcanzaba la vista, lo llevaba en los brazos con sumo cuidado y lo depositaba sobre la mesa. Después ella me ayudaba a quitarle el polvo con un paño humedecido en agua y, luego, a enjugarlo minuciosamente con un paño seco. Cuando se frotaba bien, la superficie del viejo sueño se volvía inmaculada como la nieve recién caída. Por efecto de la luz, las órbitas oculares que se abrían, inmensas, en su parte frontal parecían un par de profundos pozos sin fondo.

Posaba suavemente ambas manos en la parte superior del cráneo y esperaba a que, como reacción a mi temperatura corporal, del cráneo empezara a emanar un débil calor. Cuando éste alcanzaba determinada intensidad –muy sutil, de una tibieza similar a la de un rayo de sol en invierno–, el cráneo, blanco y pulido, empezaba a relatar los viejos sueños grabados en su interior. Yo cerraba los ojos, respiraba hondo, abría mi corazón e iba resiguiendo con la yema de los dedos la historia que me contaba. Sin embargo, la voz era demasiado débil y las imágenes que proyectaba eran veladas y blancas como las estrellas lejanas que se vislumbran en el firmamento al amanecer. A partir de ahí sólo podía descifrar diversos fragmentos imprecisos que intentaba unir; sin embargo, nunca llegaba a captar una imagen global.

Entre esos fragmentos, había paisajes que jamás había visto, músicas que jamás había escuchado, susurros para mí ininteligibles. Se perfilaban de pronto y se sumían de inmediato en lo más profundo de las tinieblas. Ningún fragmento guardaba relación con el siguiente. Me parecía que estuviese haciendo girar a toda prisa el dial de una radio. Intentaba, de una manera o de otra, concentrar todos mis sentidos en las yemas de los dedos, pero, por más que me esforzaba, el resultado era idéntico. Sentía que los viejos sueños querían contarme algo, y no lograba descifrar qué.

Tal vez se debiera a algún error en la manera de leerlos. O tal vez las palabras se hubiesen ido desgastando a lo largo de los años. O, quizá, entre la historia que pensaban ellos y la que imaginaba yo, mediara una distancia espacial y temporal decisiva.

En todo caso, lo único que podía hacer yo era clavar los ojos, sin palabras, en aquellos fragmentos heterogéneos que iban perfilándose y desapareciendo. También había imágenes conocidas, claro está. Hierba verde mecida por el viento, nubes blancas corriendo por el cielo, la luz del sol temblando sobre la superficie del río. Imágenes, paisajes normales y corrientes. Pero estos paisajes ordinarios colmaban mi corazón de una extraña e inexplicable tristeza. ¿En qué parte de éstos se ocultaban los elementos que me entristecían tanto? Ni yo mismo lo sabía. Y, como un barco que cruzara por el otro lado de la ventana, aparecían y se desvanecían sin dejar rastro.

Las imágenes se mantenían unos instantes y, después, al igual que se va retirando la marea, los viejos sueños empezaban a perder su calor y volvían a ser cráneos blancos y fríos. Los viejos sueños se sumían de nuevo en su largo letargo. Y el agua se escurría entre los dedos de ambas manos y caía al suelo. Mi labor como «lector de sueños» consistía en repetir eso, una y otra vez.

Cuando los viejos sueños habían quedado completamente fríos, se los pasaba a ella, que iba alineando los cráneos sobre el mostrador. Mientras, yo permanecía con ambas manos posadas sobre la mesa, para descansar un poco y aplacar mis nervios. Podía leer unos cinco o seis viejos sueños al día. Superado este número, perdía la concentración y las yemas de mis dedos no captaban más que un débil murmullo. Cuando las agujas del reloj marcaban las once, me sentía tan exhausto que, durante un tiempo, apenas podía ponerme en pie.

Al final, ella siempre preparaba café caliente. A veces traía de su casa unas galletas o un pastel de frutas que había preparado durante el día y nos lo tomábamos como tentempié. Sentados frente a frente, sin apenas abrir la boca, nos bebíamos el café y comíamos las galletas o el pastel. Yo estaba tan cansado que, durante un rato, no lograba articular bien las palabras y ella, que lo sabía, también enmudecía.

–Quizá no puedas abrir tu corazón por mi culpa, ¿no crees? –me dijo un día–. Yo no puedo responder a tu corazón, y tal vez por eso tú lo cierras tanto.

Nos habíamos sentado, como solíamos, en las escaleras que conducían a la isleta del centro del Puente Viejo y mirábamos el río. La luna helada y blanca, convertida en un pequeño fragmento, se reflejaba temblorosa en las aguas del río. Un bote de madera fina que alguien había dejado amarrado al poste de la isleta unía su ligero chapoteo al murmullo del río. Como estábamos sentados el uno al lado de la otra en los estrechos escalones, yo percibía junto a mi hombro el calor de su cuerpo.

«¡Qué extraño!», pensé. «La gente asocia el corazón con algo cálido. Pero no hay relación alguna entre el corazón y el calor del cuerpo.»

–No, no es cierto –repliqué–. Que no abra mi corazón es un problema únicamente mío. Tú no tienes la culpa. No comprendo bien mi corazón, y por eso estoy confuso.

–Entonces, ¿tú tampoco entiendes lo que es el corazón?

–No siempre lo entiendo –dije–. En ocasiones sólo logro entenderlo mucho después, cuando ya es demasiado tarde. La mayoría de las veces, las personas tenemos que tomar decisiones sin entender nuestro corazón, y esto nos hace titubear.

–A mí me parece que el corazón es algo muy imperfecto –dijo ella sonriendo.

Me saqué las manos de los bolsillos y las contemplé a la luz de la luna. Teñidas de aquella tonalidad lechosa, se me antojaron un par de esculturas sin objeto, confinadas en aquel pequeño mundo.

–Sí, también a mí me lo parece. Es muy imperfecto –dije–. Pero deja huella. Y podemos seguir su rastro, del mismo modo que se siguen las pisadas sobre la nieve.

–¿Y adónde conducen?

–A uno mismo –respondí–. El corazón es así. Sin corazón no llegas a ninguna parte. –Alcé los ojos hacia la luna. La luna de invierno flotaba en el cielo de la ciudad cercada por la alta muralla y emitía una luz tan clara que casi parecía incongruente–. Tú no tienes la culpa de nada –añadí.

# 19

## EL DESPIADADO PAÍS DE LAS MARAVILLAS

## Hamburguesas. Skyline. Plazo límite

En primer lugar, decidimos echarnos algo al estómago. En lo que a mí respectaba, apenas tenía apetito, pero no sabíamos cuándo podríamos volver a probar bocado, por lo que lo más acertado era comer algo. Una hamburguesa y una cerveza sí me veía con ánimos de tragar. Ella, por su parte, decía que sólo había comido una tableta de chocolate en todo el día y que estaba muerta de hambre. Por lo visto, el chocolate era lo único que había podido comprar con la calderilla que llevaba en el bolsillo.

Con muchas precauciones para que no se reavivara el dolor de la herida, me enfundé unos vaqueros, me puse una camisa deportiva sobre la camiseta y me pasé un jersey fino por la cabeza. Y, por si acaso, de la cómoda saqué un anorak de nailon. Su traje chaqueta de color rosa, lo miraras como lo mirases, no parecía el atuendo más apropiado para una expedición subterránea, pero por desgracia en mi ropero no había ni camisas ni pantalones de su talla. Yo era unos diez centímetros más alto que ella y pesaba unos diez kilos menos. Lo más lógico hubiera sido ir a comprarle algo de ropa, pero a esas horas no había ninguna tienda abierta. Lo único que tenía de su tamaño era una chaqueta de combate del ejército estadounidense que había llevado mucho tiempo atrás, y se la ofrecí. El problema eran los zapatos de tacón, pero ella dijo que, en la oficina, tenía zapatillas de deporte y botas altas de goma.

–Unas zapatillas de color rosa y unas botas de goma también de color rosa –dijo ella.

–¿Te gusta el rosa?

–Le gusta a mi abuelo. Dice que la ropa de color rosa me favorece mucho.

–Te sienta muy bien –dije yo. No mentía. Le sentaba estupendamente. Cuando las mujeres gordas se visten de rosa suelen ofrecer una imagen algo imprecisa, como si fueran enormes pasteles de fresa, pero en ella, por la razón que fuese, aquel color parecía nítido y discreto.

–A tu abuelo le gustan las chicas gordas, ¿verdad? –pregunté para asegurarme.

–Sí, claro –dijo la joven de rosa–. Por eso siempre voy con cuidado para engordar. Con la comida y demás. En cuanto me descuido, adelgazo rápidamente, así que intento atiborrarme de mantequilla y de crema.

–Hum...

Abrí el armario empotrado, saqué una mochila y, tras asegurarme de que no estaba rajada, metí en su interior chaquetas para dos, una linterna, una brújula, guantes, una toalla, un cuchillo de grandes dimensiones, un encendedor, una cuerda, combustible sólido. Después fui a la cocina y, de entre los alimentos esparcidos por el suelo, cogí dos panecillos y latas de conserva de carne, melocotón, salchichas y pomelo, y lo metí todo en la mochila. También llené a rebosar la cantimplora de agua. A continuación, me embutí en los bolsillos del pantalón todo el dinero que tenía en casa.

–Parece que vayamos de excursión –dijo la joven.

–Sí, igualito.

Antes de salir, eché una mirada circular a la estancia. Ofrecía una imagen similar a la de un punto de recogida de trastos viejos. En la vida siempre sucede lo mismo. Para construir algo se requiere mucho tiempo, pero basta un instante para destruirlo todo. Dentro de aquellas tres pequeñas habitaciones había llevado una vida algo cansada, cierto, pero también satisfactoria. Y todo se había esfumado, como la neblina matinal, en el tiempo que se tarda en abrir dos latas de cerveza. Mi trabajo, mi whisky, mi paz, mi soledad, mi colección de obras de Somerset Maugham y de películas de John Ford: todo se había convertido en un montón de basura sin sentido.

«... del esplendor en la hierba y de la gloria de las flores...», recité para mis adentros. Alargué la mano, bajé la palanca del conmutador y corté la electricidad de toda la casa.

La herida del vientre me dolía demasiado para analizar los hechos en profundidad y, además, estaba exhausto, así que opté por no pensar en absoluto. Mejor no pensar en nada que pensar a medias. Así que monté majestuosamente en el ascensor, bajé al aparcamiento, abrí la puerta del coche y arrojé la mochila sobre el asiento trasero. Por mí, si había algún espía, que nos descubriera, y si le apetecía seguirnos, pues que lo hiciese. En esos momentos ya había dejado de importarme. En primer lugar, ¿de quién tenía que protegerme? ¿De los semióticos? ¿Del Sistema? ¿O de aquel par de la navaja? Torearlos a los tres, en la situación en la que me encontraba, era impensable. Con la herida horizontal de seis centímetros en el vientre, muerto de sueño y acompañado de la joven gorda, bastante tenía con enfrentarme a los tinieblos en la oscuridad del subsuelo. Los demás, que hicieran lo que les viniese en gana.

Como no me apetecía conducir, le pregunté a la joven si sabía. Me respondió que no.

–Lo siento. Si fuera un caballo, no habría problema –dijo.

–Vale. Quizá tengamos que montar a caballo la próxima vez.

Tras comprobar que el depósito de gasolina estaba casi lleno, salimos del aparcamiento. Atravesé la tortuosa zona residencial y tomé por una calle ancha. A pesar de ser medianoche, las calles estaban llenas de coches. La mitad eran taxis, y el resto, camiones o coches particulares. No entendía cómo tanta gente sentía la necesidad de dar vueltas por la ciudad en plena noche. ¿Por qué, al terminar el trabajo a las seis de la tarde, no volvían todos a casa, se metían en la cama antes de las diez, apagaban la luz y se dormían?

Pero, a fin de cuentas, aquél era su problema. Yo podía pensar como me viniese en gana y el mundo seguiría expandiéndose según sus propios principios. Pensara lo que pensase, los árabes seguirían extrayendo petróleo y, con este petróleo, la gente produciría electricidad y gasolina y seguiría corriendo en la madrugada por las calles en pos de sus deseos. Y lo que tenía que hacer yo era dejarme de historias y resolver mis propios problemas.

Mientras esperaba ante el semáforo, con ambas manos posadas sobre el volante, di un gran bostezo.

Delante de mi coche se había detenido un camión de gran tamaño cargado de balas de papel hasta el techo de la caja. Y, a mi derecha, había una pareja joven montada en un Skyline blanco modelo Sport. Imposible decir si iban a divertirse o si regresaban a casa, pero las caras de ambos traslucían aburrimiento. La mujer, con la muñeca izquierda adornada con dos brazaletes de plata asomando por la ventanilla, me dirigió una ojeada. No parecía sentir por mí un interés especial. Sólo había mirado mi rostro porque no tenía otra cosa mejor que mirar. Un letrero de Denny's, una señal de tráfico o mi rostro: igual le daba una cosa que otra. También eché una ojeada a su cara. Era guapa, pero su rostro era de esos que encuentras en cualquier parte. En un culebrón de la tele, por ejemplo, haría de amiga de la protagonista y, mientras estuvieran tomando un té en la cafetería, le preguntaría: «¿Qué te pasa? Últimamente no pareces muy animada». Saldría una sola vez en la pantalla y, tan pronto como desapareciera, ni recordarías qué cara tenía.

Cuando el semáforo cambió a verde, mientras el camión de delante tardaba en arrancar, el Skyline blanco desapareció de mi campo visual con un llamativo estruendo del tubo de escape y de música de Duran Duran.

–Presta atención a los coches de detrás –le pedí a la joven–. Y si ves alguno que nos siga todo el rato, avísame.

Asintió y se volvió hacia atrás.

–¿Crees que nos persigue alguien?

–No lo sé –contesté–. Pero no está de más vigilar. ¿Te basta una hamburguesa para comer? Es lo más rápido.

–Cualquier cosa me va bien.

Detuve el coche en la primera hamburguesería *drive through* que encontré. Se acercó una chica con un vestido rojo y corto, puso una bandeja en ambas ventanillas y tomó nota del pedido.

–Una hamburguesa doble con queso, patatas fritas y un cacao caliente –dijo la joven gorda.

–Una hamburguesa normal y una cerveza –pedí yo.

–Lo siento, señor, pero no tenemos cerveza –dijo la camarera.

–Entonces, una Coca-Cola –dije. ¿A quién se le ocurría pedir cerveza en un *drive through*?

Mientras esperábamos a que nos trajeran la comida, vigilamos si entraba algún coche detrás de nosotros, pero no apareció ninguno. Claro que, si nos seguían, lo más probable era que no entrasen en el mismo aparcamiento. Nos aguardarían en algún lugar desde donde pudieran vernos bien. Bajé la guardia y empecé a zamparme de forma maquinal la hamburguesa junto con unas patatas fritas que me habían traído además de la Coca-Cola y unas hojas de lechuga del tamaño de un ticket de autopista. La joven gorda mordisqueaba con deleite, tomándose su tiempo, la hamburguesa con queso, cogía las patatas con las puntas de los dedos y sorbía el cacao.

–¿Quieres más patatas fritas? –me preguntó.

–No, gracias.

Cuando se acabó todo lo que tenía en el plato, se tomó hasta el último sorbo de cacao y, luego, se lamió el ketchup y la mostaza que tenía adheridos a los dedos y se limpió los dedos y la boca con una servilleta. Era evidente que la comida le había parecido deliciosa.

–Volviendo a lo de tu abuelo –dije–, creo que es mejor que pasemos primero por el laboratorio subterráneo.

–Tienes razón. Tal vez allá encontremos algún indicio.

–¿Cómo pasaremos cerca de la guarida de los tinieblos? Dijiste que el dispositivo para ahuyentarlos estaba estropeado, ¿verdad?

–No te preocupes por eso. También tenemos un pequeño dispositivo suplementario para emergencias. No es muy potente, pero si lo llevamos encima, impedirá que se nos acerquen los tinieblos.

–¡Ah! Entonces, no hay problema –dije con alivio.

–Bueno, no es tan simple. Ese mecanismo portátil funciona con batería y sólo disponemos de unos treinta minutos. Después, se apaga y tienes que cargar la batería.

–Hum... ¿Y cuánto tarda en cargarse?

–Quince minutos. Podríamos caminar durante treinta minutos y luego tendríamos que descansar quince. No tiene mucha capacidad. Es así porque en este tiempo puedes ir de sobra de la oficina al laboratorio, ¿sabes?

Resignado, me callé. Mejor aquello que nada, y dado que era lo único que teníamos, había que aguantarse. Tras salir del aparcamiento, me detuve en un supermercado abierto que vi a medio camino y compré dos latas de cerveza y una botella de whisky de bolsillo. Un poco más adelante, paré el coche, me bebí las dos cervezas y una cuarta parte de la botella de whisky. Me sentí un poco mejor. Cerré la botella de whisky y se la pasé a la chica para que la guardara en la mochila.

–¿Por qué bebes tanto? –me preguntó.

–Quizá porque tengo miedo –dije.

–Yo también tengo miedo y no bebo.

–Tu miedo y el mío son distintos.

–No sé qué decirte –replicó.

–Con los años, aumenta el número de cosas irreparables.

–También aumenta el cansancio, ¿verdad?

–Sí –contesté–. El cansancio también.

Se volvió hacia mí, alargó la mano y me tocó el lóbulo de la oreja.

–Tranquilo. No te preocupes. Yo estaré a tu lado.

–Gracias –dije yo.

Me detuve en el aparcamiento del edificio donde su abuelo tenía la oficina, bajé del coche y me cargué la mochila a la espalda. A intervalos regulares me atenazaba una punzada de dolor sordo. Ese dolor me hacía pensar en una carretilla cargada de hojas secas que fuese pasando, despacio, por encima de mi vientre. «Sólo es dolor», intenté convencerme. «Un dolor superficial que no tiene nada que ver con mi esencia como ser humano. Es igual que la lluvia. Algo transitorio.» Hice acopio de toda la dignidad que me quedaba, ahuyenté de mi cabeza todos los pensamientos sobre el dolor y corrí en pos de la chica.

En la entrada del edificio, un joven guarda, alto y robusto, pidió a la chica que se acreditara como vecina del inmueble. Ella sacó una tarjeta de plástico del bolsillo y se la entregó. Él la pasó por una ranura del ordenador y, tras comprobar el nombre y el número que aparecieron en la pantalla, apretó un botón y nos abrió la puerta.

–Es un edificio muy especial –me explicó la joven mientras cruzábamos el amplio vestíbulo–. Todas las personas que vienen aquí lo hacen con la intención de mantener algo en secreto, por eso han instalado un sistema de seguridad muy exclusivo. Aquí se llevan a cabo investigaciones importantes, reuniones secretas, cosas así. Primero, en la entrada, comprueban tu identidad, como acaban de hacer, y luego te controlan a través de la pantalla hasta que llegas a tu destino. Así que, aunque te sigan, no pueden entrar en el edificio.

–¿Saben que tu abuelo ha abierto aquí dentro un pozo que conduce al subterráneo?

–No lo creo. Cuando construyeron el edificio, mi abuelo ordenó diseñar los planos para que se pudiera acceder al subterráneo desde la oficina, pero pocas personas lo saben. Sólo el propietario del edificio y quien diseñó los planos, supongo. A los encargados de las obras les dijeron que era el canal del desagüe. La solicitud del permiso de obras también estaba falsificada.

–Costaría un dineral, ¿no?

–Sí. Pero mi abuelo tiene muchísimo dinero. Y yo también, ¿sabes? Soy muy rica. Multipliqué el dinero de la herencia de mis padres y el del seguro de vida con operaciones en la Bolsa.

Se sacó una llave del bolsillo y abrió la puerta del ascensor. Subimos en aquel ascensor grande y extraño que yo tan bien conocía.

–¿Con operaciones en la Bolsa?

–Sí, mi abuelo me enseñó a especular en la Bolsa: cómo seleccionar la información, cómo interpretar los datos del mercado bursátil, cómo evadir impuestos, cómo transferir sumas de dinero a bancos extranjeros, cosas por el estilo. La Bolsa es muy interesante. ¿Has invertido alguna vez?

–No, por desgracia –dije. Ni siquiera había abierto nunca un depósito de reserva.

–Antes de dedicarse a la investigación, mi abuelo fue agente de Bolsa. Pero como había ganado muchísimo dinero, dejó de especular y se hizo científico. Es genial, ¿verdad?

–Sí, genial –convine yo.

–Mi abuelo es un hacha en todo lo que hace.

El ascensor, igual que la primera vez que había montado en él, avanzaba tan despacio que era difícil saber si subía o bajaba. Tardaba un tiempo infinito y a mí me ponía nervioso pensar que, a través de las cámaras, no me quitaban el ojo de encima.

–Mi abuelo decía que la educación escolar tiene un rendimiento demasiado bajo para que alguien pueda convertirse en una lumbrera. ¿Qué opinas tú?

–No sé. Quizá tenga razón –dije yo–. Yo asistí dieciséis años a la escuela y, la verdad, no creo que me haya servido de gran cosa. No hablo idiomas, ni toco ningún instrumento musical, ni conozco el mercado bursátil, ni sé montar a caballo.

–Entonces, ¿por qué no dejaste la escuela? Si hubieras querido, habrías podido abandonarla en cualquier momento.

–Pues... –dije y reflexioné un poco sobre ello. Ciertamente, de haberlo deseado, habría podido dejar de ir–. Simplemente, no se me ocurrió. Mi casa, a diferencia de la tuya, era un hogar normal y corriente, y ni siquiera se me pasó por la cabeza que pudiese llegar a sobresalir en algo.

–Pues es una equivocación –dijo la joven–. Todas las personas poseen algún talento que les permite destacar al menos en una cosa. El problema reside en que mucha gente no sabe cómo desarrollar sus capacidades innatas y las acaba perdiendo. Por eso la mayoría es incapaz de descollar en algo.

–Como yo –dije.

–No, en absoluto. Tú caso es distinto. Creo que tú posees algo muy especial. Tienes una coraza emocional muy dura y, gracias a ella, conservas muchas cosas intactas en tu interior.

–¿Una coraza emocional?

–Exacto –dijo ella–. Por eso todavía estás a tiempo. Cuando esto acabe, ¿por qué no vivimos juntos los dos? No me refiero a casarnos ni a nada por el estilo, sólo a vivir juntos. Podríamos ir a Grecia, o a Rumania, o a Finlandia, a algún sitio tranquilo, y pasar los días montando a caballo, cantando... Tengo dinero de sobra, y tú podrías convertirte en un número uno.

–Hum... –musité. No estaba nada mal. A raíz de aquel incidente, mi vida como calculador se hallaba en una situación muy delicada, y la idea de llevar una existencia tranquila en el extranjero no carecía de atractivo. Con todo, no estaba seguro de poder convertirme en un número uno. Y, normalmente, los que destacan en algo han tenido siempre la firme convicción de que algún día descollarían en eso. No veía claro que alguien que dudara de ser capaz de convertirse en un número uno acabara siéndolo por avatares del destino.

Estaba absorto en estas reflexiones cuando se abrieron las puertas del ascensor. Ella salió, y yo fui tras ella. Igual que el primer día en que la vi, avanzó a paso rápido por el pasillo haciendo resonar sus altos tacones sobre el pavimento, y yo la seguí. Ante mis ojos se contoneaba su trasero bien formado, y sus pendientes de oro despedían destellos.

–Suponiendo que fuera así –proseguí, dirigiéndome a su espalda–, tú me ofrecerías un montón de cosas, pero yo no podría darte nada a cambio. Y eso me parece muy antinatural e injusto.

Ella aminoró el paso, se puso a mi lado y caminamos juntos.

–¿De verdad piensas eso?

–Sí –dije–. Me parece antinatural y, además, injusto.

–Seguro que tú también tienes algo que ofrecerme a mí.

–¿Por ejemplo? –quise saber.

–Por ejemplo, tu coraza emocional. Me muero de ganas de conocerla. Saber cómo está hecha, cómo funciona. En fin, esas cosas. Hasta ahora, jamás había visto nada parecido. Me interesa muchísimo.

–Exageras –dije–. Todo el mundo se esconde, en mayor o menor medida, tras una coraza. Personas como yo encontrarás a docenas.

Lo que pasa es que tienes poco contacto con el mundo y por lo tanto te cuesta comprender el corazón vulgar de una persona vulgar. Eso es todo.

–Tú no sabes nada de nada, ¿verdad? –insistió la joven gorda–. ¿Y qué me dices de la capacidad de ejecutar un *shuffling*? ¿La tienes o no?

–Sí, claro. Pero, en el fondo, no es más que un sistema que me han implantado como instrumento de trabajo. He adquirido esta capacidad a través de una operación quirúrgica y de un entrenamiento. La mayoría de las personas, si hicieran lo mismo, serían capaces de ejecutar el *shuffling*. No es muy distinto a saber utilizar el ábaco o tocar el piano.

–¡No es cierto! –replicó–. Eso es lo que al principio creyeron todos. Que cualquiera..., bueno, en realidad sólo quienes superaban una serie de pruebas..., que cualquiera debidamente preparado sería capaz, igual que tú, de ejecutar un *shuffling*. Mi abuelo también lo creía. En consecuencia, un total de veintiséis personas fuisteis operadas, realizasteis las mismas prácticas y adquiristeis la capacidad de ejecutar un *shuffling*. Hasta aquí, todo funcionó a la perfección. Los problemas empezaron después.

–Nunca había oído hablar de ello –dije–. Tenía entendido que todo había salido según lo previsto.

–Pura propaganda. La verdad fue muy distinta. De las veintiséis personas a las que os implantaron el sistema *shuffling*, veinticinco murieron entre un año y un año y medio después de finalizar las prácticas. Tú eres el único superviviente. Sólo tú has sobrevivido más de tres años y continúas ejecutando el *shuffling* sin ningún problema. ¿Todavía crees que eres una persona vulgar? En estos momentos te has convertido en el personaje central.

Con las manos hundidas en los bolsillos, seguí avanzando en silencio por el pasillo. La situación desbordaba mis facultades y se iba expandiendo, más y más. Y no tenía la menor idea de hasta dónde podía llegar.

–¿Y por qué murieron los demás? –inquirí.

–No lo sé. La causa de su muerte no está clara. Al parecer, surgió algún problema en el funcionamiento del cerebro y murieron de resultas de ello. Pero se ignora cómo se produjo.

–¿Y no hay ninguna hipótesis?

–Sí. Mi abuelo decía que las personas normales no pueden soportar la irradiación del núcleo de la conciencia, de modo que las células cerebrales crean una especie de anticuerpos, pero la reacción es demasiado violenta y los conduce a la muerte. De hecho, era bastante más complicado, pero, en resumen, podemos decir que ocurrió eso.

–¿Y cómo es que sobreviví yo?

–Posiblemente porque tú ya contabas con esos anticuerpos de forma natural. Es algo parecido a la coraza emocional de la que te hablaba antes. Por una razón u otra, tu cerebro poseía ya esos anticuerpos. Por eso has sobrevivido. Mi abuelo intentó crear una coraza artificial para proteger el cerebro, pero resultó demasiado débil.

–Y esta protección de la que hablas, ¿vendría a ser algo parecido a la corteza de un melón?

–Expresado de una manera sencilla, sí.

–Entonces –dije–, mis anticuerpos, o mi protección, mis defensas, o el melón, como quieras llamarlo, ¿es un rasgo congénito o algo que he adquirido después?

–Posiblemente sea, en parte, congénito y, en parte, adquirido. Pero, a partir de ahí, mi abuelo dejó de explicarme cosas. Decía que saber demasiado me acarrearía muchos peligros. Sólo puedo decirte que, según unos cálculos basados en la hipótesis de mi abuelo, sólo hay una persona, entre un millón o millón y medio de individuos, provista como tú de esos anticuerpos naturales. Además, hoy en día, la única manera de saberlo es implantando el sistema *shuffling*.

–Entonces, si la hipótesis de tu abuelo es correcta, tuvieron una chiripa tremenda de que estuviera yo entre aquellas veintiséis personas, ¿no crees?

–Por eso tienes tanto valor como muestra y, además, es muy probable que seas la llave que abra la puerta.

–Y tu abuelo, ¿qué diablos pretendía hacer conmigo? ¿Y qué significan los datos que me hizo procesar por el *shuffling*, y el cráneo del unicornio?

–Si yo lo supiera, podría ayudarte ahora mismo –dijo la joven.

–A mí y al mundo –dije yo.

La oficina estaba patas arriba. El desorden no era tan espantoso como el de mi casa, pero casi. Había todo tipo de documentos desparramados por la moqueta, la mesa estaba volcada, la caja de caudales forzada, habían extraído los cajones del armario y los habían tirado por el suelo, el sofá cama estaba hecho trizas y las mudas de ropa del profesor y de la joven, que habían estado guardadas dentro de la taquilla, amontonadas de cualquier manera en el sofá. Toda la ropa de la joven era de color rosa. Una magnífica gradación de tonos rosa que iba del rosa pálido al rosa subido.

–¡Qué horror! –dijo ella sacudiendo la cabeza–. Deben de haber subido desde el subterráneo.

–¿Crees que han sido los tinieblos?

–En absoluto. Ellos no subirían hasta aquí, y aun suponiendo que lo hicieran, quedaría su olor.

–¿Su olor?

–Sí, un olor muy desagradable, como a pescado, o a lodo. Esto no es obra de los tinieblos. Yo diría que han sido los mismos que destrozaron tu piso. Han actuado de un modo parecido.

–Quizá –dije. Barrí la habitación con la mirada. Delante de la mesa volcada, se había desparramado el contenido de una caja de clips que brillaban a la luz del fluorescente. Como no era la primera vez que me intrigaban esos clips, mientras fingía inspeccionar el suelo cogí un puñado y me lo metí en el bolsillo del pantalón–. ¿Guardabais aquí algo valioso?

–No. Sólo cosas sin importancia: libros de cuentas, facturas, documentos de la investigación poco valiosos... No pasa nada si lo han robado.

–Y el dispositivo para ahuyentar a los tinieblos, ¿está dañado?

De una montaña de pequeños objetos esparcidos ante la taquilla, entre los que había linternas, un radiocasete, un despertador, unos cúters y un bote de pastillas para la tos, ella cogió un aparatito parecido a un audímetro y lo encendió y apagó varias veces.

–¡Perfecto! Aún funciona. Seguro que han pensado que era un aparato sin importancia. Además, como es una máquina muy simple, no se rompe con facilidad –dijo.

Luego, la joven gordita se dirigió a un rincón del cuarto, se agachó, alzó la tapa de una toma de corriente y, tras apretar un botón, se levantó y presionó suavemente en la pared con la palma de la mano. Se abrió una sección de la pared del tamaño de un listín telefónico y, en su interior, apareció una especie de caja de caudales.

–¿Qué te parece? Es difícil de encontrar, ¿eh? –se jactó. Marcó una combinación de cuatro números y la puerta de la caja se abrió–. ¿Te importaría sacar todo lo que hay dentro y ponerlo sobre la mesa?

Devolví la mesa a su posición original, lo que reavivó el dolor de la herida, y alineé encima el contenido de la caja de caudales. Había un fajo de cartillas de ahorro de unos cinco centímetros de grosor atadas con una banda elástica, acciones de Bolsa y certificados, dos o tres millones de yenes en efectivo, algo muy pesado metido en una bolsa de tela, una agenda de piel negra, un sobre marrón. Ella abrió el sobre y dejó sobre la mesa lo que había en su interior: un viejo reloj Omega y un anillo de oro. El reloj estaba todo él ennegrecido, y su cristal, muy resquebrajado.

–Es un recuerdo de mi padre –dijo–. El anillo es de mi madre. Todo lo demás se quemó.

Asentí, y ella devolvió el reloj y el anillo al sobre, y se metió un puñado de billetes en el bolsillo del traje.

–Había olvidado por completo que aquí había dinero –dijo ella. Después abrió la bolsa de tela, sacó un objeto envuelto en una camisa vieja, lo desenvolvió y me lo mostró. Era una pequeña pistola automática. Aunque estaba gastada por el uso, era evidente que no era un arma de juguete, sino una pistola de verdad con balas de verdad. No podía jurarlo, porque no entiendo mucho de armas, pero habría dicho que se trataba de una Browning o una Beretta. La había visto en el cine. También había un cargador y una caja de balas de repuesto.

–¿Eres buen tirador? –me preguntó.

–¡Qué dices! –dije sorprendido–. En mi vida he sostenido una en mis manos.

–Yo soy muy buena. Llevo un montón de años practicando. Cuando voy a nuestro chalé de Hokkaidō, hago prácticas de tiro en la montaña y puedo darle a un objeto del tamaño de una postal a diez metros de distancia. Es genial, ¿verdad?

–Sí, genial –dije–. Pero ¿dónde has conseguido una cosa así?

–Tú eres tonto de remate, ¿no? –se asombró–. Con dinero puedes conseguir cualquier cosa. ¿No lo sabías? Pero, en fin, como tú no sabes disparar, será mejor que la pistola la lleve yo. ¿Te parece bien?

–Adelante. Pero ten cuidado. No vaya a ser que, en la oscuridad, te confundas y me des a mí. Otra herida más y dudo que pueda tenerme en pie.

–No, no, tranquilo. No te preocupes. Soy una persona muy precavida –dijo y se metió la automática en el bolsillo derecho del traje chaqueta. Era curioso, pero esos bolsillos, por más objetos que embutiera en ellos, no parecían hinchados, ni siquiera se habían deformado. Quizá estuvieran dotados de algún mecanismo especial. O, simplemente, quizá se debiera a que el traje era de buena hechura.

A continuación abrió la agenda de piel negra por la mitad y permaneció largo tiempo mirándola a la luz de la lámpara con expresión seria. Yo también eché una ojeada a la página, pero estaba llena de cifras que parecían códigos y de letras ininteligibles: nada que yo pudiera interpretar.

–Es la agenda de mi abuelo –explicó–. Está escrita en un lenguaje cifrado que sólo él y yo conocemos. Aquí apunta sus planes o lo que le ha ocurrido durante el día. Mi abuelo me decía que, si le sucedía algo, acudiera a su agenda. Espera, espera un momento. El día 29 de septiembre tú terminaste de hacer el lavado de cerebro de los datos, ¿verdad?

–Sí –dije yo.

–Pues aquí pone ①. Posiblemente sea el primer paso. Y acabaste el *shuffling* la noche del 30 o la mañana del 1 de octubre, ¿me equivoco?

–No, no te equivocas.

–Aquí hay un ②. Segundo paso. Y después, ¿a ver?... Sí, al mediodía del día 2 de octubre, aparece un ③ y pone: «programa desactivado».

–El día 2, al mediodía, tenía que verme con el profesor. Quizá pretendía desactivar este programa especial, tan complejo, que me instalaron en el cerebro. Para que no llegara el fin del mundo. Pero las circunstancias han cambiado. Es posible que hayan asesinado al profesor, o que se lo hayan llevado a alguna parte. Ahora nuestra prioridad es encontrarlo.

–Espera un momento. Miraré un poco más adelante. Este código es complicadísimo.

Mientras ella ojeaba las páginas de la agenda, yo ordené el interior de la mochila y sustituí las pilas de mi linterna por otras nuevas. Los impermeables y las botas de goma de la taquilla habían sido violentamente arrojados al suelo, pero por fortuna no habían sufrido daños. Porque, si pasábamos bajo la cascada sin impermeable, saldríamos empapados de la cabeza a los pies, helados hasta el tuétano de los huesos. Y si cogía frío, volvería a dolerme la herida. Luego metí en la mochila las zapatillas de deporte de color rosa de la joven, que estaban tiradas por el suelo. Los dígitos de mi reloj de pulsera señalaban que ya casi era medianoche. Habían transcurrido exactamente doce horas del plazo del que disponíamos para desactivar el programa.

–Después hay unas operaciones matemáticas bastante complicadas. Potencia eléctrica, velocidad de disolución, resistencias, márgenes de error y cosas por el estilo. Y eso no lo entiendo.

–Sáltate los trozos que no entiendas. Tenemos muy poco tiempo –la apremié–. Basta con que descifres lo que puedas entender.

–No hace falta descifrar nada.

–¿Por qué?

Me entregó la agenda y me señaló algo. Allí no había ningún código, sólo una enorme cruz junto con una fecha y una hora. En comparación con las letras de alrededor, tan pequeñas y pulcras que casi tenían que leerse con lupa, la cruz era excesivamente grande y la desproporción aumentaba más aún la impresión funesta que producía.

–¿Crees que significa «plazo límite»? –dijo ella.

–Es posible. Quizá éste sea el punto ④. Si en el ③ se desactivaba el programa, lo de esta cruz no tenía por qué producirse. Pero si, por una razón u otra, no se pudiera desactivar, el programa seguiría adelante, rápidamente, hasta llegar a esta cruz.

–Es decir, que tenemos que encontrar a mi abuelo antes del día 2 a mediodía.

–Sí, si mis suposiciones son correctas.

–¿Y lo son?

–Creo que sí –dije en voz baja.

–¿Y cuánto tiempo nos queda? Para que llegue el fin del mundo, para que se produzca el *big bang*, quiero decir.

–Treinta y seis horas –contesté. No necesitaba mirar el reloj. Era el tiempo que tardaba la Tierra en dar una vuelta y media sobre su eje. En este lapso, repartirían dos veces la edición matutina del periódico y una vez la vespertina. El despertador sonaría dos veces, los hombres se afeitarían dos veces. Las personas con suerte tal vez hicieran el amor dos o tres veces. Treinta y seis horas no daban para más. Era la diecisietemilésima trigésima tercera parte de la existencia de un ser humano con una esperanza de vida de setenta años. Y cuando hubieran transcurrido estas treinta y seis horas, algo, quizá el fin del mundo, llegaría.

–¿Qué hacemos? –me preguntó la joven.

Cogí unos analgésicos de un botiquín arrojado delante de la taquilla, los ingerí con un poco de agua de la cantimplora y me cargué ésta a la espalda.

–Lo único que podemos hacer es bajar al subterráneo –contesté.

## 20
## EL FIN DEL MUNDO
# La muerte de las bestias

Las bestias habían perdido ya a varias compañeras. La mañana que siguió a la primera auténtica nevada del invierno, que duró toda la noche, los cuerpos de algunas bestias viejas, cuyo pelaje dorado había adquirido parte de la blancura invernal, yacían enterrados bajo una capa de nieve de unos cinco centímetros de grosor. El sol de la mañana asomaba entre los jirones de nubes y hacía brillar vivamente el paisaje helado. El aliento que exhalaban las bestias, en un número superior a mil, danzaba, blanco, en la luz matinal.

Me desperté antes del alba y descubrí que un manto de nieve inmaculado cubría la ciudad. Era una escena bellísima. En aquel paisaje uniformemente blanco se erguía la negra torre del reloj y, a sus pies, se deslizaba el río como una cinta oscura. El sol todavía no había ascendido por aquel cielo cubierto por entero, sin dejar un solo resquicio, de gruesos nubarrones. Me puse el abrigo y los guantes, y bajé a la ciudad por un camino desierto. Por lo visto, la nieve había empezado a caer justo después de que me durmiera y había cesado poco antes de que abriera los ojos. Sobre la nieve no había una sola pisada. Tomé un poco de nieve en la palma de la mano: tenía un tacto ligero y suave como el del azúcar. En la orilla del río, sobre la superficie del agua había una fina capa de hielo sobre la que se acumulaba un poco de nieve.

Mi aliento blanco era lo único que se movía en toda la ciudad. No soplaba el viento, no se veía ni oía pájaro alguno. Únicamente el crujido de las suelas de mis zapatos, que resonaba en las paredes de las casas de un modo exagerado, casi artificial, mientras hollaba la nieve.

Al acercarme a la Puerta del Oeste, distinguí, frente a la explanada, la silueta del guardián. Estaba bajo la carreta que había reparado tiempo atrás con mi sombra y, en aquellos instantes, estaba engrasando los ejes de las ruedas. Dentro de la carreta se alineaban unas tinajas, donde almacenaban aceite de colza, firmemente atadas a las tablas laterales para que no se volcaran. Me pregunté con extrañeza para qué querría el guardián tantísimo aceite.

El guardián asomó por debajo de la carreta y me saludó alzando la mano. Parecía de muy buen humor.

–¡Qué madrugador! ¿Qué te trae por aquí tan temprano?

–He venido a ver el paisaje nevado. Desde lo alto de la colina me ha parecido muy bonito.

El guardián se rió a carcajadas y posó, como de costumbre, su manaza en mi espalda. No llevaba guantes.

–¡Mira que eres raro! Venir hasta aquí para ver algo que, a partir de ahora, te hartarás de ver. Realmente, eres un bicho raro. –Exhalando una enorme nube de aliento blanco, como si fuera una máquina de vapor, clavó la vista en la puerta–. Pero, bueno, has venido en el momento adecuado. Sube a la atalaya y verás una cosa interesante. Las primicias de este invierno. Dentro de poco tocaré el cuerno. Tú mira bien hacia fuera.

–¿Las primicias?

–Cuando lo veas, sabrás de qué hablo.

Sin comprender a qué se refería, subí a la atalaya junto al guardián y contemplé el paisaje exterior. Sobre el manzanar se acumulaba una gran cantidad de nieve. Las sierras del Norte y del Este estaban teñidas casi por entero de blanco y sólo quedaban al descubierto las aristas de las rocas, como cicatrices.

Al pie de la atalaya dormían, como de costumbre, las bestias. Acurrucadas en el suelo, inmóviles, con las patas dobladas y el cuerno, de un blanco tan puro como el de la nieve, apuntando hacia delante, las bestias estaban sumidas en un plácido sueño. No parecían notar siquiera la nieve que se depositaba sobre sus lomos. Debían de dormir muy profundamente.

Poco a poco se fueron abriendo claros en el cielo y la luz del sol empezó a iluminar la superficie de las cosas, pero yo seguí de pie en la atalaya, contemplando el paisaje que me rodeaba. Los rayos del sol no eran más que una especie de focos que alumbraban parcialmente, aquí y allá, y, además, quería ver con mis propios ojos aquella «cosa interesante» de la que me había hablado el guardián.

Al poco, éste abrió la puerta e hizo sonar el cuerno de la forma acostumbrada: un toque largo y tres cortos. Al primer toque, las bestias abrieron los ojos, irguieron la cabeza y dirigieron la mirada hacia el son del cuerno. El abundante aliento blanco que exhalaban indicaba que sus cuerpos estaban listos para emprender un nuevo día. Cuando dormían, las bestias apenas respiraban.

Cuando el último eco del cuerno se disolvió en el aire, las bestias se levantaron. Primero estiraron las patas delanteras, despacio, como si las probaran; luego incorporaron la mitad anterior del cuerpo y estiraron las patas traseras. Después hincaron repetidas veces sus cuernos en el aire y, al final, como si la hubiesen descubierto de pronto, se sacudieron la nieve acumulada sobre sus lomos. E iniciaron la marcha hacia la puerta.

Una vez que las bestias hubieron cruzado la puerta, por fin comprendí qué quería enseñarme el guardián. Algunas bestias que yo había creído dormidas seguían en la misma posición, congeladas, sin vida. Más que muertas, parecían meditar sobre un asunto de vital importancia. Sin embargo, no hallarían la respuesta. De sus bocas y de sus ollares no se alzaba ninguna nube de aliento blanco. Sus cuerpos habían perdido la vida, sus mentes habían sido absorbidas por las tinieblas más profundas.

Cuando las otras se dirigieron hacia la puerta, sus cadáveres quedaron atrás como pequeños bultos nacidos en la superficie de la tierra. Sus cuerpos estaban envueltos en una mortaja de nieve blanca. Sólo el cuerno, extrañamente lleno de vida, hendía el aire. La mayoría de bestias supervivientes, al pasar junto a ellas, doblaban profundamente sus cuellos, pateaban el suelo con sus cascos. Lloraban a las muertas.

Hasta que el sol lució alto en el cielo, hasta que la sombra del muro alcanzó mis pies y los rayos del sol empezaron a derretir calmosamente la nieve del suelo, yo permanecí contemplando los cuerpos solitarios de las bestias muertas. Me daba la sensación de que los rayos del sol de la mañana acabarían fundiendo incluso su muerte, y que aquellas bestias, que ahora parecían sin vida, al final se levantarían y emprenderían su marcha de todas las mañanas.

Pero no se movieron. Sólo su pelaje de oro, empapado en la nieve derretida, centelleaba bajo el sol matutino. Pronto empezaron a dolerme los ojos.

Bajé de la atalaya, crucé el río, subí la Colina del Oeste y, una vez en casa, me di cuenta de que el sol matutino me había lastimado los ojos mucho más gravemente de lo que pensaba. Al cerrar los ojos, un incesante torrente de lágrimas caía ruidosamente sobre mis rodillas. Me lavé los ojos con agua fría, pero no surtió efecto. Corrí las pesadas cortinas de la ventana y pasé muchas horas con los ojos cerrados, viendo líneas y dibujos de extrañas formas que emergían y se hundían en una oscuridad en la que había perdido el sentido de la distancia.

A las diez de la noche, el anciano llamó a la puerta de mi habitación trayendo una bandeja con café en la mano; me encontró tumbado boca abajo en la cama y me frotó los párpados con una toalla fría. Sentía un dolor punzante detrás de los oídos, pero ya no lagrimeaba tanto como antes.

–Pero ¿qué diablos has hecho? –me preguntó–. El sol de la mañana es mucho más fuerte de lo que crees. Sobre todo cuando ha nevado. ¿No sabes que los ojos de un lector de sueños no soportan la luz intensa? ¿Por qué has salido?

–He ido a mirar a las bestias –dije–. Han muerto muchas. Ocho o nueve. No, más aún.

–Y a partir de ahora morirán muchas más. Cada vez que nieve.

–¿Y cómo es que mueren con tanta facilidad? –le pregunté al anciano, aún tumbado boca arriba, quitándome la toalla de encima de los ojos.

–Son débiles. No resisten el frío, tampoco el hambre. Nunca han podido soportarlos.

–¿Y se van a morir todas?

El anciano sacudió la cabeza.

–Hace decenas de miles de años que sobreviven, y seguirán sobreviviendo. Durante el invierno mueren muchas, pero al llegar la primavera nacen las crías. La nueva vida expulsa a la vieja. Lo que ocurre es que el número de bestias que pueden alimentarse de los árboles y de la hierba de esta ciudad es limitado, ¿sabes?

–¿Y por qué no se trasladan a otro lugar? Si entraran en el bosque, tendrían tantos árboles como quisieran, y si se dirigieran hacia el sur, no encontrarían tanta nieve. No veo por qué tienen que quedarse aquí.

–Tampoco yo –dijo el anciano–. Pero las bestias no pueden alejarse de aquí. Pertenecen a esta ciudad, están atrapadas en ella. Exactamente igual que tú y que yo. Por instinto, saben que no pueden escapar. Quizá sólo puedan comer las hojas de los árboles y los brotes de la hierba que crecen en esta ciudad. O tal vez no sean capaces de cruzar el erial de carbón que se extiende al sur. No lo sé, pero, en cualquier caso, las bestias no pueden alejarse de aquí.

–¿Qué hacen con los cadáveres?

–Los quema el guardián –dijo el anciano caldeándose las grandes y secas manos con la taza de café–. A partir de ahora, ésta va a ser su actividad principal. Primero les corta la cabeza y les saca el cerebro y los ojos, y después limpia bien las cabezas hirviéndolas en una olla grande. Los cuerpos los amontona, los rocía con aceite de colza, les prende fuego y los quema.

–¿Y después de introducir viejos sueños en el interior de los cráneos, los alinean en las estanterías de la biblioteca? –le pregunté, todavía con los ojos cerrados–. Pero ¿por qué? ¿Por qué los cráneos?

El anciano no contestó. Sólo se oyó el crujido de las tablas de madera bajo sus pies. El crujido se fue alejando lentamente de la cama y se detuvo junto a la ventana. Después, el silencio se prolongó unos instantes más.

–Eso lo sabrás el día en que comprendas qué es un viejo sueño –dijo el anciano–. Por qué los viejos sueños están dentro de los cráneos. Yo no puedo decírtelo. Tú eres el lector de sueños. Tienes que encontrar la respuesta por ti mismo.

Tras enjugarme las lágrimas con la toalla, abrí los ojos. Junto a la ventana vislumbré, borrosa, la silueta del anciano.

–El invierno perfila todas las cosas –prosiguió–. Es así, lo queramos o no. La nieve seguirá cayendo, las bestias continuarán muriendo. Nadie puede detenerlo. Al mediodía verás una columna de humo gris alzándose de la hoguera donde incineran a las bestias. Durante el invierno, se repetirá un día tras otro. La blanca nieve y el humo gris.

# 21

## EL DESPIADADO PAÍS DE LAS MARAVILLAS

## Brazaletes. Ben Johnson. Diablo

En el armario reinaba la misma oscuridad que la primera vez que entré en él, pero ahora que conocía la existencia de los tinieblos, las sombras me parecieron aún más compactas y gélidas que antes. Imposible encontrar una oscuridad más densa que aquélla. Antes de que las ciudades eliminaran por completo la oscuridad de la faz de la Tierra mediante farolas, luces de neón y escaparates, en el mundo debían de reinar tinieblas tan profundas como aquéllas, tanto que cortaban la respiración.

Ella bajó la escalera primero. Con el dispositivo para ahuyentar a los tinieblos en el fondo del bolsillo, una gran linterna colgada en bandolera y haciendo chirriar la suela de goma de sus botas, la joven descendió con presteza hacia lo más profundo de las sombras. Poco después, mezclada con el rugido de la corriente, oí su voz que me llamaba desde el fondo:

–¡Vale! Ya puedes bajar.

Vi una luz amarillenta que temblaba a lo lejos. El abismo era mucho más profundo de lo que recordaba. Me embutí la linterna en el bolsillo y empecé a bajar la escalera. Los peldaños seguían tan mojados como antes y, si no se prestaba atención, era muy fácil perder pie y caerse. Mientras bajaba me acordé de la pareja del Skyline y de la música de Duran Duran. Ellos no lo sabían. No sabían que yo estaba descendiendo hacia el fondo de las tinieblas con una herida en el abdomen y con una linterna y un cuchillo grande en el bolsillo. Ellos sólo pensaban en la cifra que marcaba el velocímetro, en sus expectativas de sexo, en los recuerdos y en las insípidas canciones pop que subían y bajaban en el ranking musical. Claro que yo no podía criticarlos. Lo único que pasaba era que ellos no lo sabían. Sólo eso.

Yo mismo, de ignorar la situación, me ahorraría todo aquello. Me imaginé al volante del Skyline, con aquella chica a mi lado, recorriendo la ciudad envueltos en la música de Duran Duran. La chica, cuando hacía el amor, ¿se quitaría aquel par de delgados brazaletes de plata de la muñeca? «¡Ojalá no!», me dije. Si, una vez desnuda, los conservaba, debía de parecer que los dos brazaletes de plata formaban parte de su cuerpo.

Pero, muy probablemente, se desprendería de ellos. Porque las chicas, cuando se duchan, acostumbran a quitárselo todo. Vamos, que tenía que hacer el amor con ella antes de que se duchara. ¿Y si le pidiese que no se quitara los brazaletes? No sabía cuál de las dos opciones escoger; en todo caso, debía intentar hacer el amor con ella con los brazaletes puestos. Era esencial.

Me imaginé haciendo el amor con ella con los brazaletes puestos. Como no lograba recordar su rostro, opté por bajar la intensidad de la luz de la habitación. Estábamos a oscuras y no distinguía sus facciones. Una vez que le hubiese quitado la fina y elegante ropa interior de color lila, blanco o azul celeste, los brazaletes se convertirían en su único atuendo. Y lanzarían blancos destellos bajo la luz tenue, y dejarían oír su agradable tintineo sobre las sábanas, y...

Absorto en estas fantasías, sentí cómo mi pene se endurecía bajo el impermeable. «¡Esto es el colmo!», me dije. ¿Por qué tenía una erección precisamente en ese momento, en un lugar como aquél? ¿Por qué no lo había conseguido en la cama, con la bibliotecaria –la chica de la dilatación gástrica–, y sí colgado de una escalera absurda? ¿Sólo por un par de brazaletes de plata? Y, para colmo, cuando el mundo estaba a punto de llegar a su fin.

Cuando mis pies se posaron sobre la plataforma rocosa, ella dirigió el haz de luz de la linterna hacia las sombras.

–¡Anda! Pues es verdad que los tinieblos merodean por aquí –dijo–. Se oye el ruido.

–¿El ruido? –repetí.

–Una especie de golpecitos. Como si unas branquias dieran contra el suelo. Es muy débil, pero se oye. Y, además, está el olor.

Agucé el oído, husmeé en el aire, pero no capté nada.

–Si no estás habituado, se te pasa por alto –dijo–. Pero cuando te habitúas, incluso llegas a distinguir sus voces. Bueno, más que voces, son ondas sonoras. Como las de los murciélagos, ¿sabes? Aunque, a diferencia de las de los murciélagos, una parte de esas ondas son audibles para el ser humano y, por lo tanto, no es imposible comunicarse con ellos.

–Pero, si dices que no hablan, ¿cómo han logrado los semióticos ponerse en contacto con ellos?

–Si se quiere, se pueden construir máquinas. Unos aparatos que conviertan sus ondas sonoras en palabras y las voces de los seres humanos en ondas sonoras. Tal vez los semióticos hayan construido una máquina así. Mi abuelo, de haberlo querido, hubiese podido construir una sin problemas. Pero ni siquiera lo intentó.

–¿Por qué?

–Porque no quería hablar con ellos. Los tinieblos son criaturas perversas y dicen maldades. Sólo comen carne descompuesta y basura putrefacta, y beben agua corrompida. Antiguamente, vivían debajo de los cementerios y se alimentaban de la carne pútrida de los cadáveres. Antes de que se empezara a incinerar a los muertos, claro.

–Entonces, ¿no se comen a los vivos?

–Cuando atrapan a una persona viva, la tienen metida muchos días en agua y se la van comiendo conforme se va descomponiendo.

–¡Lo que me faltaba por oír! –dije lanzando un suspiro–. Me están entrando ganas de volverme a casa.

No obstante, proseguimos nuestro camino río arriba. Ella me precedía. Al dirigir el haz de luz a su espalda, veía cómo sus pendientes de oro, del tamaño de un sello, relucían vivamente.

–Esos pendientes, ¿no son un poco pesados para llevarlos siempre puestos? –le dije, dirigiéndome a su espalda.

–Estoy acostumbrada –respondió–. ¿Y el pene? ¿Has sentido tú alguna vez que te pese el pene?

–La verdad es que no. Nunca.

–Pues es lo mismo.

Seguimos andando, sin añadir nada más. Ella parecía conocer muy bien el terreno y avanzaba a buen ritmo mientras barría los alrededores con la luz de la linterna. Yo la seguía a duras penas, dando un paso tras otro con precaución.

–Oye, cuando te duchas o te bañas, ¿te quitas los pendientes? –le pregunté para no quedarme atrás. Porque, cuando hablaba, ella aminoraba un poco la marcha.

–No –respondió–. Aunque esté desnuda, me los dejo puestos. ¿No crees que así es más sexy?

–Pues... –respondí, atolondrado–, ahora que lo dices, quizá sí.

–Y el amor, ¿tú siempre lo haces por delante? ¿Frente a frente?

–Normalmente, sí.

–Pero también lo harás a veces por detrás, ¿no?

–A veces.

–Además de ésas, hay un montón de posiciones diferentes, ¿verdad? Desde abajo, sentados, en una silla...

–Es que hay diferentes tipos de personas, y también circunstancias diferentes.

–Yo de sexo no sé mucho, ¿sabes? –confesó–. No he visto nunca cómo se hace, y tampoco lo he hecho nunca. A mí nadie me ha enseñado nada sobre eso.

–Esas cosas no se enseñan, uno las descubre por sí mismo –dije–. Cuando tengas novio y te acuestes con él, irás aprendiendo muchas cosas de forma natural.

–Esa idea no me entusiasma, la verdad –dijo–. A mí me gustan las cosas, ¿cómo lo diría?..., más intensas. Que me lo hagan de una manera más intensa, aceptarlo de una manera más intensa. No ese «irás aprendiendo muchas cosas» o ese «de forma natural» de los que hablas.

–Mira, has vivido demasiado tiempo con una persona mucho mayor que tú. Un hombre genial, con una personalidad muy fuerte. Pero no todo el mundo es así. La mayoría de la gente son seres normales y corrientes que andan a tientas en la oscuridad. Como yo.

–Tú eres diferente. Contigo estaría muy bien. Ya te lo dije el otro día, ¿no?

En todo caso, decidí alejar de mi mente todas las imágenes sexuales. Mi pene seguía erecto y, entre aquellas negras sombras del subterráneo, la verdad es que estaba un poco fuera de lugar. Sobre todo porque era difícil caminar de aquella manera.

–O sea, que ese aparato emite unas ondas sonoras que los tinieblos detestan –dije para cambiar de tema.

–Sí. Mientras sigamos emitiéndolas, no se nos acercarán en un radio de quince metros. O sea, que tú no te alejes más de quince metros de mí. A no ser que quieras que te cojan, te lleven a su guarida, te cuelguen en un pozo y te vayan comiendo a medida que te vayas pudriendo. Juraría que tú empezarías a descomponerte por la herida de la barriga. Ellos tienen unos dientes y unas uñas muy afilados, ¿sabes? Igual que una hilera de taladros gruesos.

Al oírla, me pegué corriendo a su espalda.

–¿Todavía te duele la herida? –me preguntó.

–Gracias a los calmantes, el dolor es soportable. Al hacer movimientos bruscos, noto pinchazos, pero me duele menos que antes –respondí.

–Si logramos encontrar a mi abuelo, él hará que te desaparezca el dolor.

–¿Tu abuelo? ¿Y cómo?

–Es muy fácil. A mí me lo ha hecho varias veces, cuando me dolía mucho la cabeza. Envía unas señales a la mente para que ésta se olvide de sentir el dolor; en realidad, el dolor es un mensaje que envía el cuerpo. Pero es mejor no abusar de ese remedio. Aunque, en casos extremos, funciona.

–Pues se lo agradecería mucho.

–Eso si logramos encontrarlo, claro –dijo la chica.

Ella remontaba el curso de la corriente a paso seguro, balanceando la potente linterna de derecha a izquierda. Las paredes de ambos lados estaban llenas de una especie de hendiduras en la roca, y unos ramales, o cavernas siniestras, abrían sus bocas, unas junto a las otras. El agua rezumaba a través de las grietas rocosas formando pequeñas corrientes que desembocaban en el río. En los bordes del cauce principal crecía una tupida alfombra de musgo, viscosa y resbaladiza como el lodo. El musgo era de un color verde tan vivo que parecía artificial. Era incomprensible que un musgo de subsuelo, que no podía hacer la fotosíntesis, tuviera aquel color. Debía de tratarse de un fenómeno propio de las profundidades.

–Dime, ¿crees que los tinieblos saben que andamos por aquí?

–Por supuesto –contestó, impertérrita–. Éste es su mundo. A ellos no se les escapa nada de lo que sucede en el subsuelo. Seguro que ahora mismo están a nuestro alrededor, acechándonos. Oigo desde hace rato una especie de siseo.

Dirigí el haz de luz de mi linterna hacia las paredes, pero lo único que vi fueron las rocas ásperas y deformes, y el musgo.

–Están escondidos en el fondo de las grutas o de los ramales, entre las sombras, allá donde no llega la luz –afirmó–. Además, sin duda tenemos a algunos a nuestras espaldas.

–¿Cuánto tiempo lleva el emisor encendido? –pregunté.

Tras consultar su reloj de pulsera, la joven dijo:

–Diez minutos. Diez minutos y veinte segundos. Dentro de cinco minutos llegaremos a la cascada. Tranquilo.

Exactamente cinco minutos después, llegamos a la cascada. El dispositivo de eliminación del sonido debía de funcionar todavía, porque el rugido de la cascada apenas se oía.

Nos calamos la capucha en la cabeza, nos apretamos fuertemente el cordón bajo la barbilla, nos pusimos las aparatosas gafas y atravesamos la cascada insonora.

–¡Qué raro! –se sorprendió la chica–. El dispositivo de eliminación del sonido funciona, lo que significa que el laboratorio no ha sido destruido. Y si lo hubiesen atacado los tinieblos, lo habrían arrasado. Odian el laboratorio con todas sus fuerzas.

El hecho de que la puerta del laboratorio estuviera cerrada con el código confirmó sus suposiciones. Si los tinieblos hubiesen entrado, seguro que no habrían cerrado al salir. Los asaltantes habían sido otros.

Invirtió bastante tiempo en marcar los números de la combinación de la cerradura. Finalmente, insertó la tarjeta electrónica y abrió la puerta. El laboratorio estaba a oscuras, hacía mucho frío, y un fuerte olor a café flotaba por la estancia. Cerró rápidamente la puerta y, tras comprobar que la puerta no podía abrirse desde fuera, le dio a un interruptor y encendió la luz de la habitación.

El laboratorio había sufrido una devastación tan completa como la del despacho de arriba o como mi propia casa. Habían dispersado los papeles por el suelo, volcado los muebles, roto la vajilla. Además, habían arrancado la moqueta del suelo y habían volcado la cantidad equivalente a un cubo de café por encima. ¿Por qué habría preparado el profesor tanto café? Era muy extraño. Por más que le gustara, era imposible que una persona sola pudiera beber tal cantidad.

Con todo, entre la destrucción del laboratorio y las otras dos, había una diferencia fundamental. En el laboratorio, los asaltantes habían establecido una distinción muy clara entre lo que querían destruir y lo que no. Lo que querían romper, lo habían roto a conciencia, pero lo demás ni lo habían tocado. El ordenador, el aparato transmisor, el dispositivo de eliminación del sonido y la instalación generadora de electricidad estaban intactos, y bastaba apretar un botón para que funcionaran sin problemas. Al gran aparato emisor de ondas sonoras para repeler a los tinieblos le habían arrancado, a fin de inutilizarlo, algunas piezas; aun así, en cuanto se instalaran otras de recambio, podría funcionar de nuevo.

La habitación del fondo ofrecía un aspecto similar. A primera vista, se encontraba en un estado de caos irreparable, pero éste parecía calculado con gran detenimiento. Los cráneos alineados en las estanterías se habían librado de la destrucción, al igual que el instrumental necesario para la investigación. Únicamente habían destrozado aparatos no excesivamente caros, fáciles de reemplazar, y algún material para los experimentos.

La joven se dirigió hacia la caja de caudales de la pared y la abrió para inspeccionar su interior. No estaba cerrada con ningún código. Con ambas manos, sacó puñados de ceniza blanca, restos de papeles quemados, y la esparció por encima de la mesa.

–Por lo visto, el dispositivo de emergencia de incineración automática ha funcionado bien –dijo–. Esa gentuza no ha podido llevarse nada.

–¿Quiénes crees que han sido?

–Han sido humanos –contestó–. Los semióticos, o tal vez otros, han llegado hasta aquí con la complicidad de los tinieblos y han abierto la puerta. En el laboratorio sólo han penetrado los humanos y lo han puesto patas arriba. Y para poder utilizar después el laboratorio (juraría que porque planean obligar a mi abuelo a proseguir aquí sus investigaciones), no han estropeado los aparatos importantes. Al marcharse, han cerrado para evitar que los tinieblos entraran y lo arrasaran todo.

–Pero no han conseguido apoderarse de nada de valor.

–No.

–En cambio, se han llevado a tu abuelo –dije echando una mirada circular a la habitación–, que es lo más valioso que había aquí, ¿no te parece? Por culpa de eso, yo seguiré sin saber qué me instaló el profesor en el cerebro. No sé qué hacer.

–No te precipites –me calmó la joven–. A mi abuelo no lo han cogido. Tranquilo. Hay un pasadizo secreto, seguro que ha huido por ahí. Con un aparato para ahuyentar a los tinieblos, como nosotros.

–¿Y cómo lo sabes?

–No tengo pruebas, pero lo sé. Mi abuelo es una persona extraordinariamente precavida, no se dejaría atrapar tan fácilmente. Mientras estaban forzando la puerta, seguro que huyó por el pasadizo.

–Entonces, en estos momentos, el profesor está arriba, sano y salvo.

–No –dijo la joven–. No es tan fácil. El pasadizo es una especie de laberinto que pasa por el centro de la guarida de los tinieblos y, desde aquí, por más rápido que vayas, se tarda unas cinco horas en recorrerlo. Teniendo en cuenta que el aparato para repeler a los tinieblos dura media hora, lo más seguro es que mi abuelo esté todavía en el pasadizo.

–O que haya caído en manos de los tinieblos.

–No lo creo. Mi abuelo, en previsión de situaciones como ésta, construyó un refugio de seguridad subterráneo al que los tinieblos no pueden acercarse. Probablemente esté allí, escondido, esperándonos.

–Pues sí, muy precavido –reconocí–. ¿Y tú sabes dónde está ese sitio?

–Creo que sí. Mi abuelo me explicó el camino con pelos y señales. Además, en la agenda hay dibujado un plano esquemático, con los puntos peligrosos por donde tenemos que andarnos con mucho cuidado.

–¿Y qué peligros son ésos?

–Es mejor que no te los diga –dijo la joven–. Me da la impresión de que te pondrías demasiado nervioso.

Con un suspiro, renuncié a seguir preguntando sobre los peligros que se cernirían sobre mí en un futuro inmediato. Ya estaba lo bastante nervioso.

–¿Y cuánto se tarda en llegar a ese refugio adonde no pueden acercarse los tinieblos?

–Se tarda de veinticinco a treinta minutos en alcanzar la entrada. Desde allí hasta donde está mi abuelo, se tarda de hora a hora y media. En cuanto alcancemos la entrada, ya no tendremos que preocuparnos más de los tinieblos. El problema está en llegar allí. Si no avanzamos lo suficientemente rápido, se nos agotará la batería.

–¿Y si se nos agotara la batería a medio camino?

–Entonces tendríamos que encomendarnos a la suerte –dijo la joven–. Habría que huir a toda prisa, y agitar la luz de las linternas a nuestro alrededor para que no se nos acerquen los tinieblos. Odian que les dé la luz. Pero sólo con que nos descuidásemos un segundo y encontraran el mínimo resquicio en la luz, meterían la mano por ahí y nos agarrarían.

–¡Estamos apañados! –dije con voz desfallecida–. ¿Ya se ha cargado la batería?

Miró el contador y echó una ojeada a su reloj de pulsera.

–Faltan cinco minutos.

–Será mejor que nos apresuremos –dije–. Si mis suposiciones son correctas, los tinieblos ya deben de haber avisado a los semióticos de que estamos aquí y ellos deben de haber dado marcha atrás inmediatamente.

Se quitó el impermeable y las botas de goma, y se puso las zapatillas de deporte y la chaqueta del ejército americano.

–Será mejor que tú también te cambies. A partir de ahora, si no vamos ligeros, no llegaremos –dijo.

Me quité el impermeable, como ella, y encima del jersey me puse el anorak de nailon y me abroché la cremallera hasta debajo de la barbilla. Me cargué la mochila a la espalda y me cambié las botas de goma por unas zapatillas de deporte. El reloj marcaba casi las doce y media.

La joven se dirigió a la habitación del fondo, arrojó las perchas del armario al suelo, agarró con las dos manos la barra de acero de donde colgaban las perchas y empezó a hacerla rodar. Al poco, se oyó el ruido de un engranaje en funcionamiento. Ella siguió haciendo rodar la barra, siempre en el mismo sentido, y entonces en la pared del armario, abajo, a la derecha, se abrió un agujero de unos setenta centímetros de alto. Al asomarme, vi unas sombras tan densas que daba la impresión de que podían cogerse con las manos. Percibí un viento helado, con olor a moho, que soplaba hacia el interior de la habitación.

–No está mal, ¿eh? –dijo la joven volviéndose hacia mí sin soltar la barra.

–Nada mal –me admiré–. A nadie se le ocurriría buscar un pasadizo dentro de un armario. Tu abuelo es un poco obseso, ¿no?

–No, en absoluto. Un obseso es alguien que se obstina en mirar en una sola dirección, o que tiene una única tendencia, ¿no? Mi abuelo, por el contrario, sobresale en todos los ámbitos. Desde la astronomía hasta la genética y también en la carpintería, claro –dijo–. Nadie lo iguala. Hay mucha gente que sale en la televisión o en las revistas presumiendo, pero ésos son unos fantasmas. Un verdadero genio se nutre de todo lo que existe en el mundo.

–De acuerdo, pero aunque uno sea un genio, los que te rodean no lo son, e intentarán utilizar su talento. Ya ves lo que está ocurriendo ahora. Seas una lumbrera o un imbécil, no puedes permanecer aislado en un mundo virgen, al margen de los demás. Aunque te encierres bajo el suelo, aunque te rodees de altas murallas. Siempre habrá alguien que te encuentre y destruya tu mundo. Y tu abuelo no es una excepción. Por su culpa, a mí me han rajado la barriga de un navajazo y el mundo se va a acabar dentro de poco más de treinta y cinco horas.

–Si encontramos a mi abuelo, todo se solucionará –dijo.

Se acercó a mí, se puso de puntillas y me dio un pequeño beso bajo el lóbulo de la oreja. Su beso me caldeó un poco el cuerpo, incluso me pareció que la herida me dolía un poco menos. Quizá debajo de la oreja haya un punto específico que produzca este efecto. O quizá se debía a que hacía mucho tiempo que no me besaba una chica de diecisiete años. Porque ya habían transcurrido dieciocho años desde la última vez que me había besado una chica de esa edad.

–Si crees que todo va a salir bien, entonces se te quita el miedo, ¿sabes? –dijo.

–Con la edad, uno cree cada vez en menos cosas –dije–. Igual que se van gastando los dientes. No es que uno se vaya volviendo un cínico o un escéptico, no, simplemente uno se va gastando. Y ya está.

–¿Tienes miedo?

–Sí –dije. Me incliné y me asomé otra vez al agujero–. Nunca he podido soportar los sitios angostos y oscuros.

–No podemos retroceder. No tenemos otra opción que seguir adelante.

–Claro. Ésa es la teoría –dije. Empezaba a sentir que mi cuerpo ya no me pertenecía. En el instituto, cuando jugaba al baloncesto, a veces me asaltaba esta sensación. Cuando la pelota iba demasiado deprisa y mi cuerpo intentaba alcanzarla, mi conciencia se iba quedando atrás.

La joven tenía los ojos clavados en el contador. Poco después, dijo:

–Vamos.

La batería ya estaba cargada.

Igual que antes, la joven se puso en cabeza y yo la seguí. Tras penetrar en el agujero, se volvió y cerró la puerta haciendo girar una rueda que había junto a la boca de entrada. Conforme la puerta se iba cerrando, el rectángulo de luz que penetraba en el interior del agujero se fue haciendo paulatinamente más delgado hasta que, al fin, se convirtió en un hilo vertical y desapareció. Reinó una oscuridad todavía más compacta que antes, y sentí cómo las sombras más densas que había visto jamás caían sobre mí. Ni siquiera la luz de la linterna conseguía rasgarlas y se limitaba a proyectar un débil puntito de luz.

–No lo entiendo. ¿Cómo es que a tu abuelo se le ocurrió elegir un pasadizo que cruza el centro de la guarida de los tinieblos?

–Porque es el lugar más seguro –dijo la joven iluminándome con su linterna–. Ahí hay un territorio sagrado donde no pueden penetrar.

–¿Por razones religiosas?

–Sí, creo que sí. Yo no lo he visto nunca, pero mi abuelo me lo contó. Me dijo que era espeluznante hablar de fe en estos casos, pero que se trataba de una especie de religión, sin duda alguna. Su dios es un pez. Un enorme pez sin ojos. –Tras pronunciar estas palabras, dirigió el haz de luz hacia delante–. Y ahora, sigamos. Tenemos poco tiempo.

El techo de la gruta era tan bajo que había que inclinarse mucho para avanzar. Aunque la superficie rocosa era lisa y resbaladiza, de vez en cuando me golpeaba la cabeza con alguna roca que sobresalía. Pero no tenía tiempo de quejarme. Caminaba como un auténtico poseso, manteniendo el haz de luz clavado en la espalda de la joven para no perderla de vista. Para lo gruesa que estaba, sus movimientos eran muy ágiles, su paso rápido, y poseía una notable capacidad de aguante. Yo también era bastante fuerte, pero andar encorvado me producía punzadas en el abdomen. Me dolía como si me clavaran una cuña de hielo en el vientre. La camisa, empapada en sudor, se me adhería, helada, al cuerpo. Sin embargo, era preferible el dolor de la herida a la idea de quedarme solo en la negra oscuridad.

Conforme avanzaba, se iba intensificando más y más la sensación de que el cuerpo ya no me pertenecía. Me dije que probablemente se debía a que no podía verme a mí mismo. Aunque me llevara la palma de la mano ante los ojos, no podía distinguirla.

Ser incapaz de ver tu propio cuerpo es algo muy extraño. Cuando eso se prolonga largo tiempo, te acabas preguntando si tu cuerpo no será más que una simple hipótesis. Cierto que, al golpearme la cabeza, me hacía daño, y que la herida del vientre no me daba tregua. Y que sentía el suelo bajo las plantas de los pies. Pero no eran más que un simple dolor y una simple percepción. Podía decirse que no era más que un concepto que se asentaba sobre la hipótesis de que mi cuerpo me pertenecía. Por lo tanto, no se podía descartar la idea de que mi cuerpo hubiese desaparecido y que sólo quedase el concepto, que funcionaba de manera autónoma. Exactamente igual que una persona a la que le han amputado una pierna en una operación quirúrgica continúa sintiendo el picor en la punta de los dedos de los pies de la pierna amputada.

Intenté varias veces enfocar mi cuerpo con la luz de la linterna para comprobar su existencia, pero, como temía perder de vista a la chica, al final lo dejé correr. «Mi cuerpo todavía existe», me dije, tratando de convencerme a mí mismo. «Si mi cuerpo hubiese desaparecido, dejando sólo a mi alma atrás, seguro que me sentiría mejor. Porque si el alma tuviese que arrastrar eternamente heridas en la barriga, úlceras gástricas y hemorroides, ¿dónde diablos se hallaría la salvación? Y si el alma no se separase del cuerpo, ¿dónde diablos se encontraría su razón de existir?»

Absorto en estas cavilaciones, iba siguiendo la chaqueta militar color verde oliva, la falda rosa, ajustada como un guante, que asomaba por debajo, y las zapatillas de deporte Nike de color rosa. Los pendientes de oro se balanceaban brillando en la oscuridad. Parecía que un par de luciérnagas revoloteara alrededor de su cuello.

Ella proseguía la marcha en silencio sin volverse hacia mí. Parecía que hubiese olvidado mi existencia por completo. Seguía hacia delante, inspeccionando los ramales y las grutas con rápidos destellos de la luz de la linterna. Al llegar a una bifurcación, se detuvo, sacó del bolsillo del pecho el mapa y lo iluminó para comprobar el camino que teníamos que seguir. Mientras, yo logré darle alcance.

–¿Qué? ¿Vamos bien? –le pregunté.

–Sí. Tranquilo. Vamos bien. De momento –me respondió con voz segura.

–¿Cómo lo sabes?

–Pues porque vamos bien –dijo y dirigió la luz a sus pies–. Mira ahí, en el suelo.

Me agaché y clavé la vista en el círculo de tierra iluminado. En un hueco de la roca había unos pequeños objetos de color plateado que brillaban. Al recoger uno, descubrí que se trataba de clips metálicos.

–¡Lo ves! Mi abuelo ha pasado por aquí. Y, como calculaba que lo seguiríamos, nos ha dejado esta señal.

–Ya veo –dije.

–Ya han pasado quince minutos. Tenemos que apresurarnos.

Más adelante se abrían más bifurcaciones, pero en cada una de ellas encontramos clips esparcidos por el suelo indicándonos el camino, de modo que pudimos seguir adelante sin vacilar y ahorrarnos, así, un tiempo precioso.

Aquí y allá, profundos agujeros abrían sus bocas a nuestros pies. Su ubicación estaba señalada en el mapa con rotulador rojo. Al aproximarnos a ellos, reducíamos un poco la velocidad y avanzábamos iluminando el suelo con grandes precauciones. Los agujeros medían entre cincuenta y setenta centímetros de diámetro, de modo que los sorteamos sin dificultad, bien saltando por encima, bien rodeándolos. Por curiosidad, tiré una piedra del tamaño de un puño dentro de uno de los agujeros, pero, por más que esperé, no oí nada. Me dio la impresión de que la piedra había atravesado la Tierra hasta llegar a Brasil o a Argentina. Sólo con imaginar la posibilidad de dar un paso en falso y caer dentro de uno de aquellos agujeros, sentía cómo se me cerraba la boca del estómago.

Serpenteando a derecha e izquierda, y dividiéndose en múltiples ramales, el camino descendía indefinidamente. No es que fuera una pendiente pronunciada, sólo que descendía sin cesar. Me daba la sensación de que, paso a paso, iban arrancando de mi espalda el mundo claro de la superficie.

A medio camino, nos abrazamos. Fue una sola vez. Ella se detuvo de repente, se volvió hacia mí, apagó la linterna y me rodeó con sus brazos. Buscó mis labios con las yemas de los dedos, posó sus labios sobre los míos. Yo pasé los brazos alrededor de su cuerpo, la apreté suavemente contra mi pecho. Era extraño estar abrazado a alguien en medio de aquellas negras sombras. «Creo que Stendhal escribió algo sobre abrazar a alguien en la oscuridad», pensé. Había olvidado el título del libro. Intenté recordarlo, pero no lo conseguí. ¿Realmente habría abrazado Stendhal a alguna chica en la oscuridad? Me dije que, si salía con vida de aquello y el mundo no había llegado a su fin, buscaría ese libro.

El olor a agua de colonia de melón se había evaporado de su nuca. Lo había sustituido un olor a nuca de chica de diecisiete años. Y, debajo de su olor, permanecía el mío. La chaqueta del ejército americano estaba impregnada del olor de mi propia vida. Del olor de la comida que había preparado, del café que había derramado, del sudor que había emanado de mi cuerpo. Todos esos olores seguían allí, indelebles. Mientras abrazaba, en las sombras del subterráneo, a una muchacha de diecisiete años, sentí que todas estas vivencias que ya no volverían eran como una ilusión. Recordaba haberlas vivido en el pasado. Pero no podía evocar ninguna imagen que me condujera a ellas.

Permanecimos largo rato abrazados. El tiempo transcurría deprisa, pero no nos importaba. Abrazándonos, compartíamos nuestro miedo. Y, en esos instantes, eso era lo más importante.

Poco después, ella apretó con fuerza sus senos contra mi pecho, abrió la boca y, junto a su aliento cálido, introdujo su suave lengua en mi boca. La punta de su lengua se deslizó alrededor de la mía, sus dedos se enredaron en mi pelo. Sin embargo, a los diez minutos, ella se apartó bruscamente de mi lado. Sentí una profunda desesperación, como si fuera un astronauta al que hubieran abandonado, completamente solo, en la inmensidad del espacio.

Al encender la linterna la vi, de pie, ante mí. Ella también encendió su linterna.

–¡Vamos! –dijo.

Se dio la vuelta y empezó a andar al mismo paso que antes. En mis labios aún permanecía el tacto de sus labios. En mi pecho todavía sentía los latidos de su corazón.

–Mi... no ha estado mal, ¿verdad? –preguntó sin volverse.

–Nada mal –contesté.

–Pero faltaba algo, ¿no?

–Pues sí –dije–. Algo.

–¿Y qué era?

–No lo sé –dije.

Tras descender unos cinco minutos por un camino de suelo plano, percibimos que lo que nos rodeaba se tornaba más amplio y hueco. El aire olía diferente y nuestros pasos resonaban de distinto modo. Di una palmada y el eco me devolvió un sonido hinchado y deforme.

Mientras ella sacaba el mapa y trataba de ubicarse, yo barrí los alrededores con la luz de la linterna. El techo tenía forma de cúpula y la planta del terreno, como adaptándose a ésta, era redonda. Un círculo plano, construido, era evidente, de modo artificial. Las paredes eran lisas, sin agujeros ni salientes. En el centro del suelo se abría un agujero poco profundo de un metro de diámetro lleno de una sustancia viscosa de naturaleza incierta. En el aire flotaba un olor que, pese a no ser muy intenso, dejaba un desagradable regusto ácido en la boca.

–Éste debe de ser el santuario –dijo la joven–. De momento, estamos salvados. Los tinieblos no irán más allá.

–Que se detengan aquí está muy bien. Pero ¿crees que lograremos escapar?

–Eso podemos dejarlo en manos de mi abuelo. Seguro que él tiene la solución. Además, ten en cuenta que, cuando tengamos los dos emisores de ondas sonoras, podremos mantener a los tinieblos alejados todo el rato, ¿no? Porque mientras usemos uno, podremos dejar que se cargue el otro. Así no tendremos nada que temer. Y no hará falta que estemos continuamente pendientes del tiempo.

–Ya veo –dije.

–¿Qué? ¿Te has animado un poco?

–Un poco –dije.

A ambos lados del santuario había un relieve trabajado con primor. En él figuraban dos enormes peces que se mordían la cola el uno al otro formando un círculo. Tenían un aspecto muy extraño. Sus cabezas eran prominentes como el morro de un bombardero y, en vez de ojos, tenían dos largas y gruesas antenas que se proyectaban hacia delante retorciéndose como sarmientos. Sus bocas, desproporcionadamente grandes, se abrían casi hasta alcanzar las branquias y, justo debajo, nacían unos órganos cortos y rechonchos, parecidos a patas de animal amputadas cerca de la ingle. Al principio, creí que esos órganos eran ventosas, pero, al mirar con atención, descubrí tres afiladas uñas en la punta de cada uno de ellos. Era la primera vez que veía un pez provisto de uñas. Las aletas dorsales tenían una forma grotesca y las escamas sobresalían de sus cuerpos como púas.

–¿Serán animales mitológicos? ¿Crees que existen de verdad? –pregunté.

–¡Vete a saber! –dijo la joven, que se agachó y volvió a recoger algunos clips esparcidos por el suelo–. Sea como sea, vamos por el buen camino. ¡Vamos, date prisa!

Tras iluminar, una vez más, el relieve con la luz de la linterna, la seguí. Me había conmocionado que los tinieblos fueran capaces de esculpir un relieve tan primoroso en medio de la oscuridad. Por más que comprendiera que eran capaces de ver en aquella negrura, al comprobarlo con mis propios ojos no pude dejar de sorprenderme. Tal vez, en aquel preciso instante, mantuvieran los ojos clavados en nosotros desde el fondo de la oscuridad.

Al entrar en el recinto sagrado, el camino fue convirtiéndose en una cuesta suave mientras el techo fue ganando rápidamente en altura hasta que, poco después, fue imposible iluminarlo con la linterna.

–Ahora encontraremos la montaña –dijo la joven–. ¿Vas mucho de excursión?

–Antes iba una vez por semana. Pero nunca he subido ninguna montaña en la oscuridad.

–Por lo visto, ésta no es muy alta –dijo metiéndose el mapa en el bolsillo del pecho–. No llega a ser una montaña propiamente dicha. Más bien se trata de una colina. Pero mi abuelo me dijo que ellos la consideran una montaña. La única montaña del subsuelo. La montaña sagrada.

–Entonces, nosotros vamos a profanarla, ¿no crees?

–No, al contrario. La montaña es ya, en su origen, un lugar impuro. Toda la impureza del mundo se concentra en ella. Podríamos decir que este lugar es una caja de Pandora cerrado por la corteza terrestre. Y nosotros nos disponemos a atravesarlo justo por el centro.

–Suena como si fuese el infierno.

–Sí, se parece al infierno, sin duda. Y el aire de aquí, tras atravesar las aguas residuales, varias grutas y pozos de perforaciones, aflora a la superficie de la tierra. Los tinieblos no pueden subir a la luz, pero ese aire sí. Y se infiltra en los pulmones de la gente.

–¿Y crees que podremos sobrevivir si nos metemos ahí?

–Debemos confiar en ello. Ya te lo he dicho antes, ¿no? Que si crees que todo va a salir bien, tu miedo desaparece. Puedes pensar en un recuerdo divertido, en las personas a las que has amado, en lo que te ha hecho llorar, en tu niñez, en tus planes para el futuro, en la música que te gusta: cualquier cosa vale. Si piensas en ello, no tendrás miedo.

–¿Crees que Ben Johnson servirá? –pregunté yo.

–¿Ben Johnson?

–Es un actor que monta muy bien a caballo. Sale en las viejas películas de John Ford. Es un jinete extraordinario.

Ella soltó una risita en las sombras.

–¡Eres un encanto!

–Soy demasiado mayor para ti. Y, además, no sé tocar ningún instrumento musical.

–Si salimos de ésta, te enseñaré a montar a caballo.

–Gracias –dije–. Por cierto, ¿en qué vas a pensar tú?

–En el beso que te he dado –dijo–. Te he besado por eso. ¿No lo sabías?

–No.

–¿Sabes en qué piensa mi abuelo en estos casos?

–No.

–Mi abuelo no piensa en nada. Puede vaciar por completo la mente. Los genios son así. Si dejan el cerebro en blanco, ningún aire perverso puede penetrar en él.

–Comprendo.

Tal como había anunciado la joven, el camino fue haciéndose cada vez más empinado, hasta que se volvió abrupto y tuvimos que escalar sirviéndonos de ambas manos. Entretanto, yo no dejaba de pensar en Ben Johnson. En la figura de Ben Johnson a caballo. Evoqué todas las escenas que pude de *Fuerte Apache, La legión invencible, Caravana de paz,*

*Río Grande.* El sol calcinaba el desierto y en el cielo flotaban unas nubes de un blanco tan puro que parecían trazadas con pincel. Manadas de búfalos avanzaban por los valles, las mujeres se asomaban a la puerta de sus casas secándose las manos en los delantales blancos. Los ríos corrían, el viento hacía temblar la luz, la gente cantaba canciones. Y Ben Johnson cruzaba como una flecha la escena a lomos de su caballo. La cámara se deslizaba sobre los raíles hasta el infinito para reflejar su gallardía en cada encuadre.

Pensé en Ben Johnson y en su caballo mientras tanteaba la superficie de las rocas en busca de puntos de apoyo para mis pies. No sé si fue debido a eso, pero el dolor de la herida en mi vientre disminuyó de manera asombrosa y finalmente pude alejar de mi mente la idea de que me habían herido. Me dije que, después de todo, tal vez no era tan exagerado lo que la joven había explicado sobre el dolor, la teoría de que es posible mitigar el dolor físico si envías a la mente una señal determinada.

La escalada en sí no presentaba grandes dificultades. El suelo era seguro, no había bruscos ascensos, siempre encontrabas agujeros del tamaño de un puño. Habría sido una escalada apta para principiantes o una ruta sencilla y sin peligros que podría seguir en solitario un estudiante de primaria un domingo por la mañana. Sin embargo, trepar a oscuras era un asunto completamente distinto. En primer lugar, como es obvio, no veías nada. No sabías qué tenías delante, ni cuánto te faltaba por subir, ni en qué posición te hallabas, ni qué había debajo de tus pies, ni si seguías la ruta correcta o no. Ibas a ciegas. Ignoraba que la pérdida de visión comportase semejante pánico. Puede hacer que se tambaleen los juicios de valor y, en consecuencia, el amor propio o la valentía que están ligados a ellos. Cuando una persona quiere alcanzar algo, piensa de manera espontánea en tres cosas: ¿qué he conseguido hasta el momento? ¿En qué posición me encuentro ahora? ¿Qué debo hacer de aquí en adelante? Si uno no puede contestar a estas tres cosas, sólo le queda el miedo, la falta de confianza en sí mismo y el cansancio. Y precisamente en esa situación me encontraba yo. El problema no residía en las habilidades físicas. El auténtico problema era hasta qué punto mantendría yo el control sobre mí mismo.

Proseguimos el ascenso de la montaña tenebrosa. Como no podíamos trepar por las rocas con las linternas en la mano, yo me la había metido en el bolsillo del pantalón y ella se había puesto la correa como si fuera un cordón para recoger las mangas del quimono y la linterna colgaba a sus espaldas. Así pues, no veíamos nada. La luz que temblaba sobre su cintura iluminaba el negro espacio en vano. Y yo escalaba el precipicio en silencio con los ojos puestos en esta luz vacilante.

De vez en cuando, ella me dirigía la palabra para cerciorarse de que no me había quedado atrás. Me decía cosas como: «¿Estás bien?» o «¡Ya falta poco!».

–¿Y si cantáramos una canción? –propuso al cabo de un rato.

–¿Qué canción? –pregunté.

–Cualquiera. Basta con que tenga melodía y letra. ¡Venga! Canta algo.

–Yo no canto delante de la gente.

–Anda, canta, por favor.

¡Qué remedio me quedaba! Le canté *Mi chimenea.*

Las noches en que nieva,
¡tarí-tarí-taró!,
arde un hermoso fuego,
¡tarí-tarí-taró!,
en la feliz chimenea,
¡tarí-tarí-taró!

No me acordaba de cómo seguía, así que me inventé el resto. Todos se encontraban junto a la chimenea cuando llamaron a la puerta. El padre salió y vio, plantado en el umbral, a un reno herido que le dijo: «Tengo hambre. Dame algo de comer». El padre abrió entonces una lata de melocotón en almíbar y se la ofreció: ésta era la historia. Al final, todos cantaban una canción sentados al amor de la lumbre.

–Pues no está nada mal –me alabó ella–. Me gustaría aplaudir, pero no puedo, lo siento. Es una canción fantástica.

–Gracias –dije.

–Cántame otra –me pidió.

Y le canté *Navidades blancas.*

Blanca Navidad de ensueño,
blanco paisaje invernal,
los dulces sentimientos
y los viejos sueños
mi regalo te traen.

Blanca Navidad de ensueño,
cierro los ojos y aún hoy
el son de cascabeles
y el fulgor de la nieve
reviven en mi corazón.

–¡Muy bien! –exclamó–. Te has inventado la letra, ¿verdad?

–He dicho lo primero que se me ha ocurrido.

–¿Por qué sólo cantas canciones sobre el invierno y la nieve?

–Pues no lo sé. Será porque aquí está oscuro y hace frío. Por eso sólo se me ocurren esas canciones –dije mientras subía–. Ahora te toca a ti.

–¿Te parece bien *La canción de la bicicleta*?

–Adelante –dije.

Una mañana de abril
monté en mi bicicleta
y por un nuevo camino
al bosque me dirigí.
Mi nueva bicicleta,
toda de color rosa,
el volante y el sillín
de color rosa,
hasta la pastilla de los frenos
de color rosa.

–Esta canción parece hecha para ti –le dije.

–Claro. Es que es mía. ¿Te gusta?

–¿Puedo oír cómo sigue?

–Por supuesto.

Para una mañana de abril
me encanta el rosa,
pues ningún otro color
es como el rosa.
Mi nueva bicicleta
y también los zapatos
son de color rosa.
El sombrero y el jersey,

de color rosa.
Los pantalones y las bragas,
de color rosa.

–Tus sentimientos respecto al rosa ya han quedado suficientemente claros. Ahora sigue –dije.

–Es que este trozo es esencial –replicó–. Oye, ¿sabes si hay gafas de sol de color rosa?

–Me da la impresión de que Elton John llevaba unas.

–Hum... Bueno, dejémoslo correr. Voy a seguir.

En medio del camino
encontré a un hombre;
toda su ropa era
de color azul.
No se había afeitado
y su barba era
de color azul.
Como la larga noche,
de un profundo azul.
Como la larga, larga noche,
siempre azul.

–¿Esto va por mí? –le pregunté.

–No, qué va. No hablo de ti. Tú no sales en esta canción.

«Niña, no vayas al bosque»,
me dijo aquel hombre.
Las reglas del bosque
son para las bestias
aun siendo una mañana de abril.
Las aguas del río
no fluyen al revés
aun siendo una mañana de abril.

Pero yo
en bicicleta al bosque fui,
en una bicicleta de color rosa,
sí, una soleada mañana de abril.

No le temo a nada
si no bajo de mi bicicleta
de color rosa.
En ella no tengo miedo de nada,
porque no es roja, ni azul, ni marrón.
Es de color rosa.

Después de que cantara *La canción de la bicicleta,* coronamos al fin la montaña y nos encontramos en una vasta planicie. Tras tomarnos un respiro, inspeccionamos los alrededores con la luz de las linternas. La planicie parecía extensa. Era plana y lisa como la de una mesa que se extendiera hasta el infinito. Ella permaneció agachada unos instantes en el nacimiento de la planicie y halló media docena de clips.

–¿Hasta dónde diablos habrá ido tu abuelo?

–Ya falta poco. Está cerca. Mi abuelo me ha hablado muchas veces de esta meseta y puedo imaginar dónde se encuentra.

–Entonces, ¿tu abuelo venía a menudo por aquí?

–Por supuesto. Para dibujar el mapa del subsuelo tuvo que recorrerlo de cabo a rabo. Conoce este sitio como la palma de su mano. Hasta dónde llegan los ramales, los pasadizos secretos: lo sabe todo.

–¿Y daba vueltas por aquí solo?

–Por supuesto –contestó–. A mi abuelo le gusta hacer las cosas solo. No es que sea un misántropo o que no confíe en los demás, sólo es que los demás no pueden seguirlo.

–Creo que entiendo lo que quieres decir. Por cierto, ¿qué diablos es esta meseta?

–En esta montaña, antiguamente, vivían los antepasados de los tinieblos. Vivían todos juntos en unos agujeros que habían excavado en la roca. En esta planicie celebraban las ceremonias religiosas. Ellos creen que su divinidad mora en ella. Y aquí se colocaba el oficiante, o el hechicero, e invocaba al dios de las sombras y le ofrecía sacrificios.

–¿Y su dios es aquel pez siniestro con uñas?

–Sí. Ellos creen que ese pez gobierna la oscuridad. El ecosistema del subsuelo, las ideas, el sistema de valores, la vida y la muerte. Creen que rige todas estas cosas. La leyenda dice que fue este pez el que condujo hasta aquí a sus primeros ancestros.

Ella enfocó con la linterna a sus pies y me mostró una especie de foso, excavado en el suelo, de alrededor de unos diez centímetros de profundidad y de un metro de anchura. Era un canal que se extendía en línea recta desde el nacimiento de la planicie hacia las tinieblas.

–Siguiendo el canal llegaremos al antiguo altar. Creo que mi abuelo está escondido allí. Porque el altar es el lugar más sagrado de todo el santuario y nadie puede acercarse a él. Allí no tiene nada que temer.

Avanzamos en línea recta por el canal. Pronto, el camino empezó a descender y las paredes de ambos lados comenzaron a elevarse rápidamente. A mí me daba la impresión de que las paredes se aproximarían cada vez más y que acabarían aplastándonos. En los alrededores reinaba un silencio sepulcral, no había signo de vida alguno. Sólo se oía cómo las suelas de goma de nuestras zapatillas resonaban a un ritmo singular en las grietas de la roca. Mientras andaba, inconscientemente, alcé muchas veces la vista al cielo. Cuando un ser humano se ve envuelto en la oscuridad, busca de modo instintivo la luz de la luna y las estrellas.

Pero sobre mi cabeza no había luna ni estrellas. Sólo diversas capas de tinieblas gravitando sobre mí. Sin un soplo de viento, el aire estaba estancado. Todo pesaba más que antes. Me parecía que incluso la densidad de mi propio ser había aumentado. Era como si mi aliento, el eco de mis pisadas y el acto de subir y bajar la mano experimentaran, como si fueran lodo, una pesada atracción hacia la superficie de la tierra. Más que encontrarme sumido en las profundidades del subsuelo, parecía que hubiese llegado a un astro desconocido. La fuerza de la gravedad, la densidad del aire, la percepción del tiempo eran completamente distintas a las que yo había interiorizado.

Levanté la mano izquierda, encendí la luz de la esfera digital del reloj y miré la hora. Eran las dos y veintiún minutos. Había descendido al subsuelo a medianoche, lo que quería decir que sólo llevaba poco más de dos horas en la oscuridad, pero yo me sentía como si hubiera pasado una cuarta parte de mi vida envuelto en las tinieblas. Incluso la débil luz del reloj digital me provocaba, al mirarla largo rato, escozor en los ojos. Mis ojos debían de haberse ido acostumbrando progresivamente a la oscuridad. También me molestaba la luz de la linterna. Al permanecer largo tiempo envuelto en las tinieblas, la oscuridad se convierte en tu estado normal y la luz se vuelve un elemento extraño.

Seguimos bajando, sin decir palabra, por el pasadizo profundo y estrecho. Como el único camino que había discurría en línea recta, y además no había peligro de que me golpeara la cabeza con ninguna roca, apagué la linterna y seguí adelante guiado por el eco de las suelas de goma. Cuánto más avanzaba, más me costaba discernir si tenía los ojos abiertos o cerrados. Porque, los tuviera abiertos o cerrados, la oscuridad era exactamente la misma. Para probar, fui abriendo y cerrando los ojos mientras andaba: al final, fui incapaz de juzgar cuándo los tenía abiertos y cuándo cerrados. Entre una acción humana y la opuesta, existe una diferencia basada en su eficacia intrínseca y, si ésta se pierde, la pared que separa la acción A de la acción B acaba desapareciendo.

En aquellos momentos, sólo percibía el eco de las pisadas de la joven resonando en mis oídos. Tal vez se debiera a la configuración del terreno, al aire o a la oscuridad, pero el eco era deforme. Intenté verbalizar aquellos sonidos, pero ninguna palabra lograba reproducirlos bien. Parecían reverberaciones de lenguas que yo desconocía, de África, o de Oriente Próximo, o de Oriente Medio. En el idioma japonés no existían sonidos que se correspondiesen con ellos. Pero tal vez sí en francés, alemán o inglés. Primero, lo intenté en inglés:

*Even-through-be-shopped-degreed-well.*

Esto tenía la impresión de oír, pero, en cuanto pronuncié estas palabras, comprendí que la reverberación de las suelas de los zapatos era completamente distinta. Sería más exacto decir:

*Efgvén-gthouv-bge-shpèvg-égvele-wgevl.*

Sonaba a finés, pero yo, por desgracia, no sabía nada sobre este idioma. A juzgar por la impresión que me producían las palabras, podría significar algo como: «Un campesino encontró a un viejo demonio en el camino», pero no era más que una impresión. Sin fundamento alguno.

Proseguí la marcha intentando encontrar alguna palabra o frase que reprodujera fonéticamente la reverberación de las pisadas. Me representé en mi mente el par de zapatillas Nike de color rosa pisando, una tras otra, la plana superficie rocosa. El talón derecho se posaba en el suelo, el centro de gravedad se desplazaba hacia la punta y, antes de que el talón derecho se separara del suelo, el izquierdo se posaba en él. Esto se repetía hasta el infinito. El tiempo transcurría cada vez más despacio. Me daba la sensación de que el reloj se había estropeado y las agujas no avanzaban. Dentro de mi cabeza embotada, las zapatillas de deporte de color rosa iban hacia delante y hacia atrás, lentamente.

El eco de las pisadas resonaba de la siguiente forma:

*Efgvén-gthouv-bge-shpèvg-égvele-wgevl.*
*Efgvén-gthouv-bge-shpèvg-égvele-wgevl.*
*Efgvén-gthouv-bge-shpèvg-égvele-wgevl.*
*Efgvén-gthouv-bge...*

Había una vez, en un pueblo de Finlandia, un viejo demonio que se había sentado en una piedra del camino. El demonio tendría unos diez o veinte mil años y, a simple vista, se apreciaba que estaba exhausto. Sus ropas y zapatos estaban cubiertos de polvo. Su barba era rala y deslucida.

–¿Adónde vas tan deprisa? –le preguntó el diablo a un campesino.

–Voy a arreglar una azada rota –respondió el campesino.

–No tienes por qué apresurarte tanto –dijo el diablo–. El sol todavía está muy alto, no hay necesidad de que te deslomes trabajando. Siéntate un rato aquí y escucha lo que voy a contarte.

El campesino miró la cara del diablo con desconfianza. Sabía muy bien que era mejor no tener tratos con el demonio. Pero aquél parecía tan mísero y tan cansado. Entonces, el campesino...

... Algo me había dado en la mejilla. Algo liso y suave. Liso y suave, no muy grande, algo familiar. ¿Qué era? Mientras ordenaba mis ideas, volvió a golpearme. Alcé la mano derecha e intenté apartar este algo, pero no lo conseguí. Me dio en la mejilla de nuevo. Ante mi rostro temblaba un resplandor molesto. Abrí los ojos. Hasta entonces no me había percatado de que los tenía cerrados. Llevaba un rato con los ojos cerrados. Y lo que se encontraba ante mi rostro era la gran linterna de la joven y lo que me golpeaba la mejilla era su mano.

–¡Para! –le grité–. La luz me da en los ojos y me duelen.

–¡Pero qué tonterías dices! ¿Sabes lo que pasa cuando te duermes aquí? ¡Levántate!

–¿Que me levante?

Encendí la linterna y miré a mi alrededor. No era consciente de ello, pero estaba sentado en el suelo, recostado en la pared. Debía de haberme dormido sin darme cuenta. Tanto el suelo como la pared estaban húmedos, como empapados en agua.

Me incorporé lentamente.

–No lo entiendo. Debo de haberme dormido sin querer. No recuerdo haberme sentado en el suelo, ni que tuviera la intención de dormirme.

–Es que *ellos* te han inducido a ello –dijo la joven–. Quieren que nos durmamos, como has hecho tú.

–*¿Ellos?*

–Los que moran en la montaña. No sé si llamarlos dioses o espíritus malignos: esos seres, vaya. Intentan detenernos.

Sacudí la cabeza y traté de salir de mi sopor.

–Estaba todo muy confuso y, al final, ya no sabía si tenía los ojos abiertos o cerrados. Además, tus zapatillas resonaban de una manera tan extraña que...

–¿Mis zapatillas?

Le expliqué cómo, al escuchar la reverberación de sus pisadas, había aparecido el viejo diablo.

–Es una trampa –dijo–. Una especie de hipnosis. Si no me hubiera dado cuenta, te habrías quedado aquí durmiendo. Hasta que habría sido demasiado tarde.

–¿Demasiado tarde?

–Sí. Demasiado tarde –repitió, pero no especificó a qué se refería–. ¿Verdad que metiste una cuerda en la mochila?

–Sí, pero sólo mide unos cinco metros.

–Sácala.

Me descolgué la mochila de la espalda, saqué la cuerda de nailon, embutida entre las latas de conserva, la botella de whisky y la cantimplora, y se la entregué. Ella anudó un extremo a mi cinturón y enrolló el otro extremo a su cintura. Luego, nos acercó a ambos tirando de la cuerda hacia sí.

–Perfecto –dijo–. Así no nos separaremos.

–Mientras no nos durmamos los dos... –dije–. Porque tú tampoco has dormido mucho hoy, ¿verdad?

–No se les puede dar pie a nada, ¿sabes? Si empiezas a compadecerte de ti mismo pensando que has dormido poco, las fuerzas del mal te atacan por ahí. ¿Comprendes?

–Sí.

–Entonces, vamos. No hay tiempo que perder.

Avanzamos con los cuerpos unidos por la cuerda de nailon. Me esforzaba en no prestar atención al eco de sus pisadas. Caminaba dirigiendo el haz de luz de la linterna a la espalda de la joven y con la vista clavada en la chaqueta verde oliva del ejército americano. Aquella chaqueta me la compré en el año 1971. Por entonces, aún proseguía la guerra de Vietnam y el presidente de Estados Unidos era Richard Nixon, aquel hombre de rostro siniestro. En aquella época, todo el mundo llevaba el pelo largo, los zapatos sucios, escuchaba rock psicodélico, llevaba una chaqueta de combate del ejército americano con el signo de la paz pegado a la espalda y se creía Peter Fonda. Vamos, una historia tan antigua que parecía que los dinosaurios fueran a aparecer en ella de un momento a otro.

Intenté recordar algo que hubiera sucedido en aquellos días, pero no logré acordarme de nada. Así que no me quedó más remedio que rememorar las escenas en que Peter Fonda va en moto.* Luego, le superpuse la melodía de *Born to Be Wild,* de Steppenwolf. Pero pronto *I Heard It Through the Grapevine,* de Marvin Gaye, sustituyó a *Born to Be Wild.* Tal vez fuese porque la introducción de las dos es parecida.

–¿En qué piensas? –me preguntó desde delante la joven gorda.

–En nada especial.

–¿Y si cantamos?

–Ya he tenido bastante, gracias.

–Entonces, piensa en algo.

–Hablemos.

–¿De qué?

–¿Qué te parece de la lluvia?

–Muy bien.

–¿Qué día de lluvia recuerdas?

–La tarde en que murieron mis padres y mis hermanos llovía, ¿sabes?

–Hablemos de algo más alegre –propuse.

–No, a mí me gustaría hablar de esa tarde –dijo–. Además, eres la única persona con quien puedo hacerlo. Pero si no quieres, lo dejaré correr, por supuesto.

–Si quieres hablar, adelante –dije.

–Llovía de ese modo que no sabes si realmente llueve o no. Esa mañana, desde muy temprano, unas nubes inmóviles, grises y difusas, cubrían el cielo. Y yo, tendida en la cama del hospital, permanecía con la mirada clavada en ese cielo. Estábamos a principios de noviembre y, al otro lado de la ventana, crecía un alcanforero. Un alcanforero muy grande. El árbol ya había perdido la mitad de sus hojas y por entre sus ramas se vislumbraba el cielo. ¿Te gusta mirar los árboles?

–No sé –dije–. No es que me disguste, pero nunca he mirado ninguno con atención.

* Se refiere a la película estadounidense *Easy Rider* (1969) dirigida por Dennis Hopper y protagonizada por Peter Fonda, Dennis Hopper y Jack Nicholson. *(N. de la T.)*

A decir verdad, ni siquiera era capaz de distinguir entre un alcanforero y un laurel.

–A mí me encanta contemplar los árboles. Me gustaba antes y me sigue gustando ahora. Cuando tengo tiempo, me siento debajo de un árbol y me paso un montón de horas, sin pensar en nada, acariciándole el tronco, mirando las ramas. El árbol que había en el jardín del hospital era un alcanforero enorme, magnífico. Y yo me pasaba los días contemplando las ramas del alcanforero y el cielo desde la cama. Al final, me conocía todas las ramas de memoria. Como un amante de los ferrocarriles se aprende el nombre de todas las líneas y de las estaciones.

»Además, muchos pájaros se acercaban al árbol. Pájaros de diferentes clases: gorriones, alcaudones, estorninos... Y otros de hermosos colores cuyo nombre desconocía. A veces también acudían palomas. Los pájaros se posaban en las ramas, descansaban un rato, alzaban el vuelo y se iban vete a saber adónde. Los pájaros son muy sensibles a la lluvia, ¿sabes?

–No, no lo sabía.

–Cuando llueve o está a punto de llover, los pájaros no se acercan nunca a los árboles. Pero, en cuanto escampa, vuelven, piando con todas sus fuerzas, como si celebraran que ha cesado de llover. No sé por qué. Quizá sea porque, después de la lluvia, salen muchos bichos a la superficie de la tierra. O tal vez sea porque detestan la lluvia. Sea como sea, mirándolos, podía saber qué tiempo hacía. Cuando no había pájaros a la vista, seguro que llovía y, cuando regresaban, seguro que había dejado de llover.

–¿Estuviste ingresada mucho tiempo?

–Sí, alrededor de un mes. De pequeña, tenía un problema en una válvula del corazón y tuvieron que operarme. La operación era muy complicada y mi familia ya casi había perdido las esperanzas de que me salvase. Muy extraño, ¿no te parece? Al final, yo sobreviví y ahora gozo de buena salud, mientras que todos ellos están muertos.

Enmudeció y siguió andando. Yo caminé pensando en su corazón, en el alcanforero y en los pájaros.

–El día en que ellos murieron, los pájaros armaban mucha bulla. Aquella lluvia casi imperceptible estuvo cayendo y dejando de caer durante todo el día, y los pájaros, adecuándose al tiempo, se posaban y echaban a volar una y otra vez. Era un día muy frío, preludio del invierno, y la calefacción de mi habitación estaba encendida, de modo que los cristales de la ventana se empañaban enseguida y yo tenía que enjugarlos con una toalla. Me levantaba de la cama, los desempañaba y volvía a meterme en la cama. En realidad, no me permitían levantarme, pero yo quería contemplar los árboles, los pájaros, el cielo y la lluvia. Llevaba ya tanto tiempo en el hospital que para mí todas estas cosas eran como la vida misma, ¿sabes? ¿Has estado ingresado alguna vez?

–No –dije. Tengo tan buena salud como un oso en primavera.

–Había unos pájaros que tenían las alas rojas y la cabeza negra. Comparados con ellos, los estorninos eran tan serios que parecían empleados de banco. Pero todos, en cuanto dejaba de llover, se posaban en las ramas de los árboles, piando.

»Y entonces me dije: "¡Qué extraño es este mundo!". Pensé que en la tierra crecían cientos de millones, miles de millones de alcanforeros (no era necesario que se tratase de alcanforeros, claro está), y sobre cada uno de estos árboles, todos los días, lucía el sol o caía la lluvia y cientos, miles de millones de pájaros distintos se posaban en sus ramas o alzaban el vuelo. Al imaginarme esta escena, me invadió una tristeza inmensa.

–¿Por qué?

–Quizá fuese porque el mundo estaba lleno de innumerables árboles, de innumerables pájaros y de innumerables días de lluvia. Y, a pesar de ello, yo sólo tenía un único alcanforero y un único día de lluvia. Y siempre sería así. Era posible que los años pasaran y que yo muriera teniendo sólo un alcanforero y un día de lluvia. Al pensarlo, me sentí terriblemente sola y lloré. Mientras lloraba, deseaba con todas mis fuerzas que alguien me abrazara. Pero allí no había nadie. Y yo, completamente sola, lloré largo tiempo tendida sobre la cama.

»Mientras tanto, fue anocheciendo y los pájaros desaparecieron. Yo ya no podía saber si llovía o no llovía. Aquel atardecer murió toda mi familia. Aunque a mí me lo dijeron mucho después.

–Debió de ser muy doloroso, ¿verdad?

–No lo recuerdo bien. Tengo la sensación de que fui incapaz de sentir nada. Lo único que recuerdo es que, en aquella tarde lluviosa de otoño, nadie me abrazó. Y eso, para mí, fue como el fin del mundo. ¿Sabes lo que se siente cuando todo es oscuro, amargo, triste, y necesitas desesperadamente que alguien te abrace, pero no tienes a nadie que lo haga?

–Creo que sí –dije.

–¿Has perdido alguna vez a alguien a quien querías?

–Varias veces.

–Entonces, ¿ahora estás completamente solo?

–No –le dije pasando los dedos por la cuerda de nailon–. En este mundo nadie está completamente solo. Todos estamos unidos de una forma u otra. Llueve, los pájaros cantan. Te rajan la tripa, una chica te besa en la oscuridad.

–Pero si no tienes amor, es como si el mundo no existiera –afirmó la chica gorda–. Sin amor, la vida es como el viento que pasa por el otro lado de la ventana. No puedes tocar la mano de otro, no puedes percibir su olor. Por más mujeres que compres con dinero, por más desconocidas con las que te acuestes, no tienes nada verdadero. A ti tampoco te apretará nadie con fuerza entre sus brazos.

–No creas que me acuesto todos los días con prostitutas o con desconocidas –protesté.

–Es lo mismo –dijo.

Pensé que tal vez tuviera razón. A mí nadie me apretaba con fuerza entre sus brazos. Tampoco yo abrazaba a nadie. Y así habían ido pasando los años. Y así seguiría envejeciendo en la soledad más absoluta, como un cohombro de mar pegado a una roca del fondo marino.

Absorto en estas cavilaciones, no me di cuenta de que ella se había detenido de repente y choqué contra su blanda espalda.

–Perdona –dije.

–¡Shhhh! –dijo agarrándome del brazo–. He oído algo. ¡Escucha!

Plantados sobre nuestros pies, inmóviles, prestamos atención a un eco que procedía del fondo de las tinieblas. Surgía de un punto que habíamos dejado muy atrás. Era débil, casi imperceptible. Un tenue retumbar de la tierra, el roce de dos imponentes masas de metal friccionando entre sí. Pero, fuera lo que fuese, el sonido proseguía sin tregua, aumentando poco a poco de volumen. Tenía un tacto frío y tenebroso, como un enorme insecto que fuera trepando lentamente por nuestras espaldas. Una reverberación muy sorda, apenas audible para el oído humano.

Incluso el aire que nos rodeaba empezó a temblar por efecto de las ondas sonoras. Un viento espeso y pesado se desplazaba alrededor de nosotros, de delante hacia atrás, como el lodo arrastrado por la corriente del río. El aire, hinchado de agua, era húmedo y frío. El presentimiento de que iba a ocurrir algo se adueñó de todo.

–¿Será un terremoto? –aventuré.

–No –dijo la joven gorda–. Es algo mucho más terrible que eso.

## 22
## EL FIN DEL MUNDO
## La humareda gris

Tal como había anunciado el anciano, la columna de humo se alzó a diario. La humareda gris se elevaba entre los manzanos y se desvanecía en el cielo plomizo. Al fijar la vista, uno era presa de la ilusión de que las nubes nacían en el manzanar. El humo empezaba a alzarse a las tres en punto de la tarde y se extinguía a una hora que variaba en función del número de bestias muertas. Tras las noches de frío intenso o de ventisca, aquella gruesa columna de humo, que recordaba un volcán, podía alzarse durante largas horas.

A mí me costaba entender que no tomasen medidas para salvar a las bestias.

–¿Por qué no les construyen un establo en alguna parte? –le pregunté al anciano durante una partida de ajedrez–. ¿Por qué no las protegen de la nieve, del viento y del frío? Bastaría con algo sencillo, un tejado y una cerca, y se salvarían muchas bestias.

–No serviría de nada –repuso el anciano sin apartar la mirada del tablero–. Aunque les construyeras un establo, las bestias no entrarían. Duermen en el suelo desde hace muchos años. Y seguirán durmiendo a la intemperie aunque eso conlleve su muerte. Envueltas por la nieve, el viento y el frío.

El coronel me cerró el paso colocando el prior delante del rey. A ambos lados, en la línea de fuego, había dos cuernos. Luego se quedó esperando mi ofensiva.

–Por lo que usted dice, es como si las bestias buscaran el dolor y la muerte.

–Es que, en cierto sentido, es así. Para ellas eso es lo natural: el frío y el sufrimiento. Incluso es posible que eso represente su salvación.

El anciano enmudeció y yo aproveché para deslizar mi mono al lado de su torre. Era una invitación a que la moviera. El coronel estuvo a punto de hacerlo, pero cambió de opinión y, al final, hizo retroceder una casilla al caballero y redujo su espacio defensivo hasta hacerlo parecer una almohadilla llena de alfileres.

–Cada día eres más ladino, ¿eh? –me dijo el coronel riendo.

–Sí, pero aún no puedo igualarle –repuse, riendo a mi vez–. ¿A qué salvación se refiere?

–A la salvación que pueden alcanzar a través de la muerte. Las bestias mueren, cierto, pero, al llegar la primavera, renacen. En forma de crías.

–Y esas crías crecerán y luego volverán a sufrir y a morir de idéntica forma. ¿Por qué tienen que padecer tanto?

–Porque éste es su destino –dijo el anciano–. Te toca a ti. Si no te comes mi prior, la partida es mía.

Tras nevar de forma intermitente durante tres días, el clima experimentó una transformación radical. Después de mucho tiempo, la luz del sol inundó las blancas calles heladas y la ciudad se llenó del crujido de la nieve al fundirse y del brillo cegador de los rayos del sol. Por doquier resonaba el ruido que las masas de nieve acumuladas en las ramas de los árboles hacían al caer al suelo. A fin de huir de la luz, yo corría las cortinas de la ventana y me encerraba en mi cuarto. Pero, por más que intentara ocultarme tras aquellas gruesas cortinas que cubrían la ventana por completo, no conseguía escapar a los rayos del sol. La ciudad helada hacía reverberar la luz en todos sus ángulos, como si fuera una enorme piedra preciosa tallada con gran precisión, y enviaba a mi cuarto rayos extrañamente directos que laceraban mis ojos.

Aquellas tardes, yo permanecía tumbado en la cama, boca abajo, con la cabeza sepultada en la almohada, escuchando el canto de los pájaros. Diferentes clases de pájaros que trinaban de diversas formas se acercaban a mi ventana y, después, pasaban a otra. Sabían muy bien que los ancianos que vivían en la Residencia Oficial les esparcían migas de pan en el alféizar. También se oían las voces de los ancianos que charlaban sentados en un rincón soleado. Sólo yo estaba excluido de la bendición de la cálida luz del sol.

Al anochecer, dejaba la cama, me lavaba con agua fría los ojos hinchados, me ponía las gafas oscuras, descendía la ladera de la colina, donde se acumulaba la nieve, y llegaba a la biblioteca. Sin embargo, los días en que los ojos me dolían, heridos por la cegadora luz del sol, no podía leer tantos sueños como de costumbre. Tras descifrar uno o dos, la luz que emitían los viejos sueños me producía en los globos oculares el mismo dolor que si me clavaran alfileres. Notaba cierta pesadez en una zona imprecisa situada detrás de los ojos, como si estuviera llena de arena, al tiempo que las yemas de mis dedos perdían su fina sensibilidad.

En esas ocasiones, ella me traía una toalla empapada en agua fría y me la aplicaba sobre los ojos, o me los masajeaba, o me calentaba una sopa ligera, o leche, y me la ofrecía. Tanto la sopa como la leche tenían una curiosa textura áspera, que resultaba rasposa a la lengua, y un gusto un poco fuerte, pero, día tras día, me fui habituando a ellos y, al final, acabé apreciando aquel sabor tan peculiar.

Cuando se lo dije, ella sonrió contenta.

–Eso significa que te vas acostumbrando a la ciudad. La comida de aquí es un poco distinta a la de otros lugares. Nosotros cocinamos con muy pocos ingredientes. Ni lo que parece carne es carne, ni lo que parecen huevos son huevos, ni lo que parece café es café. Todo está hecho de modo que lo parezca. Esta sopa sienta muy bien. ¿Verdad que te ha caldeado el cuerpo y que te duele un poco menos la cabeza?

–Pues sí.

En efecto, me había entonado y la pesadez de detrás de los ojos era mucho más llevadera que antes. Le di las gracias por la sopa, cerré los ojos y relajé mi cuerpo y mi mente.

–Ahora necesitas algo, ¿verdad? –me preguntó.

–¿Yo? ¿Algo que no seas tú?

–No sé, pero de repente he tenido esta sensación. Quizá haya algo que te ayude a abrir, siquiera un poco, tu corazón endurecido por el invierno.

–Lo que necesito es la luz del sol –dije. Me quité las gafas oscuras y, tras enjugar los cristales con un trapo, volví a ponérmelas–. Pero es imposible. Mis ojos no pueden soportarla.

–No, seguro que se trata de algo más pequeño, algo insignificante que relaje un poco tu corazón. Seguro que hay un modo de desanudarlo, como cuando yo te masajeo los ojos con los dedos. ¿No logras acordarte? ¿No recuerdas lo que hacías en el mundo donde vivías cuando se te endureció el corazón?

Tomándome mi tiempo, fui repasando, uno tras otro, los escasos y fragmentarios recuerdos que me quedaban, pero no logré descubrir nada de lo que me pedía.

–Imposible. No me acuerdo de nada. He perdido la mayor parte de la memoria que debería retener.

–Bastaría con algo muy pequeño. Di lo primero que se te ocurra. Y reflexionaremos los dos juntos sobre ello. Me gustaría poder ayudarte.

Asentí y, una vez más, intenté remover los recuerdos de mi viejo mundo, enterrados, todos juntos, en mi conciencia. Pero la losa de piedra pesaba demasiado y, por más que lo intenté, apenas conseguí desplazarla. La cabeza empezó a dolerme de nuevo. Posiblemente, en el instante de separarme de mi sombra, había perdido irremisiblemente mi propio yo. Y ahora lo único que me quedaba era un corazón inseguro e incoherente. Que iba cerrándose más y más debido al frío del invierno.

Ella posó las palmas de las manos en mis sienes.

–Déjalo correr. Ya pensaremos otro día. Es posible que se te ocurra algo mientras tanto.

–Antes de irme, voy a leer otro sueño.

–Estás muy cansado. ¿No deberías dejarlo para mañana? No intentes forzarte. Los viejos sueños te esperarán el tiempo que haga falta.

–No, la verdad es que me resulta más cómodo leer otro viejo sueño que no hacer nada. Mientras leo, al menos no pienso.

Me miró unos instantes con fijeza, pero enseguida asintió, se apartó de la mesa y desapareció en la biblioteca. Con la mejilla apoyada en la palma de la mano, cerré los ojos y dejé que mi cuerpo se diluyera en la oscuridad. ¿Cuánto tiempo duraría el invierno? El anciano había dicho que sería largo y duro. Además, apenas acababa de empezar. ¿Lograría mi sombra sobrevivir a aquel largo invierno? ¿Y yo? ¿Podría superarlo yo, con la confusión e inseguridad que dominaban mi corazón?

Ella dejó un cráneo sobre la mesa y, tras sacarle el polvo con un trapo húmedo, lo secó con otro. Yo, aún con la mejilla en la palma de la mano, observaba cómo se movían sus dedos.

–¿Puedo hacer algo por ti? –me dijo alzando de repente la cabeza.

–Tú ya haces mucho por mí –contesté.

Dejó de limpiar el cráneo, se sentó en una silla y me miró a los ojos.

–Me refiero a otra cosa. A algo más especial. A acostarme contigo, por ejemplo.

Sacudí la cabeza.

–No, no quiero acostarme contigo. Pero estoy contento de que me lo hayas dicho.

–¿Y por qué no quieres acostarte conmigo? Tú siempre dices que me necesitas, ¿no?

–Y te necesito. Pero ahora no puedo acostarme contigo. Eso no tiene nada que ver con que te necesite o no.

Ella caviló unos instantes, pero al poco volvió a frotar el cráneo lentamente. Mientras tanto, alcé la cabeza y contemplé la lámpara amarillenta que pendía del techo. Por más que se endureciera mi corazón, por más presión que ejerciese el invierno sobre mí, no podía acostarme con ella, allí, en aquel momento. Si lo hiciera, la confusión de mi corazón aumentaría y el sentimiento de pérdida se intensificaría aún más. Tenía la impresión de que la ciudad deseaba que me acostase con ella, porque, de esa forma, a ellos les sería más fácil adueñarse de mi corazón.

Ella puso frente a mí el cráneo que acababa de limpiar, pero yo no lo toqué, sino que me quedé mirando sus dedos sobre la mesa. Intenté que esos dedos me dijeran algo, pero fue inútil. No eran más que diez dedos delicados.

–Me gustaría que me contaras cosas de tu madre –dije.

–¿Qué cosas?

–Lo que sea.

–Verás –dijo mientras toqueteaba el cráneo que había dejado encima de la mesa–, me da la impresión de que yo sentía por mi madre algo especial, diferente a lo que sentía por los demás. Ya sé que de eso hace mucho tiempo y que apenas lo recuerdo, pero esa impresión tengo. La de que no sentía lo mismo por mi padre y mis hermanas. Pero no sé por qué.

–El corazón tiene esas cosas. Que nunca siente igual. Es como la corriente de un río. Según la configuración del terreno, fluye de una manera o de otra.

Sonrió.

–Pero eso es muy injusto.

–Ya. Pero es así –dije–. ¿Y todavía la quieres?

–No lo sé.

Ella cambió la posición del cráneo y lo contempló desde diferentes ángulos.

–Mi pregunta es demasiado vaga, ¿verdad?

–Sí, creo que sí.

–Hablemos entonces de otra cosa –dije–. ¿Te acuerdas de qué cosas le gustaban a tu madre?

–Sí, lo recuerdo muy bien. Le gustaba el sol, pasear, divertirse en el agua en verano. Y también le gustaba estar con las bestias. Cuando hacía buen tiempo, salíamos a menudo de paseo. La gente de la ciudad no pasea, ¿sabes? A ti también te gusta, ¿verdad?

–Sí –dije–. Y también me gusta el sol. Y jugar en el agua. ¿Te acuerdas de algo más?

–Pues de que mi madre, en casa, hablaba mucho consigo misma. No sé si le gustaba o no, pero solía hacerlo.

–¿Y de qué hablaba?

–No me acuerdo. Pero no era como un monólogo. No sé explicarlo bien, pero creo que, para mi madre, aquello tenía un sentido especial.

–¿Especial?

–Sí. Modulaba la voz de un modo muy extraño y alargaba las palabras, o las acortaba. A veces su voz sonaba alta y, a veces, baja, como el viento.

Mientras miraba el cráneo bajo su mano, repasé de nuevo mis vagos recuerdos. Esta vez, algo me conmocionó.

–Eran canciones –dije.

–¿Tú también sabes hablar de esa manera?

–No es hablar. Las canciones se cantan.

–Canta entonces –pidió.

Respiré hondo y me dispuse a cantar algo, pero no se me ocurrió ninguna melodía. Todas las canciones habían desaparecido de mi cuerpo. Con los ojos cerrados, suspiré.

–Imposible. No se me ocurre ninguna –dije.

–¿Y qué podrías hacer para acordarte?

–Con un disco y un tocadiscos lo conseguiría. Pero no, aquí eso no es posible. Aunque también serviría un instrumento musical. Con un instrumento, podría tocar música y así seguro que lograría recordar al menos una canción.

–¿Y qué forma tiene un instrumento musical?

–Hay cientos de instrumentos diferentes, no te lo puedo explicar en cuatro palabras. Cada instrumento se toca de una manera distinta y emite un sonido distinto. Hay algunos que, para moverlos, se necesitan cuatro personas, y otros que caben en la palma de la mano. Todos tienen un tamaño y una forma diferentes.

Tras pronunciar estas palabras, me di cuenta de que el ovillo de los recuerdos se desembrollaba poco a poco en mi interior. Tal vez las cosas avanzaran en la buena dirección.

–Quizá haya una cosa de ésas en el archivo que hay al fondo del edificio. Aunque se llame así, está lleno de trastos viejos y yo apenas he mirado lo que hay dentro. ¿Qué te parece, buscamos allí?

–Vamos a echar una ojeada. De todas formas, hoy no creo que pueda leer más sueños.

Cruzamos el amplio almacén donde se alineaban los cráneos, salimos a otro pasillo y abrimos una puerta con cristal esmerilado, igual a la que daba acceso a la biblioteca. El pomo de latón estaba cubierto por una fina capa de polvo, pero la puerta no estaba cerrada con llave. Cuando ella dio la vuelta al interruptor, una luz amarilla y polvorienta alumbró aquel cuarto largo y estrecho, y proyectó sobre las paredes blancas las sombras de los diversos objetos amontonados en el suelo.

Eran, en su mayoría, maletas o maletines. También había una máquina de escribir guardada en su funda o alguna raqueta de tenis, pero eran una excepción y la mayor parte del cuarto lo ocupaban maletas de diversos tamaños. Habría unas cien. Y todas estaban cubiertas por capas y más capas de polvo. Ignoraba en qué circunstancias habrían llegado allí esas maletas; en cualquier caso, abrirlas una por una habría requerido mucho tiempo.

Me acuclillé y aparté la funda de la máquina de escribir. Una nube de polvo blanco danzó por el aire como la nieve pulverizada de un alud. Era un viejo modelo, grande como una caja registradora, con las teclas redondas. Parecía muy usada y el esmalte negro tenía desconchones.

–¿Sabes qué es esto?

–No –reconoció ella, de pie a mi lado con los brazos cruzados–. Nunca lo había visto. ¿Es un instrumento musical?

–No, es una máquina de escribir. Sirve para imprimir letras. Es muy vieja.

La enfundé de nuevo y, a continuación, abrí una canasta de mimbre que había al lado. Contenía una vajilla para ir de excursión: cuchillos, tenedores, platos, tazas y unas servilletas blancas que amarilleaban, todo escrupulosamente ordenado. También esto pertenecía a una época pretérita. Desde la aparición de los platos de aluminio y los vasos de papel, nadie acarreaba aquellos trastos consigo en una excursión.

Había una maleta grande de piel de cerdo llena de ropa: trajes, camisas, corbatas, calcetines, ropa interior... La mayoría de las prendas estaban tan apolilladas que daba pena verlas. Entre la ropa había un neceser y una petaca plana de whisky. También había un cepillo de dientes y una brocha de afeitar, ambos con las cerdas tiesas y endurecidas. Destapé la petaca y vi que no olía a nada. No había nada más. Ni libros, ni libretas, ni agendas.

Abrí unos cuantos maletines y maletas de viaje. Contenían prácticamente lo mismo. Ropa y unos efectos personales mínimos, como si hubiesen salido de viaje a toda prisa y los hubieran embutido en la maleta sin pensar mucho. En todas ellas se echaban de menos objetos que la gente suele llevar consigo, y les faltaba naturalidad, espontaneidad. Nadie emprende un viaje llevándose sólo la ropa y el neceser. En resumen, que en la maleta no había ni un solo objeto que hablara de la personalidad o de la vida de su propietario.

Incluso la ropa era anodina. No era ni muy elegante ni mísera. Sí indicaba un estilo marcado por la época, la estación, el sexo y la edad del propietario, pero ninguna prenda dejaba una impresión especial. Incluso el olor era casi idéntico. La mayoría estaban apolilladas. Y ninguna tenía etiqueta. Parecía que alguien hubiera querido arrebatar el nombre y la personalidad a cada una de las maletas. Y lo único que quedaba era un poso anónimo, producto inevitable de cualquier época.

Tras abrir cinco o seis maletas, desistí. Estaban demasiado polvorientas y no parecía que ninguna de ellas fuera a contener un instrumento musical. Tenía la sensación de que, si había alguno en la ciudad, no se encontraba allí, sino en un lugar muy distinto.

–Salgamos de aquí –dije–. Con este polvo, me duelen mucho los ojos.

–¿Te ha decepcionado no encontrar ningún instrumento musical?

–Un poco. Pero ya buscaremos en otro sitio –dije.

Cuando, tras separarme de ella, estaba subiendo la Colina del Oeste, a mis espaldas el viento invernal soplaba con violencia, como si deseara adelantarme, y el agudo silbido que producía al pasar entre los árboles parecía rasgar el aire. Al darme la vuelta, vi una media luna que flotaba solitaria por encima de la torre del reloj y, a su alrededor, unos gruesos nubarrones que se deslizaban por el cielo. Bajo la luz de la luna, la superficie del río era negra como si hubiesen arrojado alquitrán.

De repente me acordé de una bufanda, que parecía muy cálida, que había descubierto en una maleta del archivo. Estaba comida por las polillas, pero, enrollada alrededor del cuello, me protegería del frío. Pensé que si le preguntaba al guardián, me enteraría de muchas cosas. Sabría a quién pertenecían las maletas y si podía usar lo que contenían. Azotado por el viento, sin bufanda, las orejas me dolían como si me las cortaran con un cuchillo. Decidí ir a ver al guardián a la mañana siguiente. También necesitaba saber cómo estaba mi sombra.

Di de nuevo la espalda a la ciudad y subí la cuesta helada camino de la Residencia Oficial.

# 23

## EL DESPIADADO PAÍS DE LAS MARAVILLAS

## Agujeros. Sanguijuelas. Torre

–No es ningún terremoto –dijo–. Es algo mucho peor.

–¿Qué, por ejemplo?

Ella respiró hondo, como si se dispusiera a decir algo, pero cambió inmediatamente de idea y sacudió la cabeza.

–No, ahora no tenemos tiempo. Avanza tan deprisa como puedas. Sólo así lograremos escapar. Quizá te duela la herida, pero peor sería morir, ¿no?

–Sí, supongo que sí –dije.

Todavía enlazados con la cuerda, echamos a correr con todas nuestras fuerzas por el interior del canal. La linterna grande que ella sostenía en la mano se balanceaba arriba y abajo al compás de la carrera, proyectando en las altas paredes que se erguían a ambos lados unos dibujos en zigzag similares a las líneas de un gráfico. El contenido de la mochila traqueteaba sobre mis espaldas: las latas de conserva, la cantimplora, la botella de whisky y todo lo demás. Habría querido quedarme sólo con lo necesario y arrojar el resto a un lado del camino, pero no podía detenerme. Ni siquiera disponía de tiempo para pensar en el dolor de la herida mientras corría como alma que lleva el diablo. Enlazado como estaba a la joven, no podía aminorar a mi antojo la velocidad. Sus jadeos y el entrechocar de objetos de la mochila resonaban a un ritmo regular entre las tinieblas largas y estrechas, pero pronto se les superpuso un sordo retumbar de la tierra de intensidad creciente.

Conforme avanzábamos, el rumor ganaba en potencia y claridad. Se debía a que nos precipitábamos en línea recta hacia el lugar de donde surgía el sonido y a que éste iba subiendo poco a poco de volumen. Ese rugido, que al principio parecía proceder del centro de la Tierra, pronto se convirtió en una especie de estertor emitido por una gigantesca garganta; parecía que el aliento expulsado por los pulmones se ahogara en esa garganta sin llegar a convertirse en voz. Y, acto seguido, como si persiguieran al jadeo, las rocas empezaron a producir un prolongado chirrido y el suelo temblaba a intervalos. Ignoraba de qué se trataba, pero algo siniestro avanzaba bajo nuestros pies y se disponía a engullirnos de un momento a otro.

La idea de que nos abalanzábamos directamente hacia el origen de aquel ronco jadeo me daba escalofríos, pero puesto que la joven había optado por tomar aquella dirección, a mí no me quedaba otra alternativa. Sólo podía avanzar tan deprisa como me era posible.

Por fortuna, el camino era liso como una pista de bolera, sin esquinas ni obstáculos de ninguna clase, así que podíamos correr y correr, libres de otras preocupaciones.

El jadeo empezó a oírse a intervalos cada vez más cortos. Parecía precipitarse hacia un punto fatídico mientras sacudía violentamente las tinieblas del subsuelo. De vez en cuando se le sumaba el sonido del roce de rocas gigantescas, impelidas unas contra otras por un poder colosal. Era como si todas las fuerzas constreñidas en las sombras se revolvieran, luchando desesperadamente para librarse de su yugo.

El sonido se dejó oír unos instantes y luego cesó de repente. Tras una pausa, un extraño silbido lo invadió todo, como si miles de ancianos inspiraran a la vez el aire a través de los resquicios de sus dientes. No se oía ningún otro ruido. Ni el retumbar de la tierra, ni el jadeo, ni el roce de las rocas, ni el crujido: todos habían cesado. Sólo el áspero silbido seguía resonando entre las negras tinieblas. «Fiu, fiu, fiu.» Sonaba como el cauto aliento regocijado de una bestia que estuviese agazapada esperando a que se aproximara su presa, o como si innumerables gusanos de las profundidades de la tierra, azuzados por algún presentimiento, dilataran y contrajeran como acordeones sus cuerpos siniestros. En todo caso, era un sonido espeluznante, lleno de violencia y maldad, que yo jamás había oído antes.

Lo más horripilante de aquel sonido era que, más que rechazarnos, parecía que nos invitara. Ellos sabían que nos estábamos aproximando y nos esperaban con el corazón vibrante de júbilo malévolo. Al pensar en eso, me asaltó un terror tan grande que me paralizó la columna vertebral. Sin duda, aquello no era un terremoto. Tal como ella había dicho, era algo mucho peor. Pero yo no tenía la menor idea de lo que podía ser. Hacía tiempo que aquello había excedido los límites de mi imaginación, que había alcanzado los confines de mi conciencia.

Era incapaz de figurarme cómo era aquello. Sólo podía agotar mis fuerzas físicas en esa carrera e ir sorteando, una tras otra, aquellas grietas sin fondo que se abrían entre mi imaginación y las circunstancias. Era mucho mejor esto que no hacer nada.

Me daba la sensación de que llevábamos mucho tiempo corriendo, pero no podía asegurarlo. Tan pronto tenía la impresión de que eran tres o cuatro minutos como que eran treinta o cuarenta. El pánico y la confusión que la situación conllevaba habían paralizado mi percepción del tiempo. Por más que corriese, no experimentaba cansancio alguno, el dolor de la herida lo había desterrado a un rincón de la conciencia. Sentía una extraña rigidez en los codos, pero ésta era mi única percepción física. Ni siquiera era consciente de que estaba corriendo. Las piernas proseguían su avance mecánicamente, golpeando el suelo. Corría y corría hacia delante como si una densa masa de aire me empujara desde atrás.

En aquel instante yo no lo sabía, pero creo que la rigidez de los codos tenía su origen en mis oídos. Al concentrar todos mis nervios en aquel espeluznante silbido, tensaba automáticamente los músculos de las orejas y la rigidez de los hombros se extendía a los brazos. Me di cuenta de ello cuando choqué violentamente contra el hombro de la joven, la derribé y rodé sobre ella hasta caer al suelo, a sus pies. Sus gritos de advertencia no llegaron a mis oídos. Creí oír algo, pero el circuito que unía los sonidos perceptibles por el oído con la facultad de dotarlos de un significado concreto estaba bloqueado, de modo que no entendí que aquello era una advertencia.

Lo primero que se me ocurrió en el instante en que mi cabeza chocó contra el duro suelo fue que había regulado mi percepción auditiva de manera inconsciente. Y me pregunté si aquello sería lo mismo que la eliminación del sonido. En una situación límite, la conciencia humana despliega múltiples capacidades. O quizá era que yo estaba evolucionando, poco a poco.

A continuación –aunque sería más exacto hablar de escenas cinematográficas encadenadas– sentí un dolor abrumador en ambos lados de la cabeza. Ante mis ojos las tinieblas se rasgaron en mil pedazos, el tiempo se detuvo, se apoderó de mí la impresión de que mi cuerpo estaba atrapado en una distorsión espacio-temporal. El dolor era tan violento que pensé que mi cráneo se había partido, agrietado, quizá hundido. O que tal vez había estallado y mi cerebro había salido volando por los aires. Yo debía de estar muerto, sólo mi conciencia se retorcía de dolor al revivir un recuerdo fragmentado en pequeños pedazos, como colas de lagartija.

Sin embargo, pasado aquel instante, comprendí que seguía con vida. Vivía y respiraba: por eso podía percibir aquel dolor tan espantoso. Noté cómo las lágrimas afloraban a mis ojos y me humedecían el rostro. Resbalaban por mis mejillas, caían hacia la dura plataforma rocosa, fluían hasta las comisuras de mis labios. Jamás había experimentado un dolor de cabeza tan inhumano.

Pensé que iba a desmayarme, pero algo me mantuvo unido al dolor y al mundo de las tinieblas. Era un impreciso fragmento de recuerdo que me decía que, en aquellos momentos, estaba realizando algo. Sí... Yo hacía algo. Corría, había tropezado y me había caído. Huía. No podía quedarme dormido allí. Era un jirón de recuerdo tan impreciso que daba lástima, pero me aferraba a él con todas mis fuerzas, con ambas manos.

Realmente, estaba aferrado a él. Pero poco después, conforme recuperaba la conciencia, caí en la cuenta de que no me aferraba a un simple fragmento de memoria. Me aferraba a una cuerda de nailon. Por un instante me vi convertido en una pesada prenda de ropa que ondeaba al viento. El viento, la gravedad y aun otras fuerzas pretendían derribarme, pero yo, pese a todo, me esforzaba en cumplir mi cometido como ropa tendida. ¿Cómo se me ocurría pensar algo así? Ni siquiera yo lo entendía. Quizá hubiera adquirido la costumbre de buscar analogías y dar formas concretas a las circunstancias en que me hallaba.

Acto seguido, percibí algo muy real: la mitad superior e inferior de mi cuerpo se encontraban en situaciones muy distintas. Para ser más exactos, la mitad inferior de mi cuerpo carecía casi por completo de sensibilidad. Sin embargo, percibía vívidamente las sensaciones de la mitad superior. La cabeza me dolía, mi mejilla y mis labios estaban aplastados contra el frío y duro suelo, mis manos se aferraban a la cuerda, mi estómago parecía haber ascendido hasta la garganta, mi pecho estaba prendido en un saliente. Hasta ahí lo percibía todo, pero no tenía la menor idea de qué había sucedido con la parte inferior de mi cuerpo.

Me dije que tal vez hubiese desaparecido. Que, debido al violento golpe, mi cuerpo tal vez se hubiese desgajado en dos por la zona de la herida y que la mitad inferior hubiese salido proyectada hacia alguna otra parte. Mis piernas –eso pensé–, las puntas de mis pies, mi vientre, mi pene, mis testículos, mi... No, pensándolo bien, aquello no era lógico. Aunque hubiese perdido toda mi mitad inferior, el dolor no tendría por qué acabar allí.

Me propuse analizar la situación con mayor frialdad. Mi parte inferior existía, sólo que, por las circunstancias en que me hallaba, no podía sentirla. Cerré los ojos con fuerza, dejé pasar los ramalazos de dolor que afluían, uno tras otro, como oleadas, y me concentré por entero en la mitad inferior de mi cuerpo. El esfuerzo por concentrarme en aquella parte, tan falta de sensibilidad que había llegado a cuestionar su existencia, era equivalente al que había realizado horas antes para lograr una erección en mi pene mientras éste se resistía a ello. Era como empujar el vacío.

Entonces me acordé de la chica del pelo largo y la dilatación gástrica que trabajaba en la biblioteca. Me pregunté por qué no habría conseguido una erección cuando me había acostado con ella. A partir de aquel momento, las cosas habían empezado a torcerse. Pero no podía quedarme pensando indefinidamente en ello. Usar el pene con eficacia no era el único objetivo de la vida humana. Al menos a esa conclusión había llegado muchos años atrás al leer *La cartuja de Parma,* de Stendhal. Ahuyenté de mi cabeza cualquier idea relacionada con la erección.

La mitad inferior de mi cuerpo parecía hallarse en una situación ambigua. Era como si estuviese suspendida en el aire y... Sí, eso era. La mitad inferior de mi cuerpo pendía del borde del suelo rocoso mientras que la mitad superior trataba de impedir, a duras penas, que me cayera al abismo. Por eso me agarraba con todas mis fuerzas a la cuerda.

Al abrir los ojos, me deslumbró una luz cegadora. Era la joven gorda, que dirigía hacia mí el haz de luz de su linterna.

Agarrándome con todas mis fuerzas a la cuerda, intenté aupar la parte inferior de mi cuerpo hasta el suelo rocoso.

–¡Rápido! –me gritó–. Si no nos damos prisa, no saldremos vivos de ésta.

Yo intentaba subir los pies a la superficie rocosa, pero no era fácil. Para empezar, no tenía ningún punto de apoyo. No me quedó más remedio que soltar la cuerda a la que me aferraba con ambas manos, clavar los codos en el suelo e intentar izar todo el cuerpo, como un peso muerto. Mi cuerpo pesaba un quintal, el suelo resbalaba como si estuviese cubierto de sangre. No sabía por qué estaba tan resbaladizo, pero no tenía tiempo de preocuparme por ello. La herida del vientre, al rozar contra la roca, me dolía como si me hubiesen vuelto a rajar con la navaja. Me sentía como si alguien me pisoteara salvajemente. Alguien que quisiera destrozarme, reducir a polvo mi cuerpo, mi conciencia y todo mi ser.

No obstante, estaba consiguiendo subir mi cuerpo, centímetro a centímetro. El cinturón alcanzó el borde del suelo, y en ese instante comprendí que la cuerda de nailon que llevaba anudada a la cintura estaba tirando de mí. Pero eso, en vez de ayudarme, intensificaba aún más el dolor de la herida y me desconcentraba.

–¡No tires de la cuerda! –grité en dirección a la luz–. ¡Ya subiré solo, deja de tirar!

–¿Podrás?

–Sí. Ya me las apaño solo.

Con la hebilla del cinturón prendida a la superficie rocosa, sacando fuerzas de flaqueza, subí una pierna y, finalmente, logré salir de aquel negro e inesperado pozo. Después de cerciorarme de que había logrado salir indemne del agujero, ella se acercó y me palpó el cuerpo con ambas manos para asegurarse de que estaba entero.

–Siento mucho no haber podido subirte tirando de la cuerda –dijo–. Tenía que agarrarme a esa roca de ahí con todas mis fuerzas para evitar que cayéramos los dos en el agujero.

–No importa. Pero ¿por qué no me has avisado de que había un agujero?

–No me ha dado tiempo. Por eso te he gritado: «¡Detente!».

–No te he oído.

–Sea como sea, tenemos que salir de aquí pitando –dijo la joven–. En esta zona hay muchos agujeros y tendremos que avanzar con mucho cuidado. Después, nos faltará poco para llegar. Pero si no nos apresuramos, nos chuparán la sangre, nos dormiremos y moriremos.

–¿Que nos chuparán la sangre?

Dirigió la linterna hacia el interior del agujero donde había estado a punto de precipitarme. La boca del pozo, un círculo tan perfecto que parecía trazado con compás, tenía alrededor de un metro de diámetro. Cuando barrió los alrededores con la luz de la linterna, vi que, en el suelo, se sucedían, en lo que alcanzaba la vista, una serie de agujeros del mismo tamaño. Recordaba un enorme panal.

Las paredes que flanqueaban el camino habían desaparecido y ante nuestros ojos se extendía una explanada rocosa llena de innumerables pozos. Se adivinaba un camino entre los agujeros. Era un pasaje peligroso, de un metro en el punto de mayor anchura, de unos treinta centímetros en el más angosto, practicable si caminábamos con precaución.

El problema era que algo parecía temblar y retorcerse en el suelo. Era una visión fascinante. Daba la sensación de que el suelo rocoso, que se suponía firme y duro, oscilaba y serpenteaba como las arenas movedizas. Al principio creí que el fuerte golpe que me había dado en la cabeza me había afectado al nervio óptico. De modo que me iluminé la mano con la linterna. Mi mano no oscilaba ni serpenteaba. Era mi mano de siempre. Es decir, que mi nervio óptico no había sufrido daño alguno. Era el suelo lo que se movía.

–Son sanguijuelas –explicó–. Una legión de sanguijuelas que han reptado fuera del agujero. Como nos entretengamos, nos chuparán toda la sangre y acabaremos como mudas de insecto vacías.

–¡Pues sí que estamos bien! –exclamé–. ¿Esto es aquello tan terrible de que hablabas?

–¡Qué va! Las sanguijuelas no son más que un preámbulo. Lo verdaderamente terrible viene después. ¡Date prisa!

Todavía enlazados con la cuerda, pisamos el suelo infestado de sanguijuelas. Noté que por mis piernas, hasta alcanzar la espalda, reptaba una viscosidad idéntica a la de las incontables sanguijuelas aplastadas bajo mis suelas de goma.

–¡Ten cuidado! Si caes en un agujero, estás muerto. Están llenos a rebosar de esos bichos –dijo.

Ella me agarró con fuerza del codo, yo me aferré a los bajos de su chaqueta. Era arduo el avance por aquel sendero rocoso, de escasos treinta centímetros de anchura, viscoso y resbaladizo. La fangosa textura de las sanguijuelas aplastadas se adhería a nuestras suelas formando una gruesa capa similar a la gelatina e impidiendo que pisáramos con firmeza. Ahora percibía con toda claridad cómo las sanguijuelas que, al caer, se me habían pegado a la ropa me chupaban la sangre de las orejas y de la nuca, pero no podía librarme de ellas. Asía la linterna con la mano izquierda y me aferraba a los bajos de la chaqueta de ella con la mano derecha, y no podía soltar ninguna de las dos cosas. Como caminaba enfocando el suelo con la linterna, me veía obligado, por más que me repugnara, a mantener la vista clavada en aquella legión de sanguijuelas. Había tantas que daba vértigo. Y un número infinito de sanguijuelas seguía surgiendo de los negros agujeros.

–Deben de ser los agujeros donde los antiguos tinieblos arrojaban a las víctimas de los sacrificios –aventuré.

–Exacto. ¡Qué listo eres! –dijo.

–Hasta ahí llego –dije.

–Creían que las sanguijuelas eran las mensajeras del pez del que antes te hablaba. En resumen, que eran sus subordinadas. Por eso les ofrecían sacrificios también a ellas. Víctimas frescas, carnosas y llenas de sangre. Por lo general, sacrificaban a seres humanos que capturaban en la superficie.

–¿Y ahora ya han desaparecido estas prácticas?

–Por lo visto, sí. Mi abuelo me dijo que ahora son ellos los que se comen la carne de las personas y que, al pez y a las sanguijuelas, sólo les ofrecen en sacrificio la cabeza decapitada. Sea como sea, desde que este lugar se ha convertido en santuario, nadie ha vuelto a pisarlo.

Sorteamos un incontable número de pozos, aplastamos decenas de miles de viscosas sanguijuelas bajo las suelas de nuestras zapatillas. Tanto ella como yo perdimos pie en varias ocasiones, pero, en cada una de ellas, nos sostuvimos el uno a la otra evitando la caída.

Aquel desagradable silbido procedía del interior de los pozos oscuros. Extendía hacia nosotros sus tentáculos desde las profundidades, como un bosque en la noche, cercándonos por completo. Si se prestaba atención, se distinguía su «fiu-fiu», como una legión de hombres decapitados que trataran de implorar algo y sólo lograran emitir un silbido a través de sus gargantas seccionadas.

–El agua se acerca –dijo–. Las sanguijuelas no son más que el preámbulo. Cuando ellas desaparezcan, llegará el agua. Manará a chorros desde el interior de los pozos, toda esta zona se convertirá en una ciénaga. Las sanguijuelas lo saben, por eso salen huyendo de los pozos. Tenemos que alcanzar el altar antes de que llegue el agua.

–¿Y tú lo sabías? –dije–. ¿Por qué no me has avisado?

–Para serte franca, no estaba segura. El agua no brota todos los días, ¿sabes?, sólo dos o tres veces al mes. ¿Quién iba a imaginar que afloraría precisamente hoy?

–¡Estamos apañados! ¡Una desgracia tras otra! –Había formulado en palabras lo que venía pensando desde la mañana.

Proseguimos la marcha, bordeando los pozos con grandes precauciones. Pero por más que avanzáramos, los agujeros nunca se acababan. Tal vez se sucedían indefinidamente hasta los confines de la Tierra. Bajo las zapatillas teníamos adheridas tantas sanguijuelas muertas que casi no notábamos el suelo bajo nuestros pies. Al dar un paso tras otro con una concentración extrema, la cabeza acababa embotándose y cada vez costaba más mantener el equilibrio. Las capacidades físicas crecen en las situaciones límite, pero la capacidad de concentración es mucho más limitada de lo que uno cree. Sea cual sea la situación crítica en la que uno se halle, si ésta se prolonga sin alteraciones, la atención decae inevitablemente. Conforme transcurre el tiempo, cuesta cada vez más reconocer la situación crítica, disminuye la capacidad de concebir la propia muerte, y el vacío se va adueñando de la conciencia.

–¡Ánimo! –me alentó–. Un poco más y llegaremos a un lugar seguro.

Como me daba pereza hablar, asentí con un movimiento de cabeza. Pero comprendí de inmediato que mi gesto no tenía ningún sentido en la oscuridad.

–¿Me oyes? –se inquietó–. ¿Va todo bien?

–Sí, tranquila. Es que tengo náuseas –repuse.

Hacía mucho rato que tenía ganas de vomitar. La legión de sanguijuelas que bullían en el suelo, el hedor que despedían y el líquido viscoso de sus cuerpos se conjugaban para cerrarme el estómago con una anilla de hierro. Y los jugos gástricos, que apestaban a vómito, me subían desde el esófago hasta el inicio del paladar. Era como si mi capacidad de concentración estuviera llegando al límite. Me sentí como si tocara un piano que tuviera sólo tres octavas y no hubiera sido afinado en cinco años. ¿Cuántas horas llevaba ya vagando en la oscuridad? ¿Qué hora debía de ser en el mundo exterior? ¿Estaba saliendo el sol? ¿Habrían empezado ya a repartir la edición matutina de los periódicos?

Ni siquiera podía echar una ojeada al reloj de pulsera. Ponía toda mi atención en ir adelantando una pierna tras otra mientras alumbraba el suelo con la linterna. Quería ver cómo el cielo del amanecer iba tomando progresivamente una tonalidad lechosa. Beberme un vaso de leche caliente, oler el bosque en la mañana, hojear la edición matutina del periódico. Ya estaba harto de la oscuridad, de las sanguijuelas, de los agujeros, de los tinieblos. Todas las vísceras, los músculos, las células de mi cuerpo necesitaban la luz. Por débil que ésta fuese. Me conformaba con un miserable rayo de luz, pero que fuese de luz auténtica, no de la luz de una linterna.

Mientras pensaba en la luz, mi estómago se contrajo y mi boca se llenó de un aliento hediondo. Un olor a pizza de salami, pero podrida.

–En cuanto salgamos de aquí, podrás vomitar tanto como quieras. ¡Aguanta un poco! –me dijo la chica. Y me agarró el codo con fuerza.

–No voy a vomitar –murmuré entre dientes.

–¡Créeme! Saldremos de ésta. Quizá hayamos tenido mala suerte, pero eso acabará un momento u otro. No puede durar eternamente.

–Te creo –repuse.

No obstante, me daba la sensación de que los agujeros se sucedían sin fin. Incluso me parecía que pasábamos una y otra vez por el mismo sitio. Pensé de nuevo en la edición matinal, recién impresa, del periódico. Un periódico tan reciente que la tinta fresca se adhería a las yemas de los dedos. Muy grueso, con encartes publicitarios. Porque ya se sabe que en la edición matinal sale de todo. Todo lo relacionado con la vida de la superficie. Todo. Desde la hora en que se levanta el primer ministro, el estado del mercado de valores o el suicidio de toda una familia, hasta recetas de cocina, la longitud que debían tener las faldas, las reseñas de las novedades discográficas y los anuncios de agencias inmobiliarias.

El problema era que yo no estaba suscrito a ninguno. Hacía ya tres años que había abandonado el hábito de leer el periódico. No podría explicar por qué, pero había dejado de hacerlo. Quizá se debiese a que mi vida había tomado unos derroteros muy distintos a los del contenido de los artículos periodísticos o de los programas de la televisión. Mi única relación con el mundo consistía en procesar en mi cabeza las cifras que me ofrecían, cambiándolas de forma, y el resto del tiempo lo pasaba solo, leyendo novelas anticuadas, viendo vídeos de viejas películas de Hollywood y bebiendo cerveza o whisky. No necesitaba hojear periódicos y revistas.

Sin embargo, en aquel instante, inmerso en unas tinieblas absurdas, desprovistas de toda luz, rodeado de un número incontable de pozos y sanguijuelas, ansiaba leer la edición matutina del periódico. Sentarme en algún lugar soleado y leérmelo de cabo a rabo, igual que un gato lame un plato de leche, sin dejar una sola letra. Y absorber los diversos fragmentos de la vida que las personas vivían bajo el sol y empapar en ellos cada una de mis células.

–¡Ya se ve el altar! –dijo la chica.

Traté de alzar los ojos, pero resbalé y no pude levantar del todo la cabeza. De hecho, no me importaba cómo era, ni de qué color; lo único que me interesaba era alcanzarlo lo antes posible. Hice un último esfuerzo de concentración y seguí adelante con sumo cuidado.

–Diez metros más y llegamos.

No bien pronunció estas palabras, cesó el silbido que emergía del fondo de los pozos. Acabó de una forma tan brusca y antinatural que parecía que alguien, en el centro de la Tierra, hubiese levantado una enorme hacha de acerado filo y hubiese cortado el sonido de un tajo. Aquel áspero silbido, que surgía de las profundidades tras ejercer una gran presión sobre la tierra, cesó sin previo aviso, sin eco. Más que enmudecer el silbido, dio la sensación de que el propio espacio que lo comprendía desaparecía por completo. Y fue tan repentino que perdí el equilibrio y a punto estuve de caer.

Un silencio tan insondable que lastimaba los oídos se extendió por los alrededores. La paz que surgía de pronto de las densas tinieblas era más siniestra aún que el desagradable y macabro silbido. Ante un sonido, sea cual sea, puedes tomar una postura determinada. Pero el silencio es cero, es la nada. Nos cercaba y, para colmo, no existía. Noté que algo me oprimía en el fondo de mis oídos, como si hubiese variado la presión atmosférica. Los músculos de las orejas, incapaces de adaptarse al brusco cambio, aguzaron su capacidad auditiva para captar alguna señal en el silencio.

Pero el silencio era absoluto. Una vez cesó, el silbido no volvió. Tanto ella como yo permanecimos inmóviles, aguzando el oído hacia el vacío. Para aliviar la opresión que sentía en mis oídos, tragué saliva, pero fue en vano: sólo conseguí que un sonido artificialmente amplificado, similar a cuando la aguja del tocadiscos roza con el borde del plato, resonara en mis oídos.

–¿Se habrán retirado las aguas? –pregunté.

–Dentro de poco empezarán a brotar –repuso–. El silbido lo producía el aire expulsado de los recovecos de los conductos del agua por la presión que ésta ejercía. Y ahora que ha salido todo el aire, nada obstaculiza el paso del agua.

La joven me tomó de la mano y, juntos, sorteamos los últimos agujeros. Quizá fuera una simple impresión, pero habría jurado que había menos sanguijuelas pululando sobre el suelo rocoso. Tras sortear cinco o seis agujeros más, salimos de nuevo a una explanada vacía. Allí ya no había ni agujeros ni sanguijuelas. Los bichos debían de haber huido en dirección contraria. Había conseguido superar lo peor. Porque, aun suponiendo que muriera ahogado en las aguas, sería mil veces preferible a morir al caer dentro de un pozo de sanguijuelas.

Sin ser plenamente consciente de lo que hacía, alargué la mano con la intención de arrancarme las sanguijuelas que tenía pegadas a la nuca, pero la joven me frenó, agarrándome el brazo.

–Eso déjalo para después. Si no subimos enseguida a la torre, nos ahogaremos –dijo y prosiguió a paso rápido, sin soltarme el brazo–. Por cinco o seis sanguijuelas no te vas a morir. Además, si te las quitas a lo bruto, te arrancarás la piel. ¿No lo sabías?

–No, no lo sabía –dije. Soy tan lerdo y estúpido como uno de esos plomos que cuelgan del culo de las boyas luminosas de los canales.

Unos veinte o treinta pasos más adelante, ella me frenó y, con la gran linterna que llevaba en la mano, iluminó una enorme «torre», como ella la había llamado, que se alzaba ante nuestros ojos. La «torre» era un cilindro que se erguía hacia lo alto, apuntando hacia las tinieblas. Al igual que un faro, parecía ir estrechándose conforme ganaba en altura, pero era imposible aventurar cuánto medía. Era demasiado alta para poder iluminarla entera y captar una imagen global, y, además, no disponíamos de tiempo para ello. La joven se limitó a bañar por un instante la superficie con el haz de luz de su linterna; luego, sin decir palabra, echó a correr hacia ella y empezó a subir la escalera. Yo la seguí, claro está, sin pérdida de tiempo.

Vista desde lejos y bajo una luz insuficiente, la «torre» hacía pensar en un magnífico y precioso monumento en cuya realización se hubiesen empleado admirables técnicas arquitectónicas y una ingente cantidad de tiempo, pero en cuanto me acerqué y la toqué, me di cuenta de que era una simple mole rocosa, tosca y deforme. Un mero producto azaroso de la erosión.

Alrededor de la mole, los tinieblos habían esculpido una escalera –suponiendo que se pudiera llamar «escalera» a algo tan rudimentario– en forma de espiral. De hechura irregular, con escalones tan exiguos que apenas permitían apoyar el pie, a trechos carecía de peldaños. Cuando faltaba un escalón, apoyábamos el pie en el saliente de la pared más cercano, pero como teníamos que aferrarnos con ambas manos a las rocas para no caernos, nos era imposible alumbrar los peldaños a medida que avanzábamos, con lo cual, con frecuencia, al ir a pisar un supuesto escalón, nos encontrábamos con el pie en el vacío. La escalera podría serles útil a los tinieblos, que veían en la oscuridad, pero para nosotros no era más que un peligroso incordio. Así pues, nos veíamos obligados a ascender con suma atención, peldaño a peldaño, aferrados a la pared rocosa como dos lagartos.

Había subido treinta y seis escalones –tengo la costumbre de ir contando los peldaños de las escaleras–, cuando de las tinieblas, abajo, a nuestros pies, surgió un extraño ruido. Como si arrojaran una gran tajada de rosbif contra una pared lisa. Un sonido plano y húmedo, lleno de vigor. Siguió un silencio. Un instante mudo y siniestro. Agarrado al saliente con ambas manos, pegado a la pared de roca, esperé a que llegara algo.

Entonces se oyó el fragor inconfundible del agua. El sonido del agua brotando, a un tiempo, de los innumerables pozos que habíamos sorteado. Además, no era una cantidad de agua insignificante. Recordé una secuencia de un noticiario, que vi cuando era alumno de primaria, sobre la inauguración de una presa. El gobernador, con un casco en la cabeza, pulsaba el botón de una máquina, se abrían las compuertas y una gruesa columna de agua salía disparada hacia lo lejos, hacia el vacío, acompañada de una nube de agua pulverizada y de un estruendo pavoroso. Era la época en que las noticias y los dibujos animados todavía se proyectaban en el cine. Mientras contemplaba las imágenes, pensé qué sucedería si, por una razón u otra, me encontrara bajo aquella presa que vomitaba una cantidad tan sobrecogedora de agua, y mi corazón infantil se llenó de horror. No podía sospechar que un cuarto de siglo después me encontraría en una situación parecida. Los niños tienden a pensar que, al final, una especie de poder sagrado los librará de los posibles peligros que les acechan en el mundo. Al menos, eso creía yo cuando era pequeño.

–¿Hasta dónde subirá el agua? –le pregunté a la joven, que estaba dos o tres peldaños por encima de mí.

–*Hasta bastante arriba* –me respondió sucintamente–. Si queremos salvarnos, tenemos que subir más. Arriba de todo no llega, estoy segura. Es lo único que sé.

–¿Y cuántos peldaños faltan?

–*Muchos* –dijo.

¡Vaya respuestas! No tenía más remedio que apelar a mi imaginación.

Seguimos ascendiendo por la escalera en espiral tan rápido como pudimos. A juzgar por el rumor del agua, la «torre» a la que estábamos aferrados se alzaba en el centro de una explanada desierta, rodeada por los pozos de sanguijuelas. En resumen, que nos encaramábamos a una especie de palo que se erguía justo en medio de los chorros de agua. Y si la joven no andaba errada, aquel espacio vacío similar a una plaza se inundaría igual que una ciénaga y, en medio del agua, sólo emergería, como si fuera una isla, el extremo de la «torre».

Su linterna, que llevaba colgada del hombro por la correa, oscilaba de forma irregular sobre sus caderas y el haz de luz dibujaba figuras fantasmagóricas en las tinieblas. Continué el ascenso tomando esta luz como meta. Ya había dejado de llevar la cuenta del número de escalones, pero debía de haber subido unos ciento cincuenta, quizá doscientos. Al principio, el chorro de agua había subido y, desde lo alto, se había precipitado contra el suelo de roca produciendo un fragor espeluznante; poco después, se había transformado en el rugido de un torrente cayendo a una catarata y, en aquellos momentos, se había convertido en un gorgoteo, como si lo hubiesen sofocado con una tapa. El nivel del agua subía sin duda alguna. Como no se veía nada bajo nuestros pies, era imposible saber hasta dónde llegaba, pero me dije que no sería extraño que, de un momento a otro, el agua helada me bañara los tobillos.

Creía encontrarme en medio de una pesadilla. Algo me perseguía, pero yo era incapaz de avanzar deprisa y ese algo me pisaba los talones y se disponía a agarrarme los tobillos con sus manos resbaladizas. Como sueño, era espantoso, pero tratándose de la realidad, era mucho peor. Decidí ignorar los escalones, me agarré con ambas manos a las rocas y subí, izando mi cuerpo suspendido en el vacío.

¿No habría sido mejor tratar de mantenernos a flote en la superficie del agua y dejar que ésta nos izara hasta la cumbre? Esta idea se me ocurrió de repente. Sería más sencillo; ante todo, no habría peligro de que nos cayéramos. Le estuve dando vueltas un rato, sopesándola, y lo cierto era que, para ser idea mía, no estaba nada mal. Decidí transmitírsela a la joven.

–Imposible –repuso ella de inmediato–. Bajo la superficie del agua se arremolinan unas corrientes muy fuertes. Si nos atrapara un remolino, de nada nos serviría nadar. Jamás volveríamos a salir a la superficie y, aunque lo lográramos, en medio de la oscuridad no sabríamos adónde dirigirnos.

Total que, por mucho que me exasperara, no tenía más remedio que seguir subiendo aquellos irritantes escalones, uno tras otro. El rumor del agua decrecía por momentos, como un motor que aminorara gradualmente la velocidad, hasta que se convirtió en un gemido sordo. El nivel del agua ascendía sin pausa. «¡Sólo con que hubiese un poco de luz de verdad...!», me dije. Por débil que fuese, con un poco de luz natural subiríamos sin problemas, sabríamos hasta dónde llegaba el agua. Y no me invadiría aquel pánico, propio de una pesadilla, de no saber cuándo acabaría agarrándome los tobillos. Odiaba la oscuridad con todas mis fuerzas. No me perseguía el agua. Me perseguía la oscuridad que se extendía entre el agua y mis tobillos. Esa oscuridad me llenaba de un terror frío y sin fondo.

Aquella secuencia del noticiario volvió a mi pensamiento. La arqueada presa de la pantalla arrojaba eternamente agua dentro del cono situado abajo, ante nuestros ojos. La cámara, insistente, captaba la imagen desde diferentes ángulos. Desde arriba, de frente, desde un lado, la lente jugueteaba con el chorro de agua como si lo lamiera. La sombra del potente chorro se reflejaba en el muro de cemento de la presa. La sombra del agua danzaba, como si fuera el agua misma, en sus paredes blancas y lisas. Con la mirada clavada en la pantalla del cine, la sombra del agua se convirtió en mi propia sombra. La que bailaba ahora en las curvadas paredes de la presa era mi propia sombra. Sentado en la butaca del cine, no podía despegar los ojos de ella. Enseguida comprendí que era mi propia sombra, pero yo sólo era un espectador más de la sala, y no sabía qué hacer. Yo era un impotente muchacho de nueve o diez años. Quizá habría tenido que correr hacia la pantalla y recuperar mi sombra, o irrumpir en la cabina de proyección y apoderarme de la película. Sin embargo, era incapaz de decidir si era lícito obrar de aquella forma. Así que no hice nada y me limité a permanecer inmóvil, con la vista clavada en mi sombra.

Mi sombra continuó danzando sin fin bajo mis ojos. Serpenteaba en silencio, dibujando formas irregulares, como un tembloroso paisaje lejano inmerso en la calina. Mi sombra no podía hablar y, por lo visto, tampoco podía transmitirme nada por señas. Pero la sombra quería, con toda seguridad, decirme algo. Ella sabía que yo estaba allí sentado, mirándola. Pero ella se sentía tan impotente como yo. Porque mi sombra no era más que una sombra.

Ningún otro espectador se dio cuenta de que la sombra del chorro del agua que se reflejaba en las paredes de la presa era, en realidad, mi sombra. A mi lado estaba sentado mi hermano mayor, pero tampoco él lo vio. Si se hubiese dado cuenta, me hubiese susurrado algo al oído. Mi hermano siempre hablaba y metía ruido en el cine, cuchicheando sobre esto y aquello.

Tampoco yo le conté a nadie que aquélla era mi sombra. Me daba la impresión de que no me iban a creer. Además, parecía que la sombra deseaba transmitirme un mensaje *únicamente a mí*. Quería contarme algo de otro lugar y de otro tiempo sirviéndose de la pantalla del cine.

Sobre la pared de cemento abombada, mi sombra estaba sola, abandonada por todos. Yo no sabía cómo había logrado llegar hasta la pared de la presa y tampoco qué pensaba hacer a continuación. Pronto oscurecería y sería engullida por las tinieblas. O quizá, arrastrada por la rápida corriente, llegaría hasta el mar y, una vez allí, volvería a ser mi sombra, a actuar como tal. Al pensarlo, me invadió una tristeza inmensa.

Poco después, la noticia sobre la presa llegó a su fin y, en la pantalla, informaron sobre la ceremonia de coronación del rey de algún país. Una hermosa carroza tirada por caballos con las cabezas empenachadas cruzaba una plaza empedrada. Busqué mi sombra en el suelo, pero allí únicamente se reflejaban los caballos, la carroza y los edificios.

Mis recuerdos se desvanecían en este punto. Pero yo no podía asegurar que aquello me hubiese sucedido realmente en el pasado. Porque, hasta entonces, estos recuerdos lejanos no habían aflorado a mi memoria ni una sola vez. Quizá sólo fuesen una escena que yo me había forjado en mi mente al oír el rumor del agua en aquellas tinieblas anómalas. Tiempo atrás, había leído un capítulo de un libro de psicología que hablaba de estos efectos psíquicos. Por lo visto, en situaciones extremas, el ser humano construye a veces en su mente ilusiones a fin de defenderse de una realidad adversa. Eso, al menos, sostenía aquel psicólogo. No obstante, las imágenes que acababa de visualizar eran demasiado precisas, demasiado vívidas, y estaban ligadas a mi existencia con unos lazos demasiado fuertes como para ser una ilusión creada por mi mente. Podía recordar con claridad los olores y los sonidos que me rodeaban en aquellos momentos. Podía percibir en mi corazón el desconcierto, la confusión y el terror indefinido que me habían invadido a los nueve o diez años. Aquello me había sucedido realmente, estaba convencido. Alguna fuerza lo habría enterrado en el fondo de mi conciencia y, en aquellos instantes, enfrentado a una situación extrema, la losa se había aflojado y los recuerdos emergían a la superficie.

¿Alguna fuerza?

La operación cerebral que había sufrido para poder realizar el *shuffling* era la causa de todo. No me cabía la menor duda. Ellos habían tapiado mis recuerdos en las paredes de mi conciencia. Ellos me habían arrebatado la memoria durante largo tiempo.

Al pensarlo me llené de ira. Nadie tenía derecho a arrebatarme mis recuerdos. Era mi propia historia. Robarle la memoria a alguien era como robarle la vida. Conforme crecía mi enfado, me fui olvidando del miedo. «He de sobrevivir, sea como sea», decidí. «Sobreviviré. Huiré de este enloquecido mundo de las tinieblas y recuperaré todos los recuerdos que me han robado. Llegue o no el fin del mundo, renaceré como un ser completo.»

–¡Una cuerda! –gritó de repente la joven.

–¿Una cuerda?

–¡Mira! ¡Ven enseguida! ¡Hay una cuerda colgando!

Subí a toda prisa tres o cuatro escalones, llegué a su lado y palpé la pared. En efecto, había una cuerda. Una cuerda fuerte de alpinismo, no muy gruesa, cuyo extremo pendía a la altura de mi pecho. Con mil precauciones, la así con una mano y fui tirando de ella cada vez con más fuerza. A juzgar por la resistencia que ofrecía, debía de estar firmemente sujeta a algo.

–¡Seguro que es cosa de mi abuelo! –gritó la joven–. La ha dejado caer para nosotros.

–Por si acaso, demos otra vuelta –dije.

Bordeamos de nuevo la «torre», tanteando con impaciencia los peldaños bajo nuestros pies. La cuerda seguía colgando en el mismo lugar. A intervalos de unos treinta centímetros, tenía nudos para apoyar los pies. Si continuaban hasta lo alto de la «torre», nos ahorrarían mucho tiempo.

–Es mi abuelo, seguro. Siempre cuida hasta los menores detalles.

–¡Ya veo! –dije–. ¿Sabes trepar por una cuerda?

–¡Por supuesto! –repuso–. Desde pequeña, soy buenísima en eso. ¿No te lo había dicho?

–Entonces, sube tú primero. Cuando llegues arriba, haz parpadear hacia mí la luz de la linterna. Entonces empezaré a subir yo.

–Pero entretanto llegará el agua. ¿No sería mejor que subiéramos los dos a la vez?

–En alpinismo, la norma es una persona por cuerda. Primero, hay que tener en cuenta la resistencia de la cuerda y, después, es más complicado subir dos que uno solo, y se tarda más. Por otro lado, aunque llegue el agua, estando agarrado a la cuerda podré seguir subiendo.

–Eres más valiente de lo que parece, ¿sabes? –dijo.

Permanecí inmóvil en la oscuridad pensando que tal vez volvería a besarme, pero ella empezó a ascender ágilmente por la cuerda sin preocuparse por mí. Agarrado a la roca con ambas manos, me quedé contemplando cómo subía aquella luz, oscilando sin ton ni son. La escena hacía pensar en un alma ebria que ascendiera tambaleante al cielo. Mientras la contemplaba, me entraron unas ganas irresistibles de tomarme un whisky. Pero la botella se encontraba dentro de la mochila que llevaba colgada a la espalda y, en una posición tan inestable, retorcerme, bajar la mochila y sacar la botella era, desde cualquier punto de vista, imposible. Así que lo dejé correr y, en cambio, decidí reproducir en mi mente el instante en que me estaba tomando un whisky. Un bar tranquilo y limpio, un bol lleno de cacahuetes, *Vendôme*, de The Modern Jazz Quartet, sonando a bajo volumen, un whisky doble con hielo. Depositaría el vaso sobre la barra y permanecería unos instantes mirándolo, sin tocarlo. El whisky hay que contemplarlo primero. Y cuando te cansas de mirarlo, te lo bebes. Es como una chica bonita.

Eso me recordó que ya no tenía ni trajes ni chaquetas buenos. Aquel par de chalados me habían rajado toda la ropa. Desolado, me pregunté: «¿Y qué me pondré para ir al bar?». Vamos, que antes tendría que renovar mi vestuario. Me decidí por un traje de *tweed* de color azul marino. Un azul elegante. La chaqueta sería de tres botones, hombros poco marcados, de corte recto. Un traje del viejo estilo. Como el que llevaba George Peppard a principios de los sesenta. La camisa sería azul. De un tono que combinara con el traje, de esas de aspecto ligeramente descolorido. La tela sería de un grueso algodón Oxford, y el cuello, lo más normal y discreto posible. La corbata la prefería a rayas de dos colores. Rojo y verde. El rojo, oscuro, y el verde, uno de esos verdes que no sabes si es verde o azul, como el mar bajo la tormenta. Me lo compraría todo en alguna tienda elegante de ropa masculina, me lo pondría, entraría en un bar y pediría un whisky doble con hielo. Y en el mundo subterráneo ya podían armar todo el jaleo que quisieran las sanguijuelas, los tinieblos y los peces con uñas, que yo, en el mundo de la superficie, me pondría un traje de *tweed* azul marino y me tomaría un whisky llegado de Escocia.

De súbito, me di cuenta de que el rumor del agua se había extinguido. Tal vez los agujeros hubieran dejado de vomitar agua. O tal vez fuese sólo que el agua había alcanzado una altura considerable y había dejado de oírse. Pero eso a mí no me importaba. Si el agua quería subir, que subiera. Yo había decidido sobrevivir. Y recuperar la memoria. Nadie, jamás, volvería a manipularme. Quise gritarlo al mundo entero. Que nadie volvería a manipularme.

Sin embargo, me dije que de poco serviría gritar eso aferrado a una roca en las negras profundidades del subsuelo, así que lo dejé correr y doblé el cuello para mirar hacia lo alto. Ella se hallaba mucho más arriba de lo que esperaba. No sabía a cuántos metros de distancia estaba en aquellos momentos, pero equivaldrían a unas tres o cuatro plantas de unos grandes almacenes. Estaría en la sección de ropa femenina o en la de telas para quimonos. Me pregunté con fastidio cuánto mediría la mole rocosa en su totalidad. Ella y yo juntos ya debíamos de haber ascendido un trecho considerable y, puesto que aún faltaba una buena parte, aquella mole rocosa debía de ser altísima. En cierta ocasión había tenido el capricho de subir los veintiséis pisos de un rascacielos, pero me daba la impresión de que la escalada de la «torre» superaba con creces mi anterior gesta.

De todos modos, me dije que era una suerte que las negras sombras me impidieran ver bajo mis pies. Por más acostumbrado que estés a la montaña, subir a un lugar tan escarpado y peligroso sin equipo y calzado con zapatillas de tenis era una experiencia terrorífica. Era como limpiar los cristales de la fachada de unos grandes almacenes sin red ni andamio. Mientras subías y subías, envuelto en la oscuridad, no había problema, pero una vez que te detenías, empezaba a preocuparte la altura.

Volví a doblar el cuello y miré hacia arriba. Ella seguía subiendo, y la luz continuaba balanceándose, pero se encontraba a mucha mayor altura que antes. Efectivamente, debía de ser muy buena trepando por la cuerda, tal como había dicho. En todo caso, la altura era considerable. Casi irrazonable. ¿Por qué se le habría ocurrido al anciano refugiarse en un lugar tan estrambótico? Si nos hubiera esperado en un lugar más normal, nos habríamos ahorrado muchas fatigas.

Estaba absorto en estos pensamientos cuando me pareció oír una voz en lo alto. Al alzar la vista, distinguí una lucecita amarilla que parpadeaba como las luces de navegación de un avión. Debía de haber llegado a la cima. Agarré la cuerda con una mano, saqué la linterna del bolsillo con la otra e hice, hacia arriba, la misma señal. Luego, de paso, enfoqué hacia abajo, dispuesto a comprobar hasta dónde llegaba ya la superficie del agua, pero la luz de mi linterna era demasiado débil y nada pude ver. Las tinieblas eran demasiado profundas y, a no ser que descendiera un poco, no distinguiría nada. Mi reloj de pulsera indicaba las cuatro y doce minutos de la madrugada. Aún no había amanecido. Todavía no habían repartido la edición matinal del periódico. Los trenes aún no circulaban. En la superficie, la gente debía de dormir profundamente, sin enterarse de nada.

Tiré de la cuerda hacia mí con ambas manos y, tras respirar hondo, empecé a subir lentamente.

# 24
## EL FIN DEL MUNDO
## La plaza de las sombras

Por la mañana, al abrir los ojos, vi que aquel prodigioso tiempo soleado que se había prolongado a lo largo de tres días había llegado a su fin. El cielo estaba cubierto de una capa uniforme de oscuros nubarrones, y los rayos de sol, que a duras penas lograban atravesarlos y alcanzar la tierra, habían perdido ya su tibieza y su brillo. Envueltos en aquella luz helada fundida en gris, los árboles tendían al aire sus ramas peladas, desprovistas de hojas, recortándose en el cielo como si fueran grietas, y el río dejaba oír su gélido murmullo por los alrededores.

El cariz del cielo presagiaba nieve de un momento a otro, pero no nevaba.

–Hoy no nevará –me explicó el anciano–. Estas nubes no son de nieve.

Abrí la ventana y, una vez más, miré el cielo, pero fui incapaz de discernir cuáles podían dejar caer nieve y cuáles no.

El guardián estaba sentado ante una gran estufa de hierro, descalzo, calentándose los pies. La estufa era del mismo modelo que la de la biblioteca. En la parte superior tenía una superficie plana, donde cabían una tetera y una olla, y, en la inferior, un cajón para recoger la ceniza. La parte frontal tenía forma de escritorio, con una gran asa metálica. El guardián estaba sentado en una silla, con los pies apoyados en el asa de la estufa. Debido al vapor que exhalaba la tetera y al olor del tabaco de pipa barato –imagino que se trataba de un sucedáneo–, la atmósfera era húmeda y pegajosa. Seguro que el tufo a pies también tenía algo que ver. Detrás de la silla donde estaba sentado había una gran mesa de madera y, encima de ésta, se alineaban destrales y hachas junto a una piedra de afilar. Tanto los destrales como las hachas tenían el mango tan gastado que apenas se reconocía su color.

–Es una bufanda –dije, abordando enseguida la cuestión–. Sin bufanda, se me hiela el cuello.

–Claro, claro –dijo el guardián con aire comprensivo–. Es normal.

–En el archivo del fondo de la biblioteca hay ropa que nadie utiliza. He pensado que quizá podía usar algunas prendas.

–¡Ah! ¿Esa ropa? Utiliza la que quieras. Tratándose de ti, no hay problema. Coge una bufanda, un abrigo, lo que necesites.

–¿No pertenecen a nadie?

–No te preocupes por los dueños de la ropa. Aunque los hubiera, hace ya tiempo que se han olvidado de ella... ¡Ah! Por lo visto, estás buscando un instrumento musical, ¿no?

Asentí. Aquel hombre lo sabía todo.

–Por principio, en esta ciudad no existen instrumentos musicales –dijo–. Pero eso no significa que no haya ninguno. Eres muy responsable en tu trabajo, no hay ningún inconveniente en que te hagas con uno. Ve a la central eléctrica y pregúntale al encargado. Quizá él pueda ayudarte.

–¿La central eléctrica? –me sorprendí.

–Pues claro –dijo y señaló la bombilla que pendía encima de su cabeza–. ¿De dónde diablos creías que venía la electricidad? ¿De los manzanos?

Riendo, me dibujó un mapa en el que me indicó cómo ir a la central eléctrica.

–Remonta el río, todo recto hacia el este, por la orilla sur. A los treinta minutos encontrarás, a tu derecha, un viejo granero, sin tejado ni puerta. Una vez allí, tuerce a la derecha y sigue recto. Al rato encontrarás una colina y, pasada la colina, un bosque. Al poco de entrar en el bosque, a unos quinientos metros, verás la central eléctrica. ¿Lo has entendido?

–Creo que sí. Pero pensaba que era muy peligroso ir al bosque en invierno. Todo el mundo lo dice. Además, ya he tenido una mala experiencia.

–¡Ah, sí! Lo había olvidado por completo. Es verdad, tuve que llevarte a la Residencia Oficial, colina arriba, en la carreta. ¿Ya te encuentras bien?

–Sí. Muchas gracias.

–Veo que has salido escaldado, ¿eh?

–Pues sí.

Sonriendo con sorna, el guardián cambió de posición los pies que tenía apoyados en el asa.

–Escarmentar es bueno. Te vuelves prudente. Y entonces ya no te haces daño nunca más. Un buen leñador tiene una sola cicatriz, ni una más, ni una menos. Una sola, ¿entiendes?

Asentí.

–Pero ir a la central eléctrica no entraña peligro. Está justo a la entrada del bosque y sólo hay un camino. No tiene pérdida. Tampoco te encontrarás a los habitantes del bosque. El peligro está en lo más profundo del bosque y cerca de la muralla. Si no te acercas, no te pasará nada. Pero ten en cuenta lo que voy a decirte: no te alejes, bajo ningún concepto, del camino, y no vayas más allá de la central eléctrica. Si lo haces, tal vez te veas metido en serios problemas.

–¿El encargado de la central eléctrica es un habitante del bosque?

–No, él no. No se parece a los del bosque ni a los que habitan en la ciudad. No es ni una cosa ni otra. No puede entrar en el bosque ni volver a la ciudad. Es inofensivo, pero también carece de agallas.

–¿Cómo son los habitantes del bosque?

El guardián dobló el cuello y me clavó la mirada, en silencio.

–Creo que ya te lo dije al principio. Tú eres libre de preguntar y yo soy libre de responder.

Asentí.

–Y a eso no quiero contestar, y punto –zanjó–. Por cierto, hace tiempo que dices que quieres ver a tu sombra, ¿verdad? Pues ya ha llegado el momento. Con el invierno, sus fuerzas han menguado un poco y no tengo inconveniente en que os veáis.

–¿Se encuentra mal?

–¡No, qué va! Si está como una rosa. Cada día la saco unas horas a hacer ejercicio y tiene un hambre canina. Sólo que, en invierno, los días son más cortos, hace frío, y eso a las sombras no les sienta bien. Nadie tiene la culpa. Es muy normal, lo más natural del mundo. No es culpa mía ni tuya. En fin, como vas a verla, podrás hablar de todo esto con ella.

El guardián cogió un manojo de llaves que colgaba de la pared, se lo metió en el bolsillo de la chaqueta y, bostezando, se ató los cordones de las recias botas de cuero. Parecían muy pesadas y las suelas estaban provistas de clavos de hierro para andar por la nieve.

Las sombras vivían en una especie de zona neutral entre la ciudad y el mundo exterior. Como yo no podía salir del recinto, ni la sombra podía entrar, la Plaza de las Sombras era el único sitio donde las personas que habían perdido su sombra podían encontrarse con las sombras que habían perdido a su persona. La plaza se hallaba detrás de la cabaña del guardián. De plaza sólo tenía el nombre, y ni siquiera era amplia. Era apenas mayor que el jardín de una casa, y estaba rodeada por una imponente reja de hierro.

El guardián sacó el manojo de llaves del bolsillo, abrió la puerta de hierro, me hizo pasar y luego entró él. La plaza formaba un cuadrado perfecto y aprovechaba la muralla que rodeaba la ciudad como pared de fondo. En un rincón se alzaba un viejo olmo y, debajo, había un banco sencillo. El olmo tenía los colores tan apagados que no se sabía si estaba vivo o muerto.

En un recoveco de la muralla, habían construido de manera provisional, con viejos ladrillos y cascotes, una cabaña. No tenía cristales en las ventanas y sólo contaba con un tablón de madera a modo de puerta. Como no se veía chimenea alguna, deduje que en ella debía de hacer frío.

–Tu sombra vive allí –me dijo el guardián–. Es más confortable de lo que parece. Hay agua corriente y retrete. También tiene un sótano donde no hay corrientes de aire. No es un hotel, pero protege de la lluvia y del viento. ¿Quieres entrar?

–No, prefiero quedarme aquí –contesté. El olor nauseabundo de la cabaña del guardián me había dado dolor de cabeza. Aunque hiciera frío, prefería respirar un poco de aire fresco.

–De acuerdo –dijo, y entró solo en la cabaña.

Me subí el cuello del abrigo, me senté en el banco situado bajo el olmo y me dispuse a esperar a mi sombra removiendo la tierra con el tacón del zapato. El suelo estaba duro, cubierto con algunas placas de hielo. Sólo al pie de la muralla, en las partes umbrías, quedaba nieve.

Al poco, salió el guardián acompañado de mi sombra. El guardián cruzó la plaza a zancadas, haciendo crujir el suelo helado bajo las suelas claveteadas, y mi sombra lo siguió, caminando despacio. No parecía encontrarse tan bien como había dicho el guardián. Se la veía más demacrada, y los ojos y la barba resaltaban de un modo extraordinario.

–Bueno, os dejaré solos –dijo el guardián–. Supongo que tendréis mucho de que hablar, así que charlad tranquilamente. Pero no prolonguéis mucho la cháchara: si por casualidad volvierais a juntaros, tardaría mucho en despegaros de nuevo. Y no serviría de nada. No representaría más que una molestia para ambos. ¿Comprendido?

Hice un gesto de asentimiento. El guardián tenía razón. Aunque nos juntáramos, nos separaría otra vez. Y tendríamos que empezar desde el principio.

Mi sombra y yo lo seguimos con la mirada mientras cerraba la verja con llave y se dirigía a su cabaña. El crujido de sus suelas claveteadas al morder el suelo fue alejándose poco a poco, y cuando finalmente la pesada puerta de madera se cerró a sus espaldas, la sombra se sentó a mi lado. Al igual que yo, empezó a escarbar en el suelo con el tacón del zapato. Llevaba un tosco y delgado jersey de punto, unos pantalones de trabajo y las viejas botas que le había dado yo.

–¿Estás bien? –le pregunté.

–¿Cómo voy a estarlo? –replicó–. Hace demasiado frío, la comida es espantosa.

–Me ha dicho que haces ejercicio todos los días.

–¿Ejercicio? –se quejó–. ¿A eso lo llama hacer ejercicio? Todos los días me arrastra fuera de la cabaña y me obliga a que lo ayude a quemar las bestias. Cargamos los cadáveres en la carreta, los sacamos al otro lado del portal, los llevamos al manzanar, los rociamos de aceite y los quemamos. Antes de quemarlos, el guardián los degüella con el hacha. Ya has visto la magnífica colección de cuchillos que tiene. Ese tipo, lo mires como lo mires, no está bien de la chaveta. Si tuviera la oportunidad, iría por el mundo dando hachazos a todo lo que se le pusiera por delante.

–¿Él también es un hombre de la ciudad?

–No. Sólo es un empleado. Disfruta quemando las bestias. A las personas de la ciudad, eso ni se les pasa por la cabeza. Desde que ha empezado el invierno, ha quemado a muchísimas bestias. Esta mañana han muerto tres. Ahora iremos a quemarlas.

Al igual que yo, mi sombra siguió escarbando en el suelo helado con el tacón del zapato. El suelo estaba duro como una piedra. Un pájaro de invierno lanzó un agudo grito y alzó el vuelo desde la rama de un árbol.

–Encontré el mapa –dijo la sombra–. Estaba mucho mejor dibujado de lo que esperaba y las explicaciones eran muy buenas. Pero lo recibí demasiado tarde.

–Estuve enfermo –dije.

–Sí, ya me enteré. Pero, una vez llegó el invierno, fue demasiado tarde. De haberlo tenido antes, las cosas hubiesen avanzado sin contratiempos y hubiese podido hacer planes.

–¿Planes?

–Para huir de aquí. Es obvio, ¿no? ¿Qué otros planes podría hacer? Supongo que no creerías que quería el mapa para divertirme, ¿no?

Negué con la cabeza y añadí:

–Pensaba que podrías decirme qué significa esta ciudad extraña. Después de todo, tú te quedaste con la mayor parte de mis recuerdos.

–Sí, ¿y qué? Tengo la mayoría de tus recuerdos, cierto. Pero yo solo no puedo utilizarlos con provecho. Para lograrlo, tendríamos que volver a juntarnos los dos. Y eso, en la práctica, es imposible: entonces no podríamos volver a vernos jamás y sería imposible trazar ningún plan. Así que, de momento, estoy pensando solo. Sobre el sentido de esta ciudad.

–¿Has comprendido algo?

–Algo. Pero todavía no puedo hablarte de eso. Si no contrasto algunos detalles, me faltarán ánimos, fuerza de convicción. Dame un poco de tiempo. Me da la impresión de que, si pienso un poco más, veré las cosas más claras. Pero quizá para entonces sea demasiado tarde. En invierno mi cuerpo se va debilitando más y más; de seguir así, no me extrañaría que, aunque ultimara mis planes de evasión, careciera de fuerzas para llevarlos a cabo. Por eso quería el mapa antes de que llegara el invierno.

Alcé los ojos hacia el olmo, encima de mi cabeza. A través de las gruesas ramas se veían pequeños fragmentos de nubes oscuras.

–Pero huir de aquí es imposible –repliqué–. Ya has visto el mapa, ¿no? No hay salida. Esto es el fin del mundo. No se puede volver atrás ni se puede seguir adelante.

–Tal vez sea el fin del mundo, pero estoy seguro de que se puede escapar de aquí. Lo sé con certeza. Está escrito en el cielo. Que hay una salida. Los pájaros sobrevuelan la muralla, ¿no es cierto? Y esos pájaros, ¿adónde van? Pues al mundo exterior. Al otro lado de la muralla existe otro mundo, sin duda alguna. Precisamente por eso la muralla rodea la ciudad: para evitar que la gente salga. Si en el exterior no hubiese nada, ¿para qué cercar la ciudad con un muro? Seguro que hay una salida en alguna parte.

–Quizá tengas razón.

–Y yo encontraré esa salida. Y huiré de aquí contigo. No quiero morir en un lugar tan miserable. –Tras pronunciar estas palabras, enmudeció y volvió a escarbar el suelo–. Creo que ya te había dicho que esta ciudad era un lugar antinatural y fundado en un error –dijo la sombra–. Pues sigo pensando lo mismo. Es antinatural y, encima, errónea. El problema está en que la ciudad se levanta sobre lo antinatural y lo erróneo. Y como todo es antinatural y distorsionado, todas las piezas encajan a la perfección. Y forman un todo redondo. Como esto. –En el suelo dibujó un círculo con el tacón–. Es un círculo cerrado. Por eso, cuando llevas mucho tiempo aquí dándole vueltas a las cosas, empiezas a convencerte de que ellos están en lo cierto y de que tú estás equivocado. Porque *ellos* parecen demasiado coherentes. ¿Entiendes?

–Perfectamente. A veces tengo la misma sensación. La de que, comparado con la ciudad, no soy más que un ser insignificante, lleno de contradicciones.

–Sin embargo, eso es falso –insistió la sombra trazando unos dibujos indescifrables al lado del círculo–. Nosotros tenemos razón y ellos están equivocados. Nosotros somos naturales y ellos no. Debes creerlo, creerlo mientras te queden fuerzas. Si no lo crees, la ciudad te acabará absorbiendo antes de que te des cuenta, y entonces ya será demasiado tarde.

–Pero lo correcto y erróneo es, al fin y al cabo, algo relativo. Además, a mí me han arrebatado la memoria, que es lo que debería darme la medida para distinguir ambas cosas.

La sombra asintió.

–Comprendo que te sientas confuso. Pero piensa en lo que voy a decirte. ¿Crees que existe el movimiento continuo?

–No. Por principio, no puede existir.

–Pues esto es lo mismo. Esta ciudad es segura y lo contiene todo, algo de por sí tan imposible como el movimiento continuo. Por principio, una ciudad perfecta no existe. Pero ésta lo es. Vamos, que hay algún truco en alguna parte. Como esos mecanismos que aparentemente se hallan en movimiento continuo pero que, en realidad, se valen de una fuerza exterior oculta.

–¿Y tú has descubierto de qué se trata?

–Todavía no. Como te he dicho, tengo una hipótesis, pero aún debo contrastar los detalles. Y para eso necesito tiempo.

–¿Y no vas a explicarme tu hipótesis? Quizá pueda ayudarte a corroborarla.

La sombra se sacó las manos de los bolsillos y, tras echar sobre ellas su aliento cálido, se frotó las rodillas.

–No, no puedes. A mí me duele el cuerpo, pero a ti te duele el corazón. Y lo primero que tienes que hacer es curarte. Si no, tú y yo jamás conseguiremos huir de aquí. Yo pensaré cómo salir, pero tú esfuérzate por encontrar el modo de salvarte a ti mismo. Eso es prioritario.

–Sí, me siento confuso, tienes razón –dije posando la mirada en el círculo dibujado en el suelo–. No sé hacia dónde encaminarme. Ni siquiera sé qué tipo de persona era antes. ¿Qué fuerza puede poseer un corazón que ha perdido de vista su propio yo? Y, encima, en una ciudad fuerte, con un peculiar sistema de valores. Ha llegado el invierno y a partir de ahora me sentiré cada vez más inseguro de mi propio corazón.

–No, no es cierto –dijo la sombra–. No te has perdido de vista a ti mismo. Simplemente, alguien te ha escamoteado la memoria, y eso te ha sumido en un gran desconcierto. Pero tú no estás equivocado, en absoluto. Aunque pierda los recuerdos, el corazón sabe muy bien hacia dónde encaminarse. Te lo aseguro: el corazón tiene sus propios principios de conducta. Que son el yo. Tienes que creer en tu propia fuerza. Si no, una fuerza exterior te arrastrará hacia un lugar absurdo e incomprensible.

–Lucharé –prometí.

La sombra asintió y permaneció unos instantes contemplando el cielo encapotado. Después cerró los ojos, como si se sumiera en sus reflexiones.

–Cuando me siento perdido, siempre miro a los pájaros –dijo entonces–. Al mirarlos, comprendo que no estoy equivocado. Ellos nada tienen que ver con la perfección de la ciudad. Ni con la muralla, ni con la puerta, ni con el cuerno. Absolutamente nada que ver. Haz como yo. Mira los pájaros.

Desde la puerta de la reja me llegó la voz del guardián, que me llamaba.

La entrevista había llegado a su fin.

–No aparezcas por aquí durante un tiempo –me susurró mi sombra al oído en el momento de separarnos–. Si te necesito, ya me las ingeniaré para ponerme en contacto contigo. El guardián es muy desconfiado y, si nos viéramos con demasiada frecuencia, sospecharía que tramamos algo y se pondría alerta. Y eso dificultaría enormemente mi labor. Si te lo pregunta, finge que la charla no ha ido demasiado bien, ¿de acuerdo?

–De acuerdo.

–¿Qué? ¿Cómo ha ido? –me preguntó el guardián cuando volví a su cabaña–. Habrá sido divertido veros después de tanto tiempo, ¿no?

–Pues no lo sé –dije, negando con la cabeza.

–Ya, claro. Normal –dijo el guardián con aire satisfecho.

# 25

## EL DESPIADADO PAÍS DE LAS MARAVILLAS
## Comida. Fábrica de formas. Trampa

Trepar por la cuerda era mucho más cómodo que subir por la escalera. Tenía, sin excepción, un fuerte nudo cada treinta centímetros y su grosor la hacía muy manejable. Agarré la cuerda con ambas manos y fui ascendiendo, nudo a nudo, oscilando un poco de delante hacia atrás al tomar impulso. Parecía una secuencia de una película de trapecistas. Claro que las cuerdas de los trapecistas no tienen nudos. Si los tuvieran, los espectadores no se los tomarían tan en serio.

De vez en cuando miraba hacia lo alto, pero como ella dirigía el chorro de luz de la linterna hacia mí, el resplandor me cegaba y me impedía calcular la distancia. Me dije que la joven, preocupada, debía de observar atentamente mi ascenso. El dolor de la herida del vientre me punzaba al compás de los latidos del corazón. La cabeza, a consecuencia del golpe que me había dado al caer, seguía doliéndome. Ni un dolor ni el otro me impedían trepar por la cuerda, pero me mortificaban.

Cuanto más me aproximaba a la cima, más me sumergía, yo y cuanto me rodeaba, en el intenso resplandor de su linterna. La amabilidad de la joven era innecesaria. Yo ya me había acostumbrado a subir a oscuras. La luz me aturdía y varias veces me hizo resbalar. Distorsionaba las diferencias entre los puntos de luz y los de sombra. Las partes iluminadas cobraban un relieve inusitado y las que no lo estaban se veían exageradamente hundidas. Además, la luz me deslumbraba. El cuerpo humano se acostumbra enseguida al medio que lo acoge, sea cual sea éste. No me extrañaba que los tinieblos, que llevaban tanto tiempo viviendo en el subsuelo, hubiesen adaptado todas sus funciones biológicas a la oscuridad.

Tras subir sesenta o setenta nudos, alcancé por fin lo que parecía ser la cima. Apoyé las manos en el borde de la roca y me aupé hacia arriba como hacen los nadadores para salir de la piscina. Tardé bastante, pues apenas podía mover los brazos, agotados tras la larga escalada. Me sentía como si hubiera nadado uno o dos kilómetros a crol. Ella me ayudó a subir, agarrándome por el cinturón.

–Nos hemos librado por los pelos –dijo–. Si mi abuelo llega a tardar cuatro o cinco minutos más, ya estaríamos muertos.

–¡Estupendo! –dije con sorna mientras me dejaba caer sobre una roca plana y aspiraba profundas bocanadas de aire–. ¿Hasta dónde ha llegado el agua?

Ella dejó la linterna en el suelo y tiró lentamente de la cuerda. Cuando hubo subido alrededor de una treintena de nudos, me la pasó. La cuerda estaba empapada. El agua había alcanzado una considerable altura. Tal como decía, si el profesor hubiera tardado cuatro o cinco minutos más en arrojarnos la cuerda, las habríamos pasado moradas.

–Por cierto, ¿has encontrado a tu abuelo? –pregunté.

–Sí, claro –dijo–. Está dentro, en el altar, allá al fondo. Pero se ha hecho un esguince en el tobillo. Dice que, al huir, metió el pie en un agujero.

–¿Y con un esguince ha podido llegar hasta aquí?

–Por supuesto. Mi abuelo es muy fuerte. Nos viene de familia.

–Eso parece –dije. Yo me tenía por una persona fuerte, pero ante ellos quedaba a la altura del betún.

–¡Vamos! Mi abuelo nos está esperando. Dice que tiene muchas cosas que contarte.

–Y yo también a él.

Me cargué de nuevo la mochila a la espalda y la seguí hasta el altar. Lo que llamaba «altar» era sólo un agujero redondo abierto en la pared rocosa. Dentro había una amplia estancia que una lámpara de butano, colocada en un entrante de la pared, iluminaba con una tenue luz amarillenta que se difundía por el interior de la cueva. Las irregularidades de la roca creaban multitud de sombras de extrañas formas. El profesor estaba sentado junto a la lámpara, con una manta sobre las rodillas. La mitad de su rostro permanecía hundida en las sombras. Por efecto de la luz, sus ojos se veían muy hundidos, pero lo cierto era que parecía la personificación de la salud.

–De buena os habéis librado, ¿eh? –dijo el profesor, contento–. Yo ya sabía que se iba a inundar todo, claro. Pero pensaba que llegaríais antes, así que no le di importancia.

–Es que me perdí en la ciudad, abuelo –dijo la nieta–. Me encontré con él con casi un día de retraso.

–Bueno, bueno. ¡Qué más da! –dijo el profesor–. Os haya costado llegar o no, ahora ya no cambia nada.

–¿Y qué diablos es lo que no cambia? –le pregunté.

–Bueno, bueno. Los temas complicados dejémoslos para luego. ¡Va! Siéntese aquí. Primero, vamos a sacarle esa sanguijuela que tiene en el cuello. Si se la deja ahí, le quedará cicatriz.

Me senté algo apartado del profesor. La nieta tomó asiento a mi lado, sacó una caja de cerillas del bolsillo, prendió una y, quemándola, hizo que la enorme sanguijuela que tenía en la nuca se desprendiera. Llena a rebosar de la sangre que me había succionado, la sanguijuela se había hinchado hasta adquirir el tamaño del corcho de una botella de vino. Al abrasarse, soltó un húmedo «shhh». La sanguijuela permaneció unos instantes retorciéndose en el suelo hasta que la joven la aplastó de un pisotón con su zapatilla de tenis. En la piel me quedó un escozor como el que produce una quemadura. Al doblar enérgicamente la cabeza hacia la izquierda, me daba la impresión de que la piel se me iba a rasgar como si fuese un tomate demasiado maduro. Como siguiera llevando aquel tipo de vida, antes de una semana mi cuerpo parecería un catálogo de heridas y contusiones. Y yo lo repartiría a todo el mundo, editado con ilustraciones a todo color, igual que las fotografías de pie de atleta en los carteles a la entrada de las farmacias. Incisión abdominal, chichón en la cabeza, cardenal producido por succión de sanguijuela..., quizá también debería añadir impotencia. Así el conjunto sería aún más aterrador.

–¿No habrá traído, por casualidad, algo de comer? –me preguntó el anciano–. Con las prisas, no pude coger provisiones y, desde ayer, no he comido más que chocolate.

Abrí la mochila, saqué algunas latas de conserva, pan y la cantimplora, y se lo entregué todo al profesor junto con un abrelatas. Primero, bebió agua con ansia y, después, fue estudiando las latas, una por una, con suma atención, como si estuviese comprobando el año de unos vinos. Abrió una lata de melocotón y otra de carne.

–¿Ustedes no van a comer? –nos preguntó.

Yo le respondí que no. En aquel lugar, y en aquellos momentos, no me apetecía comer nada.

El profesor partió un pedazo de pan, puso encima un grueso trozo de carne y lo devoró con apetito. Luego se comió varios trozos de melocotón, se llevó la lata a los labios y se bebió el jugo. Mientras tanto, yo saqué la botella de whisky de la mochila y eché unos tragos.

Gracias al whisky, el dolor de las diversas partes magulladas de mi cuerpo se hizo más llevadero. No es que se hubiese calmado, pero como el alcohol me embotaba los sentidos, me daba la impresión de que el dolor se convertía en un ser independiente que no tenía relación directa conmigo.

–¡Uf! Debo darle las gracias –me dijo el profesor–. Siempre traigo provisiones para dos o tres días, pero esta vez me olvidé de reponer las existencias. Me avergüenzo de mi descuido. Cuando uno se acostumbra a la vida fácil, baja la guardia. Es una buena lección. «Prepara tu paraguas un día de sol para tenerlo a punto un día de lluvia.» Antes la gente decía cosas muy sensatas –añadió, y soltó una de sus peculiares carcajadas.

–Veo que ya ha terminado de comer –dije–. Creo que es el momento de abordar la cuestión principal. Cuéntemelo todo por orden, empezando por el principio: ¿qué diablos se proponía hacer? ¿Qué ha hecho? ¿Qué consecuencias acarreará? ¿Qué debo hacer yo?... Todo.

–Pero es que son cuestiones científicas, cosas muy técnicas –contestó, dubitativo.

–Entonces simplifíqueme las partes técnicas y explíquemelo de manera que yo pueda entenderlo. Es suficiente con que lo comprenda en líneas generales y sepa qué medidas tendré que tomar.

–Si se lo explico todo, se enfadará conmigo. Y lo cierto es que...

–No me enfadaré –prometí. Total, a esas alturas, ¿qué sacaría con enfadarme?

–En primer lugar, debo pedirle perdón –empezó–. Aunque fuera en aras de la ciencia, le mentí y lo utilicé, y, a consecuencia de ello, ahora se encuentra usted en un callejón sin salida. Soy muy consciente de mis actos. Créame, no son sólo palabras. Le pido disculpas de todo corazón. No obstante, deseo que comprenda que mi investigación revestía una gran importancia, tenía un valor sin precedentes. Los científicos, cuando tenemos un filón ante nuestros ojos, tendemos a olvidarnos del resto. Por eso la ciencia sigue adelante sin pausa. Además, si me permite dar un paso más, diría que en esa pureza radica, justamente, el progreso científico... Eeeh..., ¿ha leído usted a Platón?

–Muy poco –dije–. Pero cíñase a los puntos esenciales, por favor. La pureza de los objetivos de la investigación científica me ha quedado muy clara.

–Le ruego que me disculpe. Sólo quería decirle que la pureza de la ciencia puede hacer daño a mucha gente. Aunque, ciertamente, sucede lo mismo con todos los fenómenos naturales puros. Los volcanes en erupción sepultan ciudades, las inundaciones se cobran vidas humanas, los terremotos sacuden y arrasan la superficie de la Tierra... Y no obstante, ¿se puede afirmar que los fenómenos naturales son malos? Porque...

–Abuelo –terció la joven–, tal vez deberías abreviar un poco, apenas tenemos tiempo...

–Sí, sí. Tienes razón –dijo el profesor, cogiendo la mano de su nieta y dándole unos golpecitos afectuosos–. Por cierto..., ¿por dónde empiezo? Explicar las cosas de forma lineal, siguiendo un orden, no se me da muy bien. ¿Cómo podría decirlo? ¿Qué...?

–Usted me entregó unos valores numéricos y me pidió que hiciera un *shuffling*. ¿Qué eran esos valores? ¿Para qué quería el *shuffling*?

–Para que usted lo entienda, tendría que remontarme a tres años atrás.

–Hágalo, por favor –le insté.

–En aquella época yo trabajaba en los laboratorios del Sistema. No era un investigador de plantilla, sino un especialista auxiliar. Dirigía un equipo de cuatro o cinco miembros, y disponíamos de unas instalaciones soberbias, sin límite de gastos. A mí el dinero no me interesa y mi carácter es incompatible con trabajar a las órdenes de otros. Sin embargo, el Sistema me proporcionaba un material experimental al que no hubiera podido acceder por ningún otro medio y, por encima de todo, me permitía poner en práctica los frutos de mi investigación. Y esto tenía, para mí, un atractivo irresistible.

»Entonces el Sistema se hallaba en una situación crítica. Los semióticos habían descifrado la práctica totalidad de sistemas de codificación de datos que el Sistema había creado para proteger la información. Cuanto más complicaba el Sistema las fórmulas, más sofisticados eran los procedimientos de descodificación que usaban los semióticos. Y así sucesivamente. Era como dos vecinos que compiten en la altura de las vallas. Uno levanta una valla alta y el otro, para no quedarse atrás, la construye más alta todavía; hasta que las vallas son tan altas que dejan de ser funcionales. Pero el Sistema no podía retirarse de la competición. Ya se sabe, si uno se retira, pierde. Y el vencido pierde toda razón de ser. Por este motivo, el Sistema decidió desarrollar un método de codificación de datos basado en un principio completamente distinto que no pudiera descifrarse con facilidad. Y me propusieron dirigir el equipo encargado de desarrollarlo.

»Fue una sabia decisión que me eligieran a mí. Porque yo, en aquella época, y también ahora, por supuesto, era el científico más competente y ambicioso que existía en el campo de la fisiología cerebral. Como no presentaba trabajos de investigación, ni impartía conferencias en congresos científicos ni hacía otras estupideces por el estilo, el mundo académico me ignoraba, pero en conocimientos sobre el cerebro nadie me superaba. Y el Sistema lo sabía. Por eso vieron en mí a la persona idónea. Deseaban un cambio de concepción radical, drástico, desde la base; un método alejado de la dificultad y sofisticación de los sistemas anteriores. Una labor que no puede acometer un hombre de ciencia que trabaja de la mañana a la noche en el laboratorio de una universidad y que está obligado a publicar tesis inútiles y a ir contando el dinero que gana. Un científico verdaderamente original debe ser libre.

–Sin embargo, usted, al entrar en el Sistema, renunció a su libertad, ¿no es así? –le dije.

–En efecto –admitió–. Tiene razón. Soy muy consciente de esto. No me arrepiento, pero sé bien lo que hice. No pretendo disculparme con ello, pero yo deseaba con todas mis fuerzas poder aplicar mis teorías. En aquella época, ya había concebido y elaborado una teoría, pero no había tenido ocasión de contrastarla con la realidad. Éste es el principal problema con el que se topa la fisiología cerebral: no puede experimentarse con animales, como sucede con otras ramas de la fisiología. Porque el cerebro de un simio, por ejemplo, no posee funciones complejas equiparables al subconsciente o a la memoria del ser humano.

–Es decir –dije–, que nos utilizó como cobayas humanas.

–Bueno, bueno, no se precipite en sus conclusiones. Deje primero que le explique mis ideas. Hay una teoría general sobre las claves. Y es que no existe ninguna clave que no pueda ser descifrada. Es cierto, sin excepción. Porque todas las claves se basan en un principio u otro. Y este principio, por complejo y elaborado que sea, está condicionado en última instancia por el límite medio del entendimiento humano. Y en cuanto descubres el principio, descifras la clave. Una de las claves más fiables es la llamada *book-to-book system*. En ésta, los dos individuos que se envían mensajes en clave poseen dos ejemplares de la misma edición de un libro y descifran los mensajes basándose en las palabras de determinada línea de determinado número de página. Pero tiene un punto débil y es que, como usted podrá inferir, en cuanto se identifica el libro, se descubre la clave. Además, es necesario llevar siempre el libro consigo, lo que entraña un gran peligro.

»Entonces se me ocurrió. Sólo podía haber una clave perfecta. Aquella que procesara el mensaje en un sistema que nadie pudiera comprender. Es decir, que codificara la información a través de una caja negra perfecta y que la descodificara utilizando la misma caja negra utilizada al procesarla. Ni siquiera el dueño de la caja conocería el contenido ni el principio en que ésta se fundamenta. Podría servirse de ella, pero ignoraría en qué consistía. Y al no saber nada, nadie podría arrancarle información por la fuerza. ¿Qué le parece? Es perfecto, ¿no cree?

–En resumen, que esa caja negra es el subconsciente de un ser humano, ¿verdad?

–Exacto. Pero permítame que añada algo. Todos los seres humanos actúan basándose en sus propios principios. No hay dos individuos iguales. Es, por decirlo así, una cuestión de identidad. ¿Y qué es la identidad? Simplemente, el sistema de pensamiento original que resulta de la suma de recuerdos de experiencias pasadas. Simplificando, a eso se le puede llamar «corazón», o también «mente». Ningún individuo tiene el corazón o la mente iguales al de otro. Sin embargo, el ser humano apenas conoce su propio sistema de pensamiento. Ni usted ni yo lo conocemos. La parte que conocemos, o que creemos conocer, a duras penas va de la quinceava a la veinteava parte del total. No es más que la punta del iceberg. Para que lo entienda, permítame que le formule una pregunta. ¿Es usted una persona audaz o apocada?

–No lo sé –respondí con franqueza–. Unas veces soy audaz, otras apocado. No puedo definirme con una palabra.

–Algo similar ocurre con el pensamiento de una persona. No puede definirse con una palabra. Según las circunstancias y el objeto ante el que reaccione, usted oscilará instintivamente, de manera casi instantánea, entre la audacia y la cobardía. Porque su mente está dotada de este sofisticado programa. Sin embargo, usted apenas conoce los detalles o el contenido de este programa. Porque no tiene ninguna necesidad de conocerlo. Aunque no lo conozca, usted puede funcionar como individuo. Eso es la caja negra. Es decir que, en nuestra mente, se esconde un enorme cementerio de imágenes que el hombre jamás ha explorado. Exceptuando el macrocosmos, es la última *terra incognita* que le queda a la especie humana.

»No, la expresión "cementerio de imágenes" no es correcta. Porque no es un depósito de recuerdos muertos. Sería más exacto hablar de "fábrica de formas". Allí se seleccionan innumerables retazos de memoria y de conocimientos; los fragmentos resultantes de esta selección se combinan entre sí de un modo complejo hasta formar una línea; a su vez estas líneas se combinan de modo complejo hasta formar un haz, y la suma de estos haces constituye un sistema. Y esto es, precisamente, una fábrica. Un lugar de producción. Usted es el jefe de la fábrica, pero no puede visitarla. Al igual que le ocurre a Alicia en el País de las Maravillas, para introducirse en ella necesitará un brebaje especial. Sin duda Lewis Carroll escribió una obra notable.

–Entonces, ¿nuestros patrones de conducta se configuran según las instrucciones procedentes de esa fábrica de formas?

–Exacto. En resumen...

–Espere –lo interrumpí–. Permítame hacerle una pregunta.

–Adelante, adelante.

–Comprendo lo que dice. Pero creo que estos patrones de conducta no acaban de funcionar en actos insignificantes de la vida real. Por ejemplo, cuando me levanto por la mañana, con el pan tomaré leche, café o té según el humor que tenga.

–Estoy de acuerdo –dijo el profesor asintiendo con énfasis–. También hay que tomar en consideración que el subconsciente de un individuo se halla en perpetuo cambio. Para establecer una similitud, es como una edición revisada diaria de la enciclopedia. Para fijar el sistema de pensamiento del ser humano es necesario superar dos problemas.

–¿Problemas? –me sorprendí–. ¿Dónde está el problema? ¿No son acciones humanas normales y corrientes?

–Bueno, bueno –dijo el profesor en tono conciliador–. Si seguimos por ahí, entraremos en el campo de la teología. Toparemos con el determinismo y temas similares, y acabaremos debatiendo sobre si los actos de los individuos están previamente determinados por la voluntad divina o si son fruto del libre albedrío. A partir de la edad moderna, la ciencia ha avanzando fundamentándose en la espontaneidad fisiológica del hombre. No obstante, nadie puede explicar qué entiende por voluntad. Nadie ha desentrañado el secreto de la fábrica de formas que existe en nuestra mente. Freud y Jung, entre otros, publicaron diversas teorías, pero, en definitiva, se limitaron a inventar conceptos útiles para poder abordar el tema. Un instrumento práctico, no lo niego, pero eso no implica que fundamentaran la espontaneidad del ser humano. En mi opinión, no hicieron más que dar a la psicología los colores de la filosofía escolástica.

En este punto, el profesor volvió a carcajearse. Su nieta y yo esperamos pacientemente a que acabara de reír.

–Soy un hombre más bien pragmático –prosiguió el profesor–. Citando el antiguo imperativo: «Dad al César lo que es del César y a Dios lo que es de Dios». Al fin y al cabo, la metafísica no es más que una cháchara semiótica. Antes de tomar estos derroteros, hay montones de cosas por hacer en campos bien acotados. Como, por ejemplo, el asunto de la caja negra. La caja negra se puede dejar tal como está. Y también se puede usar. Sólo que... –dijo alzando el índice– deben resolverse los dos problemas de los que quería hablarle. Uno de ellos es la casualidad inherente al plano de los actos superficiales, y el otro, el cambio que se produce en la caja negra conforme el individuo va adquiriendo nuevas experiencias. Ni uno ni otro son problemas fáciles de resolver, se lo aseguro. Porque, tal como ha dicho usted antes, son actos humanos perfectamente normales. El hombre, mientras vive, tiene experiencias diversas y éstas, minuto a minuto, segundo a segundo, van acumulándose en el interior de su mente. Interrumpir este proceso implica la muerte del individuo.

»Llegados a este punto, me planteé una hipótesis. ¿Qué sucedería si, en un momento concreto, se fijara la caja negra que poseyera un individuo en ese instante? Después podría cambiar tanto como quisiera. La caja negra continuaría inalterada, idéntica a como era en el instante en que fue fijada, y, en el caso de requerirla, respondería bajo su forma primigenia. Vamos, una especie de congelación del instante.

–Un momento, por favor. Eso implicaría que un único individuo poseería dos sistemas de pensamiento distintos, ¿no es así?

–Exacto, exacto –dijo el anciano–. Es usted muy inteligente. Responde a mis expectativas. Sí, tiene razón. El sistema de pensamiento A está en conservación permanente. Y, en la otra fase, va cambiando de forma continua a A', A'', A''', etcétera. Como si usted tuviera un reloj parado en el bolsillo derecho y otro que funcionara en el izquierdo. Según sus necesidades, podría coger uno u otro. Con esto, uno de los dos temas conflictivos quedaba zanjado.

»El segundo problema se resolvería siguiendo el mismo principio. Bastaba con suprimir la posibilidad de seleccionar el nivel superficial del sistema de pensamiento A. ¿Me comprende?

Le dije que no.

–Se trata de raspar la capa superficial, como hace el dentista con el esmalte dental. Y dejar solamente el factor central necesario, el núcleo de la conciencia. Así se elimina la divergencia. Y el sistema de pensamiento superficial eliminado se congela y se arroja dentro de un pozo: «¡plass!». Éste es el arquetipo del sistema *shuffling*. Ésta es, más o menos, la teoría que había esbozado antes de entrar en el Sistema.

–Está hablando de operaciones quirúrgicas cerebrales, ¿verdad?

–De momento, es necesario operar –dijo el profesor–. Si se producen avances en la investigación, quizá deje de serlo en el futuro. Tal vez pueda utilizarse la hipnosis, o algo similar, para crear el mismo estado. Pero en la fase en que nos encontramos, es imposible. Sólo se consigue descargando estímulos eléctricos en el cerebro. En otras palabras, se trata de cambiar de forma artificial el curso de los circuitos cerebrales. No es una intervención excepcional. De hecho, no difiere mucho de las operaciones cerebrales que se les practica hoy en día a las personas epilépticas. De este modo, se compensan las descargas eléctricas producidas por una irritación en el cerebro... ¿Puedo omitir los detalles técnicos?

–Omítalos, por favor. Me basta con saber lo esencial.

–En suma, se trata de establecer una conexión con el curso de las ondas cerebrales. Una bifurcación. Al lado, se implanta un electrodo y una pequeña pila. Y como reacción a determinada señal, la conexión cambia.

–¿Eso significa que me han metido en la cabeza una pila y un electrodo?

–Por supuesto.

–¡Estamos apañados! –dije.

–No es tan peligroso ni tan extraño como usted cree. No son más grandes que una judía roja, y el mundo está lleno de personas que van por ahí con cosas de ese tamaño implantadas en su cuerpo. Debo añadir que el circuito del sistema original de pensamiento, es decir, el del reloj detenido, es un circuito cerrado. Al entrar en él, usted no puede reconocer en absoluto el curso de sus propios pensamientos. O sea que, mientras tanto, usted no sabe lo que piensa o hace. De no ser así, existiría el peligro de que fuera cambiando su propio sistema de pensamiento.

–También está el problema de la irradiación del núcleo puro de la conciencia a la que le han raspado la superficie, ¿verdad? Después de que me operaran, un miembro de su grupo me comentó que esta irradiación podía afectar brutalmente al cerebro.

–Es cierto. Sin embargo, nada concreto se sabe sobre eso. Sólo podemos conjeturar. No se ha experimentado nada, sólo se ha dicho que podía ocurrir.

»Antes ha hablado usted de cobayas humanas y, lo reconozco, hemos experimentado con seres humanos. Pero sepa que no podíamos permitir bajo ningún concepto que un material tan precioso como ustedes, los calculadores, corriera el menor riesgo. El Sistema eligió a diez hombres, y nosotros les practicamos la intervención quirúrgica y observamos los resultados.

–¿Qué tipo de personas buscaban?

–A nosotros no nos lo dijeron. Las únicas condiciones eran que fueran diez jóvenes que gozaran de buena salud, sin antecedentes de enfermedades mentales y con un coeficiente intelectual de más de ciento veinte. Nosotros ignorábamos en qué lugares los buscaban y cómo los traían. Los resultados fueron regulares. De diez personas, a siete les funcionó la conexión. A las otras tres no les funcionó, y el sistema de pensamiento o bien les quedó unidireccional, de uno u otro lado, o bien se les confundió. Pero con siete obtuvimos un resultado positivo.

–¿Y qué pasó con los que se les confundió?

–Los devolvimos a su estado original, claro está. No sufrieron daños. Mientras entrenábamos a los siete restantes, detectamos un par de problemas. Uno era de carácter técnico, y el otro tenía su origen en los individuos sometidos a examen. El primero se derivaba de la ambigüedad de la señal para cambiar la conexión. Al principio, habíamos elegido como señal un número de cinco cifras, pero, por alguna razón, algunos sujetos cambiaban la conexión al oler zumo de uva natural. Lo descubrimos cuando les sirvieron zumo de uva en el almuerzo.

A mi lado, la joven gorda soltó una risita, pero a mí no me hizo ninguna gracia. Porque yo, después del *shuffling*, había empezado a experimentar molestias por culpa de algunos olores. Sin ir más lejos, al oler su agua de colonia con fragancia a melón, oía resonar unos ruidos dentro de mi cabeza. Si cada vez que olía algo, cambiaba mi conexión, aquello podía ser horroroso.

–Lo solucionamos intercalando unas ondas sonoras específicas entre los dígitos. Nos vimos obligados a hacerlo porque cierto tipo de olores producían reacciones semejantes a las originadas por la señal de arranque. El otro problema era que, en el caso de algunos sujetos, aunque la conexión cambiara correctamente, no se ponía en marcha el sistema de pensamiento original. Tras largas investigaciones, descubrimos que el sistema de pensamiento de los individuos en cuestión tenía un problema de origen. Su núcleo de la conciencia era inestable y poco denso. Eran hombres sanos e inteligentes, pero su identidad mental estaba poco desarrollada y estructurada. Otros mostraban una patente falta de dominio: poseían una marcada identidad, pero su indisciplina obstaculizaba el uso de su núcleo de la conciencia. En resumen, que descubrimos que la operación no bastaba para acceder al *shuffling,* sino que se precisaban otros requisitos suplementarios.

»En fin, que quedaron tres. En los tres casos, la conexión cambiaba con la señal y desempeñaban su tarea de manera eficaz y estable sirviéndose del sistema de pensamiento original congelado. Tras someterlos a repetidas pruebas durante un mes, nos dieron luz verde.

–Y después recibimos el tratamiento *shuffling,* ¿no es cierto?

–Exacto. Antes de eso, para estudiar esa cuestión y tras múltiples entrevistas a casi quinientos candidatos, seleccionamos a veintiséis hombres físicamente sanos y sin antecedentes de enfermedades mentales, poseedores de una personalidad original y capaces, además, de controlar sus propios actos y sentimientos. Una labor ingente. Hay muchas cosas que no se detectan sólo con exámenes y entrevistas. El Sistema elaboró un detalladísimo informe de cada uno de los veintiséis individuos. Su procedencia, trayectoria escolar, familia, vida sexual, hábitos en la comida y la bebida... Todo. Los estudiaron a fondo. Por eso le conozco a usted tan bien como a mí mismo.

–Hay algo que no entiendo –dije–. Según he oído, nuestro núcleo de la conciencia, es decir, la caja negra, está guardada en la biblioteca del Sistema. ¿Cómo lo consiguió?

–Calcamos íntegramente sus sistemas de pensamiento. Al acabar la reproducción, decidimos guardarla en el banco central de datos. Lo hicimos por seguridad. Por si a ustedes les sucedía algo.

–¿Y esa reproducción es exacta?

–No, claro que no. Pero dado que la zona superficial está cortada con eficacia, y calcar esta parte es bastante fácil, la reproducción se acerca bastante a la realidad. Para ser exactos, esta reproducción está hecha con un holograma y tres tipos de coordenadas planas. Con los ordenadores convencionales habría sido imposible realizar esta tarea, pero los ordenadores de última generación poseen bastantes funciones del tipo de la fábrica de formas y son capaces de adecuarse a las estructuras complejas de la conciencia. En definitiva, presenta los mismos problemas que trazar un plano, pero no creo que merezca la pena extenderse sobre ello. Dicho de un modo sencillo, el método del calcado consiste en lo siguiente: primero se introducen en el ordenador muchos patrones de descargas eléctricas procedentes de su conciencia. Cada uno de los patrones está ligeramente desplazado, debido a que los chips del interior de las líneas han sufrido una reorganización, al igual que las líneas de los haces. Entre los elementos reorganizados, algunos deben cuantificarse y otros no. Es el ordenador quien los discrimina. Los elementos sin valor son eliminados y los demás quedan grabados como patrón básico. Este proceso se repite millones de veces. Es como ir superponiendo láminas de plástico. Después, una vez que se ha comprobado que la diferencia ya no aparece, se guarda el patrón como caja negra.

–¿Está usted hablando de reproducir el cerebro?

–No, en absoluto. Reproducir el cerebro es imposible. Sólo me limité a fijar su sistema de conciencia a nivel fenomenal. Dentro de una temporalidad estable. Porque nada podemos hacer ante la ductilidad que muestra el cerebro durante el paso del tiempo. Pero yo di un paso más, ¿sabe? Logré reproducir la caja negra en imágenes. –Su mirada se posó en su nieta y luego en mí–. Sí, transformé en imágenes el núcleo de la conciencia. Nadie lo había conseguido hasta entonces. Porque era imposible. Pero yo lo hice posible. ¿Cómo cree que lo logré?

–Pues no lo sé.

–Le mostré un objeto al individuo examinado, analicé la reacción eléctrica que producía esta visión en su cerebro, la pasé a cifras y, luego, a puntos. Al principio, sólo obtuve un gráfico muy esquemático, pero a medida que fui corrigiéndolo y añadiéndole detalles, logré que en la pantalla del ordenador apareciera la misma imagen que él había visualizado. Es más complicado de lo que puede parecer y requiere mucho tiempo y esfuerzo, pero, simplificando, vendría a ser algo así. Conforme se va repitiendo, una y otra vez, el ordenador va asimilando el modelo y aprende a reproducir automáticamente las imágenes a partir de las reacciones eléctricas del cerebro. Los ordenadores son una joya. Mientras se les den instrucciones coherentes, trabajan con coherencia.

»A continuación, una vez que el ordenador ha asimilado el modelo, se le introduce la caja negra. Y entonces se obra el prodigio: aparece una representación figurativa del núcleo de la conciencia. Las imágenes son extremadamente confusas y fragmentarias, claro está, y no tienen sentido por sí mismas. Hay que montarlas, como si fuera una película. Se cortan unos elementos, se pegan otros, se eliminan algunas cosas, se combinan otras. Y se transforman en una historia con sentido.

–¿En una historia?

–No es tan extraordinario como parece –dijo el profesor–. Un buen músico plasma su pensamiento y su conciencia en la música, un pintor en los colores y las formas. Y un escritor los refleja en una historia. Pues bien, esto sigue la misma lógica. Como se trata de una conversión, no es un calco exacto, pero sí representa a grandes rasgos el estado de la conciencia. De todos modos, por preciso que sea el calco, contemplando una sucesión de imágenes confusas no se obtiene una visión global de la conciencia. Además, poco importa eso, pues esta visualización no tiene utilidad práctica alguna. En realidad, la hice como hobby.

–¿Como hobby?

–Yo, antes..., bueno, antes de la guerra..., fui ayudante de montaje cinematográfico. Por eso soy tan bueno montando. De hecho, este trabajo consiste en ordenar el caos. En fin, que me encerré en mi laboratorio y trabajé solo, sin pedir la colaboración de mi equipo. Nadie sabía a qué me dedicaba. Y los datos de la visualización que recopilé me los llevé secretamente a casa. Eran mi patrimonio.

–¿Convirtió en imágenes la conciencia de veintiséis personas?

–Sí, la de todas ellas. Les fui poniendo nombre, y ese nombre se convirtió en el título de la caja negra. A la suya la llamé «El fin del mundo».

–«El fin del mundo», sí. Siempre me ha desconcertado muchísimo que se llamara de esta forma.

–Luego hablaremos de eso –dijo el profesor–. En fin, que nadie se enteró de que había convertido en imágenes la conciencia de los veintiséis individuos. Tampoco yo se lo conté a nadie. Porque deseaba proseguir la investigación al margen del Sistema. Había coronado con éxito el proyecto encomendado, había concluido los experimentos necesarios con material humano. Estaba harto de investigar para otros. Quería volver a trabajar a mis anchas, tocando un poco esto, un poco lo de más allá, según me viniera en gana. No soy de esos científicos que se enfrascan en una única investigación. Va más con mi carácter abordar varios estudios paralelos. Por allá craneología, por aquí acústica, y, de modo simultáneo, estudios del cerebro. Y esto es imposible cuando trabajas para terceros. Por eso, en cuanto concluí esta etapa de la investigación le dije al Sistema que ya había terminado mi trabajo, que sólo faltaba algún detalle técnico y que había llegado el momento de irme. Pero no me dejaron. Porque yo sabía demasiado sobre el proyecto. Pensaban que si me unía a los semióticos, los planes del *shuffling* quedarían en agua de borrajas. Para ellos, o eres amigo o eres enemigo. Me pidieron que esperara tres meses. Y que, mientras tanto, prosiguiera mis investigaciones particulares en su laboratorio. Que no tendría que trabajar y que me darían primas extraordinarias. Que tardarían tres meses en completar un estricto programa para salvaguardar el secreto y que me quedara hasta entonces. Yo soy un hombre libre de nacimiento y me desagradó enormemente verme atado de ese modo, pero el trato era muy ventajoso. De modo que decidí quedarme tres meses más haciendo lo que me viniese en gana.

»Pero estar ocioso no trae nada bueno. Tenía mucho tiempo libre y se me ocurrió instalar en el cerebro de los sujetos (es decir, en el de usted) un circuito más en la conexión. Un tercer circuito de pensamiento. Y en este circuito 3 incorporé el núcleo de la conciencia que yo había montado.

–¿Y por qué hizo eso?

–Por un lado, porque quería ver qué efectos producía en los sujetos. Quería comprobar cómo funcionaba, dentro de sus mentes, una conciencia manipulada por otro individuo. En toda la historia de la humanidad no existe un ejemplo tan claro. También lo hice, aunque era un móvil secundario, por otro motivo: ya que el Sistema me trataba como a un objeto de su propiedad, yo también quería utilizarlos a ellos como se me antojara. Quería crear al menos una función sin que ellos lo supieran.

–¿Y sólo por eso nos embutió en la cabeza un montón de circuitos tan complejos como las líneas ferroviarias?

–No, por favor. Cuando le oigo hablar así, me avergüenzo de mí mismo. Me avergüenzo de veras. Quizá usted no lo sepa, pero la curiosidad científica es muy difícil de reprimir. Por supuesto, los experimentos con seres humanos realizados por los científicos que colaboraban con los nazis en los campos de concentración me parecen odiosos y repugnantes. Pero en mi fuero interno me digo: «Puestos a hacerlos, ¿por qué no los llevaron a cabo de un modo más hábil y eficaz?». En el fondo, todos los científicos que experimentamos con seres humanos pensamos del mismo modo. Además, yo no puse en peligro la vida de nadie. Donde había dos, añadí un tercero. Sólo eso. Un pequeño cambio del curso del circuito no representaba carga alguna para el cerebro. Se trataba sólo de formular diferentes palabras utilizando las mismas letras.

–Aun así, lo cierto es que, exceptuándome a mí, todas las personas que recibieron el tratamiento *shuffling* murieron. ¿A qué se debió?

–Ni siquiera yo sé la respuesta –contestó el profesor–. Sí, tiene usted razón. De los veintiséis calculadores que recibieron el tratamiento para el *shuffling*, murieron veinticinco. Todos murieron en idénticas circunstancias. Se acostaron, se durmieron y, a la mañana siguiente, los encontraron muertos.

–Entonces –dije–, es posible que a mí me suceda lo mismo mañana, ¿no le parece?

–No es tan simple –dijo el profesor revolviéndose, incómodo, bajo la manta–. Sus muertes se fueron produciendo en el curso de seis meses. Y ocurrió en un lapso que va desde un año y dos meses a un año y ocho meses después de concluir los experimentos. Y sólo usted, tres años y tres meses más tarde, sigue efectuando el *shuffling* sin problemas. La única explicación posible es que usted debe de poseer alguna cualidad especial que los otros no tenían.

–¿Especial? ¿A qué se refiere?

–Bueno... Por cierto, después del tratamiento *shuffling*, ¿notó usted algún síntoma extraño? ¿Sufrió alucinaciones auditivas, visiones, lipotimias o algo parecido?

–No, nada –dije–. Ni tengo visiones ni alucinaciones auditivas. Sólo que me da la impresión de que me he vuelto terriblemente sensible a determinados olores. En general, a los olores de las frutas.

–Eso les sucedía a todos. El olor a ciertas frutas produce un efecto en la conexión. Ignoro por qué, pero es así. Pero eso no le ha provocado alucinaciones auditivas, visiones ni desmayos, ¿verdad?

–No –respondí.

–Hum... –El anciano reflexionó unos instantes–. ¿Y aparte de eso?

–Verá, lo he notado por primera vez hace un rato, pero me ha dado la sensación de que los recuerdos ocultos iban a volver. Hasta hoy no habían sido más que retazos de memoria y no le había dado importancia, pero, hace un rato, el recuerdo era muy nítido y se ha prolongado bastante tiempo. Sé la causa. Lo ha desencadenado el ruido del agua. Pero no ha sido una visión. Era un recuerdo real, estoy seguro.

–No, no es cierto –negó categóricamente el profesor–. Tal vez usted lo haya percibido como auténtico, pero era un puente artificial creado por usted. Es decir que, entre su propia identidad y la conciencia que yo monté y le implanté, ha surgido una divergencia, lógica y natural. Y usted está intentando tender un puente sobre esta contradicción para legitimar su propia existencia.

–No lo entiendo. Hasta ahora nunca me había sucedido. ¿Por qué ahora ha empezado de repente?

–Porque yo le he cambiado la conexión y he liberado el tercer circuito –dijo el profesor–. Pero procedamos por orden. Si no, a mí me costará explicárselo, y a usted, entenderlo.

Saqué la botella de whisky y tomé un trago. Tenía la sensación de que la historia que se disponía a contarme iba a ser más espeluznante de lo que había imaginado.

–Tras fallecer las ocho primeras personas, el Sistema me llamó para que investigara las causas de esas muertes. Para serle franco, hubiera preferido desvincularme de aquel asunto, pero aquella técnica la había desarrollado yo y se trataba de un asunto de vida o muerte, de modo que no pude mantenerme al margen. Decidí acudir y averiguar qué pasaba. Ellos me explicaron las circunstancias de la muerte de los calculadores y me mostraron el resultado de la autopsia cerebral. Tal como le he dicho, los ocho habían fallecido en circunstancias idénticas, todos por causas desconocidas. No tenían lesiones ni en el cuerpo ni en el cerebro, todos habían dejado de respirar mientras dormían pacíficamente. Parecía una muerte por eutanasia. En su rostro no se apreciaban signos de agonía.

–¿No descubrió la causa de la muerte?

–No. Pero sí he desarrollado algunas hipótesis, claro está. Como los ocho calculadores murieron uno tras otro después de recibir el tratamiento *shuffling*, podía descartarse que se tratara de una casualidad. Por lo tanto, era preciso tomar medidas. Es el deber del científico. Y yo me planteé lo siguiente: una posibilidad era que las conexiones instaladas en el cerebro se hubiesen aflojado o quemado, o que hubiesen desaparecido. Como resultado de ello, su sistema mental se habría colapsado y las funciones cerebrales habrían sido incapaces de soportar su energía. Otra posibilidad era que el problema no residiese en la conexión, sino en el propio hecho de liberar, siquiera por un breve lapso de tiempo, el núcleo de la conciencia. Tal vez el cerebro humano sea incapaz de soportarlo. –Tras pronunciar estas palabras, todavía con la manta subida hasta la barbilla, hizo una pausa–. Eso deduje. Carezco de pruebas, pero, considerando las circunstancias anteriores y posteriores a los hechos, lo más probable es que la causa de su muerte se deba a una u otra posibilidad, o a la suma de ambas.

–¿Y la autopsia cerebral no aclaró nada?

–El cerebro no es como una tostadora o una lavadora. No hay cables ni interruptores a la vista. Se trataba sólo del cambio del curso de una descarga eléctrica invisible; por lo tanto, tras la muerte era imposible extraer la conexión y estudiarla. En un cerebro vivo pueden detectarse anomalías, pero no en uno muerto. Si hubiera habido una lesión o un tumor, los habríamos detectado, claro está. Pero no los había. El cerebro estaba totalmente limpio.

»Entonces hice comparecer en mi laboratorio a diez de los supervivientes y volvimos a examinarlos. Les tomamos las ondas cerebrales, analizamos el cambio de sistema de pensamiento, comprobamos si la conexión funcionaba bien. Los sometimos a largas entrevistas y les preguntamos si habían notado alguna anomalía física o si sufrían alucinaciones auditivas o visiones. Pero no descubrimos ningún problema relevante. Todos estaban bien de salud, ejecutaban el *shuffling* sin contratiempos. Concluimos que las personas fallecidas debían de tener algún defecto congénito incompatible con la operación *shuffling*. Aún no sabíamos de qué defecto se trataba, pero era algo que podríamos resolver antes de emprender la segunda generación de tratamiento *shuffling*.

»Estábamos equivocados. Al mes siguiente murieron cinco calculadores más, entre ellos tres de los sujetos que habían sufrido el exhaustivo examen posterior. Se nos habían muerto, sin más, unas personas sobre las que acabábamos de determinar, tras unas pruebas exhaustivas, que no tenían problema alguno. Fue un duro golpe para nosotros. La mitad de los veintiséis sujetos sometidos a examen ya había muerto por causas desconocidas. El problema se hallaba en la raíz misma del proyecto. En resumen, que el cerebro se había mostrado incapaz de valerse de dos sistemas de pensamiento alternativos. A tenor de los hechos, le propuse al Sistema suspender el programa. Extraer la conexión del cerebro de los supervivientes y cancelar las operaciones *shuffling*. De otro modo, podían acabar muriendo todos. Pero el Sistema dijo que era imposible. Y rechazó mi propuesta.

–¿Por qué?

–Porque el sistema *shuffling* funcionaba con gran eficacia y porque en esos momentos no podían congelar el programa. Si lo hubieran hecho, el funcionamiento del Sistema se hubiese paralizado. Además, adujeron que no tenían por qué morir necesariamente todos los calculadores, y que si había supervivientes, éstos podrían servir para futuras investigaciones. Entonces me desentendí del asunto.

–Y sólo sobreviví yo.

–Exacto.

Apoyé la parte posterior de la cabeza en la pared rocosa y me froté con la palma de la mano las mejillas sin afeitar mientras contemplaba distraídamente el techo. No lograba recordar la última vez que me había afeitado. Debía de tener una pinta espantosa.

–¿Y cómo es que yo no he muerto?

–Es sólo una hipótesis –dijo el profesor–, y ya sé que voy sumando una hipótesis a otra. Pero me lo dice mi sexto sentido, no creo que esté muy lejos de la realidad. Y es que usted, antes de que le implantáramos nada, ya poseía un sistema de pensamiento compuesto. De forma inconsciente, por supuesto. Sin saberlo, usted hacía un doble uso de su propia identidad. Como el símil que le puesto antes, el de llevar un reloj en el bolsillo derecho del pantalón y otro en el izquierdo. Usted ya tenía la conexión establecida desde el principio y por ello es psicológicamente inmune a ella.

–Esta hipótesis, ¿se funda en algo real?

–Sí. Hace unos dos o tres meses revisé todas las cajas negras, los sistemas de pensamiento de los veintiséis calculadores trasladados a imágenes. Y descubrí algo. Su imagen es la más coherente, no tiene fallos, es la más lógica. Dicho en una palabra, es perfecta. Tanto que podría utilizarse, tal cual, en una novela o en una película. Pero no sucede lo mismo con las imágenes de los veinticinco individuos restantes. Los fragmentos que las conforman son confusos, faltos de cohesión. Por más que me esforcé al montarlas, no conseguí darles lógica ni armonía. Parecen una sucesión de sueños deshilvanados. Pero la suya es completamente distinta. La diferencia es tan grande como la que hay entre el dibujo de un pintor profesional y el de un niño.

»He reflexionado mucho sobre cuáles pueden ser las razones, y creo que sólo hay una conclusión posible. Y es que usted ya la había ordenado previamente. Por eso el conjunto de imágenes se estructura con tanta nitidez. Recurriendo de nuevo a un símil, es como si usted hubiese bajado a la "fábrica de formas" y hubiera construido imágenes con sus propias manos. Sin saberlo ni usted mismo.

–¡Asombroso! ¿Y por qué ha ocurrido así?

–Podría deberse a varios factores –dijo el profesor–. Experiencias durante la infancia, entorno familiar, objetivación excesiva del ego, sentimiento de culpa... En todo caso, usted tiene una marcada tendencia a protegerse a sí mismo, ¿me equivoco?

–Es posible –dije–. ¿Y qué diablos va a pasar ahora?

–No hay ningún problema. Si no ocurre nada, usted seguirá como ahora hasta que se muera de viejo –aseguró–. Sin embargo, siendo realistas, es improbable que no suceda nada. Le guste o no, usted es la clave que puede decidir el resultado de esta absurda guerra de la información. Dentro de poco, el Sistema pondrá en marcha el proyecto de segunda generación tomándolo a usted como muestra. Lo someterán a meticulosos análisis, lo toquetearán de arriba abajo. No puedo decirle en qué consistirá exactamente, pero seguro que no será agradable. Quizá peque de ingenuo, pero eso lo puede adivinar cualquiera. Por eso quiero ayudarlo.

–¡Oh, no! –exclamé, abatido–. ¿No va a participar en ese proyecto?

–Como le he dicho una y otra vez, vender el fruto de mis estudios a otros no va conmigo. Además, no quiero participar en algo que pueda implicar la muerte de seres humanos. Hay muchos factores que me han hecho reflexionar. Me construí un laboratorio subterráneo para huir de la gente. Porque el Sistema no es el único que quiere utilizarme, también han aparecido los semióticos. Y estas macroorganizaciones no me gustan. Sólo miran a su provecho.

–¿Y por qué se valió de artimañas para contactar conmigo? ¿Por qué me engañó para que acudiera a su despacho y luego me pidió que efectuara unos cálculos?

–Quería confirmar mi hipótesis antes de que el Sistema o los semióticos lo atraparan y lo estudiaran a usted exhaustivamente. Porque, si la confirmara, usted podría librarse de pasar un mal rato. Entre los datos que le di había oculta una señal para cambiar al tercer sistema de pensamiento. Es decir, que después de pasar al segundo sistema de pensamiento, cambiaría un punto más y procesaría los datos en el tercer sistema de pensamiento.

–Ese tercer sistema de pensamiento es el que usted visualizó y montó, ¿verdad?

–Exactamente –asintió el profesor.

–¿Y de qué manera iba a confirmar eso su hipótesis?

–Mediante las divergencias –dijo el profesor–. Usted, sin ser consciente de ello, ha acabado comprendiendo a la perfección el núcleo de su conciencia. Por eso utiliza sin problemas el segundo sistema de pensamiento. Pero el tercer circuito comprende la parte que yo monté y, por lo tanto, lo normal es que surja una divergencia entre las dos, y que esta divergencia provoque alguna reacción por su parte. Pues bien, yo quería cuantificarla. Y, a tenor de los datos de esta cuantificación, habría podido formarme una idea un poco más concreta sobre el poder de lo que usted esconde en el fondo de su conciencia, sobre su contenido y sobre las causas.

–¿Habría podido, dice?

–Sí. Habría podido. Pero todo se ha ido al traste. Los semióticos, junto con los tinieblos, han destrozado mi laboratorio. Se han llevado todos los datos. Después de que se fueran, volví al despacho y lo comprobé. Allí no queda nada de valor. En estas condiciones, me es imposible cuantificar la divergencia. Esos tipos se han llevado incluso las cajas negras visualizadas.

–¿Qué relación tiene todo eso con el fin del mundo? –pregunté.

–A decir verdad, el mundo de ahora va a acabarse. Es en su interior donde el mundo va a llegar a su fin.

–No lo entiendo.

–Se trata del núcleo de su conciencia. El fin del mundo es, ni más ni menos, lo que describe su conciencia. No sé por qué usted oculta eso en el fondo de su conciencia, pero es así. En el interior de su conciencia el mundo ha llegado a su fin. O, formulado a la inversa, su conciencia está viviendo en el fin del mundo. Y en aquel mundo han desaparecido la mayoría de las cosas que es lógico que existan en éste. Allí no existe el tiempo, ni la dimensión espacial, ni la vida, ni la muerte. Tampoco, en el sentido estricto de estas palabras, los valores o el ego. Allí, unas bestias controlan el ego de las personas.

–¿Unas bestias?

–Unicornios –dijo el profesor–. En esa ciudad hay unicornios.

–¿Y esos unicornios tienen algo que ver con el cráneo que usted me dio?

–Aquel cráneo es una reproducción. Magnífica, ¿verdad? Me basé en las imágenes que visualicé de su conciencia, pero me costó lo mío. No tiene ningún sentido en particular. Sólo que, como me interesa la craneología, se me ocurrió hacerlo. Se lo regalo.

–Espere un momento –dije–. A ver si lo he entendido bien: en el fondo de mi conciencia existe el mundo del que usted me habla. Usted lo montó, dándole una forma más clara, y me lo ha implantado en la cabeza bajo la forma de un tercer circuito, el llamado circuito 3. A continuación, ha enviado determinada señal, ha puesto en marcha este circuito en mi conciencia y me ha hecho ejecutar un *shuffling*. ¿Hasta aquí es correcto?

–Sí, es correcto.

–Y, al acabar el *shuffling*, este circuito 3 ha quedado automáticamente cerrado y mi conciencia ha vuelto al circuito 1.

–No, eso no es correcto –dijo el profesor rascándose la nuca–. Si las cosas hubieran ido así, sería muy simple. Pero no lo son. El circuito 3 no posee la función de bloqueo automático.

–Entonces, ¿mi circuito 3 continúa abierto?

–¡Ejem!... Pues sí.

–Pero yo ahora estoy pensando y actuando sirviéndome del circuito 1...

–Eso es posible porque el circuito 2 tiene una llave de paso. Mire, le haré un esquema del dispositivo –dijo.

Entonces se sacó un bloc y un bolígrafo del bolsillo, hizo un dibujo y me lo entregó.

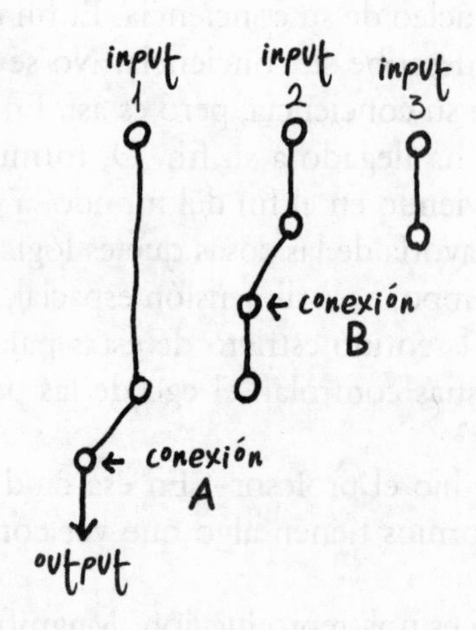


–Éste es el estado normal de su conciencia. La conexión A está conectada con la entrada 1, y la B, con la entrada 2. Sin embargo, ahora está así. –Y el profesor hizo otro dibujo en el papel.

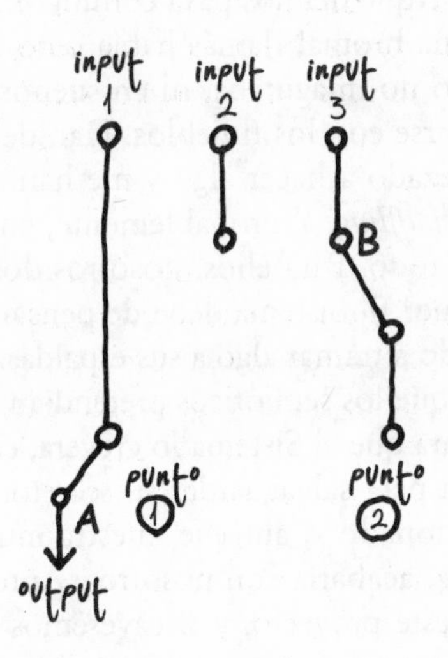


–¿Comprende? Mientras la conexión B sigue conectada al circuito 3, la conexión A, gracias al sistema de cambio automático, está comunicada con el circuito 1. Por esa razón, usted puede pensar y actuar sirviéndose del primer circuito. Pero eso es provisional. Antes o después, acabará conduciendo la conexión B hasta el circuito 2. Porque el circuito 3, en realidad, no le pertenece. Si lo deja tal como está, la energía surgida de esta divergencia fundirá la conexión B, usted se quedará conectado permanentemente al circuito 3, la descarga eléctrica de éste va a atraer la conexión A hacia el punto ① y, en consecuencia, acabará fundiendo también esta conexión. Por eso, antes de que las cosas llegaran a este punto, yo tenía que calcular la energía de divergencia y devolverlo a usted a su estado original.

–¿Tenía? –pregunté.

–Sí. Porque ahora ya no puedo hacer nada. Como ya le he dicho, aquellos locos me han destrozado el laboratorio y se han llevado la documentación más importante. Así pues, sintiéndolo mucho, me va a ser imposible ayudarlo.

–A ver –dije–, ¿me está diciendo que voy a quedarme atrapado para siempre en el circuito 3 sin posibilidad alguna de escapar?

–Eso mismo. Deberá usted vivir en el fin del mundo. Lo siento en el alma.

–¡¿Que lo siente en el alma!? –exclamé, atónito–. Esto no se soluciona pidiendo disculpas. Usted tal vez se quede tan ancho diciendo que lo siente, pero ¿¡qué diablos pasa conmigo!? Usted empezó todo esto. ¡No es ninguna broma! ¡Jamás había oído algo tan atroz!

–Pero es que yo no imaginaba, ni en sueños, que los semióticos pudieran confabularse con los tinieblos. Han debido de enterarse de que yo había empezado a hacer algo y me han atacado para hacerse con el secreto del *shuffling.* Y probablemente, en estos momentos, el Sistema ya lo sepa todo. Para ellos, nosotros dos somos un arma de doble filo. ¿Me sigue? El Sistema debe de pensar que usted y yo juntos hemos empezado a tramar algo a sus espaldas. Y deduzco que esto es precisamente lo que los semióticos pretendían que pensara. Lo han orquestado todo para que el Sistema lo creyera, calculando que el Sistema nos liquidaría para salvaguardar su secreto. El Sistema pensaría que lo hemos traicionado y, aunque nuestra muerte supusiera el fin del sistema *shuffling,* acabaría con nosotros. Ante todo, nosotros dos somos la clave de este proyecto, y si cayésemos juntos en manos de los semióticos, las consecuencias serían terribles. Por lo que respecta a los semióticos, si el Sistema nos liquidara, el proyecto *shuffling* quedaría cancelado, y si nos fuéramos huyendo del Sistema, tampoco tendrían nada que objetar. En resumen, que en ninguno de los dos casos tenían nada que perder.

–¡Oh, no! –exclamé.

Los sujetos que habían venido a mi casa, que me habían destrozado el apartamento y que me habían rajado el vientre eran, a todas luces, semióticos. Habían montado aquella farsa para llamar la atención del Sistema sobre mí. Y yo había caído en la trampa.

–Estoy perdido. Con el Sistema y los semióticos pisándome los talones, si me quedo de brazos cruzados mi existencia se desvanecerá de la faz de la Tierra.

–No, su existencia no acabará. Simplemente entrará en un mundo distinto.

–Es lo mismo –dije–. ¿Sabe?, comprendo perfectamente que soy un ser tan insignificante que tiene que mirarse con lupa. Siempre ha sido así. Incluso cuando miro la fotografía de graduación de la escuela me cuesta encontrar mi propia cara. No tengo familia, así que mi desaparición no perjudicará a nadie. Y como tampoco tengo amigos, nadie llorará mi muerte. Eso lo tengo muy claro. Pese a todo, y por extraño que pueda parecer, estoy la mar de satisfecho con mi vida en este mundo. No sé por qué. Tal vez sea porque, al estar dividido en dos, nos vamos animando el uno al otro y puedo llevar una vida divertida. No lo sé. En todo caso, me siento cómodo en este mundo. Detesto a mucha gente y mucha gente me detesta a mí, pero también hay personas que me gustan, y las que me gustan, me gustan *mucho*. Y no tiene nada que ver con que me correspondan. Yo vivo así. No quiero ir a ninguna parte. No necesito la inmortalidad. Envejecer es duro, pero no soy el único que envejece. Le ocurre a todo el mundo. No quiero ni unicornios ni tapias.

–No es una tapia. Es una muralla –rectificó el profesor.

–Me importa un rábano. No necesito ni tapias ni murallas –dije–. ¿Puedo enfadarme un poco? No suele sucederme, pero me han entrado ganas de enfadarme.

–Me parece que, en estas circunstancias, es inevitable –dijo el profesor rascándose el lóbulo de la oreja.

–Usted es el único responsable de todo esto. Yo no tengo la culpa de nada. Usted lo ha empezado todo, lo ha llevado adelante, me ha involucrado. Ha introducido los circuitos que le ha dado la gana en la cabeza de algunas personas, me ha hecho ejecutar ilegalmente un *shuffling*, me ha obligado a traicionar al Sistema, ha lanzado a los semióticos en mi persecución, me ha arrastrado a un subterráneo absurdo y ahora pretende acabar con mi mundo. ¡Jamás he visto algo tan espantoso! ¿No le parece? Al menos, déjeme como estaba.

–Hum... –gruñó.

–Tiene razón, abuelo –intervino la joven gorda–. Vives tan absorto en tus cosas que no te das cuenta de las molestias que ocasionas. Con aquella investigación de la aleta caudal ocurrió lo mismo, ¿recuerdas? Tienes que hacer algo.

–Lo hice pensando en su bien, pero la situación empeoró más y más –se lamentó el anciano–. Hasta que se me fue de las manos. Yo ya no puedo hacer nada y usted tampoco. La rueda gira cada vez más rápido y nadie puede detenerla.

–¡Oh, no! –repetí.

–Pero usted –añadió él–, en aquel mundo, podrá recuperar lo que ha perdido en éste. Lo que ha perdido y lo que continúa perdiendo.

–¿Lo que he perdido?

–Sí –dijo el profesor–. Todo lo que ha perdido. Todo está allí.

# 26

## EL FIN DEL MUNDO
## La central eléctrica

Cuando acabé de leer los sueños, le dije que pensaba ir a la central eléctrica, y su rostro se ensombreció.

–Está en el interior del bosque –dijo ella apagando las ascuas de carbón incandescente en el cubo de arena.

–Justo a la entrada –precisé–. El guardián me ha dicho que no corro ningún riesgo.

–Nadie sabe lo que piensa el guardián. Por más que diga que está a la entrada, el bosque es un lugar peligroso.

–De todos modos, voy a ir. Quiero encontrar un instrumento musical, a toda costa.

Cuando acabó de sacar todo el carbón, abrió el cajón de abajo y vació la ceniza blanca que se acumulaba en su interior. Sacudió la cabeza repetidas veces.

–Te acompañaré –decidió.

–¿Por qué? No te gusta acercarte al bosque, ¿verdad? No te sientas obligada a ir.

–No puedes ir solo. Todavía no eres consciente de los peligros del bosque.

Bajo un cielo nublado, nos dirigimos hacia el este a lo largo del río. Era una mañana tan tibia que parecía que hubiese llegado la primavera.

No soplaba el viento e incluso el murmullo del agua había perdido su fría claridad habitual y había adquirido un timbre opaco. A los diez o quince minutos de marcha, me quité los guantes y me desenrollé la bufanda del cuello.

–Parece primavera –comenté.

–Es verdad. Pero este calorcillo sólo durará un día. Siempre pasa lo mismo. Luego vuelve enseguida el invierno.

Caminamos por la orilla sur del río, en dirección al este. Tras dejar atrás las últimas casas diseminadas, encontramos campos de cultivo al lado derecho del camino, al tiempo que el pavimento de piedras redondas se convertía en un estrecho sendero lodoso. En los surcos de los campos, la blanca nieve helada trazaba infinidad de líneas similares a arañazos. En cambio, en la ribera izquierda del río se erguían sauces cuyas ramas colgaban lacias sobre la superficie del agua. Pequeños pájaros se posaban en las frágiles ramas y, tras hacerlas oscilar varias veces, como si intentaran mantener el equilibrio sobre ellas, desistían y volaban a otro árbol. El sol emitía una luz pálida y dulce; alcé repetidas veces la cabeza y dejé que me acariciara su tranquila tibieza. Ella tenía la mano derecha en el bolsillo de su abrigo y la izquierda en el bolsillo del mío. Yo, en la mano izquierda, llevaba una pequeña maleta, y con la derecha asía su mano en el interior de mi bolsillo. En la maleta llevaba el almuerzo y un obsequio para el encargado de la central eléctrica.

«Cuando llegue la primavera todo será más fácil», pensé, con mi mano asida a su mano tibia. Si mi corazón lograba superar el invierno, si el cuerpo de mi sombra lograba superar el invierno, yo recuperaría mi corazón bajo una forma más exacta. Tal como había dicho la sombra, era preciso que venciera al invierno.

Caminamos lentamente junto al río mientras nuestros ojos se deslizaban por el paisaje. Apenas hablábamos, no porque no tuviésemos nada que decir, sino porque no sentíamos la necesidad de formularlo en palabras. La blanca nieve helada en los largos surcos, los pájaros que sostenían en el pico los frutos rojos de los árboles, las verduras invernales de hojas gruesas y rígidas, los pequeños remansos de agua transparente que la corriente formaba a trechos, la silueta de la sierra coronada de nieve: mirábamos una cosa tras otra como si nos cerciorásemos de su existencia. Todo lo que se reflejaba en nuestras pupilas absorbía con avidez aquella tibieza efímera que había llegado de repente, y su calor se infiltraba hasta lo más recóndito de nuestros cuerpos. Ni siquiera las nubes que cubrían el cielo destilaban la sensación opresiva de siempre y parecían rodear nuestro pequeño mundo con manos suaves y tibias.

Vimos también algunas bestias que vagaban por la hierba seca en busca de comida. Su pelaje, de un pálido color dorado, había ido ganando en blancura. Su pelo era mucho más largo que en otoño, y también más espeso, pero, a pesar de ello, se apreciaba que habían enflaquecido mucho. Los huesos de sus lomos sobresalían de forma ostensible, como los muelles de un viejo sofá, y la carne de los belfos colgaba fláccida. Sus ojos habían perdido el brillo, las articulaciones de sus cuatro extremidades eran prominentes como bolas. Lo único que no había cambiado era el blanco cuerno que les nacía en la frente. El cuerno seguía apuntando al cielo, recto y orgulloso como siempre.

Reunidas en grupitos de tres o cuatro, las bestias se desplazaban a lo largo de los surcos de los campos, yendo de un pequeño arbusto a otro. Pero, en los árboles, apenas quedaban frutos o tiernas hojas verdes comestibles. En las ramas de los árboles altos aún quedaba algún fruto, pero las bestias no alcanzaban hasta allí y permanecían al pie de los árboles buscando en vano frutos caídos o alzaban los ojos mirando con tristeza los pájaros que los estaban picoteando.

–¿Cómo es que las bestias no tocan los frutos de los campos? –le pregunté.

–Porque es así. Aunque no conozco el motivo –dijo–. Las bestias no tocan lo que puede alimentar al hombre. Si les damos algo, se lo comen, pero, si no se lo ofrecemos nosotros, jamás lo tocan.

En la ribera del río, unas bestias, con las patas delanteras dobladas, se inclinaban sobre un remanso para beber agua. Cuando pasamos junto a ellas, siguieron bebiendo sin alzar siquiera la cabeza. Los blancos cuernos se reflejaban en la superficie del río con tanta nitidez que parecía que un montón de huesos blancos hubiesen caído en el fondo de las aguas.

Tal como me había explicado el guardián, tras andar unos treinta minutos por la orilla del río y dejar atrás el Puente del Este, encontramos un pequeño sendero que torcía a la derecha, hacia el sur. Era tan angosto que, de no haber estado alertas, lo hubiéramos pasado por alto. Ya no se veían campos, sólo un prado de altos y espesos hierbajos resecos que se extendía a ambos lados del camino. El prado se extendía entre los campos de cultivo y el Bosque del Este.

Poco a poco, el terreno empezó a ascender, mientras la hierba raleaba. La cuesta se acentuó hasta tornarse una montaña rocosa. Sin embargo, por más que la llame de este modo, no era una montaña abrupta, sino que estaba escalonada. La roca era de una arenisca relativamente blanda y los escalones tenían las aristas redondeadas por el uso. Tras ascender un buen trecho, alcanzamos la cima. La altura debía de ser un poco inferior a la de la Colina del Oeste donde yo vivía.

A diferencia del lado norte, la ladera sur de la colina formaba un suave declive. El prado de hierba seca se prolongaba un poco más y después se extendía, amplio como el mar, el negro Bosque del Este.

Nos sentamos para recobrar el aliento y permanecimos unos instantes contemplando el paisaje. Desde allí, la ciudad ofrecía un aspecto muy distinto al que yo estaba acostumbrado a ver. El río trazaba una sorprendente línea recta, sin formar un solo meandro: parecía que el cauce se hubiera excavado artificialmente. Al norte del río se extendía la ciénaga, y a la derecha de la ciénaga, el Bosque del Este, que, desde el sur, tras superar el río se adentraba como una avanzadilla en dirección norte. Divisamos también los campos de cultivo, a este lado del río, que acabábamos de dejar atrás. En toda esa zona no había una sola casa, y el Puente del Este estaba desierto, envuelto en una atmósfera de soledad. Aguzando la vista, se vislumbraba el barrio obrero y la torre del reloj, pero, por alguna razón, ambos parecían espectros incorpóreos llegados de un lugar remoto.

Tras un pequeño descanso, emprendimos el descenso de la colina en dirección al bosque del este. A la entrada del bosque había un estanque tan poco profundo que se veía el fondo y, en el centro, emergían las enormes raíces, del color de los huesos, de un árbol muerto. Sobre las raíces descansaban dos pájaros blancos que se nos quedaron mirando fijamente. La nieve estaba endurecida y, al pisarla, nuestros zapatos no dejaban impronta en ella. El largo invierno había transformado por completo el aspecto del bosque. No se oían los trinos de los pájaros, no se veían insectos. Sólo los enormes árboles seguían absorbiendo la fuerza vital de las profundidades de la tierra, alzándose hacia el cielo cubierto de oscuros nubarrones.

Cuando avanzábamos por el camino del bosque, nos llegó un extraño ruido. Se parecía al aullido del viento cuando atraviesa el bosque, pero no soplaba una sola ráfaga de aire y, además, el aullido era más monótono. Progresivamente, el sonido fue ganando en potencia y nitidez, pero seguíamos sin saber qué lo producía. Ella tampoco había ido nunca a la central eléctrica.

Vimos un grueso roble y, detrás, una explanada desierta. Al fondo se alzaba el edificio de lo que parecía ser la central eléctrica. De hecho, ningún distintivo indicaba que lo fuera. Tenía el aspecto de un enorme almacén. No se veían instalaciones, ningún cable de alta tensión. El extraño aullido del viento parecía proceder del interior de aquel edificio de ladrillo. En la fachada había una sólida puerta de hierro de dos hojas y, en la parte superior, unos ventanucos alineados. El camino moría en la explanada.

–Debe de ser la central eléctrica –dije.

La puerta de la fachada debía de estar cerrada con llave, ya que ni siquiera uniendo nuestras fuerzas logramos moverla un ápice.

Decidimos rodear el edificio. La central eléctrica era más larga que ancha y, en la parte superior de todas sus paredes, había la misma hilera de ventanucos que en la fachada. De estas ventanas surgía el sonido. Pero no había ninguna otra puerta. Sólo las chatas y anodinas paredes de ladrillo. Éstas presentaban cierta similitud con la muralla que rodeaba la ciudad, pero de cerca se apreciaba que los ladrillos de este edificio eran toscos y de una calidad muy distinta a la de los que formaban la muralla. Eran rugosos al tacto y muchos estaban descantillados.

En la parte trasera, colindante al edificio, había una casita, también de ladrillo. Era del mismo tamaño que la cabaña del guardián y tenía una ventana y una puerta normales. En la ventana, un saco de cereales vacío hacía las veces de cortina, y del tejado se alzaba una chimenea ennegrecida por el hollín. Allí, al menos, se percibía el olor de la vida humana. Di tres golpes en la puerta de madera, hasta tres veces, pero nadie respondió. La puerta estaba cerrada con llave.

–Mira, allá hay una entrada –me dijo ella tomándome de la mano.

Al volverme en la dirección que me indicaba distinguí, en una esquina de la parte trasera del edificio, una puerta de hierro abierta hacia fuera.

Delante de la puerta, el aullido del viento era casi ensordecedor. El interior estaba mucho más oscuro de lo que esperaba y, antes de que mis ojos se acostumbraran a la oscuridad, no conseguí ver nada a pesar de ponerme la mano sobre los ojos a modo de visera. No había ninguna lámpara –era extraño que en una central eléctrica no hubiese ni siquiera una lámpara– y la débil luz que penetraba por los altos ventanucos no llegaba más allá del techo. Ante mis ojos, sólo el aullido del viento danzaba por el interior del edificio desierto.

Supuse que, aunque llamara, nadie me respondería; por lo tanto, todavía en el umbral, me quité las gafas oscuras y esperé a que mis ojos se acostumbraran a la oscuridad. Ella se quedó a mis espaldas.

Daba la impresión de que prefería no acercarse demasiado al edificio. El ruido del viento y la oscuridad la amedrentaban.

Como solía estar siempre en la penumbra, enseguida vislumbré la figura de un hombre plantado en el centro. Un hombre de corta estatura y delgado. Ante él se erguía, recta hasta el techo, una gruesa columna cilíndrica de hierro de unos tres o cuatro metros de diámetro, en la que el hombre mantenía los ojos clavados. Aparte de la columna, no había nada parecido a una instalación, a una máquina: el edificio estaba tan vacío como la pista de un picadero cubierto. El suelo estaba pavimentado con los mismos ladrillos que las paredes. Semejaba un horno gigantesco.

Penetré solo en el edificio, dejándola a ella en la puerta. Cuando hube recorrido la mitad de la distancia que me separaba de la columna, el hombre se percató de mi presencia. Sin cambiar de posición, sólo con la cabeza vuelta hacia mí, se quedó mirando fijamente cómo me aproximaba. Era joven, posiblemente unos años menor que yo. Era la antítesis del guardián. Tenía los brazos, las piernas y los hombros muy delgados, y la tez pálida. De piel lisa, barbilampiño, el nacimiento del pelo había retrocedido hasta dejar al descubierto una frente ancha. Sus ropas estaban limpias y cuidadas.

–¡Buenos días! –le dije.

Todavía con la boca firmemente cerrada, me miró y se inclinó levemente a modo de saludo.

–¿Le interrumpo? –le pregunté. Debido al aullido del viento, me veía obligado a hablar a gritos.

El hombre sacudió la cabeza indicando que no le molestaba y me señaló una ventanilla acristalada, del tamaño de una postal, que había en la columna. Con ese ademán parecía decirme que atisbara dentro. Al mirar con atención, me di cuenta de que la ventanilla de cristal formaba parte de una puerta que se abría en la columna. La puerta estaba firmemente fijada con pernos. Al otro lado del cristal, una especie de ventilador gigantesco instalado paralelamente al suelo giraba con violenta energía. Parecía un motor de miles de caballos de vapor rotando sobre un eje. Presumiblemente, la potencia del viento que penetraba por un sitio u otro hacía girar con fuerza las aspas del ventilador y éste producía electricidad. O al menos eso supuse yo.

–¡Vaya vendaval! –dije.

El hombre asintió, dándome la razón. Después me tomó por el brazo y me condujo hacia la entrada. Yo le pasaba media cabeza. Nos dirigimos hacia la puerta, el uno al lado del otro, como un par de buenos amigos. En la entrada, ella esperaba de pie. El joven se inclinó levemente ante ella de la misma manera que había hecho conmigo.

–Buenos días –lo saludó ella.

–Buenos días –repuso el hombre.

Nos condujo a un lugar adonde apenas llegaba el aullido del viento. Detrás de la cabaña se extendía un campo roturado que lindaba con el bosque. Nos sentamos en unos tocones alineados uno junto al otro.

–Lo siento, pero digamos que no tengo un chorro de voz –dijo el joven encargado en tono de disculpa–. Supongo que vienen ustedes de la ciudad, ¿no es así?

Contestamos afirmativamente.

–Como pueden ver –siguió–, la fuerza del viento es lo que produce la electricidad para la ciudad. Por aquí abundan enormes agujeros y utilizamos el viento que brota de su interior. –Enmudeció unos instantes con la vista clavada en el campo, a sus pies–. El viento se alza una vez cada tres días. En el subsuelo de la zona hay muchas grutas por las que circulan el viento y el agua. Y yo me encargo del mantenimiento de las instalaciones. Los días en que no sopla el viento, engraso la maquinaria; también trato de evitar que los interruptores se congelen. Y la electricidad que se produce aquí llega a la ciudad a través de cables subterráneos.

Tras pronunciar estas palabras, barrió los campos con la mirada. Alrededor de los campos de cultivo se alzaba, alto como una muralla, el bosque. La tierra negruzca de los campos estaba cuidadosamente labrada, pero todavía no había dado su fruto.

–En mis ratos libres voy roturando poco a poco el bosque y ensanchando el campo. Claro que yo solo poco puedo hacer. Sorteo los árboles grandes y escojo los terrenos más accesibles. Pero está muy bien hacer algo con tus propias manos. Cuando llegue la primavera, podré cosechar verduras. ¿Han venido con fines educativos?

–Más o menos –dije.

–Los habitantes de la ciudad no suelen aparecer por aquí –comentó–. Nadie entra en el bosque. Aparte del repartidor, por supuesto. Viene una vez por semana a traerme comida y artículos de uso diario.

–¿Y usted vive siempre solo aquí? –le pregunté.

–Sí, desde hace bastante tiempo. Sólo por el sonido que producen, conozco el estado de cada uno de los engranajes de la central. Es como si me pasara los días hablando con las máquinas. Cuando llevas mucho tiempo haciéndolo, aprendes. Si las máquinas se hallan en buen estado, me siento en paz conmigo mismo. También conozco los sonidos del bosque. El bosque emite sonidos diversos. Es como si estuviera vivo.

–¿Y no es muy duro vivir solo en el bosque?

–¿Es duro? ¿No es duro? Esa disyuntiva no la comprendo –dijo–. El bosque está aquí y yo vivo en él, esto es lo único que cuenta. Alguien tiene que permanecer aquí al cuidado de las máquinas. Además, yo vivo a la entrada del bosque. No conozco la espesura.

–¿Hay otras personas que vivan en el bosque aparte de usted? –preguntó ella.

El encargado reflexionó unos instantes, pero enseguida afirmó con pequeños movimientos de cabeza:

–Conozco a algunas. Los que viven en el campo se dedican a extraer carbón, a roturar el bosque para cultivar algo. Pero he visto a muy pocos y apenas he hablado con ellos. A mí no me aceptan. Ellos viven en el bosque y yo vivo aquí solo. En el interior del bosque debe de haber más, pero yo nunca me adentro en el bosque y ellos casi nunca se acercan hasta la entrada.

–¿Ha visto alguna vez a una mujer? –quiso saber ella–. ¿Una mujer de unos treinta y uno o treinta y dos años?

El encargado sacudió la cabeza.

–No, jamás he visto a una mujer. Sólo hombres.

La miré, pero ella no dijo nada más.

# 27

## EL DESPIADADO PAÍS DE LAS MARAVILLAS

## Palillo enciclopédico. Inmortalidad. Clips

–¡Oh, no! –dije–. ¿Seguro que no se puede hacer nada? ¿Y en qué estado me encuentro ahora, según sus cálculos?

–¿Se refiere al estado de su cerebro? –dijo el profesor.

–Claro –repuse. ¿A qué estado iba a referirme, si no?–. ¿Hasta qué punto ha degenerado mi cerebro?

–Según mis cálculos, hace ya unas seis horas que se le ha fundido la conexión B. Tenga en cuenta que se trata de un tecnicismo, no es que su cerebro se esté fundiendo ni nada por el estilo. Vamos, que...

–Que se ha fijado el circuito 3 y que ha muerto el circuito 2.

–En efecto. Por lo tanto, tal como le he dicho, su cerebro ya ha empezado a tender los puentes de ajuste. En resumen, que ya ha iniciado la producción de recuerdos. Si me permite usar una metáfora, a fin de hacer frente a los cambios formales que se están produciendo en la fábrica de formas de su subconsciente, se ha accionado un conducto que une los niveles superficiales de su conciencia con la fábrica de formas en cuestión.

–Lo que significa –proseguí– que la conexión A no funciona como es debido, ¿no es así? Es decir, que hay una fuga de información desde los circuitos del subconsciente.

–No exactamente –rectificó el profesor–. El conducto ya existía desde el principio. Por más que se diversifiquen los circuitos de pensamiento, este conducto no se puede cortar. En resumen, que su conciencia superficial, es decir, el circuito 1, se alimenta del subconsciente de su conciencia superficial, es decir, del circuito 2. Este conducto es la raíz del árbol, y su tierra. Sin ellos, el cerebro humano no funcionaría. Por eso le dejamos este conducto. Para mantenerlo en el mínimo nivel de normalidad, en un grado en que no se produzcan filtraciones innecesarias ni reflujos de conciencia. Sin embargo, la descarga de energía producida por la conexión B al fundirse ha supuesto un impacto anormal en este conducto. Y su cerebro, sorprendido, ha iniciado la labor de reajuste.

–¿Eso significa que la producción renovada de recuerdos va a seguir a un ritmo acelerado?

–Eso es. Expresándolo de una manera simple, se trata de una especie de paramnesia. Ambas se basan en un principio muy similar. Esto proseguirá durante un tiempo. Y, poco después, usted emprenderá una reestructuración del mundo basada en nuevos recuerdos.

–¿Una reestructuración del mundo?

–Sí. Ahora usted está realizando los preparativos para trasladarse a otro mundo. Por eso el mundo que está viendo en el presente cambia poco a poco, adecuándose a esta nueva realidad. El conocimiento es así. El mundo cambia según nuestra percepción. Existe, sin duda alguna, aquí y de esta forma, pero desde el punto de vista fenoménico, el mundo no es sino una posibilidad entre un número infinito de posibilidades. Para ser más preciso, el mundo cambia según dé uno un paso hacia la derecha o hacia la izquierda. Por lo tanto, el mundo se modifica a medida que cambian los recuerdos.

–Eso me parece un sofisma –dije–. Es demasiado conceptual. Usted no tiene en cuenta la temporalidad. El problema que le veo es que su razonamiento cae en una paradoja temporal.

–En cierto sentido, su caso es una paradoja temporal de gran alcance –dijo el profesor–. Porque usted está creando un mundo paralelo a partir de la creación de recuerdos.

–Entonces, ¿este mundo que he empezado a experimentar se está alejando lentamente de mi mundo original?

–Eso ni puedo afirmarlo yo ni puede demostrarlo nadie. Sólo digo que no se puede excluir esa posibilidad. No me refiero a un mundo paralelo total, como los que aparecen en las novelas de ciencia ficción, claro está. No: se trata de un problema cognitivo, de la forma que adopta el mundo en función de la percepción que se tiene de él a través del conocimiento. Y yo creo que ese mundo cambia si se lo conoce bajo diferentes aspectos.

–Y después del cambio, ¿la conexión A se transformará, aparecerá un mundo distinto y yo viviré en él? ¿Y no puedo hacer nada para evitar este cambio? ¿Debo quedarme esperando con los brazos cruzados?

–Me temo que sí.

–¿Y hasta cuándo durará ese mundo?

–Para siempre –dijo el profesor.

–No lo entiendo. ¿Cómo puede durar *para siempre?* El cuerpo tiene sus límites. Y si el cuerpo muere, también muere el cerebro. Y si el cerebro muere, se acaba la conciencia, ¿no es así?

–No. En el pensamiento, el tiempo no existe. Ahí radica su diferencia con los sueños. En el pensamiento es posible abarcarlo todo en un solo instante. También se puede experimentar la eternidad. De la misma forma que es posible crear un circuito cerrado e ir dando una vuelta tras otra. El pensamiento es así. No se puede interrumpir, como ocurre con los sueños. En eso se parece al palillo enciclopédico.

–¿Al palillo enciclopédico?

–El palillo enciclopédico es un juego teórico inventado por un científico de no sé dónde. Se basa en una teoría según la cual se puede grabar toda una enciclopedia en un mondadientes. ¿Sabe cómo?

–Pues no.

–Es muy sencillo. La información, es decir, el contenido de la enciclopedia, se pasa por entero a cifras. Se van pasando todas las letras a cifras de dos dígitos. La A se convierte en 01, la B en 02 y así sucesivamente. El 00 es un espacio en blanco; los puntos y las comas también se pasan a cifras. Delante de cada alineación se pone una coma decimal. De todo ello, resulta una ristra de decimales de una longitud exorbitante. Por ejemplo: 0,1732000631... A continuación se hace una marca en el punto del palillo que corresponde a esta cifra determinada. Por ejemplo, al 0,50000... le corresponderá un punto situado hacia la mitad del mondadientes; al 0,3333..., un punto situado a un tercio de la punta. ¿Lo entiende?

–Sí.

–De esta forma, cualquier información, por extensa que sea, queda reducida a una marca en un mondadientes. Esto, por supuesto, sólo funciona a nivel teórico, no se puede llevar a la práctica. Con la tecnología de la que disponemos hoy en día es imposible trazar marcas tan precisas. Pero ha captado la idea, ¿verdad? El tiempo es la longitud del mondadientes. La cantidad de información comprendida en él no guarda relación alguna con su longitud. Puede ser tan extensa como desee, incluso puede acercarse al infinito. Si son fracciones periódicas, pueden sucederse hasta el infinito. No acaban, ¿comprende? El problema está en el *software*. No tiene relación alguna con el *hardware*. Puede ser un mondadientes, un madero de doscientos metros de longitud o la línea del Ecuador: eso carece de importancia. Aunque su cuerpo muera y su conciencia se extinga por completo, su pensamiento, captado en el instante anterior, seguirá fraccionándose eternamente. Recuerde la vieja paradoja de la flecha que vuela. Aquello de: «Una flecha que está en el aire está detenida», es decir, que una flecha lanzada al aire en realidad está en reposo. Pues bien, la muerte del cuerpo físico es la flecha en el aire. Vuela en línea recta apuntando a su cerebro. Nadie puede escapar a eso. Un día u otro, todas las personas mueren y su cuerpo desaparece. El tiempo hace avanzar la flecha hacia delante. Sin embargo, tal como he dicho, el pensamiento puede seguir fraccionando y fraccionando el tiempo hasta el infinito. La flecha jamás dará en el blanco.

–Es decir –dije–, que es posible alcanzar la inmortalidad.

–Exacto. En el pensamiento, el ser humano es inmortal. Para ser precisos, no llega a ser inmortal, pero está muy cerca de una inmortalidad ilimitada. La vida eterna.

–Ése era el auténtico objetivo de su investigación, ¿verdad?

–No, no es cierto –dijo el profesor–. Al principio, ni siquiera yo me había dado cuenta de eso. Sin embargo, en el curso de la investigación, me topé con ello y lo estudié, movido por la curiosidad. Y lo descubrí: el ser humano no llega a la inmortalidad a través de la expansión del tiempo, sólo puede alcanzarla fraccionándolo.

–¿Y entonces decidió arrastrarme a mí hacia el interior del mundo de la inmortalidad?

–Fue un accidente, no un acto premeditado. Créame, no le miento. No pretendía ponerlo en esta situación. Sin embargo, ahora no tenemos elección. Y sólo hay un modo de escapar al mundo de la inmortalidad.

–¿Y en qué consiste?

–En morir ahora mismo –dijo el profesor, expeditivo–. En morir antes de que se haga operativa la conexión A. Entonces, no quedaría nada.

Un profundo silencio se extendió por el interior de la caverna. El profesor carraspeó, la joven gorda suspiró, yo tomé un trago de whisky. Nadie pronunció una palabra.

–Y... ¿cómo sería ese mundo, ese mundo inmortal? –quise saber.

–Como le he dicho –contestó el profesor–, es un mundo lleno de paz. Usted lo ha construido, es su propio mundo. Y, en él, podrá ser finalmente usted mismo. Lo contiene y lo comprende todo y, al mismo tiempo, no tiene nada. ¿Se lo imagina?

–No.

–Sin embargo, lo ha construido su propio subconsciente. Y eso no todo el mundo puede hacerlo, se lo aseguro. Hay personas que tendrían que vagar eternamente por un mundo incoherente y caótico. Pero usted no, usted es la persona idónea para la inmortalidad.

–¿Y cuándo pasará a ese mundo? –preguntó la nieta.

El profesor consultó su reloj de pulsera. Yo hice lo mismo con el mío. Eran las seis y veinticinco de la mañana. Ya había amanecido. Ya habrían repartido la edición matinal de los periódicos.

–Dentro de veintinueve horas y treinta y cinco minutos –calculó el profesor–. Con un margen de error de unos cuarenta y cinco minutos. He programado que suceda a mediodía para que sea más fácil de comprender. Mañana a mediodía.

Sacudí la cabeza. ¿Había dicho «para que sea más fácil de comprender»? Tomé otro trago de whisky. Pero por más que bebiera, el alcohol no causaba efecto alguno en mi cuerpo. Ni siquiera notaba el sabor del whisky. Tenía la extraña impresión de que mi estómago se había vuelto de piedra.

–¿Qué vas a hacer ahora? –me preguntó la joven posando la mano sobre mi rodilla.

–No lo sé –dije–. Ante todo, salir a la superficie. Odio la idea de quedarme aquí esperando a que las cosas sigan su curso. Quiero salir, estar en ese mundo donde ya ha amanecido. Luego ya pensaré qué haré.

–¿Le basta con lo que le he explicado? –preguntó el profesor.

–Sí, gracias –contesté.

–¿Está usted enfadado?

–Un poco –dije–. Pero me enfade o no, las cosas no van a cambiar. Además, todo es tan estrambótico que no he tenido tiempo de digerirlo. Tal vez, más adelante, me enfade mucho más. Aunque para entonces ya habré muerto y no estaré en este mundo.

–La verdad es que no pretendía darle una explicación tan detallada –dijo el profesor–. Porque si usted no se hubiera enterado de todo esto, el asunto habría terminado sin que usted fuese consciente de ello. Psicológicamente hablando, hubiera sido lo más fácil. Sin embargo, usted no va a morir. Sólo que su conciencia desaparecerá para la eternidad.

–Lo que es lo mismo –repuse–. De todas formas, prefiero haberme enterado de la situación. Se trata de mi vida. No quiero que me apaguen el interruptor sin que me dé cuenta. En lo posible, quiero ser dueño de mis actos. Enséñeme la salida.

–¿La salida?

–El modo de salir a la superficie.

–Tardará en llegar y, además, tendrá que pasar junto a la guarida de los tinieblos. ¿No le importa?

–No. A estas alturas, ya no le temo a nada.

–De acuerdo –dijo el profesor–. Al bajar esta montaña, encontrará el agua; ahora está en calma y podrá nadar sin problemas. Usted tiene que dirigirse hacia el sud-sudoeste. Le indicaré el rumbo con la luz de la linterna. Nade en línea recta hacia allí y, más adelante, verá en la pared rocosa, por encima de la superficie del agua, una pequeña gruta. Introdúzcase en ella e irá a parar a las cloacas. Las cloacas conducen, en línea recta, a las vías del metro.

–¿Del metro?

–Sí, en efecto. Entre las estaciones Gaien-mae y Aoyama Itchōme de la línea Ginza del metro.

–¿Cómo es posible eso?

–Porque los tinieblos querían controlar las vías. Durante el día quizá no, pero al llegar la noche campan por sus respetos por todo el trazado del metro. Las obras del ferrocarril metropolitano de Tokio han ampliado enormemente su campo de acción. Les ha proporcionado un acceso. A veces incluso capturan a algún trabajador de mantenimiento de las vías y lo devoran.

–¿Y cómo es que todo esto no sale a la luz?

–Si se hiciera público, las consecuencias serían terribles. Imagínese: ¿quién querría trabajar en el metro?, ¿quién se atrevería a subir a los vagones? Las autoridades están al corriente, por supuesto, y doblan el grosor de los muros, y tapan los agujeros, e iluminan los túneles y las vías del metro, y los vigilan, pero esto no basta para detener a los tinieblos. En una noche podrían abrirse paso a través de los muros o cortar los cables eléctricos a dentelladas.

–Si la salida se encuentra entre Gaien-mae y Aoyama Itchōme, ¿dónde diablos estamos ahora?

–Pues yo diría que debajo de la avenida Omotesandō, hacia el Meiji-jingū,* no lo sé exactamente. A partir de ahí, sólo hay un ca-

* Santuario sintoísta que se encuentra en el distrito de Shibuya de la ciudad de Tokio, y cuya construcción se inició en 1915. *(N. de la T.)*

mino. Se tarda bastante en llegar porque es un pasadizo muy estrecho y da muchas vueltas y rodeos, pero no tiene pérdida. Primero debe dirigirse hacia Sendagaya. Tenga en cuenta que la guarida de los tinieblos está un poco antes de llegar al Estadio Nacional. Allí el camino tuerce a la derecha. Vaya hacia el Estadio de Béisbol Jingū y, una vez pasado el Museo de Pintura, saldrá a la línea Ginza, en la avenida Aoyama. Se tarda unas dos horas en alcanzar la salida. ¿Ha entendido más o menos las indicaciones?

–Sí.

–La zona donde se encuentra la guarida de los tinieblos, crúcela lo más rápido que pueda. No se entretenga. Y tenga mucho cuidado con el metro. Hay cables de alta tensión y los trenes circulan ininterrumpidamente. Piense que será hora punta. Sería una pena recorrer todo el trayecto para acabar arrollado por el metro.

–Tendré cuidado –dije–. Por cierto, ¿qué va a hacer usted?

–Me he torcido un pie y, además, si saliera lo único que conseguiría sería tener al Sistema y a los semióticos detrás, pisándome los talones. De momento permaneceré escondido. Aquí no se acercará nadie. Por fortuna, usted me ha traído comida. Yo soy muy frugal y con esto tengo para tres o cuatro días –dijo, y añadió–: Salga usted primero. No se preocupe por mí.

–¿Y qué hacemos con los dispositivos para ahuyentar a los tinieblos? Para alcanzar la salida se necesitan dos aparatos y usted se quedaría sin ninguno a mano.

–Vaya con mi nieta –dijo el profesor–. Y ella, una vez lo haya dejado a usted allá, volverá a por mí.

–Buena idea –aprobó la nieta.

–Y si a ella le sucediera algo, si por ejemplo la atraparan, ¿qué sería de usted?

–No me atraparán –dijo ella.

–No se preocupe –dijo el profesor–. Pese a ser tan joven, sabe muy bien lo que hay que hacer. Puede confiar en ella. Por mi parte, cuento con algunos recursos. En caso de emergencia, con una pila seca, agua y unos minúsculos pedacitos de metal, puedo improvisar algo para ahuyentar a los tinieblos. El principio es muy simple y, aunque no es tan eficaz como el dispositivo, bastará para mantenerlos a raya. He ido sembrando todo el camino hasta aquí de trocitos de metal, ¿recuerda? Pues bien, los tinieblos los odian. Claro que el efecto sólo dura unos veinte minutos.

–¿Se refiere a los clips? –pregunté.

–Exacto. Los clips son ideales. Son baratos, abultan poco, se imantan enseguida y se pueden llevar al cuello, como un collar. Sí, los clips son estupendos.

Saqué un puñado de clips del bolsillo de mi anorak y se lo entregué al profesor.

–¿Le basta con éstos?

–¡Caramba, caramba! –se sorprendió–. Me serán de gran ayuda. Lo cierto es que he ido dejando caer demasiados clips por el camino y me temía que no me alcanzaran. Es usted una persona muy detallista, ¿sabe? Le estoy muy agradecido. Es muy poco frecuente encontrar a una persona tan inteligente.

–Abuelo, tenemos que irnos –dijo la nieta–. Disponemos de muy poco tiempo.

–Tened cuidado –dijo el profesor–. Los tinieblos son muy astutos.

–No te preocupes. Volveré sana y salva –dijo la nieta posando suavemente los labios en la frente de su abuelo.

–Y respecto a usted, a tenor de los resultados, debo reconocer que he procedido de un modo injustificable –dijo el profesor dirigiéndose a mí–. Si me fuera posible, me cambiaría por usted. Ya he disfrutado bastante de la vida y no tengo nada de lo que arrepentirme. Para usted, sin embargo, es un poco demasiado pronto. Además, ha sido todo tan repentino que ni siquiera ha tenido tiempo de prepararse psicológicamente. Seguro que todavía le quedan un montón de cosas por hacer en este mundo, ¿no es cierto?

Asentí en silencio.

–Sin embargo, no debe tener miedo –prosiguió el profesor–. No hay por qué temer nada, ¿comprende? No se trata de la muerte. Es la vida eterna. Y en ella usted podrá ser, finalmente, usted mismo. Comparado con aquél, este mundo no es más que un falso espejismo, no lo olvide.

–¡Venga, vamos! –dijo la joven cogiéndome del brazo.

# 28
## EL FIN DEL MUNDO
## El instrumento musical

El joven encargado de la central eléctrica nos invitó a visitar su cabaña. Al entrar, comprobó el fuego, se dirigió a la cocina con una tetera de agua caliente y preparó una infusión. El frío del bosque nos había calado hasta el tuétano de los huesos y la taza de té caliente nos reconfortó. Mientras la saboreábamos, el aullido del viento no cesó un solo instante.

–Esta hierba se encuentra en el bosque –dijo el encargado–. Durante el verano la pongo a secar a la sombra. Así me alcanza para todo el invierno. Es nutritiva, caldea el cuerpo.

–Deliciosa –dijo ella.

Era aromática y su dulzor no empalagaba.

–¿Cómo se llama esa hierba? –pregunté yo.

–No sé tanto –repuso el joven–. Crece en el bosque, y huele tan bien que un día decidí probarla en infusión. Es una planta verde de poca altura que florece en julio. En esa época, cojo las hojas más pequeñas y las pongo a secar. A las bestias les encanta comerse las flores de la planta.

–¿Las bestias llegan hasta aquí? –me asombré.

–Sí, hasta principios de otoño. En cuanto se aproxima el invierno dejan de acercarse al bosque. Pero cuando hace buen tiempo vienen en pequeños grupos y juegan conmigo. Y yo comparto mi comida con ellas. Pero en invierno, no. Aunque sepan que yo podría darles de comer, no se acercan al bosque. De modo que, en invierno, estoy completamente solo.

–Si le apetece, podemos comer los tres juntos –dijo ella–. Hemos traído emparedados y fruta de sobra. ¿Le gustaría compartirlos con nosotros?

–Se lo agradezco –dijo el encargado–. Hace mucho tiempo que no como nada preparado por otros. Yo tengo un guiso de setas del bosque. ¿Les apetecería probarlo?

–Con mucho gusto –dije.

Los tres comimos los emparedados que había hecho ella, después dimos cuenta del guiso de setas, y de postre mordisqueamos la fruta. Durante el almuerzo, nadie habló apenas. El aullido del viento, que penetraba en la estancia como una corriente de agua transparente, llenaba el silencio. El tintineo de cuchillos, tenedores y platos se mezclaba con el ulular del viento creando una resonancia de timbres irreales.

–¿Usted no sale nunca del bosque? –inquirí.

–Nunca –dijo sacudiendo lentamente la cabeza–. Así está establecido. Debo cuidarme de la central eléctrica. Tal vez algún día venga alguien a sustituirme. No sé cuándo será, pero si ese día llega, entonces podré salir del bosque y volver a la ciudad. Hasta ese momento no me está permitido salir. No puedo alejarme ni un paso del bosque, porque tengo que esperar a que se alce el viento una vez cada tres días.

Asentí y me bebí el resto de la infusión. Posiblemente, el sonido del viento se prolongaría dos horas, tal vez dos horas y media más. Al escucharlo en silencio, te daba la sensación de que te iba atrayendo poco a poco hacia sí. Imaginé lo triste que debía de ser escuchar en soledad el aullido del viento en la desierta central eléctrica del bosque.

–Por cierto, ustedes no han venido únicamente a visitar la central eléctrica con fines educativos, ¿verdad? –preguntó el joven encargado–. Es que, tal como les he dicho antes, los habitantes de la ciudad rara vez aparecen por aquí.

–Estamos buscando un instrumento musical –dije–. Nos han dicho que aquí averiguaríamos dónde encontrar uno.

Él movió afirmativamente la cabeza varias veces y por unos instantes contempló su tenedor y su cuchillo, depositados el uno sobre el otro en el plato.

–Es cierto, aquí hay algunos instrumentos musicales. Son muy viejos, pero si encuentran alguno utilizable, se lo pueden llevar. Al fin y al cabo, yo no sé tocarlos. Me limito a ponerlos en fila y a contemplarlos. ¿Quieren verlos?

–Si nos lo permite... –dije.

Se levantó arrastrando la silla, y yo lo imité.

–Síganme. Los tengo de adorno en mi habitación –dijo.

–Yo me quedo aquí para recoger la mesa y preparar el café –dijo ella.

El encargado abrió la puerta que conducía al dormitorio, encendió la luz y me invitó a pasar.

–Ahí están –dijo.

Recostados contra la pared del dormitorio se alineaban diversos instrumentos musicales. Eran todos tan viejos que podían calificarse de antigüedades y, en su mayor parte, eran instrumentos de cuerda. Mandolinas, guitarras, violonchelos, un arpa pequeña... La mayoría de las cuerdas estaban cubiertas de un óxido rojizo, rotas o del todo inexistentes. La verdad, en aquel lugar no parecía fácil encontrar otras para reemplazarlas.

Entre ellos había un instrumento musical que yo jamás había visto. Era de madera, de forma parecida a una tabla de la colada, con una hilera de protuberancias de metal que parecían uñas. Lo tomé en mis manos e intenté arrancarle algún sonido, sin conseguirlo. También había varios tambores pequeños, puestos en fila. Contaban con los palillos correspondientes, pero parecía imposible tocar algo con ellos. Había también un instrumento de viento grande que recordaba un fagot, pero tampoco parecía utilizable.

Sentado en una pequeña cama de madera, el encargado miraba cómo probaba un instrumento tras otro. Tanto la colcha como la almohada estaban muy limpias, la cama bien hecha.

–¿Hay alguno utilizable? –me preguntó.

–Pues no lo sé –respondí–. ¡Son todos tan viejos!

Él se levantó de la cama, se dirigió hacia la puerta, la cerró y volvió a sentarse. Como el dormitorio no tenía ventanas, con la puerta cerrada el aullido del viento sonaba amortiguado.

–¿No le parece extraño que coleccione esos objetos? –me preguntó el encargado–. A ningún habitante de la ciudad le interesan las *cosas*. Todos poseen los utensilios necesarios para la vida diaria, por supuesto. Ollas, cuchillos, sábanas, ropa. Pero les basta con eso, con las cosas útiles; nadie desea más. Yo, en cambio, no soy así. Esas *cosas* me interesan mucho, ni yo sé por qué. Pero me fascinan las cosas con una forma complicada, las cosas bonitas. –Había apoyado una mano sobre la almohada y mantenía la otra en el bolsillo del pantalón–. Y, ¿sabe? –prosiguió–, si le soy sincero, también me gusta esta central eléctrica: el ventilador, los diferentes contadores y transformadores... Quizá yo siempre haya tenido esta tendencia, este gusto por las cosas, y por eso decidieron enviarme aquí. O quizá la he adquirido después de que me enviaran aquí, a fuerza de vivir solo. Llevo tanto tiempo en la central eléctrica que he olvidado por completo mi vida anterior. A veces me da la impresión de que jamás podré regresar a la ciudad. Porque mientras tenga esta inclinación, la ciudad no me aceptará.

Tomé en la mano un violín que sólo conservaba dos cuerdas y lo punteé con los dedos. Sonó un seco *staccato*.

–¿Cómo ha logrado reunir todos estos instrumentos?

–Proceden de diversos lugares –me dijo–. Pedí a quien me suministra las provisiones que me los fuera trayendo. A veces aparecía algún viejo instrumento olvidado en el fondo de los armarios de las casas o en los graneros. Como no sirven para nada, la mayoría acababan convertidos en leña, pero aún quedaban algunos. Y cuando encontraba uno, él me lo traía. Todos los instrumentos tienen una forma muy bonita. Yo no sé tocarlos, ni se me ocurriría intentarlo, pero al contemplarlos puedo apreciar su belleza. Pese a ser complejos, no tienen un solo detalle superfluo. Suelo sentarme aquí y quedarme absorto mirándolos. Me basta con eso. ¿Le parece extraño?

–Los instrumentos musicales son muy hermosos –dije–. No, no me parece extraño.

Mis ojos se posaron en un acordeón que descansaba en el suelo, entre un violonchelo y un tambor, y lo cogí. Era un modelo muy antiguo y, en vez de teclado, tenía botones en las cajas. El fuelle estaba rígido, con algunas rajas, pero a simple vista se apreciaba que no había fugas de aire. Deslicé ambas manos bajo las correas y lo plegué y extendí varias veces. El fuelle tenía que accionarse con unos movimientos más amplios de lo que esperaba, pero si las teclas funcionaban, le arrancaría algún sonido. De hecho, mientras retenga el aire, el acordeón es un instrumento que no se estropea con facilidad y, aunque se produzca alguna fuga, es relativamente fácil de arreglar.

–¿Puedo tocar? –le pregunté.

–Por supuesto, ¡adelante! Está hecho para eso –me animó el joven.

Mientras plegaba y extendía el fuelle a derecha e izquierda, fui pulsando los botones por orden, desde abajo. Algunas teclas emitían un sonido muy débil, pero reproducían la escala musical. Volví a accionar las teclas, de arriba abajo.

–¡Qué sonido más peculiar! –exclamó el joven, profundamente interesado–. Es como si los sonidos cambiaran de color.

–Al pulsar estos botones, se producen notas, sonidos de distinta frecuencia –le dije–. Todos son diferentes. Y, según su frecuencia, los sonidos combinan, o no, unos con otros.

–No entiendo eso de combinar o no combinar. ¿Qué significa combinar? ¿Quiere decir necesitarse mutuamente?

–Más o menos –dije. Intenté tocar un acorde. No lo logré del todo, pero el resultado no fue disonante. No obstante, no lograba recordar ninguna canción. Sólo algunos acordes.

–¿Esos sonidos combinan?

Le dije que sí.

–Yo no lo sé –dijo–. A mí sólo me parecen resonancias extrañas. Es la primera vez que oigo esos sonidos. No sé qué decir. Son distintos del rumor del viento, y de los trinos de los pájaros. –Tras pronunciar estas palabras, posó ambas manos sobre las rodillas y contempló alternativamente mi rostro y el acordeón–. Sea como sea, le regalo ese instrumento. Quédeselo. Una cosa así es mejor que la conserve alguien que sepa utilizarla. No tiene sentido que la guarde yo –dijo y, acto seguido, aguzó el oído al aullido del viento–. Voy a mirar cómo están las máquinas. Tengo que inspeccionarlas cada treinta minutos, comprobar si el ventilador gira bien, si los transformadores funcionan sin problemas... ¿Le importaría esperarme en esa habitación?

Cuando el joven salió, volví a la estancia que hacía las veces de comedor y sala de estar, y me tomé el café que ella había preparado.

–¿Eso es un instrumento musical? –me preguntó.

–Sí –dije–. Pero los hay de muchas clases y cada uno produce un sonido diferente, ¿sabes?

–Parece un fuelle, ¿verdad?

–Bueno, el principio es el mismo.

–¿Puedo tocarlo?

–Claro que sí –dije y le tendí el acordeón.

Ella lo cogió cuidadosamente con ambas manos, como si se tratara de la frágil cría de algún animal, y lo contempló de hito en hito.

–¡Qué cosa tan extraña! –dijo sonriendo con desasosiego–. Pero ¡qué suerte! Has conseguido un instrumento musical. ¿Estás contento?

–Al menos ha merecido la pena llegar hasta aquí.

–Este hombre no ha podido desprenderse del todo de su sombra, ¿sabes? No le queda mucha, pero aún tiene un trocito –dijo ella en voz baja–. Por eso está en el bosque. No tiene valor suficiente para adentrarse en él, pero tampoco puede volver a la ciudad. ¡Pobre! Me da mucha pena.

–¿Crees que tu madre está en el interior del bosque?

–Tal vez sí, tal vez no –dijo ella–. No lo sé. Sólo se me ha ocurrido de pronto.

El joven regresó a la cabaña siete u ocho minutos después. Le di las gracias por el instrumento, abrí la maleta y deposité sobre la mesa los obsequios que le había traído. Un pequeño reloj despertador de viaje, un juego de ajedrez y un encendedor. Los había encontrado en las maletas del archivo.

–Acéptelo como muestra de agradecimiento por el instrumento musical, se lo ruego –dije.

Al principio, el joven los rehusó categóricamente, pero acabó por aceptarlos. Examinó el reloj despertador, examinó el encendedor y, luego, examinó una a una las piezas del ajedrez.

–¿Sabe jugar? –le pregunté.

–No se preocupe. No me hace falta –dijo–. Son lo suficientemente hermosas como para que me baste con mirarlas y, además, ya descubriré por mí mismo cómo se usan. Tiempo, a mí, me sobra.

Le dije que ya era hora de emprender el regreso.

–¿Ya se van? –dijo con tristeza.

–Tenemos que volver a la ciudad antes de que oscurezca, y me gustaría descabezar un sueño antes de ir a trabajar –dije.

–Claro, comprendo –dijo el joven–. Los acompaño hasta la puerta. Me gustaría acompañarlos hasta las lindes del bosque, pero debo trabajar y no puedo alejarme de aquí.

Los tres nos despedimos en el exterior de la cabaña.

–Vuelvan otro día. Y déjenme escuchar cómo suena el instrumento –pidió–. Siempre serán bienvenidos.

–Gracias –dije.

A medida que nos alejamos de la central eléctrica, el aullido del viento fue perdiendo intensidad, y, cuando nos aproximamos a los límites del bosque, ya se había extinguido por completo.

# 29
## EL DESPIADADO PAÍS DE LAS MARAVILLAS
## Lago. Masaomi Kondō. Pantis

A fin de que no se mojara mientras nadábamos, la joven gorda y yo redujimos nuestro equipaje tanto como pudimos, lo envolvimos en una camisa de repuesto y nos lo enrollamos en lo alto de la cabeza. Sin duda ofrecíamos una pinta extremadamente ridícula, pero no nos sobraba tiempo ni para reír. Como habíamos dejado atrás las provisiones, el whisky y otros objetos superfluos, no abultaba demasiado. Yo sólo llevaba la linterna, un jersey, los zapatos, la cartera, la navaja y el dispositivo para ahuyentar a los tinieblos. Y ella, algo por el estilo.

–Tened cuidado –dijo el profesor. En la penumbra, se me antojó mucho más viejo que la primera vez que lo vi. Tenía la piel ajada, los cabellos resecos como un vegetal plantado en un lugar equivocado y el rostro salpicado de manchas marrones. Visto así, parecía sólo un viejo cansado. Realmente, el destino de todos los hombres, sean científicos eminentes o no, es envejecer y morir.

–Adiós –dije.

Bajé por la cuerda, a través de la oscuridad, hasta alcanzar la superficie del agua. Yo descendí primero y, cuando llegué abajo, le hice señales con la luz de la linterna y descendió ella. Meterse en el agua envuelto en aquella oscuridad era terrorífico y no me apetecía en absoluto, pero, evidentemente, no tenía elección. Aparte de estar fría como el hielo, el agua no parecía presentar ningún problema. Era agua normal y corriente. No ocultaba nada bajo su superficie y su peso específico era el acostumbrado. En los alrededores reinaba la calma y el silencio propios del fondo de un pozo. Ni en el aire, ni en el agua, ni en las sombras se movía nada. Sólo nuestro chapoteo, ampliado hasta la exageración, resonaba en medio de la oscuridad. Parecía el sonido producido por un gigantesco animal acuático devorando a su presa. Tras meterme en el agua, me di cuenta de que había olvidado por completo pedirle al profesor que me tratara el dolor de la herida.

–Aquel pez de las uñas no estará nadando por aquí, ¿verdad? –dije volviéndome hacia donde suponía que estaba ella.

–Claro que no –dijo–. Bueno, no creo. Eso debe de ser una leyenda.

Pese a todo, no logré ahuyentar de mi cabeza la idea de que aquel pez enorme emergería de repente del fondo de las aguas y me arrancaría la pierna de una dentellada. Ya se sabe, la oscuridad alimenta todo tipo de temores.

–¿Tampoco hay sanguijuelas?

–Pues no lo sé. Diría que no –respondió ella.

Enlazados por la cuerda, rodeamos la «torre» braceando lentamente para que no se nos mojara el equipaje y al instante vimos la luz que proyectaba la linterna del profesor. El haz de luz taladraba la oscuridad en línea recta, como un faro que emitiera una luz oblicua, tiñendo a trechos el agua de color amarillo pálido.

–Tenemos que seguir todo recto en esta dirección –comentó ella. Es decir, que debíamos avanzar superponiendo la luz de nuestras linternas al resplandor que se reflejaba en la superficie del agua.

Yo nadaba delante; ella iba detrás. El chapoteo de mis manos batiendo el agua se alternaba con el chapoteo de sus manos batiendo el agua. De vez en cuando dejábamos de nadar, nos volvíamos hacia atrás, comprobábamos la dirección, rectificábamos el rumbo.

–Procura que no se te mojen las cosas –me dijo ella mientras braceaba–. Si el dispositivo se moja, no servirá para nada.

–Tranquila –dije.

Sin embargo, lo cierto era que requería un gran esfuerzo evitar que se mojara el equipaje. Como todo estaba envuelto en la densa oscuridad, ni siquiera sabía dónde se hallaba la superficie del agua. A veces no sabía ni dónde tenía las manos. Mientras nadaba, me acordé de Orfeo, obligado a cruzar la laguna Estigia para llegar al reino de los muertos. En el mundo existen incontables religiones y mitos, pero, acerca de la muerte, a todos los hombres se nos ocurre prácticamente lo mismo. Orfeo cruzó el río de las tinieblas en barca. Y yo estaba atravesándolo a nado con un paquete enrollado en la cabeza. En este sentido, los griegos de la Antigüedad eran mucho más listos que yo. Empezaba a preocuparme la herida, pero no ganaba nada con darle vueltas. Debido posiblemente a la tensión nerviosa, apenas me dolía, y aunque se hubiesen soltado los puntos, me dije que de una herida como ésa no había muerto nadie.

–¿De verdad estás tan enfadado con mi abuelo? –me preguntó. A causa de la oscuridad y de las extrañas resonancias, no logré adivinar en qué dirección ni a qué distancia se encontraba la joven.

–No lo sé. Ni siquiera yo lo sé –grité, volviéndome hacia donde supuse que ella estaba. Incluso el eco de mi propia voz me llegó desde una dirección extraña–. Mientras escuchaba a tu abuelo, he acabado por pensar que me daba lo mismo.

–¿Que te daba lo mismo?

–Mi vida no vale gran cosa y mi cerebro tampoco.

–Pero tú antes has dicho que estabas satisfecho con tu vida.

–Era un decir –repuse–. Todos los ejércitos necesitan una bandera.

La joven caviló unos minutos sobre el sentido de mis palabras. Mientras tanto, seguimos nadando sin hablar. Un silencio denso y profundo como la muerte se adueñó del lago subterráneo. «¿Dónde estará el pez?», me pregunté. Empezaba a convencerme de que aquel siniestro pez con uñas existía realmente. ¿Permanecería dormido en las profundidades del lago? ¿Estaría nadando por alguna otra gruta? ¿O habría olfateado nuestra presencia y, en aquellos instantes, se dirigía a nuestro encuentro? Al imaginar el instante en que el pez con uñas me apresaba la pierna, un temblor sacudió mi cuerpo de arriba abajo. Por más que tuviera que morir o desaparecer dentro de poco, quería librarme de ser devorado por un pez en aquel lugar miserable. Si tenía que morir, prefería hacerlo bajo la familiar luz del sol. A pesar de tener los brazos pesados y exhaustos por el agua helada, seguí braceando con desesperación.

–Pero tú eres muy buena persona –dijo la joven. En el timbre de su voz no se apreciaba ni una gota de cansancio. Su tono era tan despreocupado como si estuviera en la bañera.

–Hay pocos que piensen lo mismo –dije.

–Pero yo lo pienso.

Mientras nadaba, me di la vuelta. La luz de la linterna del profesor había quedado muy atrás, pero mis manos todavía no habían llegado a tocar la ansiada pared rocosa. «¿Por qué estará tan lejos?», me pregunté, hastiado. Si el profesor sabía a qué distancia se encontraba, nada le habría costado decírmelo. Así me habría mentalizado. ¿Y qué estaría haciendo aquel pez? ¿Aún no habría descubierto mi presencia?

–No pretendo defender a mi abuelo –dijo la joven–, pero él no tiene mala intención. Lo que ocurre es que se apasiona por algo y pierde de vista todo lo que le rodea. Lo mismo le pasó con eso. Empezó de buena fe. Con el propósito de dilucidar tu secreto y salvarte antes de que el Sistema te toqueteara de cualquier modo. Siendo como es, seguro que se avergüenza de haber colaborado con el Sistema para experimentar con seres humanos. Eso fue una equivocación.

Seguí nadando en silencio. A aquellas alturas, de poco me iba a servir que reconociera que se había equivocado.

–Así que perdónalo, ¿eh? –continuó.

–Que lo perdone o no, eso carece de importancia –repuse–. Pero ¿por qué dejó el proyecto a medias? Si tan responsable se sentía, tendría que haber proseguido sus investigaciones dentro del Sistema y haber tratado de evitar que sacrificaran a más personas, ¿no te parece? Por más que diga que detesta trabajar en grandes organizaciones, por culpa de su línea de investigación un montón de personas fueron muriendo, una tras otra.

–Mi abuelo dejó de confiar en el Sistema –explicó la joven–. Mi abuelo dice que el Sistema de los calculadores y la Factoría de los semióticos son como las manos derecha e izquierda de una misma persona.

–¿Cómo dices?

–Que lo que hace el Sistema y lo que hace la Factoría, técnicamente hablando, es casi lo mismo.

–Técnicamente hablando, sí. Pero nosotros protegemos la información y los semióticos la roban. El objetivo es muy distinto.

–Pero ¿y si una misma persona dirigiera el Sistema y la Factoría? Entonces, resultaría que mientras la mano izquierda roba una cosa, la derecha la protege.

Reflexioné sobre sus palabras mientras seguía nadando despacio en la oscuridad. Aunque costara creerla, aquella idea no se podía descartar de un plumazo. Yo trabajaba para el Sistema, pero si me hubiesen preguntado cómo estaba estructurada la organización no habría sabido qué contestar. Porque era un organismo gigantesco y porque el secretismo regía en lo relativo a la información interna. Nosotros nos limitábamos a recibir directrices y a ejecutarlas una tras otra. Nosotros, los últimos monos, no teníamos la menor idea de lo que sucedía en las alturas.

–Pues si tienes razón, el negocio podría reportar unas ganancias exorbitantes –dije–. Obligándolos a competir, podrían subir los precios tanto como quisieran. Y, asegurándose de que las dos fuerzas fuesen iguales, no cabría temer un hundimiento de los precios.

–Mi abuelo se dio cuenta de eso mientras investigaba para el Sistema. Al fin y al cabo, el Sistema no es más que una empresa privada con conexiones estatales. Y a las empresas privadas les mueve el ánimo de lucro. Su único objetivo es obtener beneficios. De cara al público, el Sistema enarbola la bandera de la protección de los derechos de propiedad de la información, pero eso no son más que palabras. Mi abuelo comprendió que su investigación acarrearía gravísimas consecuencias. Que si las técnicas de manipulación libre y arbitraria del cerebro seguían avanzando a aquel ritmo, la sociedad y la existencia del hombre llegarían a una situación insostenible. Era necesario detener esa vorágine, frenarla. Pero ni el Sistema ni la Factoría pensaban hacerlo. Por eso mi abuelo se retiró del proyecto. Era horrible sacrificaros a ti y a los demás calculadores, pero la investigación no podía proseguir. Porque el número de víctimas habría sido mucho mayor.

–Sólo por curiosidad: tú estabas al tanto de todo, ¿verdad? –le pregunté.

–Sí –confesó tras titubear unos segundos.

–¿Y por qué no me lo contaste todo desde el principio? Me habrías ahorrado venir hasta este sitio absurdo, no habría perdido tontamente el tiempo...

–Porque tú querías ver a mi abuelo y que él te lo explicara todo con detalle –adujo ella–. Además, si te lo hubiera contado yo, seguro que no me habrías creído.

–Quizá no –dije. Realmente, lo del tercer circuito y la inmortalidad no es algo que uno se crea de buenas a primeras.

Tras nadar un poco más, mis manos toparon de repente con algo duro. Absorto en mis reflexiones, al principio no adiviné de qué se trataba, pero tras unos instantes de desconcierto comprendí que era la pared rocosa. Habíamos logrado cruzar el lago submarino.

–¡Hemos llegado! –dije.

Ella me alcanzó y tocó la pared. Al volverme, vi brillar la luz del profesor, diminuta, entre las tinieblas, como una estrella. Siguiendo la línea de esa luz, nos desplazamos unos diez metros hacia la derecha.

–Debe de estar por aquí –dijo la joven–. Tenemos que encontrar una abertura a unos cincuenta centímetros sobre la superficie del agua.

–¿Crees que habrá quedado sumergida?

–No. El agua alcanza siempre la misma altura. No sé por qué, pero es así. Cinco centímetros arriba o abajo.

Con grandes precauciones para que no se deshiciera el equipaje, saqué la linterna de entre los objetos envueltos en la camisa que llevaba enrollada en la cabeza, me apoyé con una mano en un hueco de la pared y, tratando de mantener el equilibrio, iluminé unos cincuenta centímetros más arriba. La amarillenta luz de la linterna bañó la pared rocosa. Mis ojos tardaron bastante en acostumbrarse a la luz.

–No se ve ningún agujero por ninguna parte –dije.

–Ve un poco más hacia la derecha –dijo la joven.

Dirigiendo el haz de luz hacia arriba, me fui desplazando a lo largo de la pared. Pero no logré descubrir ningún agujero.

–¿Seguro que está hacia la derecha? –dudé. Ahora que había dejado de nadar y me hallaba inmóvil dentro del lago, notaba cómo el agua helada me calaba hasta el tuétano de los huesos. Tenía todas las articulaciones rígidas, como congeladas, ni siquiera lograba abrir bien la boca al hablar.

–Seguro. Ve un poco más hacia la derecha.

Tiritando, me desplacé un poco más hacia la derecha. Pronto, mi mano izquierda, que se iba deslizando por la superficie de la pared rocosa, palpó un extraño objeto. Algo redondo y abombado como un escudo, del tamaño de un elepé. Al pasar los dedos por encima, descubrí que la superficie estaba esculpida. Lo iluminé para examinarlo con detenimiento.

–Es un relieve –dijo ella.

Asentí, incapaz de pronunciar palabra. El relieve era idéntico al que habíamos visto al penetrar en el santuario. Dos siniestros peces con uñas que rodeaban el mundo enlazados por la cabeza y la cola. Como si fuera la luna hundiéndose en el mar, dos terceras partes del redondo relieve estaban sobre el agua y la tercera parte se encontraba sumergida en ella. Aquel relieve estaba tan finamente esculpido como el anterior. Sin duda había sido arduo realizar tan minucioso trabajo en un lugar donde a duras penas se podía apoyar los pies.

–Aquí está la salida –dijo ella–. Debe de haber el mismo relieve a la entrada que a la salida. Mira hacia arriba.

Fui deslizando el haz de luz de la linterna por la superficie de la pared rocosa. Vislumbré algo, hundido en la sombra creada por una roca que sobresalía, aunque no distinguí con claridad de qué se trataba. Le entregué la linterna y me dispuse a subir.

Por fortuna, sobre el relieve había entrantes donde apoyar las manos. Haciendo acopio de todas mis fuerzas, icé mi cuerpo yerto de frío y apuntalé los pies sobre el relieve. Después alargué la mano derecha, me agarré al canto de la roca que sobresalía, tomé impulso y me asomé por encima de la roca. Efectivamente, allí estaba la entrada de una caverna. Percibí entonces una débil corriente de aire. El aire era gélido, mohoso, desagradable, pero, en cualquier caso, allí había un túnel. Hinqué ambos codos en el saliente rocoso, apoyé los pies en unos agujeros y me icé sobre la roca.

–¡Aquí está el agujero! –grité hacia abajo mientras notaba una punzada de dolor en la herida.

Ella se sintió aliviada.

Cogí la linterna, agarré de la mano a la joven y la ayudé a subir. Nos sentamos juntos en la entrada de la caverna y permanecimos unos instantes allí, tiritando. Mi camisa y mis pantalones, completamente empapados, estaban tan helados como si los acabara de sacar del congelador. Me sentía como si hubiese estado nadando dentro de un enorme vaso de whisky.

Desatamos el lío de ropa que llevábamos enrollado en la cabeza y nos pusimos una camisa seca. Yo le cedí mi jersey. Tiramos las camisas y las chaquetas mojadas. Como no llevábamos de repuesto pantalones ni ropa interior, éstos seguían mojados, pero tuvimos que aguantarnos.

Mientras ella comprobaba el dispositivo para ahuyentar a los tinieblos, yo hice señales luminosas en dirección a la «torre» para informar al profesor de que habíamos llegado sanos y salvos. En correspondencia, la pequeña luz amarilla que flotaba en las tinieblas parpadeó dos o tres veces antes de apagarse. Al desaparecer la luz, el mundo volvió a la completa oscuridad primigenia. A ese mundo de la nada donde era imposible medir la distancia, el grosor y la profundidad.

–¡Vamos! –dijo ella.

Encendí la luz de mi reloj de pulsera y miré la hora. Eran las siete y diez de la mañana. La hora en que todas las cadenas de televisión emitían los informativos matutinos. Mientras daba cuenta del desayuno, la gente de la superficie estaría embutiéndose en sus cabezas somnolientas el parte meteorológico, los anuncios de analgésicos y la información sobre la exportación de automóviles a Estados Unidos. Nadie sabía que yo me había pasado la noche vagando por un laberinto subterráneo. Nadie sabía que había nadado en agua helada, que las sanguijuelas me habían chupado la sangre, que el dolor de la herida me martirizaba. Nadie sabía que mi mundo real acabaría dentro de veintiocho horas y cuarenta y dos minutos. Porque eso no lo habían dado en las noticias de la televisión.

Aquel pasadizo era mucho más angosto que los que habíamos atravesado hasta entonces y nos veíamos obligados a avanzar agachados, casi a rastras. Además, era tan tortuoso como unas vísceras: subía y bajaba, torcía a derecha y a izquierda. Unas veces teníamos que descender por una pared vertical apoyando los pies en los entrantes de la roca y, luego, teníamos que trepar de nuevo. Otras veces, el camino describía complicados tirabuzones, parecidos a los raíles de una montaña rusa. Eso nos obligaba a avanzar con extrema lentitud. Seguro que ese pasadizo no lo habían excavado los tinieblos, sino que debía de ser producto de la erosión. Por más malvados que fuesen, no era verosímil que hubieran construido un pasadizo tan complicado y dificultoso como aquél.

A los treinta minutos, sustituimos un dispositivo por otro y, tras andar diez minutos, vimos que el estrecho y tortuoso pasadizo desembocaba de pronto en una amplia caverna de techo alto. Estaba desierta y oscura como el vestíbulo de un viejo edificio, y olía a moho. El pasadizo acababa ahí, pues se bifurcaba a derecha e izquierda, como una T, y percibimos una débil corriente de aire que circulaba de derecha a izquierda. Ella iluminó alternativamente el ramal derecho y el izquierdo. Ambos se hundían en línea recta en las negras tinieblas.

–¿Hacia dónde tenemos que ir? –pregunté.

–Hacia la derecha –dijo ella–. Ésa es la dirección correcta y, además, el aire viene de allí. Ya lo ha dicho mi abuelo, ¿no? Aquí está Sendagaya y, girando a la derecha, se llega al Estadio de Béisbol Jingū.

Me representé mentalmente el paisaje exterior. Si ella tenía razón, arriba debían de hallarse los dos *rāmen-ya,** los que están uno junto al otro, así como la librería Kawade y el Victor Studio. Mi peluquería también se encontraba por allí. Ya hacía diez años que la frecuentaba.

–¿Sabes que mi peluquería cae por aquí cerca? –le dije.

–¿Ah, sí? –repuso ella sin mostrar el menor interés.

* Establecimiento donde se sirven *rāmen* (fideos chinos con caldo). *(N. de la T.)*

Me dije que no sería mala idea ir a cortarme el pelo antes del fin del mundo. Total, veinticuatro horas no daban para mucho. Para tomar un baño, ponerme ropa limpia, ir a la peluquería y poca cosa más.

–¡Cuidado! –me advirtió–. Nos acercamos a la guarida de los tinieblos. Se oyen voces y huele mal. ¡Pégate a mí! ¡No te alejes!

Agucé el oído y olisqueé el aire, pero no descubrí el menor indicio sonoro u olfativo. Me pareció oír una onda sonora extraña, algo así como un «jiuru-jiuru».

–¿Sabrán que estamos acercándonos?

–Por supuesto –dijo–. Éste es el reino de los tinieblos. No hay nada que no sepan. Además, deben de estar muy enfadados. Hemos atravesado su santuario y nos aproximamos a su guarida. Si nos atrapan, nos harán pasar un mal rato. Así que no te separes de mí, ¿vale? A la mínima que te alejes, surgirá un brazo de la oscuridad, te agarrará y te arrastrará vete a saber dónde.

Acortamos la cuerda que nos unía hasta dejarla en unos cincuenta centímetros.

–¡Cuidado! ¡Allí no hay pared! –chilló con voz aguda, dirigiendo el haz de luz a la izquierda. Tal como decía, la pared de la izquierda había desaparecido y, en su lugar, se abría un vacío de negras y densas tinieblas. El haz de luz de la linterna lo atravesó, como una flecha, hasta que la punta desapareció absorbida por unas tinieblas aún más densas. Las tinieblas estaban llenas de vida, respiraban, bullían. Eran siniestras, espesas y turbias como la gelatina.

–¿Lo oyes? –me preguntó.

–Lo oigo.

La voz de los tinieblos llegaba ahora con toda claridad a mis oídos. Para ser precisos, más que una voz, parecía un zumbido. Un zumbido como de alas de incontables insectos que hendía la oscuridad y se clavaba en mis oídos, punzante como una broca. El rumor reverberaba con violencia en las paredes rocosas y, deformado en extraños ecos, me perforaba los tímpanos. Hubiese querido arrojar la linterna, ponerme en cuclillas y taparme los oídos. Me daba la sensación de que todos mis nervios sufrían el desgaste de la lima del odio.

Aquel odio era distinto a cualquier otro que hubiese experimentado con anterioridad. El odio de los tinieblos nos azotaba como una violenta ráfaga de viento que brotase de la boca del infierno con la intención de hacernos trizas. Aquella oscuridad, negra como la condensación de todas las sombras del subsuelo, y el fluir del tiempo, deformado y embrutecido en un mundo que había perdido la luz y los ojos, conformaban una masa gigantesca que gravitaba sobre nosotros. Hasta aquel instante, yo había ignorado que el odio pudiera pesar tanto.

–¡No te pares! –me gritó al oído.

Su voz era seca, pero no temblaba. Al oír su grito, me di cuenta de que me había detenido. Ella tiró con ímpetu de la cuerda que enlazaba nuestras cinturas.

–¡No puedes pararte! Si te paras, estás acabado. Te arrastrarán hacia las tinieblas.

Pero mis pies no se movían. El odio de los tinieblos los mantenía firmemente clavados al suelo. Me daba la sensación de que el tiempo iba retrocediendo en busca de recuerdos del horror de tiempos remotos. Yo ya no podía ir a ninguna parte.

Surgiendo de la oscuridad, la mano de la joven me golpeó con fuerza la mejilla. La bofetada fue tan brutal que, por unos instantes, me ensordeció.

–¡A la derecha! –oí que gritaba–. ¡A la derecha! ¿¡Me oyes!? Adelanta el pie derecho. ¡El derecho! ¡Imbécil!

Tembloroso, logré al fin mover el pie derecho. En *sus* voces percibí un ligero tinte de decepción.

–¡El izquierdo! –gritó, y yo adelanté el pie izquierdo–. ¡Estupendo! ¡Sigue así! Avanza despacio, un paso tras otro. ¿Estás bien?

Le dije que sí, pero lo cierto era que ni siquiera tenía la seguridad de haberle contestado. Sólo sabía que, tal como decía ella, los tinieblos pretendían arrastrarnos hacia las espesas tinieblas. Intentaban infiltrar el terror en nuestros oídos, detener nuestros pasos y después conducirnos despacio hacia sus dominios.

Cuando conseguí mover los pies, sentí el impulso de echar a correr. Quería escapar lo antes posible de aquel lugar aterrador.

Pero ella, como si me leyese el pensamiento, alargó la mano y me rodeó la muñeca con dedos de hierro.

–Ilumina el suelo. Pega la espalda a la pared y ve avanzando de lado, paso a paso. ¿Me has entendido?

–Sí –dije.

–Y no se te ocurra dirigir la luz hacia arriba.

–¿Por qué?

–Porque los tinieblos están ahí, justo sobre nuestras cabezas –me susurró–. Y tú no puedes mirarlos. Porque, si los vieras, ya no podrías dar un paso más.

Dirigiendo el haz de luz hacia el suelo para ver dónde pisábamos, fuimos avanzando de lado, paso a paso. De vez en cuando el aire gélido que nos azotaba las mejillas nos traía un repugnante olor a pescado podrido: cada vez que ocurría eso, sentía que me faltaba el aliento. Me daba la impresión de que estábamos en las entrañas de un pez gigantesco medio destripado y con las vísceras infestadas de gusanos. La voz de los tinieblos seguía oyéndose. Era un sonido tan desagradable como aquel que se arranca a la fuerza de algo de lo que no debe proceder sonido alguno. Mis tímpanos estaban endurecidos, oleadas de saliva de olor agrio me llenaban una y otra vez la boca.

A pesar de todo, mis pies avanzaban mecánicamente. Tenía todos los nervios concentrados en mover alternativamente los pies derecho e izquierdo. De vez en cuando, ella me decía algo, pero sus palabras no llegaban bien a mis oídos. Me dije que, mientras viviera, no podría borrar *sus* voces de mi memoria. Que éstas volverían a asaltarme algún día desde la profunda oscuridad. Y que, algún día, sin falta, sentiría cómo sus manos viscosas agarraban mis tobillos con fuerza.

¿Cuánto tiempo había transcurrido desde que había penetrado en aquel mundo de pesadilla? Ya no lo sabía. El dispositivo para ahuyentar a los tinieblos que ella llevaba en la mano seguía con la luz azul encendida: no llevábamos mucho tiempo allí, pero yo habría jurado que habían pasado dos o tres horas.

Sin embargo, de pronto la corriente de aire pareció cambiar. El olor a podrido se atenuó, la presión de mis oídos fue bajando como la marea, los ecos también se alteraron. En cuanto nos dimos cuenta, las voces de los tinieblos ya sonaban lejanas como el ronco rumor del oleaje. Habíamos superado lo peor. Cuando ella enfocó la linterna hacia arriba, el haz de luz volvió a iluminar la pared de roca. Recostados en ella, exhalamos un hondo suspiro y nos enjugamos con el dorso de la mano el rostro anegado en sudor helado.

Durante un buen rato ni ella ni yo pronunciamos palabra. La voz de los tinieblos se apagó finalmente en la lejanía, la quietud volvió a adueñarse de los alrededores. Sólo se oían unas gotas de agua golpeando el suelo con una resonancia hueca.

–¿Qué es lo que odian tanto? –le pregunté.

–El mundo de la luz y a las personas que viven en él –dijo.

–Entonces es asombroso que se hayan aliado con los semióticos. Por más beneficios que les pueda reportar.

Ella no me respondió a eso. A cambio, me asió otra vez la muñeca con fuerza.

–¿Sabes en qué pienso en estos momentos?

–No –dije.

–Pues en que sería fantástico poder acompañarte al mundo al que vas a ir dentro de poco.

–¿Y dejar éste?

–Pues sí –dijo ella–. Este mundo es un aburrimiento. Seguro que sería mucho más divertido vivir dentro de tu conciencia.

Sacudí la cabeza sin decir nada. Yo no quería vivir dentro de mi conciencia. Yo no quería vivir dentro de la conciencia de nadie.

–Bueno, sea como sea, hemos de seguir andando –dijo ella–. No podemos entretenernos. Tenemos que encontrar el alcantarillado. ¿Qué hora es?

Pulsé un botón de mi reloj de pulsera e iluminé la esfera. Todavía me temblaban un poco los dedos. Tardaría algún tiempo en dominar por completo el temblor.

–Las ocho y veinte –dije.

–Voy a cambiar de aparato –dijo, apretó el interruptor del otro dispositivo, lo puso en marcha, dejó que fuera recargándose la pila del que acabábamos de utilizar y se lo introdujo con descuido entre la camisa y la falda. Hacía una hora que habíamos penetrado en la gruta. Según las indicaciones del profesor, en breve encontraríamos un camino que giraba a la izquierda, en dirección a la avenida arbolada del Museo de Pintura. Al llegar allí, tendríamos las vías del metro a dos pasos. El metro era al menos una prolongación de la civilización de la superficie de la Tierra. Cuando llegáramos allí, ya habríamos logrado escapar del reino de los tinieblos.

Tras avanzar un poco, vimos que, tal como esperábamos, el camino torcía a la izquierda formando un ángulo recto. Ya debíamos de haber llegado a la avenida de ginkgos. Estábamos a principios de otoño y los árboles aún conservarían las hojas verdes. Evoqué la tibia luz del sol, el olor del césped verde, el viento de principios de otoño. Deseaba permanecer horas y horas acostado allí, contemplando el cielo. Iría a la peluquería a cortarme el pelo y, de paso, me acercaría al parque de Gaien, me tendería en el césped y contemplaría el cielo. Y bebería cerveza fría hasta hartarme. Antes de que el mundo llegara a su fin.

–¿Crees que hará buen tiempo fuera? –le pregunté a la joven, que avanzaba a buen ritmo.

–Pues no lo sé. Ni idea. ¿Cómo voy a saberlo? –dijo.

–¿No miraste el parte meteorológico?

–No. Me pasé todo el día buscando tu casa.

Intenté recordar si había estrellas en el cielo cuando salí de casa la noche anterior, pero fue en vano. Lo único que recordaba era a la joven pareja del Skyline que escuchaba a Duran Duran por la radio del coche. De las estrellas no me acordaba. Pensándolo bien, hacía meses que ni las veía. Aunque se hubiesen borrado todas del firmamento tres meses atrás, no me habría dado cuenta. Lo único que había mirado, y lo único que recordaba, eran los brazaletes de plata en la muñeca de la chica, los palos de polo tirados en la maceta del ficus: únicamente cosas así. Al pensarlo, tuve la sensación de que llevaba una vida insatisfactoria, poco adecuada para mí. De pronto, se me ocurrió que podría haber nacido en el campo, en Yugoslavia, y ser un cabrero que contemplase la Osa Mayor todas las noches. El coche Skyline, Duran Duran, los brazaletes de plata, el *shuffling*, mi traje de *tweed* de color azul marino: todo parecía un lejano sueño que perteneciera a un pasado remoto. Igual que una máquina compresora reduce un coche a una lámina de metal, diversos recuerdos de distinto tipo habían quedado extrañamente aplastados. Entrelazados los unos con los otros, todos mis recuerdos habían quedado reducidos al grosor de una tarjeta de crédito. Vista de cara, ofrecía una sensación poco natural, pero, de perfil, no era más que una delgada línea de pobre significado. Allí estaba comprendida toda mi vida, cierto, aunque no era más que una tarjeta de plástico. Mientras no la introdujeras en la ranura de una máquina diseñada ex profeso para leerla, no lograrías encontrarle el sentido.

Me dije que mi primer circuito debía de estar debilitándose. Por eso mis recuerdos reales iban cobrando a mis ojos un aspecto tan plano, tan ajeno. Mi conciencia sin duda se alejaba progresivamente de mí. Mi tarjeta de identidad sería cada vez más fina, hasta tener el grosor de una hoja de papel, y luego desaparecería por completo.

Mientras avanzaba como un autómata detrás de ella, volví a pensar en la pareja que circulaba en el Skyline. Ni yo comprendía por qué estaba tan obsesionado con ellos, pero lo cierto era que no tenía otra cosa en que pensar. ¿Qué estarían haciendo en estos momentos, a las ocho y media de la mañana? No tenía ni la más remota idea. Quizá aún estuvieran profundamente dormidos en su cama. O quizá se encontrasen en el tren, camino de sus respectivos trabajos. ¿Cuál de las dos posibilidades? Percibía cierta desconexión entre el mundo real y mi imaginación. Si yo fuera el guionista de un serial televisivo, seguro que habría logrado escribir la trama adecuada. Una mujer va a estudiar a Francia y se casa con un francés, pero al poco tiempo el marido sufre un accidente de tráfico y queda en estado vegetativo. Harta de la vida que lleva, ella abandona a su marido, regresa a Tokio y entra a trabajar en la embajada belga, o tal vez en la suiza. Los brazaletes de plata son un recuerdo de su boda. Aquí hay un *flashback,* la playa de Niza en invierno. Ella lleva siempre los brazaletes. Incluso cuando se baña o cuando hace el amor. El hombre es un superviviente de los sucesos del paraninfo Yasuda* y siempre lleva gafas de sol, como el protagonista de *Ceniza y diamantes.* Es un director estrella de la televisión, pero suele tener pesadillas a causa de los gases lacrimógenos. Su esposa se suicidó cinco años atrás cortándose las venas. Aquí hay otro *flashback.* Por lo visto, en este serial hay muchos *flashbacks.* Cada vez que ve cómo tintinean los brazaletes en la muñeca izquierda de la mujer, él recuerda la muñeca ensangrentada, con las venas abiertas, de su esposa muerta y le pide que se ponga los brazaletes en la muñeca derecha.

«Ni hablar», le dice ella. «Yo sólo llevo los brazaletes en la muñeca izquierda.»

También podría salir un pianista parecido al de *Casablanca.* Un pianista alcohólico. Con su eterno vaso de ginebra con unas gotitas de limón sobre el piano. Es amigo de ambos, conoce sus respectivos secretos. Es un pianista de jazz de gran talento; lástima que el alcohol lo lleve por mal camino.

Al llegar a este punto, como era de prever, aquello me pareció una sarta de estupideces y lo dejé correr. Esa trama nada tenía que ver con la realidad. Pero, en cuanto me preguntaba qué era la realidad, se apoderaba de mí una gran confusión. La realidad era tan pesada como una caja grande de cartón llena a rebosar de arena, y era incoherente. Hacía un montón de meses que yo ni siquiera contemplaba las estrellas.

–¡Ya no puedo soportarlo más! –dije.

–¿El qué? –preguntó ella.

–La oscuridad, la peste a moho, los tinieblos, todo. Los pantalones mojados, la herida del vientre, todo. Ni siquiera sé qué tiempo hace fuera. ¿En qué día de la semana estamos?

* Se refiere a los incidentes ocurridos los días 18 y 19 de enero de 1969, cuando la policía penetró en el campus de la Universidad de Tokio (Todai), ocupado por la asamblea de estudiantes del movimiento estudiantil, para desalojarlo. *(N. de la T.)*

–Ya falta poco –dijo–. Se acabará enseguida.

–Me siento muy confuso –dije–. No logro recordar las cosas de fuera. Piense lo que piense, mis ideas toman siempre derroteros muy extraños.

–¿En qué estabas pensando?

–En Masaomi Kondō, Ryōko Nakano y Tsutomu Yamazaki.*

–Déjalo estar –dijo ella–. No pienses en nada. Dentro de poco te sacaré de aquí.

Así pues, decidí no pensar en nada. Pero entonces empecé a obsesionarme con mis pantalones mojados que se me pegaban, gélidos, a las piernas. Por su culpa, tenía el cuerpo helado y el dolor sordo de la herida volvía a martirizarme. Sin embargo, a pesar del frío, sorprendentemente no tenía ganas de orinar. ¿Cuándo había orinado por última vez? Repasé todos mis recuerdos de manera ordenada, luego los puse patas arriba, pero fue inútil. No conseguí recordarlo.

No había orinado al menos desde que me hallaba en el subterráneo. ¿Y antes? Antes había conducido el coche. Había comido una hamburguesa, había visto a la pareja del Skyline. ¿Y antes? Antes había dormido. La joven gorda había irrumpido en mi casa y me había despertado. ¿Había orinado entonces? Diría que no. Ella me había sacado de la cama y me había arrastrado a la calle. Ni siquiera había tenido tiempo de orinar. ¿Y antes? Antes no recordaba bien qué había hecho. ¡Ah, sí! Había ido al médico. O eso creía. El médico me había cosido la herida. ¿Qué médico era? Ni idea. Pero era un médico, eso seguro. Un médico con bata blanca me había cosido un poco más arriba del vello púbico. ¿Había orinado antes o después de aquello?

Ni idea.

Me parecía que no. De haberlo hecho, recordaría el dolor de la herida en el momento de orinar. Que no me acordara significaba que no había orinado. No cabía duda. Por lo tanto, llevaba mucho tiempo sin orinar. ¿Cuántas horas?

Al pensar en el tiempo, mi mente cayó en un estado de confusión semejante al de un gallinero al alba. ¿Doce horas? ¿Veintiocho horas? ¿Treinta y dos horas? ¿Adónde diablos se había esfumado mi orina? Mientras, había bebido cerveza, había bebido un refresco de cola, había bebido whisky. ¿Adónde había ido a parar todo aquel líquido?

* Famosos actores (y actriz, en el caso de Ryōko Nakano) de películas, seriales televisivos, teatro y publicidad. *(N. de la T.)*

No. Quizá había sido anteayer cuando me habían rajado el vientre y había ido al hospital. En cambio, me daba la impresión de que la víspera había sido un día totalmente distinto. Pero al preguntarme qué tipo de día había sido la víspera, fui incapaz de responder. La víspera no era más que una confusa masa de tiempo. Tenía la forma de una enorme cebolla hinchada de agua. ¿Qué contenía? ¿Dónde debía pulsar para que saliera qué? En mi cabeza no había una sola cosa clara.

Diversos hechos se aproximaban y se alejaban como los caballitos de madera del tiovivo. ¿Cuándo diablos me habían rajado la barriga aquel par? ¿Había sido antes o después de haber estado sentado en la cafetería del supermercado al amanecer? ¿Cuándo había orinado yo? ¿Y por qué me preocupaba tanto la orina?

–¡Aquí están! –exclamó volviéndose hacia atrás. Me agarró el codo con fuerza–. Las cloacas. La salida.

Ahuyenté de mi mente el problema de la orina y contemplé el círculo que su linterna proyectaba en la pared. Iluminaba un agujero cuadrado, parecido a un colector de basuras, del tamaño justo para que un hombre pudiera introducirse en él.

–Pero eso no son las cloacas –dije.

–Las cloacas están al fondo. Éste es el túnel que conduce a ellas. Ya verás, huele a alcantarilla.

Acerqué la nariz al agujero y olisqueé. En efecto, se percibía el familiar olor a cloaca. Después de dar vueltas y más vueltas por aquel laberinto, ese olor me parecía íntimo y familiar. Noté que del interior del túnel surgía una corriente de aire. Instantes después, el suelo tembló y por el agujero nos llegó el ruido de un tren circulando por la vía. Tras prolongarse unos diez o quince segundos, el ruido disminuyó gradualmente, como un grifo del agua que fuera cerrándose despacio, hasta desvanecerse. Estaba claro. Aquello era la salida.

–¡Por fin hemos llegado! –dijo ella dándome un beso en la nuca–. ¿Cómo te sientes?

–No me preguntes eso –dije–. Estoy aturdido.

Ella se metió de cabeza en el agujero. Cuando su trasero blando hubo desaparecido, yo la seguí. El estrecho túnel se prolongaba en línea recta. Mi linterna alumbraba sólo su trasero y sus pantorrillas. Éstas me hacían pensar en una blanca y lisa verdura china. La falda, empapada, se le adhería a los muslos.

–¡Eh! ¿Estás ahí?

–¡Claro! –grité.

–Hay un zapato en el suelo.

–¿Qué tipo de zapato?

–Un zapato de hombre, de piel, de color negro. Sólo uno.

Lo vi enseguida. El zapato era viejo y tenía el tacón desgastado. En la punta tenía adherido un lodo blanco y duro.

–¿Cómo es que hay aquí un zapato?

–No lo sé. Quizá se le haya caído a un hombre capturado por los tinieblos.

–Podría ser –dije.

Como ya no había nada en particular que mirar, seguí hacia delante contemplando el dobladillo de su falda. De vez en cuando, la falda se le subía hasta la zona superior de los muslos mostrando una franja de piel blanca y suave, sin manchas de barro. Justo a la altura donde, antaño, iban las tiras que unían las medias al corsé o a la faja. Antes, entre la parte superior de las medias y la faja o el corsé, quedaba al descubierto una franja de piel. Pero desde la aparición de los pantis, eso era agua pasada.

Su piel blanca me trajo recuerdos del pasado. Jimi Hendrix, Cream, los Beatles, Otis Redding: toda aquella época. Silbé las primeras notas de *I Go to Pieces,* de Peter and Gordon. Una gran canción. Dulce y desgarradora. Mucho mejor que Duran Duran. «Aunque tal vez piense así porque me estoy haciendo viejo», reflexioné. «En realidad, han pasado ya veinte años desde que estaba de moda. Y hace veinte años, ¿quién podía imaginar que aparecerían los pantis?»

–¿Por qué silbas? –gritó ella.

–No lo sé. Porque tengo ganas –respondí.

–¿Y qué silbas?

Le dije el título.

–No conozco esa canción.

–Ya. Es que estaba de moda antes de que tú nacieras.

–¿De qué va?

–De cómo el cuerpo se disgrega en mil pedazos y desaparece.

–¿Y por qué silbas eso?

Tras reflexionar unos instantes, decidí que no había ningún motivo en especial. Me había venido a la cabeza de repente, nada más.

–No lo sé –contesté.

Mientras pensaba en otras canciones, llegamos finalmente al alcantarillado. De hecho, aunque hable de alcantarillado, sólo se trataba de un grueso tubo de cemento. De un metro y medio de diámetro, de unos dos centímetros de agua discurriendo por el fondo. En la línea del agua crecía un musgo viscoso. Desde más allá llegaba, una y otra vez, el ruido de los metros al pasar. Ahora era tan nítido que casi se podía calificar de estrépito, e incluso se vislumbraba una tenue luz amarillenta.

–¿Cómo es que las cloacas conducen al metro? –pregunté.

–Para ser exactos, no son las cloacas –dijo ella–. Este tubo sólo recoge el agua de un manantial subterráneo y la lleva a las cunetas del metro. Pero como resulta que se filtran aguas residuales, el agua está sucia. ¿Qué hora es?

–Las nueve y cincuenta y tres minutos –le dije.

Ella se sacó de la cinturilla de la falda el dispositivo para ahuyentar a los tinieblos, apretó el interruptor y lo sustituyó por el que habíamos estado utilizando hasta entonces.

–¡Venga, ánimo! Ya falta poco. Pero aún no podemos bajar la guardia, ¿eh? No olvides que los tinieblos dominan todo el recinto del metro. Ya has visto el zapato, ¿no?

–Sí, ya lo he visto.

–¿Se te han puesto los pelos de punta?

–Pues sí, la verdad.

Avanzamos por el tubo de cemento siguiendo el curso del agua. El chapoteo de las suelas de goma de nuestros zapatos resonaba en los alrededores como una lengua que chasqueara: un ruido sofocado por el estrépito de los trenes que se acercaban y pasaban de largo. Era la primera vez en mi vida que el estruendo del metro al pasar me producía tanta alegría. Era bullicioso y vivaz como la vida misma, repleto de brillante luz. Dentro, había diversos tipos de personas que se dirigían a lugares distintos mientras leían el periódico u hojeaban una revista. Recordé los carteles a todo color que colgaban en el interior de los vagones, el plano del metro sobre las puertas. En el plano, la línea Ginza siempre figura de color amarillo. No sé por qué, pero siempre es así. Por eso, cada vez que pienso en esta línea me viene a la mente el color amarillo.

No tardamos mucho en alcanzar la salida. La boca estaba cerrada con barrotes de hierro, pero había un boquete que permitía justo el paso de un hombre. Habían arrancado un gran trozo de cemento de la base, faltaba alguno de los barrotes. Allí se adivinaba la mano de los tinieblos, pero esta vez, para variar, les estaba agradecido. Porque si los barrotes hubiesen estado bien encajados, no habríamos podido acceder al mundo exterior a pesar de tenerlo ante nuestros ojos.

Al otro lado, se veían semáforos y una especie de cajas de madera cuadradas que servían para guardar zapatos. Ennegrecidas columnas de cemento se alzaban entre un raíl y otro, sucediéndose a intervalos regulares, como estacas. Las lámparas de las columnas difundían una luz mortecina que a mí me pareció cegadora. Al haber permanecido tanto tiempo en el subsuelo, faltos de luz, los ojos se habían habituado por completo a la oscuridad.

–Esperemos aquí un poco, hasta que los ojos se acostumbren a la claridad –dijo ella–. Bastarán diez o quince minutos. Luego seguiremos. Más allá, tendremos que esperar otra vez a que se acostumbren a una luz más potente. Si no, nos quedaríamos ciegos. Y con tantos trenes como circulan, tenemos que ver muy bien, ¿comprendes?

–Sí –dije.

Me cogió del brazo, me hizo sentar en un fragmento de cemento seco y tomó asiento a mi lado. Luego me asió el brazo derecho con ambas manos, un poco por encima del codo, y se apoyó en mí.

Oímos el estruendo de un metro que se acercaba, inclinamos la cabeza hacia el suelo y cerramos los ojos con fuerza. Más allá de nuestros párpados, una luz amarilla fulguró unos instantes y fue apagándose junto con el ruido del tren, un estrépito que taladraba los oídos. Cegados, mis ojos vertieron gruesos lagrimones. Me enjugué con la manga de la camisa los que me corrían por las mejillas.

–No pasa nada. Enseguida te acostumbrarás –dijo ella. De sus ojos habían brotado dos regueros de lágrimas que se deslizaban por sus mejillas–. Tres o cuatro trenes más y ya estará. Entonces ya se nos habrán acostumbrado los ojos y podremos acercarnos a la estación. Una vez allí, ya estaremos a salvo de los tinieblos, y podremos subir a la superficie.

–Recuerdo que me sucedió lo mismo en el pasado –dije.

–¿Que caminaste por los túneles del metro?

–No, mujer. Hablo de la luz. De haber vertido lágrimas por culpa de una luz demasiado brillante.

–Ya. Eso le ha pasado a todo el mundo.

–No, no es eso. Eran unos ojos especiales, y la luz también era especial. Hacía mucho frío. Mis ojos, igual que ahora, llevaban mucho tiempo acostumbrados a la penumbra y no soportaban la luz. Eran unos ojos muy singulares.

–¿Te acuerdas de algo más?

–No, sólo de eso. No recuerdo nada más.

–Seguro que tu memoria discurre ahora hacia atrás –dijo.

Con ella recostada en mí, yo percibía la redondez de su pecho en mi brazo. Aquélla era la única parte caliente de todo mi cuerpo, helado por culpa de los pantalones mojados.

–Ahora saldremos al exterior. ¿Has decidido ya adónde irás, qué harás, a quién verás...? En fin, todo eso –preguntó echando una ojeada a su reloj de pulsera–. Te quedan veinticinco horas y cincuenta minutos.

–Volveré a casa y me tomaré un baño. Me pondré ropa limpia. Luego es posible que vaya a la peluquería.

–Aún te sobrará tiempo.

–Lo que haga luego ya lo decidiré después –dije.

–¿Puedo ir contigo a tu casa? –me preguntó–. Yo también quiero bañarme y cambiarme de ropa.

–Claro.

Pasaron dos metros en dirección a Aoyama Itchōme, de modo que inclinamos la cabeza hacia el suelo y cerramos los ojos. La luz seguía cegándonos, pero ya no derramamos lágrimas.

–No te ha crecido tanto el pelo como para ir a la peluquería –me dijo ella iluminándome la cabeza–. Además, seguro que te sienta mejor largo.

–Ya estoy harto del pelo largo.

–De todos modos, no te ha crecido tanto como para ir a cortártelo. ¿Cuándo fuiste por última vez a la peluquería?

–No lo sé –dije. No tenía la menor idea. Ni siquiera recordaba cuándo había orinado por última vez. De modo que lo sucedido semanas atrás era como la prehistoria.

–¿Tienes en tu casa algo de mi talla?

–Pues no sé. Creo que no.

–Es igual. Ya me las apañaré –dijo–. ¿Utilizarás la cama?

–¿La cama?

–Quiero decir si llamarás a alguna chica para acostarte con ella.

–No, no había pensado en eso –dije–. No, no lo creo.

–Entonces, ¿podré dormir en ella? Antes de volver con mi abuelo me gustaría dormir un rato.

–No es que me importe. Pero no me sorprendería que por mi casa aparecieran los semióticos o los del Sistema. Como últimamente estoy tan solicitado, ya ni siquiera cierro la puerta con llave.

–Eso no me preocupa –dijo ella.

Pensé que tal vez, realmente, no le preocupara. A cada uno nos preocupan cosas distintas.

Se acercó el tercer metro procedente de Shibuya, que pasó delante mismo de nosotros. Cerré los ojos y, mentalmente, empecé a contar despacio. Cuando llegué al número catorce, acababa de pasar la cola del tren. Apenas me dolían ya los ojos. Habíamos superado la primera etapa para salir a la superficie. Ya no había peligro de que los tinieblos nos atrapasen y nos colgaran en el interior de un pozo, ni tampoco de que nos devorara aquel pez gigantesco.

–Adelante –dijo ella apartando la mano de mi brazo y poniéndose en pie–. Ya va siendo hora de salir.

Asentí, me levanté y descendí a la vía tras ella. Y empezamos a caminar en dirección a Aoyama Itchōme.

## 30
## EL FIN DEL MUNDO
# El agujero

Cuando me desperté por la mañana, me asaltó la impresión de que los sucesos del bosque habían acaecido en sueños. Sin embargo, no lo había soñado. Sobre la mesa, acurrucado como un animalito indefenso, descansaba el viejo acordeón. Todo pertenecía a la realidad. El ventilador que giraba movido por el viento procedente del subsuelo; el encargado de la central eléctrica, aquel joven de expresión desdichada; la colección de instrumentos musicales...

Por otra parte, un ruido insólitamente irreal resonaba sin cesar dentro de mi cabeza. Era como si me martillearan el cerebro. El ruido proseguía sin pausa y, también sin pausa, algo plano se me iba clavando en el cráneo. No es que me doliera la cabeza. Mi cabeza se hallaba en perfecto estado. Sólo que era irreal.

Desde la cama barrí con la mirada la habitación, pero nada parecía haber cambiado. El techo, las cuatro paredes, el suelo ligeramente combado, la ventana, las cortinas: todo permanecía igual. Estaba la mesa y, sobre la mesa, el acordeón. En la pared, colgaban mi abrigo y mi bufanda. Y por el bolsillo del abrigo asomaban los guantes.

Comprobé entonces si me respondían todos los músculos. Las distintas partes de mi cuerpo se movían con normalidad. No había nada anómalo en ninguna parte.

No obstante, aquel sonido plano seguía resonando dentro de mi cráneo. Era irregular, coral. Una mezcla de varios sonidos homogéneos. Intenté averiguar de dónde procedía, pero, por más que agucé el oído, no logré descubrir de qué dirección venía. Debía de nacer en mi cabeza.

Para acabar de cerciorarme, salté de la cama y miré por la ventana. Entonces, finalmente, descubrí el origen del sonido. En el descampado de debajo de la ventana, tres ancianos excavaban con palas un gran agujero. El ruido lo producían las palas al clavarse en la tierra helada y endurecida. En el aire, muy seco, el sonido cobraba una cadencia extraña: eso era lo que me había desconcertado. Los acontecimientos de los últimos días me habían alterado algo los nervios.

El reloj marcaba casi las diez. Era la primera vez que dormía hasta tan tarde. ¿Por qué no me habría despertado el coronel? Excepto cuando tenía fiebre, me había despertado todos los días a las nueve, trayendo la bandeja del desayuno para nosotros dos.

Esperé hasta las diez y media, pero el coronel no aparecía. Resignado, bajé a la cocina, cogí pan y algo de beber, volví a mi cuarto y desayuné solo. Quizá porque estaba acostumbrado a tomarlo en compañía, el desayuno me pareció insípido. Me comí sólo la mitad del pan y dejé el resto para las bestias. Luego, mientras la estufa caldeaba la habitación, me quedé sentado en la cama, inmóvil, envuelto en mi abrigo.

El idílico buen tiempo del día anterior se había esfumado durante la noche y el opresivo aire frío de siempre invadía la habitación. Apenas soplaba viento, pero el paisaje había recuperado los colores invernales, y nubes hinchadas de nieve cubrían el cielo bajo y asfixiante que se extendía de la Sierra del Norte a los páramos del sur.

En el descampado situado bajo mi ventana, los cuatro ancianos seguían cavando el agujero.

¿Cuatro?

Antes, cuando había mirado por la ventana, eran sólo tres. Tres ancianos excavando un agujero con palas. Pero ahora eran cuatro. Supuse que se había incorporado un cuarto anciano. No era extraño. En la Residencia Oficial había tantos ancianos que casi era imposible contarlos. Los cuatro ancianos se habían dividido el trozo de tierra y cada uno cavaba a sus pies en silencio. De vez en cuando, una caprichosa ráfaga de viento hacía restallar los faldones de sus delgadas chaquetas, pero ellos, indiferentes al frío, seguían hincando sin parar las palas en la tierra con las mejillas enrojecidas. Uno incluso sudaba y se había quitado la chaqueta. Y la chaqueta, colgada de la rama de un árbol como una muda vacía, ondeaba al viento.

Cuando la habitación se caldeó, me senté en una silla, tomé el acordeón y extendí y plegué lentamente el fuelle. Al contemplarlo en mi cuarto, me di cuenta de que el instrumento había sido elaborado con mucha más minuciosidad de lo que había supuesto al verlo por primera vez en el bosque. Los botones y el fuelle habían adquirido una sucia pátina, pero la pintura de la madera no tenía un solo desconchón y el primoroso arabesco dibujado en el borde seguía intacto. Más que un instrumento musical, cabía hablar de una obra de arte. En todo caso, el fuelle estaba algo endurecido y sus movimientos eran un poco rígidos. Probablemente llevaba largo tiempo abandonado sin que nadie lo tocara. E ignoraba qué clase de persona lo había tocado antes o por qué conductos había llegado hasta el encargado de la central eléctrica. Todo permanecía envuelto en el misterio.

El acordeón era una delicada joya, no sólo desde el punto de vista decorativo, sino también como instrumento musical. En primer lugar, era pequeño. Plegado, cabía en el bolsillo del abrigo. Sin embargo, su tamaño no iba en detrimento de la calidad musical, y al acordeón no le faltaba ninguna pieza.

Lo extendí y plegué repetidas veces y, ya familiarizado con el movimiento del fuelle, fui pulsando, por orden, los botones de la caja derecha mientras apretaba la llave de los acordes de la izquierda. Tras haberle arrancado varias notas, paré y apliqué el oído a los sonidos de los alrededores.

Los ancianos seguían cavando en el solar. Las cuatro palas se hincaban en la tierra a un ritmo irregular y desacompasado que penetraba en mi habitación con nitidez sorprendente. De vez en cuando el viento azotaba mi ventana. Fuera, se veía la pendiente de la colina, cubierta a trechos de restos de nieve. No sabía si la música del acordeón llegaba a los oídos de los ancianos. Me dije que no era probable. El sonido era débil y el viento soplaba en dirección contraria.

Hacía mucho tiempo que no tocaba el acordeón y, además, estaba acostumbrado a un teclado moderno, de modo que me costó bastante familiarizarme con un mecanismo tan antiguo y con aquella disposición de los botones. En consonancia con su tamaño, el acordeón tenía unos botones diminutos y muy próximos entre sí, lo que lo hacía idóneo para un niño o una mujer. Sin embargo, lógicamente, a un adulto de manos grandes le habría resultado bastante difícil tocarlo.

A pesar de ello, al cabo de una hora o dos había logrado arrancarle algunos acordes. Con todo, no me vino a la cabeza ninguna melodía. Por más que, una y otra vez, pulsé los botones intentando acordarme de alguna canción, sólo conseguí una sucesión de notas musicales sin la menor melodía. De vez en cuando, algunas notas tocadas al azar me llevaban a creer que estaba a punto de recordar algo, pero estos destellos de memoria desaparecían de inmediato, absorbidos por el aire.

Me daba la impresión de que mi incapacidad para recordar una melodía se debía al ruido de las palas de los ancianos. No era sólo eso, por supuesto, pero ciertamente el ruido me desconcentraba. El golpeteo de sus palas resonaba en mis oídos con excesiva nitidez, tanto que había empezado a parecerme que el agujero lo estaban haciendo en mi cráneo. Cuanto más cavaban, más grande era el vacío que se abría en mi cabeza.

A mediodía, de repente el viento cobró ímpetu y empezó a mezclarse con la nieve. La ventisca golpeaba con un ruido seco los cristales de las ventanas. Los pequeños y blancos copos de una nieve dura como el hielo se esparcían azarosamente por el alféizar de la ventana para, al poco, ser arrastrados por el viento. Aquel polvo de nieve no llegaría a cuajar, pero sin duda enseguida daría paso a grandes copos de nieve blanda cargados de humedad. Es el orden habitual. La tierra no tardaría en cubrirse de nuevo de una blanca capa de nieve. La nieve dura presagia una gran nevada.

Pero los ancianos seguían excavando sin preocuparse de la nieve. Parecía que supieran de antemano que iba a nevar. Ninguno alzó la vista al cielo, ninguno abandonó la tarea, ninguno dijo nada. Incluso la chaqueta colgada de la rama siguió en el mismo sitio, azotada por la ventisca.

El número de ancianos había aumentado a seis. Los dos últimos manejaban un pico y una carretilla. El anciano del pico había saltado dentro del agujero y rompía la tierra helada; el de la carretilla cogía a paletadas la tierra apilada junto al agujero, la cargaba en la carretilla, la transportaba hasta la pendiente y la echaba abajo. El agujero les llegaba ya a la cintura. Ni siquiera el fuerte viento sofocaba el estrépito de las palas y del pico.

Renuncié a seguir buscando melodías, dejé el acordeón sobre la mesa y fui hasta la ventana para contemplar por unos instantes cómo trabajaban. Nadie parecía dirigir la labor. Todos trabajaban por igual, nadie daba órdenes ni indicaciones. El anciano que sostenía el pico rompía la tierra con gran eficacia, otros cuatro la sacaban a paletadas del agujero y el último, con la carretilla, la transportaba en silencio hasta la pendiente.

Mientras observaba el agujero, empezaron a intrigarme varias cosas. Una era que el agujero parecía demasiado grande para echar en él la basura; otra, que iba a nevar de un momento a otro. Los ancianos debían de cavar ese agujero con algún propósito que se me escapaba.

Pero si la nieve se amontonaba dentro del agujero, a la mañana siguiente estaría completamente tapado. A los ancianos les hubiese bastado con echar simplemente una ojeada a las nubes cargadas de nieve para saberlo. La Sierra del Norte ya aparecía cubierta de nieve hasta media ladera.

Tras reflexionar unos instantes, concluí que no encontraba ningún sentido a su trabajo. Volví junto a la estufa y me quedé contemplando el carbón convertido en rojas ascuas. «Quizá ya no pueda volver a acordarme de ninguna canción», me dije. «Es igual que tenga un instrumento musical o que no lo tenga. Aunque encadene sonidos, no serán más que una serie de notas sin sentido.» El acordeón que descansaba sobre la mesa era sólo un *objeto* hermoso. De pronto creí comprender a la perfección lo que me había dicho el encargado de la central eléctrica. No hacía falta arrancarle notas o saber tocarlo. Era tan bonito que bastaba con mirarlo. Cerré los ojos y me quedé escuchando cómo la ventisca azotaba la ventana.

Al llegar la hora del almuerzo, los ancianos por fin dejaron de trabajar y volvieron a la Residencia Oficial. Arrojaron al suelo palas y pico y allí se quedaron.

Sentado en una silla junto a la ventana, yo contemplaba el agujero desierto cuando mi vecino, el coronel, llamó a la puerta. Llevaba el grueso abrigo de siempre y una gorra de trabajo con visera calada hasta las cejas. En el abrigo y en la gorra llevaba adheridas diminutas motas del polvo de nieve.

–Parece que esta noche va a nevar de lo lindo, ¿eh? –dijo–. ¿Traigo la comida?

–Se lo ruego –dije.

Unos diez minutos más tarde regresó con una olla y la depositó sobre la estufa. Después, igual que los crustáceos que, al llegar la estación, van desprendiéndose de sus caparazones, fue quitándose con cuidado la gorra, el abrigo y los guantes. Por último, se pasó los dedos por el pelo blanco alborotado, se sentó en una silla y suspiró.

–Siento no haber podido venir a desayunar –dijo–. He estado tan ocupado desde primera hora de la mañana que aún no he tenido ni tiempo para comer.

–¿Usted no estaba cavando el agujero?

–¿El agujero? ¡Ah, ese agujero! No, ésa no es tarea mía. No es que me disguste cavar la tierra, pero no –dijo soltando una risita–. Yo he estado trabajando en la ciudad.

Cuando la olla estuvo caliente, distribuyó la comida en dos platos y los depositó sobre la mesa. Era un estofado de verduras con fideos. Se lo comió con apetito, soplando para que se enfriara.

–¿Y para qué es ese agujero? –le pregunté al coronel.

–Para nada –contestó llevándose la cuchara a la boca–. Lo han cavado por cavarlo. En este sentido, es un agujero puro.

–No lo entiendo.

–Es muy simple. Les apetecía hacerlo. Es su única finalidad.

Mastiqué el pan mientras reflexionaba sobre el agujero puro.

–De vez en cuando cavan un agujero –contó el anciano–. Puede que, en el fondo, sea lo mismo que mi pasión por el ajedrez. No tiene sentido, no lleva a ninguna parte. Pero eso no importa. Nadie necesita que tenga un sentido, nadie desea llegar a ninguna parte. Nosotros, aquí, abrimos un agujero puro tras otro. Actos sin finalidad, esfuerzos sin progreso, pasos que no conducen a ninguna parte, ¿no te parece maravilloso? Nadie resulta herido, nadie hiere. Nadie adelanta, nadie es adelantado. Sin victoria, sin derrota.

–Creo que le entiendo.

El anciano, tras asentir varias veces, inclinó el plato y se tomó el último bocado de estofado.

–Quizá a ti algunas cosas de la ciudad se te antojen poco normales. Pero, para nosotros, son del todo naturales. Naturales, puras y pacíficas. Estoy seguro de que tú también lo entenderás algún día. Espero que así sea. Yo, durante mucho tiempo, fui militar y no me arrepiento de ello. Mi vida ha sido dichosa, a su modo. La humareda de los cañones, el olor de la sangre, el destello de las bayonetas, el toque de carga: aún hoy los recuerdo a veces. Sin embargo, soy incapaz de recordar lo que nos empujaba a la lucha: el honor, el patriotismo, la combatividad, el odio, esas cosas. Tú ahora quizá temas perder tu corazón. Yo también lo temía. No tienes por qué avergonzarte de ello. –Se interrumpió y por unos instantes buscó las palabras con la mirada perdida–. Pero cuando pierdas tu corazón, tu alma se llenará de paz. De una paz tan profunda como jamás la hayas experimentado. Recuerda mis palabras.

Asentí en silencio.

–Por cierto, en la ciudad he oído hablar de tu sombra –dijo el coronel rebañando con pan los restos de estofado–. Dicen que su salud ha empeorado. Vomita casi todo lo que come y lleva tres días sin levantarse de la cama, en el sótano. Tal vez no dure mucho. Si no es demasiada molestia, ¿por qué no le haces una visita? Por lo visto, tiene ganas de verte.

–Pues... –dije, fingiendo que vacilaba– no me importaría ir, pero no sé si el guardián lo permitirá.

–Claro que te lo permitirá. Cuando las sombras se están muriendo su dueño tiene derecho a verlas. Eso está establecido con todo detalle. En esta ciudad, la muerte de la sombra es una ceremonia solemne y, por más guardián que sea, no puede prohibírtelo. Es más, no tiene ningún motivo para impedírtelo.

–Entonces iré ahora mismo –decidí tras una breve pausa.

–Haces bien –dijo el anciano dándome unas palmaditas en la espalda–. Ve antes de que nieve, es decir, antes del atardecer. De hecho, la sombra es lo que más cerca está del ser humano. Acompañarla en sus últimos momentos te dejará buen sabor de boca. Ayúdala a morir bien. Tal vez sea duro, pero es por ti.

–Lo sé.

Me puse el abrigo y me enrollé la bufanda al cuello.

## 31

### EL DESPIADADO PAÍS DE LAS MARAVILLAS
# Control de billetes. Police. Detergentes

No había mucha distancia desde la salida del colector hasta la estación de Aoyama Itchōme. Avanzamos por las vías y, cuando veíamos que se aproximaba un tren, corríamos a escondernos detrás de una columna y esperábamos a que pasara. Nosotros distinguíamos claramente el interior de los vagones, pero los pasajeros no nos veían. En el metro, la gente no contempla el paisaje por las ventanillas. Lee el periódico o mira a las musarañas. El metro no es más que un práctico medio de transporte para desplazarse por la gran ciudad. Nadie sube al metro con el corazón palpitante de alegría.

No había muchos pasajeros. Pocos iban de pie. Aunque hubiese pasado la hora punta, por lo que yo recordaba, a las diez de la mañana pasadas, el metro de la línea Ginza habría tenido que estar más lleno.

–¿Qué día de la semana es hoy? –le pregunté a la joven.

–No lo sé. Ni siquiera he pensado en ello –dijo.

–Para ser un día de entre semana, va muy poca gente en el metro –dije volviendo la cabeza–. Tal vez sea domingo.

–¿Y qué pasaría si fuese domingo?

–Pues nada. Que sería domingo y ya está.

Andar por las vías era más cómodo de lo que imaginaba. Eran anchas, nada interceptaba el paso, no había semáforos, coches, colectas públicas ni borrachos. Los fluorescentes vertían en el suelo la cantidad de luz justa y la atmósfera, gracias al aire acondicionado, era respirable. Imposible encontrarle pegas, sobre todo comparado con la mohosa y pestilente atmósfera del subterráneo.

Primero, dejamos pasar un tren en dirección a Ginza y, después, otro que se dirigía a Shibuya. Acto seguido nos acercamos a la estación de Aoyama Itchōme y, ocultos tras una columna, espiamos el andén. Si un empleado de la estación nos pillaba corriendo por las vías, se armaría la gorda. No se me ocurría una sola razón mínimamente plausible que darle. Descubrimos una escalerilla al principio del andén. Saltar la barrera no parecía difícil. El problema era evitar que nos descubrieran.

Nos agazapamos detrás de una columna esperando a que llegara un tren en dirección a Ginza y se detuviera en el andén, se abrieran las puertas y se apearan los pasajeros, subieran otros pasajeros y se cerraran las puertas. Vimos cómo un interventor salía al andén y cómo, tras controlar cómo subía y bajaba el pasaje, cerraba la puerta y daba la señal de arranque. Cuando el tren desapareció en la boca del túnel, el empleado desapareció también. En el andén opuesto tampoco se veía a ningún empleado del metro.

–¡Vamos! –dije–. No corras, camina como si no pasara nada. Si corremos, la gente sospechará de nosotros.

–¡De acuerdo! –repuso ella.

Salimos de detrás de la columna, nos dirigimos a paso rápido hacia el principio del andén y, con suma indiferencia, como si hiciéramos lo mismo todos los días, subimos la escalerilla y saltamos la barrera. Algunos pasajeros se nos quedaron mirando con cara de asombro. Como si se preguntaran, extrañados: «¿Y quiénes son esos dos?». Era evidente que no éramos empleados del metro. Cubiertos de barro de los pies a la cabeza, con el pantalón y la falda empapados, los cabellos desgreñados, los ojos llorosos por culpa de la luz deslumbrante: con aquella pinta no era fácil que nos confundieran con empleados del metro. Por otra parte, ¿a quién se le ocurría caminar por las vías con el objeto de divertirse?

Sin darles tiempo a que llegaran a conclusión alguna, cruzamos el andén a toda prisa y nos dirigimos a la garita del encargado. Al llegar, nos dimos cuenta de que no teníamos billete.

–Decimos que lo hemos perdido, pagamos el importe y listos –propuso ella.

Le dije al joven empleado que habíamos perdido los billetes.

–¿Los han buscado bien? –dijo él–. Tienen muchos bolsillos. Compruébenlo de nuevo.

Ante la garita, fingimos registrar nuestras ropas de arriba abajo. Mientras, el empleado nos miraba de hito en hito, con desconfianza.

Le dije que no los encontrábamos.

–¿Dónde han cogido el metro?

Le dije que en Shibuya.

–¿Y cuánto han pagado desde Shibuya hasta aquí?

Le dije que lo había olvidado.

–Creo que unos ciento veinte o ciento cuarenta yenes.

–¿No lo recuerda?

–Estaba pensando en otras cosas –dije.

–¿Seguro que han subido en Shibuya? –preguntó el empleado.

–Pues claro. Éste es el andén del metro que viene de Shibuya. ¿De dónde cree que venimos, si no? –argumenté.

–Se puede pasar del otro andén a éste. La línea Ginza es muy larga, ¿sabe usted? Podrían haber ido de Tsudanuma a Nihonbashi por la línea Tōzai, haber hecho transbordo y, luego, haber venido hasta aquí.

–¿De Tsudanuma?

–Es un ejemplo –dijo el empleado.

–¿Y cuánto vale, entonces, desde Tsudanuma? Le pago el importe desde allá, ¿le parece bien?

–¿Viene usted de Tsudanuma?

–No –dije–. No he estado allí en mi vida.

–Entonces, ¿por qué está dispuesto a pagarlo?

–Porque usted acaba de decírmelo.

–Era sólo un ejemplo, ya se lo he dicho.

Llegó el siguiente metro, se apearon una veintena de pasajeros, pasaron ante la garita y siguieron adelante. Miré cómo se alejaban. No había ni uno que hubiese perdido el billete. Reemprendimos las negociaciones.

–¿Y desde dónde tengo que pagarle para que se dé por satisfecho?

–Desde la estación donde han cogido el tren –contestó.

–¡Pero si ya le he dicho que era Shibuya!

–Pero no se acuerda del importe del billete.

–Esas cosas se olvidan –dije–. ¿Se acuerda usted de lo que cuesta un café en un McDonald's?

–Nunca tomo café en un McDonald's –replicó el hombre–. Es tirar el dinero.

–Es sólo un ejemplo –dije–. Me refería a que el precio de las cosas pequeñas se olvida enseguida.

–Sea como sea, todas las personas que pierden el billete declaran el precio mínimo. Todas vienen aquí y dicen que vienen de Shibuya. Todas igual.

–Ya le he dicho que le pago el billete desde donde sea. ¿Desde dónde quiere que se lo pague?

–Eso no soy yo quien debe decirlo, ¿no le parece?

Me daba pereza prolongar más aquella discusión estéril, así que le dejé mil yenes y nos marchamos por las buenas. A nuestras espaldas, oímos la voz del interventor que nos llamaba, pero fingimos no oírla. Me fastidiaba perder el tiempo discutiendo por uno o dos billetes cuando el mundo estaba a punto de acabar. Además, pensándolo bien, yo apenas cogía el metro.

En la superficie, estaba lloviendo. Gotas diminutas como puntas de aguja empapaban el suelo y los árboles. Debía de haber llovido toda la noche. La visión de la lluvia ensombreció mi espíritu. Aquél era un día precioso para mí. Mi último día. No quería que lloviera. Me bastaba con que hiciese buen tiempo durante un día o dos. Después, ya podía diluviar durante un mes seguido, como en la novela de J.G. Ballard, que yo no iba a enterarme. Quería tenderme en el césped bañado por la esplendorosa luz del sol y tomar cerveza fría mientras escuchaba música. No pedía más que eso.

A pesar de mis deseos, nada indicaba que fuera a parar de llover. Un estrato de nubes de color turbio, que hacía pensar en varias capas de papel de celofán superpuestas, cubría el cielo por entero y dejaba caer una lluvia fina e incesante. Hubiese querido comprar el periódico y consultar el pronóstico meteorológico, pero para ello habría tenido que acercarme otra vez a la garita del interventor y no deseaba enzarzarme de nuevo en aquella interminable discusión sobre los billetes. Renuncié a comprar el periódico. El día empezaba sin pena ni gloria. Ni siquiera estaba seguro de que fuese domingo.

Todo el mundo iba con el paraguas abierto. Nosotros éramos los únicos que no llevábamos. Nos refugiamos bajo el alero de un edificio y durante un largo rato contemplamos la calle con mirada perdida, como si se tratara de las ruinas de la Acrópolis. Una hilera multicolor de coches iba y venía por el cruce. Me costaba lo indecible imaginar que bajo nuestros pies se extendía el mundo misterioso de los tinieblos.

–¡Qué bien que llueva! –exclamó la joven.

–¿Por qué?

–Porque si hiciese buen tiempo, el sol nos habría deslumbrado y no hubiésemos podido salir enseguida a la superficie.

–Ya.

–¿Qué vas a hacer?

–Primero, tomar algo caliente. Después, volver a casa y bañarme.

Entramos en el supermercado más cercano y, en la cafetería, junto a la puerta, pedimos dos potajes de maíz y un emparedado de huevos con jamón. Al principio, la chica de la barra se quedó pasmada al ver nuestro lamentable aspecto, pero luego nos tomó nota del pedido con tono netamente profesional.

–Dos potajes de maíz y un emparedado de huevos con jamón –confirmó.

–Exacto –dije. Luego le pregunté–: ¿Qué día de la semana es hoy?

–Domingo –dijo.

–¡Mira! –dijo la joven gorda–. Has acertado.

Mientras esperábamos a que nos sirvieran los potajes y el emparedado, decidí matar el tiempo leyendo un *Sport Nippon* que encontré en el asiento contiguo. No creía que la lectura de un periódico deportivo pudiera servirme de algo, pero era mejor leer aquello que nada. En el periódico figuraba la fecha «domingo, 2 de octubre». En los diarios deportivos no hay pronóstico meteorológico, pero las páginas de las carreras de caballos contenían una detallada información sobre el tiempo. La lluvia cesaría al atardecer, pero esto no afectaría a la última carrera, que sería muy dura. Eso decía. En el Estadio de Béisbol Jingū, el Yakult había perdido frente al Chūnichi por 6 a 2. Nadie sabía que justo debajo del estadio se encontraba la gran guarida de los tinieblos.

La joven me dijo que quería leer la última página, así que la separé y se la di. El artículo que quería leer llevaba el siguiente titular: ¿INGERIR SEMEN EMBELLECE LA PIEL? Debajo, había un comentario sobre un libro titulado: *Yo, que fui encerrada en una jaula y violada.* Me costaba imaginar cómo se podía violar a una mujer metida en una jaula. Seguro que habría algún modo eficaz para conseguirlo. Pero debía de ser muy pesado. Yo no sería capaz.

–Oye, ¿a ti te gustan que se traguen tu semen? –me preguntó la joven.

–A mí tanto me da –respondí.

–Pues aquí lo pone. Dice: «Por lo general, a los hombres les gusta que, cuando una mujer les hace una felación, se trague el semen. De este modo el hombre ve confirmado que es aceptado por la mujer. Es un rito y una confirmación».

–No sé –dije.

–¿Se han tragado alguna vez el tuyo?

–No me acuerdo. Me parece que no.

–¡Mmm! –soltó, y continuó leyendo el artículo.

Miré los resultados de los bateadores de la Liga Central y de la Liga del Pacífico.

Nos sirvieron el potaje y el emparedado. Nos tomamos el potaje, nos partimos el emparedado. Sabía a tostadas, a jamón, a clara y yema de huevo. Me limpié las migas de pan y la yema de huevo de las comisuras de los labios con la servilleta de papel y suspiré. Lancé un suspiro tan profundo que parecía comprender en uno todos los suspiros de mi cuerpo. Suspiros tan profundos como aquél se exhalan pocas veces en la vida.

Salimos del establecimiento y buscamos un taxi. Con nuestro sucio aspecto, nos costó mucho que se detuviera uno. El conductor era un joven con el pelo largo que escuchaba música de Police por un gran radiocasete estéreo que llevaba en el asiento del copiloto. Tras decirle la dirección, me hundí en el respaldo del asiento.

–¡Vaya! ¿Cómo es que estáis tan sucios? –nos preguntó el taxista echándonos un vistazo por el retrovisor.

–Es que hemos hecho una lucha cuerpo a cuerpo bajo la lluvia –respondió la joven.

–¿Ah, sí? ¡Qué fuerte! –repuso el conductor–. Tenéis una facha espantosa. Y tú, en el cuello, tienes un chupetón enorme.

–Ya lo sé –dije.

–Pero a mí eso me da igual –dijo el conductor.

–¿Por qué?

–Yo sólo cojo a gente joven que tiene pinta de que le guste el rock. Que vaya limpia o sucia me da igual. Lo que quiero es escuchar la música. ¿Os gusta Police?

–No está mal –contesté diplomáticamente.

–En la empresa me dicen que no ponga esta música. Que ponga los programas de música pop de la radio. ¡Eso ni en broma! Matchi, Seiko Matsuda...* ¡Puaf! Esas chorradas no las escucho ni loco. Police es lo mejor. Puedo estar escuchándolo el día entero sin hartarme. Y el reggae también mola. ¿Qué os parece a vosotros?

–No está mal –dije.

Cuando se acabó la cinta de Police, el conductor puso una grabación de Bob Marley en concierto. La guantera del taxi estaba atiborra-

* Matchi (llamado en realidad Masahiko Kondō) es un famoso actor y cantante japonés. La cantante Seiko Matsuda es una estrella del pop, del J-pop (pop japonés) y también actriz. *(N. de la T.)*

da de cintas. Exhausto, muerto de frío, adormilado, con el cuerpo hecho cisco, no me encontraba en el mejor momento para disfrutar de la música, pero era agradable ir en el taxi. Me quedé contemplando con mirada vaga cómo el joven conducía moviendo los hombros al ritmo del reggae.

Cuando detuvo el taxi frente a mi apartamento, pagué el importe de la carrera, me apeé y le di mil yenes de propina diciéndole:

–Cómprate alguna cinta.

–¡Gracias! ¡Hasta pronto!

–Hasta pronto –dije.

–Oye, ¿no crees que dentro de diez años, o de quince, la mayoría de taxis pondrán música rock? Ojalá, ¿verdad?

–Ojalá –dije.

Pero yo no creía que eso fuera a suceder. Hacía más de diez años que Jim Morrison había muerto, pero aún no había visto un solo taxi que pusiera música de The Doors. En el mundo hay cosas que cambian y cosas que no cambian. Y las cosas que no cambian, pase el tiempo que pase, no cambian jamás. La música de los taxis es una de ellas. Las radios de los taxis siempre sintonizan programas de música pop, tertulias de mal gusto o retransmisiones de partidos de béisbol. Por los altavoces de los grandes almacenes suena invariablemente la orquesta de Raymond Lefèvre; en las cervecerías, las polcas; en los barrios comerciales a finales de año, las canciones navideñas de The Ventures.

Subimos en ascensor. La puerta de mi piso seguía desgoznada, pero alguien la había encajado en el marco de tal forma que, a primera vista, parecía cerrada. No sabía quién lo había hecho, pero seguro que había necesitado mucho tiempo y mucha fuerza. Y yo, igual que un hombre de Cromañón abriendo la losa de la entrada de su cueva, desplacé la puerta de acero y dejé pasar a la joven. Un vez dentro, volví a desplazarla de modo que no se viera el interior del piso y puse la cadena para mitigar el temor.

Mi piso estaba completamente limpio y ordenado. Tanto que, por un instante, llegué a dudar de que aquel par me lo hubiera destrozado. Los muebles que debían estar volcados habían vuelto todos a su posición original, habían recogido los alimentos esparcidos por el suelo, los fragmentos de botellas o vajilla habían desaparecido, los libros y discos habían vuelto a sus estanterías, la ropa volvía a estar colgada en el armario. La cocina, el baño y el dormitorio estaban limpios como una patena y en el suelo no se veía una mota de polvo.

Sin embargo, al mirar con atención, se descubrían rastros de la catástrofe. El tubo de rayos catódicos del televisor continuaba roto, con la enorme boca abierta como si fuera el túnel del tiempo, y el frigorífico no funcionaba y estaba completamente vacío. Habían tirado toda la ropa rasgada, y la poca que se había salvado cabía en una maleta pequeña. De la vajilla, se habían librado sólo unos cuantos platos y vasos. El reloj de la pared estaba parado y no había un solo aparato eléctrico que funcionara satisfactoriamente. Alguien había separado lo inservible y lo había tirado a la basura. Gracias a ese alguien, mi dormitorio estaba limpio y despejado. Sin ningún objeto superfluo, se veía grande y espacioso como nunca. Debían de faltar algunas cosas, pero no se me ocurría qué podía necesitar yo en aquellos momentos.

Fui al baño, examiné el calentador de gas y, tras comprobar que no estaba estropeado, llené la bañera de agua. Aún quedaba jabón, y vi mi maquinilla de afeitar, mi cepillo de dientes, toallas y champú, y la ducha también funcionaba. El albornoz estaba en buenas condiciones. También debían de haber desaparecido un montón de cosas del baño, pero era incapaz de recordar una sola. Mientras se llenaba la bañera y yo examinaba la habitación, la chica gorda permaneció tendida en la cama leyendo *Los chuanes* de Balzac.

–Oye, ¿sabes que en Francia también había nutrias? –dijo.

–Sí, claro.

–¿Crees que todavía quedan?

–No lo sé –respondí–. Yo de esas cosas no sé.

Sentado en una silla de la cocina, me pregunté quién diablos habría limpiado mi apartamento. Quién, y con qué objeto, había invertido tanto esfuerzo en ordenar cada uno de los rincones de mi piso. Quizá hubieran sido aquel par de semióticos o, tal vez, los del Sistema. Me costaba imaginar qué criterios seguía esa gente para pensar o actuar. Sin embargo, le estaba agradecido a la persona misteriosa que me había limpiado el piso. Era mucho más agradable regresar a un piso limpio.

Cuando la bañera estuvo llena, invité a la joven a que se bañara primero. Ella introdujo un punto en el libro y se desnudó en la cocina. Se desnudó con tanta naturalidad que yo me quedé sentado en la cama contemplando, abstraído, su cuerpo desnudo. Tenía un cuerpo curioso, adulto e infantil a la vez. Era como si un cuerpo normal hubiese sido recubierto por una gruesa capa de carne blanca y suave, como si lo hubiesen untado uniformemente con gelatina. Era una gordura tan bien distribuida que, de no fijarte bien, acababas olvidando que estaba gorda. Los brazos, los muslos, el cuello, la zona alrededor del vientre, todo estaba maravillosamente hinchado, su piel era lisa como la de una ballena. En relación al volumen de su cuerpo, sus senos no eran muy grandes y tenían una bonita forma; el trasero también era empinado.

–No tengo mal tipo, ¿verdad? –me dijo, mirándome desde la cocina.

–No lo tienes –respondí.

–Me ha costado mucho engordar. Tengo que comer muchísimo, montones de pasteles, cosas grasas –dijo.

Asentí en silencio.

Mientras ella se bañaba, me quité los pantalones mojados y la camisa, me puse algo de ropa de la que había quedado, me tendí en la cama y reflexioné sobre qué haría a continuación. Mi reloj señalaba casi las once y media. Me quedaban poco más de veinticuatro horas. Tenía que pensar bien qué iba a hacer. No podía perder las últimas horas de mi vida de cualquier modo.

Fuera, empezó a llover de nuevo. Una lluvia tan fina y silenciosa que apenas se reflejaba en mis pupilas. Si no hubiera visto las gotas de agua que caían del sobradillo de la ventana, ni siquiera habría sabido que llovía. De vez en cuando se oía cómo un coche que pasaba bajo la ventana alzaba salpicaduras de la fina capa de agua que cubría la calzada. También se oían las voces de unos niños llamando a alguien. En el baño, la joven cantaba una canción cuya melodía yo no acababa de identificar. Quizá se la había inventado.

Tendido en la cama, me entró un sueño irresistible, pero no podía dormir. Si me dormía, se me acabaría el tiempo sin haber podido hacer nada más.

Sin embargo, puestos a decidir qué iba hacer en vez de dormir, no se me ocurría absolutamente nada. Quité el reborde de goma de la pantalla de la lamparilla de noche que estaba junto a la cama, jugueteé con él un rato y lo devolví a su sitio. Fuera como fuese, no podía permanecer en aquella habitación. No ganaría nada quedándome allí inmóvil. Si salía, tal vez se me ocurriera algo. El qué ya lo cavilaría cuando estuviese fuera.

Pensándolo bien, eso de que a uno le quedaran sólo veinticuatro horas de vida era algo muy extraño. Sin duda tenía montones de cosas que hacer, pero en realidad no se me ocurría ninguna. Volví a sacar el reborde de goma de la pantalla de la lámpara y me lo enrollé en el dedo. Entonces me acordé de aquel cartel turístico de Frankfurt que colgaba de la pared del supermercado. En el cartel había un río, un puente colgando sobre el río, unos cisnes surcando la superficie del agua. Aquella ciudad no parecía estar nada mal. Me dio la impresión de que no sería una mala idea ir a Frankfurt y acabar allí mi vida. Pero era imposible llegar a Frankfurt en veinticuatro horas y, aunque fuese posible, quedaba descartado pasarme diez horas embutido en el asiento de un avión ante platos de mala comida. Además, nadie me aseguraba que, una vez allí, no pensase que el paisaje del cartel era mejor que el paisaje real. Prefería que mi vida no acabara con un sentimiento de decepción. Total que, de mis planes, tenía que excluir los viajes. Desplazarse llevaba tiempo y, además, en la mayoría de los casos, la realidad no es tan divertida como uno espera.

En definitiva, que lo único que se me ocurría era tomar una buena comida junto a alguna chica, beber algo. Aparte de eso, no me apetecía hacer nada. Hojeé mi agenda, busqué el número de la biblioteca, lo marqué y pedí que avisaran a la encargada de consultas.

–¿Diga? –dijo la chica encargada de consultas.

–Gracias por los libros del unicornio –dije.

–Gracias a ti por la comida –dijo ella.

–¿Te gustaría cenar conmigo esta noche? –la invité.

–¿Cenar? –repitió–. Esta noche tengo una reunión de estudios.

–¿Una reunión de estudios? –repetí.

–Sí, sobre la contaminación de los ríos. Sobre la extinción de los peces debido a los detergentes, ya sabes, ese tipo de cosas. Estamos investigando sobre ello. Y esta noche tengo que exponer yo.

–Parece una investigación muy útil –dije.

–Sí, lo es. Por eso –añadió–, si no te importa, podríamos dejarlo para mañana. Mañana es lunes, la biblioteca está cerrada y tendré tiempo libre.

–Mañana a mediodía ya no estaré aquí. Por teléfono no puedo darte detalles, pero estaré lejos durante un tiempo.

–¿Te vas lejos? ¿De viaje? –preguntó ella.

–Más o menos.

–Perdona. Espera un momento –dijo.

La chica parecía estar hablando con alguien que le había ido a hacer una consulta. A través del teléfono, me llegaba el ambiente de la biblioteca en domingo. Una niña gritaba y su padre la reprendía dulcemente. También se oía cómo alguien pulsaba las teclas del ordenador. Parecía que el mundo funcionaba con normalidad. La gente iba a buscar libros a la biblioteca, los empleados del metro perseguían a los pasajeros deshonestos, los caballos de carreras galopaban bajo la lluvia.

–Sobre construcción de viviendas –se oyó que decía– hay tres tomos en el número 5 de la estantería F. Mire usted allí.

Luego se oyó cómo su interlocutor comentaba algo al respecto.

–Perdona, ¿eh? –me dijo, de nuevo al teléfono–. Vale. De acuerdo. Me saltaré la reunión. Seguro que protestan, pero ¡en fin!...

–Lo siento.

–No pasa nada. De todos modos, en los ríos de por aquí ya no queda ningún pez. Aunque la exposición se retrase una semana, no pasará nada.

–Visto así, tienes razón –repuse.

–¿Cenamos en tu casa?

–No, mi piso está inutilizable. La nevera no funciona, no me queda casi nada de comer. No se puede cocinar.

–Ya lo sé –dijo ella.

–¿Ya lo sabes?

–Sí. Pero está como los chorros del oro, ¿no?

–¿Lo has limpiado tú?

–Claro. ¿He hecho mal? Esta mañana pasaba por allí y he subido a traerte otro libro. Me he encontrado la puerta abierta, arrancada de los goznes, y todo patas arriba. De modo que me he puesto a limpiar. He llegado un poco tarde al trabajo, pero es un modo de agradecerte la invitación del otro día. ¿Te ha molestado?

–¡En absoluto! –contesté–. Al contrario. Me has hecho un gran favor.

–Entonces, ¿qué te parece si quedamos a las seis y diez delante de la biblioteca? Es que los domingos cerramos a las seis.

–De acuerdo –dije–. Muchas gracias.

–De nada –dijo ella. Y se cortó la comunicación.

Mientras yo estaba buscando alguna ropa para ir a cenar, la joven gorda salió del baño. Le pasé una toalla y un albornoz. Con la toalla y el albornoz en la mano, se quedó unos instantes de pie, desnuda, ante mí. El pelo mojado se le adhería a las mejillas y el extremo de sus orejas puntiagudas asomaba entre los mechones. En los lóbulos lucía aún los pendientes de oro.

–¿Te bañas con los pendientes puestos? –le pregunté.

–Sí, claro. Ya te lo dije, ¿no? No se caen mientras me baño. ¿Te gustan?

–Sí –dije.

Su ropa interior, su falda y su blusa estaban tendidas en el baño. Un sujetador rosa, unas bragas rosa, una falda rosa y una blusa rosa pálido. Sólo de ver aquellas prendas allí, sentí un dolor punzante en las sienes. A mí nunca me había gustado que tendieran las bragas o las medias en mi cuarto de baño. Si me preguntaran por qué, no sabría qué responder, pero era así.

Me lavé el pelo y el cuerpo deprisa, me cepillé los dientes, me afeité. Después salí del cuarto de baño, me sequé con la toalla y me puse unos calzoncillos y unos pantalones. A pesar de la sucesión de acciones estrambóticas que había realizado últimamente, el dolor del corte era mucho más soportable que el día anterior. Tanto que, hasta el instante de meterme en el baño, ni siquiera me había acordado de la herida. La joven gorda se había sentado sobre la cama y estaba leyendo a Balzac mientras se secaba el pelo con el secador. La lluvia todavía no mostraba indicios de cesar. La visión de la ropa interior tendida en el baño, la chica sentada en la cama leyendo mientras se secaba el pelo y la lluvia cayendo en el exterior me transportó a mi vida matrimonial, varios años atrás.

–¿Quieres el secador? –me preguntó.

–No –contesté. Aquel secador lo había dejado mi mujer al marcharse de casa. Yo llevaba el pelo corto y no lo necesitaba.

Tomé asiento a su lado, apoyé la cabeza en el cabezal y cerré los ojos. Al cerrarlos, vi cómo diversos colores surgían y desaparecían en la oscuridad. Pensándolo bien, llevaba varios días sin dormir apenas. Cada vez que lo había intentado, había aparecido alguien y me había despertado sin miramientos. Al cerrar los ojos, sentí cómo el sueño iba arrastrándome hacia el mundo de las sombras profundas. Exactamente igual que los tinieblos, el sueño alargaba el brazo y se disponía a atraerme hacia sí.

Abrí los ojos, me froté el rostro con ambas manos. Tras lavarme la cara y afeitarme después de muchas horas de no hacerlo, notaba el cutis seco y rígido como la piel de un tambor. Parecía que pasara las manos sobre un rostro ajeno. Notaba una quemazón en la zona donde las sanguijuelas me habían succionado la sangre. Al parecer, aquellos dos bichos me habían chupado una gran cantidad de sangre.

–Oye –dijo la joven depositando el libro a su lado–, ¿de verdad no te apetece que se traguen tu semen?

–Ahora no –dije.

–¿No tienes ganas?

–No.

–¿Y tampoco quieres acostarte conmigo?

–Ahora no.

–¿Acaso no te gusto porque estoy gorda?

–No es eso. Tienes un cuerpo muy bonito.

–Entonces, ¿por qué no quieres acostarte conmigo?

–No lo sé –contesté–. No sé por qué, pero me da la sensación de que no debo hacerlo en estos momentos.

–¿Es por razones morales? ¿Va en contra de tu ética vital?

–Mi ética vital –repetí. Esas palabras despertaban en mí extrañas resonancias. Reflexioné unos instantes con los ojos clavados en el techo–. No, no es eso –dije–. Es algo diferente, de otra naturaleza. Tiene que ver con el instinto, con la intuición... O quizá con el reflujo de mi memoria. No puedo explicártelo bien. Ahora tengo unas ganas locas de acostarme contigo, ¿sabes? Pero ese *algo* me retiene. Me dice que ahora no es el momento.

Con el codo hincado en la almohada, ella me clavó la mirada.

–¿No me mientes?

–Sobre estas cosas yo no miento.

–¿De verdad lo piensas?

–Lo *siento* así.

–¿Puedes darme alguna prueba?

–¿Una prueba? –me sorprendí.

–Algo que pueda convencerme de que tienes ganas de acostarte conmigo.

–Tengo una erección –dije.

–Enséñamela –dijo.

Tras dudar unos instantes, decidí bajarme los pantalones y mostrársela. Estaba demasiado cansado para seguir discutiendo y, total, dentro de poco ya no estaría en este mundo. No creía que enseñarle un pene sano y erecto a una joven de diecisiete años pudiera originar un grave problema social.

–Hum... –musitó mirando el pene erecto–. ¿Puedo tocarlo?

–No –dije–. ¿Con eso queda demostrado?

–Pues sí. Vale.

Me subí los pantalones y guardé el pene en su interior. Se oyó cómo un enorme camión de transporte pasaba lentamente por debajo de la ventana.

–¿Cuándo volverás junto a tu abuelo?

–En cuanto haya dormido un poco y se me haya secado la ropa. Antes del atardecer se retirará el agua y entonces volveré desde el metro.

–Con este tiempo, la ropa no se te secará antes de mañana por la mañana.

–¿Ah, no? ¿Qué puedo hacer entonces?

–Aquí cerca hay una lavandería de autoservicio. Puedes ir a secarla allí.

–Es que no tengo ropa para salir a la calle.

Me devané los sesos, pero no se me ocurrió nada. La única solución era que fuera yo a la lavandería a secar la ropa. Me dirigí al cuarto de baño y embutí su ropa mojada en una bolsa de plástico de Lufthansa. Luego, de entre la ropa que me quedaba, elegí unos chinos de color verde oliva y una camisa azul con botones en el cuello. Como calzado, cogí unos mocasines de color marrón. De este modo, sentado en una cutre silla de plástico de la lavandería, perdí tontamente una parte del precioso tiempo que me quedaba. Mi reloj señalaba las doce y diecisiete minutos.

# 32
## EL FIN DEL MUNDO
## La sombra se encamina hacia la muerte

Cuando abrí la puerta de la cabaña del guardián, éste se encontraba junto a la puerta trasera, cortando leña.

–Hoy va a caer una buena nevada, ¿eh? –comentó con el hacha en la mano–. Esta mañana han muerto cuatro bestias. Y mañana morirán muchas más. Este invierno es excepcionalmente frío.

Me quité los guantes, me acerqué a la estufa y me calenté la punta de los dedos. El guardián hizo un haz de leña menuda, lo arrojó al cuarto que le servía de almacén, cerró la puerta y volvió a colgar el hacha en la pared. Luego, vino a mi lado y se calentó los dedos, igual que yo.

–Parece que, en lo sucesivo, tendré que quemar los cadáveres de las bestias yo solo. Gracias a su ayuda, hasta ahora ha sido muy cómodo, pero ¡en fin!, ¡qué le vamos a hacer! De hecho, éste es mi trabajo.

–¿La sombra está muy mal, entonces?

–No está bien –dijo el guardián negando con la cabeza–. No está nada bien. Hace tres días que no se levanta. La cuido tan bien como puedo, pero cuando a uno le llega su hora, no hay nada que hacer, ¿verdad?

–¿Puedo verla?

–Claro. Pero no estés más de media hora. Es que, dentro de media hora, tengo que ir a quemar las bestias.

Asentí.

El guardián cogió un manojo de llaves de la pared y abrió la verja de hierro que conducía a la plaza de las sombras. Luego la cruzó delante de mí, a paso rápido, abrió la puerta de la cabaña de la sombra y me hizo pasar. El interior de la cabaña estaba vacío, sin muebles; el suelo era de frío ladrillo. Por los resquicios de la ventana entraba un gélido viento invernal y hacía muchísimo frío. Recordaba una cámara de hielo.

–No es culpa mía –se disculpó el guardián–. Yo no he encerrado a tu sombra por gusto. Está establecido que las sombras vivan aquí dentro. Son las reglas y yo tengo que cumplirlas. Y tu sombra ha tenido suerte. En ocasiones han estado encerradas aquí dos o tres sombras a la vez.

De nada serviría lo que yo hubiese podido decir, de modo que asentí en silencio. Me dije que jamás hubiera debido abandonar a mi sombra en un lugar semejante.

–Tu sombra está ahí abajo –me dijo–. Ve. Abajo no hace tanto frío. Sólo que huele un poco.

El guardián se dirigió a un rincón del cuarto y abrió una puerta corredera ennegrecida por la humedad. Detrás no había escalera, sólo una sencilla escalerilla sujeta a la pared. El guardián bajó primero y luego, con un gesto de la mano, me indicó que lo siguiera. Me sacudí la nieve adherida al abrigo y fui tras él.

En el sótano, un intenso hedor a excrementos penetró en mi nariz. No había ventana y el aire estaba estancado, sin salida posible. El sótano tenía el tamaño de un trastero y la cama ocupaba una tercera parte del cuartucho. Mi sombra, enflaquecida en extremo, yacía sobre la cama, vuelta hacia la puerta. Debajo de la cama asomaba un orinal de loza. Había una vieja mesa medio rota y, encima, ardía una vieja vela: ésa era la única luz y toda la calefacción del cuarto. El suelo era de tierra batida, y el aire, tan frío que calaba hasta los huesos. La sombra, con la manta subida hasta las orejas, alzó hacia mí unos ojos inmóviles y faltos de vida. Tal como me había dicho el anciano, no parecía que fuera a durar mucho.

–Me voy –dijo el guardián como si no pudiera soportar más aquel hedor–. Hablad los dos. Hablad de lo que queráis. A tu sombra ya no le quedan fuerzas para pegarse a ti.

Cuando el guardián desapareció, la sombra, tras aguardar unos instantes, me hizo una señal con la mano para que me acercara a la cabecera de la cama.

–¿Te importaría subir y comprobar si el guardián está escuchando detrás de la puerta? –me pidió en voz baja.

Asentí, subí la escalerilla sin hacer ruido, abrí la puerta, miré hacia fuera y, tras comprobar que no había nadie en la planta baja, regresé al sótano.

–No hay nadie –le aseguré.

–Tengo algo que decirte –dijo la sombra–. No estoy tan mal como parece. Hago comedia para engañar al guardián. Es cierto que estoy mucho más débil que antes, pero lo de vomitar y no levantarme de la cama es puro teatro. Aún puedo levantarme y andar sin problemas.

–¿Lo haces para escapar?

–¡Pues claro! Si no fuera por eso, no me tomaría tantas molestias, te lo aseguro. Así he ganado tres días. Pero ahora tengo que escapar pronto. Porque dentro de otros tres días quizá ya no pueda levantarme de verdad. El aire de este sótano tiene un efecto pernicioso para el cuerpo. Es frío como el hielo, penetra en los huesos. Por cierto, ¿qué tiempo hace fuera?

–Nieva –dije con las manos aún en los bolsillos–. Y al llegar la noche empeorará. El frío va a ser mucho más intenso.

–Si nieva, morirán muchas bestias –dijo la sombra–. Y si mueren muchas bestias, el guardián tendrá más trabajo. Nosotros podremos escapar mientras él está en el manzanar quemando a las bestias. Tú cogerás el manojo de llaves, abrirás la verja de hierro y huiremos los dos.

–¿Por la Puerta del Oeste?

–No, por esa puerta es imposible. Está cerrada, muy vigilada, y aunque lo lográsemos, el guardián nos atraparía enseguida. Por la muralla es imposible. La muralla sólo pueden sobrevolarla los pájaros.

–¿Por dónde huiremos entonces?

–Eso déjamelo a mí. He madurado el plan hasta el último detalle. He ido reuniendo mucha información sobre la ciudad, ¿sabes? Tu mapa casi lo he desgastado de tanto mirarlo y el guardián me ha contado un montón de cosas. Como pensaba que ya no podría huir, ha tenido la amabilidad de explicarme muchas cosas. Todo gracias a ti, que conseguiste que el hombre bajara la guardia. En fin, que al principio tardé más tiempo del que pensaba, pero ahora los planes van viento en popa. Tal como ha dicho el guardián, a mí ya no me quedan fuerzas para pegarme a ti, pero, si logro escapar, me recuperaré y, entonces, podremos volver a ser uno. Yo me libraré de morir aquí y tú recuperarás los recuerdos y volverás a ser el que eras originariamente.

Me quedé mirando fijamente la llama de la vela, sin decir nada.

–¿Qué diablos te pasa? –preguntó la sombra.

–El que era originariamente... ¿Y cómo debía de ser yo?

–¡Eh! ¡Alto ahí! ¿No me digas que estás dudando? –se estremeció la sombra.

–Sí, estoy dudando. Realmente estoy dudando –reconocí–. Ante todo, no recuerdo mi yo de antes. ¿Valdrá la pena volver a aquel mundo? ¿Valdrá la pena volver a ser yo mismo?

La sombra se dispuso a decir algo, pero la frené levantando la mano.

–Espera un momento. Déjame acabar. He olvidado por completo quién era antes, pero ahora empiezo a sentir apego por esta ciudad. Me siento atraído por la chica que he conocido en la biblioteca, el coronel también es buena persona. Me gusta contemplar a las bestias. El invierno es muy duro, pero en las demás estaciones el paisaje es muy hermoso. Aquí nadie hiere a los demás, nadie lucha. La vida es sencilla pero satisfactoria, y hay igualdad entre los seres humanos. Nadie habla mal del prójimo, nadie pretende arrebatar nada a nadie. Se trabaja, pero todo el mundo disfruta haciéndolo. Además, se trabaja por el placer de trabajar, es un trabajo puro: nadie se ve obligado a trabajar, nadie trabaja a desgana. Nadie envidia a nadie. Nadie se queja, nadie sufre.

–No existe el dinero, la fortuna ni la jerarquía. No hay pleitos ni hospitales –añadió la sombra–. No existe la vejez ni el temor a la muerte. ¿Cierto?

Asentí.

–¿Qué te parece? –le interpelé–. ¿Qué motivos podría encontrar yo para abandonar la ciudad?

–Lo que dices –repuso la sombra sacando la mano de debajo de la manta y frotándose los labios resecos– parece tener su lógica. Si existe realmente este mundo, aquí has hallado la auténtica utopía. No tengo nada que oponer. Haz lo que te parezca. Yo me resignaré y moriré aquí. Pero estás pasando por alto varias cosas. Y son cosas muy importantes. –La sombra empezó a toser. Esperé en silencio a que remitiera el acceso de tos–. La última vez que nos vimos, te dije que esta ciudad es antinatural y errónea. A fuerza de ser antinatural y errónea, es completa. Tú acabas de hablar de su perfección y completitud. Por eso yo voy a hablarte ahora de su antinaturalidad y del error en que se funda. Escúchame bien. En primer lugar, la proposición principal es que, en este mundo, la perfección no existe. Ya te lo dije. Es como una máquina de movimiento continuo, que, por principio, no puede existir. La entropía siempre aumenta. ¿Cómo diablos la elimina esta ciudad? Es cierto que aquí la gente, a excepción del guardián, no hiere a los demás, no siente odio, no alberga deseos. Todos están satisfechos, viven en paz. ¿Y a qué crees que se debe? Pues a que no poseen corazón.

–Eso ya lo sé –dije.

–La perfección de esta ciudad se fundamenta en la pérdida del corazón. Mediante esta pérdida, quedan enmarcados en un tiempo que va expandiendo la existencia de cada uno de ellos hasta la eternidad. Por eso nadie envejece, nadie muere. Primero, se arranca de un tirón la sombra, la madre del yo, y se espera a que muera. Con la muerte de la sombra, se elimina el escollo principal. Después, será suficiente con vaciar las pequeñas burbujas que brotan del corazón, día tras día.

–¿Vaciar?

–Luego te hablaré de eso. Primero, hablemos del corazón. Me has dicho que en esta ciudad no hay luchas, odio ni deseos. Eso, en sí mismo, es maravilloso. Tanto que, si tuviera fuerzas, aplaudiría. Pero piensa que el hecho de que no existan luchas, odio ni deseos significa que tampoco existen las cosas opuestas. Es decir, la alegría, la paz de espíritu, el amor. Porque es de la desesperanza, del desengaño y de la tristeza de donde nace la alegría y, sin ellas, ésta no podría existir. Es imposible encontrar una paz de espíritu sin desesperación. Ésta es la «naturalidad» a la que me refería. Y luego está el amor, por supuesto. Lo mismo sucede con la chica de la biblioteca de la que hablas. Tú tal vez la quieras, pero tus sentimientos no conducen a ninguna parte. Porque ella no tiene corazón. Y un ser humano sin corazón no es más que un fantasma andante. Dime, ¿qué sentido tiene conseguir algo así? ¿Deseas para ti esta vida eterna? ¿Quieres convertirte, también tú, en un fantasma similar? Si yo muero aquí, tú pasarás a ser uno de ellos y ya jamás podrás abandonar la ciudad.

Un silencio opresivo y gélido cayó sobre el sótano. La sombra volvió a toser varias veces.

–Pero es que yo no puedo dejarla aquí. Sea ella lo que sea, yo la amo, la necesito. Uno no puede engañar a su corazón. Y si yo ahora huyo, seguro que más tarde me arrepentiré. Piensa que, una vez salga de aquí, ya no podré volver.

–¡Uf! –dijo la sombra sentándose en el lecho y recostándose en la pared–. Cuesta lo suyo convencerte. Nos conocemos desde hace tiempo y ya sé lo tozudo que eres, pero venirme con discusiones tan retorcidas en una situación límite como ésta pasa de castaño oscuro. ¿Qué diablos quieres hacer? Si estás pensando en huir los tres juntos, tú, esa chica y yo, olvídalo. Una persona sin sombra no puede vivir fuera de la ciudad.

–Eso ya lo sé –dije–. Lo que quería decir es que huyeras tú solo. Yo te ayudaré.

–En fin, está claro que aún no lo entiendes –dijo la sombra todavía con la cabeza recostada en la pared–. Si yo huyera solo y tú te quedaras, te encontrarías en una situación desesperada. Esto el guardián me lo ha explicado muy bien. Las sombras, todas las sombras, deben morir aquí. Las sombras que han salido de aquí tienen que volver a la ciudad a morir. Las sombras que no mueren aquí, aunque mueran, dejan tras de sí una muerte imperfecta. Es decir, que tú tendrías que vivir eternamente con corazón. Y, además, dentro del bosque. Porque allí viven las personas cuya sombra no ha tenido una muerte válida. Tú serías expulsado de la ciudad y tendrías que vagar eternamente por el bosque, perdido en tus pensamientos. Y ya conoces el bosque, ¿verdad?

Asentí.

–Sin embargo, a ella no podrías llevártela al bosque –prosiguió la sombra–. Porque ella es un ser «perfecto». Es decir, que no tiene corazón. Y las personas perfectas viven en la ciudad. No pueden vivir en el bosque. Vamos, que te quedarías completamente solo. ¿Comprendes por qué no tiene ningún sentido quedarse aquí?

–¿Y adónde va a parar el corazón de la gente?

–¡Pero si tú eres el lector de sueños! –exclamó la sombra con estupor–. ¿Cómo puedes ignorarlo?

–La verdad, no lo sé.

–Te lo explicaré. Los corazones son transportados al exterior por las bestias. A eso se le llama «vaciar». Las bestias absorben el corazón de las personas, lo recogen y lo llevan al mundo de fuera. Y cuando llega el invierno mueren, una tras otra, con todos los egos acumulados en su interior. No las mata el frío del invierno ni la falta de alimentos. Las mata el opresivo peso de los egos de la ciudad. Y, al llegar la primavera, nacen las crías. Nacen tantas crías como bestias han muerto. Y a su vez, al crecer, estas crías cargarán con el ego expulsado de los seres humanos y morirán. Éste es el precio de la perfección. ¿Qué sentido tiene una perfección como ésta? Una perfección que se perpetúa a sí misma haciendo cargar al más débil, al más impotente, con todo.

Yo contemplaba la punta de mis zapatos sin decir nada.

–Cuando las bestias mueren, el guardián las decapita –prosiguió la sombra–. Porque en el interior de los cráneos están hondamente grabados los egos de las personas. Los cráneos se limpian y se entierran durante un año y, cuando sus fuerzas se han aplacado, se colocan en un estante de la biblioteca. Después, gracias a la labor del lector de sueños, se esfuman en el aire. El lector de sueños (es decir, tú) es una persona recién llegada a la ciudad a la que todavía no se le ha muerto la sombra. Los egos leídos por el lector de sueños son absorbidos por el aire y desaparecen no se sabe dónde. Eso son los «viejos sueños». En resumen, que tú cumples la función de una especie de toma de tierra. ¿Entiendes a lo que me refiero?

–Sí –dije.

–Cuando la sombra muere, el lector de sueños deja de serlo y se integra en la ciudad. De esta forma, la ciudad va girando eternamente alrededor del círculo de la perfección. Se obliga a los seres imperfectos a cargar con la parte imperfecta, se vive sorbiendo sólo la parte decantada del líquido. ¿Crees que esto es correcto? ¿Es éste un mundo real? ¿Deben ser así las cosas? Intenta considerarlo todo desde el punto de vista del débil, del imperfecto. Desde el punto de vista de las bestias, de las sombras y de los habitantes del bosque.

Permanecí con la vista clavada en la llama de la vela hasta que me dolieron los ojos. Entonces me quité las gafas y me enjugué las lágrimas con el dorso de la mano.

–Vendré mañana a las tres –dije–. Tienes razón. Éste no es el lugar donde debo estar.

# 33
## EL DESPIADADO PAÍS DE LAS MARAVILLAS
## Colada en día lluvioso. Coche de alquiler. Bob Dylan

Como era un domingo lluvioso, las cuatro secadoras de la lavandería de autoservicio estaban ocupadas. De cada uno de los tiradores colgaba una bolsa de plástico de colores o una bolsa de la compra. Había tres mujeres. Un ama de casa, que calculé que tenía entre treinta y cinco y cuarenta años, y dos chicas que parecían huéspedes de la residencia para estudiantes universitarias que había en el barrio. El ama de casa, sentada en una silla de plástico con los brazos cruzados, se limitaba a mirar fijamente cómo giraba el bombo de la secadora igual que si estuviera viendo la televisión. Las dos chicas, la una junto a la otra, hojeaban un ejemplar de la revista *JJ*. Cuando entré, me observaron durante un rato con disimulo, pero luego volvieron a dirigir la vista a su colada y a su revista.

Me senté en una silla con la bolsa de Lufthansa sobre las rodillas, esperando a que llegara mi turno. El hecho de que las dos estudiantes no llevaran ningún paquete indicaba que su colada ya debía de estar dentro de la secadora. Por lo tanto, en cuanto quedara libre una de las cuatro máquinas, me tocaría a mí. Con cierto alivio, me dije que no tardaría demasiado. La simple idea de permanecer alrededor de una hora mirando cómo la ropa daba vueltas me deprimía. Me quedaban ya menos de veinticuatro horas.

Allí sentado, me relajé y mi mirada se perdió en algún punto del espacio. En la lavandería flotaba un olor peculiar, mezcla del olor característico de la ropa al secarse junto con el del detergente. A mi lado, las dos chicas hablaban sobre dibujos de jerséis. Ninguna de las dos era particularmente guapa, pero ya se sabe que las chicas sofisticadas no se pasan la tarde del domingo leyendo revistas en la lavandería.

Contrariamente a lo que había supuesto, las secadoras tardaban mucho en detenerse. Sobre las lavanderías corren máximas y una de ellas reza así: «La secadora que esperas tarda media vida en detenerse». Aunque parezca que la ropa está completamente seca, el tambor sigue dando vueltas y más vueltas.

A los quince minutos, ninguna secadora se había detenido. Mientras tanto, una mujer joven, esbelta y bien vestida entró con una gran bolsa de papel en la mano, se dirigió hacia una lavadora, arrojó en su interior una brazada de pañales de bebé, abrió una bolsita de detergente, lo espolvoreó sobre la ropa, cerró la tapa e introdujo una moneda en la máquina.

Me apetecía cerrar los ojos y echar una cabezada, pero me lo impidió el temor a que, durante mi sueño, dejara de girar un tambor y alguien aprovechara el momento para meter su ropa antes que yo. Porque eso representaría otra pérdida de tiempo.

Me arrepentía de no haber traído una revista. Leyendo, me habría espabilado y, además, el tiempo habría transcurrido más deprisa. Aunque no estaba seguro de que, en aquellos instantes, conseguir que el tiempo pasara volando fuera lo correcto. Más bien habría debido intentar que el tiempo pasara lo más lentamente posible. Con todo, ¿qué sentido tendría un tiempo que transcurriera despacio en una lavandería? ¿No representaba aquello aumentar la pérdida de tiempo?

Al pensar en el tiempo, me dolió la cabeza. La existencia del tiempo es algo demasiado conceptual. Sin embargo, nosotros vamos incluyendo una sustancia tras otra dentro de esa temporalidad hasta que dejamos de saber si las cosas que se derivan de ella son atributos del tiempo o atributos de la sustancia.

Dejé de pensar en el tiempo y empecé a dar vueltas a la idea de lo que podía hacer al salir de la lavandería. Lo primero, comprarme algo de ropa. Ropa elegante. Como no había tiempo para que me ajustaran el bajo de los pantalones, descarté el traje de *tweed* por el que había suspirado cuando estuve en el subterráneo. Era una lástima, pero tendría que resignarme. En fin, me conformaría con aquellos pantalones chinos y me compraría un blazer, una camisa y una corbata. Y un impermeable. Con aquello ya podría entrar en cualquier restaurante. Para comprarlo todo necesitaría alrededor de una hora y media. Posiblemente, antes de las tres ya habría terminado mis compras. Desde entonces hasta la hora de la cita, a las seis y diez, quedaba un vacío de tres horas.

Intenté reflexionar sobre el modo en que emplearía esas tres horas, pero no se me ocurrió nada interesante. El sueño y el cansancio me impedían pensar con claridad. Además, me lo imposibilitaban en lo más profundo de mi cabeza, allá donde mis manos no podían llegar.

Mientras intentaba desembrollar poco a poco mis ideas, se detuvo el tambor de la primera secadora de la derecha. Tras cerciorarme de que no era una ilusión, miré a mi alrededor. El ama de casa y las estudiantes le echaron una ojeada rápida, pero ninguna de ellas se levantó de la silla. Entonces yo, siguiendo una norma de la lavandería, abrí la puerta de la secadora, saqué la ropa tibia que había en el fondo del tambor, la metí en la bolsa de la compra que colgaba del tirador, abrí mi bolsa de Lufthansa y metí la ropa en la secadora. Cerré la puerta, introduje una moneda y, tras comprobar que el tambor empezaba a girar, volví a mi asiento. El reloj señalaba las doce y cincuenta minutos.

El ama de casa y las estudiantes espiaban cada uno de mis movimientos. Echaban una ojeada al tambor donde había metido la colada y luego dirigían otra, a hurtadillas, a mi rostro. Yo también alcé los ojos y miré hacia el tambor donde estaba mi ropa. El problema radicaba, primero, en que había metido pocas prendas y, segundo, en que todas eran ropa y lencería femeninas y, encima, de color rosa. Llamaban mucho la atención. Fastidiado, colgué la bolsa de Lufthansa en el tirador de la secadora y decidí pasar en alguna otra parte los veinte minutos que faltaban para que la ropa se secara.

La fina lluvia seguía cayendo exactamente igual que por la mañana, como si con ello pretendiera sugerirle algo al mundo. Abrí el paraguas y di vueltas por el barrio. Tras cruzar la tranquila zona residencial, se salía a una calle donde se sucedían las tiendas. Había una peluquería, una panadería, una tienda de surf –no tenía la menor idea de por qué habría una tienda de surf en Setagaya–, un estanco, una pastelería occidental, una tienda de alquiler de vídeos, una lavandería. En la puerta de la lavandería había un letrero donde ponía: «10% DE DESCUENTO LOS DÍAS DE LLUVIA». Por más vueltas que le di, no entendí por qué resultaba más barato lavar la ropa en los días lluviosos. En la lavandería estaba el dueño, un hombre calvo con cara de pocos amigos, planchando una camisa. Del techo colgaban, como gruesas lianas, varios cables eléctricos. Era una lavandería de los antiguos tiempos, donde el dueño planchaba las camisas. Sin más, sentí un ramalazo de simpatía por aquel hombre. Quizá en lavanderías como aquélla no cosían el ticket de identificación con una grapa en el puño. Yo odiaba tanto aquello que jamás llevaba las camisas a la tintorería.

Fuera, a la entrada de la tienda, había una especie de banqueta, y encima de ésta se alineaban varias macetas. Me las quedé contemplando unos instantes, pero no conocía el nombre de ninguna de las flores. ¿Cómo es que no sabía ni uno? Ni siquiera yo me lo explicaba. Eran, a todas luces, plantas normales y corrientes, y me dio la impresión de que cualquier persona habría sabido cómo se llamaban todas sin excepción. Las gotas de agua que caían del tejado golpeaban la tierra negra del interior de las macetas. Mientras tenía la vista clavada en ellas, me asaltó la desesperación. Había vivido treinta y cinco años en este mundo y ni siquiera sabía cómo se llamaban las flores más comunes.

Una sola lavandería me había hecho descubrir muchas cosas. Una de ellas era mi ignorancia acerca del nombre de las flores, otra que los días de lluvia la lavandería era más barata. Aunque pasaba por esa calle casi a diario, ni siquiera me había dado cuenta de que allí había una banqueta.

Vi un caracol que se deslizaba por la superficie de la banqueta, lo cual fue un nuevo descubrimiento. Hasta ese instante había estado convencido de que los caracoles sólo aparecían durante la época de las lluvias. Claro que, pensándolo bien, si sólo salían en la época de las lluvias, ¿dónde se metían y qué hacían en las demás estaciones del año?

Cogí ese caracol que había salido en octubre y lo puse en una de las plantas, encima de una hoja verde. El caracol permaneció unos instantes temblando sobre la hoja, pero pronto se estabilizó, en una posición inclinada, y miró a su alrededor.

Retrocedí sobre mis pasos hasta el estanco y compré una cajetilla de Lark largo y un encendedor. Hacía cinco años que había dejado de fumar, pero no iba a hacerme ningún daño fumarme un paquete la víspera del fin del mundo. Bajo el mismo alero del estanco, me puse un cigarrillo entre los labios y le prendí fuego con el encendedor. El roce en mis labios del primer cigarrillo que fumaba después de tanto tiempo me pareció más extraño de lo que había imaginado. Aspiré lentamente, exhalé despacio una bocanada de humo. Las yemas de mis dedos estaban entumecidas, mi mente confusa.

Después fui hasta la pastelería occidental y compré cuatro pastelillos. Los cuatro tenían un largo nombre francés: tan pronto como me los metieron en la caja, me olvidé de sus nombres. El francés lo había perdido por completo en cuanto salí de la universidad. La dependienta de la pastelería era una chica alta como un pino, tremendamente torpe haciendo lazos. Nunca he visto a una chica alta que tenga buenas manos. Claro que no sé si esta teoría es válida para el mundo entero. Tal vez se limite a los encuentros que me ha deparado el destino.

Al lado estaba la tienda de alquiler de vídeos de la que era cliente. Los dueños tenían la misma edad que yo, y ella era muy guapa. En la pantalla del televisor de veintisiete pulgadas colocado a la entrada de la tienda ponían *El luchador,* de Walter Hill. Es la película en que Charles Bronson hace de boxeador *bare knuckle* y James Coburn interpreta el papel de su mánager. Entré en la tienda, me senté en el sofá y me quedé mirando algunas escenas de la película para matar el tiempo.

Detrás del mostrador del fondo, la dueña parecía aburrida, así que le ofrecí un pastelillo. Ella eligió una tartaleta de pera, yo una mousse de queso. Mientras me comía mi mousse, contemplé la escena en la que Charles Bronson pelea con el hombretón calvo. La mayoría de los espectadores estaban convencidos de que ganaría el hombretón, pero yo había visto la película años atrás y estaba seguro de que iba a ganar Charles Bronson. Cuando me acabé el pastelillo de mousse de limón, encendí un cigarrillo, me fumé medio y, tras comprobar que Charles Bronson dejaba K.O. a su adversario, me levanté del sofá.

–Quédate un rato más –me pidió la dueña.

Le dije que me habría gustado quedarme, pero que tenía la ropa en la secadora de la lavandería. Al echar un vistazo a mi reloj, vi que era ya la una y veinte minutos. La secadora debía de haberse detenido hacía rato.

–¡Oh, no! –exclamé.

–No te preocupes. Seguro que alguien te ha sacado la ropa de la secadora y te la ha metido en la bolsa. A nadie le interesa robarte tu ropa interior.

–Es verdad –dije con voz desfallecida.

–La semana que viene llegan tres películas antiguas de Hitchcock.

Salí de la tienda de alquiler de vídeos y volví a la lavandería por el mismo camino. Por fortuna, el local estaba vacío y la ropa que había metido en la secadora yacía en el fondo del tambor esperando pacientemente mi regreso. De las cuatro secadoras, sólo una estaba en marcha. Embutí la ropa en la bolsa y volví a mi apartamento.

La joven gorda estaba durmiendo en la cama. Dormía tan profundamente que al principio pensé que estaba muerta, pero al acercar el oído percibí la ligera respiración del sueño. Saqué la ropa seca de la bolsa, la deposité sobre la almohada y dejé la caja de pastelillos en la mesilla, al lado de la lámpara. Me habría encantado deslizarme entre las sábanas, a su lado, y dormir, pero no podía.

Fui a la cocina, me bebí un vaso de agua, me acordé de pronto de orinar y oriné; luego me senté en una silla y eché un vistazo a mi alrededor. En la cocina se alineaban los grifos, el calentador de gas, el extractor de aire, el horno de gas, ollas y cazuelas de diversos tamaños, la tetera, el refrigerador, la tostadora, la alacena, el juego de cuchillos, una lata grande de té Brooke Bond, la olla eléctrica, la cafetera. Lo que, en una palabra, se denominaba «cocina» se componía, en realidad, de aparatos y objetos de diferentes tipos. Al contemplar de nuevo mi cocina con calma, percibí la quietud, compleja y extraña, propia del orden que conformaba el mundo.

Cuando me había mudado a aquel piso, mi esposa aún estaba conmigo. Ya habían transcurrido ocho años desde que me mudé, y yo solía sentarme en aquella mesa por las noches a leer. Como mi mujer tenía un sueño muy apacible, a veces me asustaba pensando que podía estar muerta. Yo, a mi manera, y por imperfecto que fuese como ser humano, la amaba.

Sí, pensé, ya hacía ocho años que vivía en aquel piso. Ocho años atrás, vivía allí con mi mujer y mi gato. La primera en marcharse fue mi esposa, luego se fue el gato. Y ahora me marcharía yo. Utilizando como cenicero una vieja taza de café que se había quedado sin plato, fumé un pitillo y volví a beber agua. ¿Por qué había permanecido ocho años en un lugar como aquél? A mí mismo me parecía extraño. No me gustaba especialmente vivir allí, el alquiler no era barato. El sol de la tarde le daba de lleno, el portero era antipático. Mi vida no había sido más feliz desde que me había mudado allí. El descenso de la población había sido demasiado drástico.

Pero, fuera como fuese, todas las cosas ya estaban anunciando el fin.

La vida eterna, pensé. La inmortalidad.

El profesor me había dicho que me encaminaba hacia el mundo de la inmortalidad. Que el fin del mundo no era la muerte, sino una transformación, que allí podría ser yo mismo, que podría recuperar todas las cosas que había perdido en el pasado, las que estaba perdiendo ahora.

Tal vez fuera así. No, seguro que sería así. Aquel anciano lo sabía todo. Y si él decía que aquel mundo era el mundo de la inmortalidad, podías apostar a que era el mundo de la inmortalidad. No obstante, ni una sola de las palabras del profesor lograban despertar eco alguno en mi corazón. Eran demasiado abstractas, demasiado ambiguas. Tenía la sensación de que, ya en aquellos instantes, yo era suficientemente yo mismo, y el modo en que un ser inmortal debía contemplar su propia inmortalidad trascendía ampliamente los estrechos límites de mi imaginación. Y a todo esto debían sumársele los unicornios y la muralla. Me daba la impresión de que *El mago de Oz* era más realista.

«¿Y qué he perdido yo?», me pregunté, rascándome la cabeza. Sin duda alguna, había perdido muchas cosas. Si las hubiera apuntado todas en una libreta, posiblemente habría llenado un cuaderno entero de la universidad. Había sufrido mucho la pérdida de alguna de ellas a pesar de que, en el momento en que las perdí, creí que no importaba demasiado, pero con otras me había sucedido lo contrario. Había ido perdiendo diversas cosas, diversas personas, diversos sentimientos. En el bolsillo de un abrigo que simbolizara mi existencia, se habría abierto un agujero fatal que ningún hilo ni aguja podrían coser. En este sentido, si alguien hubiera abierto la ventana de mi piso, se hubiese asomado dentro y me hubiese gritado: «¡Tu vida es un completo cero!», yo no habría tenido ningún argumento en contra que esgrimir.

Sin embargo, si hubiera podido volver atrás, me daba la sensación de que habría reproducido una vida idéntica a la que había llevado. Porque ésta –esta vida llena de pérdidas– era yo. Era el único camino que tenía yo de ser yo mismo. Por más personas que me hubiesen abandonado a mí, por más personas a las que hubiese abandonado yo, por más bellos sentimientos, magníficas cualidades y sueños que hubiese perdido, yo únicamente podía ser yo.

En el pasado, cuando era más joven, creía que podía llegar a ser algo distinto de mí mismo. Incluso creía que podía abrir un bar en Casablanca y conocer a Ingrid Bergman. O también, de manera más realista –y dejando de lado si realmente era más realista o no–, creía que podía llevar una vida provechosa más de acuerdo con mi propia personalidad. Para conseguirlo, incluso me había impuesto una disciplina. Había leído *The Greening of America,* había visto tres veces *Easy Rider*. Pero, a pesar de ello, siempre acababa volviendo al mismo sitio, como una barca con el timón curvado. Era *mi yo*. Mi yo no iba a ninguna parte. Mi yo estaba aquí, esperando a que yo volviera.

¿Tenía que llamar a esto desesperanza?

No lo sabía. Tal vez fuese desesperanza. Turguéniev quizá lo llamaría desencanto. Dostoievski, tal vez infierno. Somerset Maugham tal vez lo llamase realidad. Pero lo llamaran como lo llamasen, eso era yo.

No podía imaginar el mundo de la inmortalidad. Quizá allí podría recuperar las cosas que había perdido y crear un nuevo yo. Quizá habría quien me aplaudiera, quien me felicitase. Y quizá yo fuera feliz, y consiguiese una vida provechosa más acorde con mi personalidad. De todas formas, sería otro yo, un yo que no tendría nada que ver conmigo. Mi yo de ahora contenía mi propio ego. Era un hecho histórico, algo que nadie podía cambiar.

Tras reflexionar un rato sobre ello, llegué a la conclusión de que lo más razonable era pensar que *moriría* pasadas poco más de veintidós horas. La idea de que iba a trasladarme al mundo de la inmortalidad me recordaba *Las enseñanzas de don Juan,* y me inquietaba.

Yo iba a morir, concluí arbitrariamente. Pensar así casaba mejor con mi manera de ser. Esa idea me produjo cierto alivio.

Apagué el cigarrillo, me dirigí al dormitorio y, tras contemplar por unos instantes el rostro de la joven dormida, comprobé si llevaba todo lo necesario en el bolsillo de los pantalones. Claro que, pensándolo bien, pocas cosas necesitaba. ¿Qué me hacía falta, aparte de la cartera y de la tarjeta de crédito? La llave de mi piso ya no servía, la licencia de calculador tampoco. La agenda no iba a usarla nunca más y, como había abandonado mi coche, tampoco necesitaba las llaves. Ni la navaja. La calderilla de nada serviría. Vacié encima de la mesa todo el dinero suelto que llevaba en los bolsillos.

Primero me dirigí a Ginza en tren, me compré una camisa, una corbata y un blazer en Paul Stuart y pagué la cuenta con la American Express. Me planté ante el espejo con la ropa puesta: no ofrecía una mala imagen. Me preocupaba un poco que la raya de los pantalones chinos color verde oliva empezara a borrarse, pero no todo puede ser perfecto. La combinación del blazer de franela azul marino con la camisa de color naranja oscuro me daba un aire de joven y prometedor ejecutivo de una empresa de publicidad. Al menos nadie habría dicho que hacía un rato me arrastraba por un subterráneo y que dentro de veintidós horas desaparecería de este mundo.

Al mirar mi silueta erguida en el espejo, me di cuenta de que la manga izquierda del blazer era aproximadamente un centímetro y medio más corta que la derecha. Para ser precisos, no es que la manga fuese más corta, sino que mi brazo izquierdo era más largo. No entendía qué había pasado. Soy diestro y no recordaba haber sometido el brazo izquierdo a ningún esfuerzo en particular. El dependiente me dijo que podrían arreglarme la manga en un par de días, pero yo decliné su ofrecimiento.

–¿Juega usted al béisbol? –me preguntó devolviéndome el resguardo de la compra, efectuada con la tarjeta de crédito.

Le contesté que no.

–Es que la mayoría de los deportes deforman el cuerpo –añadió el dependiente–. Para que la ropa nos siente bien, hay que evitar excederse en el deporte y comer y beber con moderación.

Le di las gracias y salí de la tienda. El mundo estaba lleno de máximas. Descubría cosas nuevas, literalmente, a cada paso que daba.

Aún llovía, pero ya estaba harto de compras. Así pues, tras renunciar a buscar un impermeable, entré en una cervecería y pedí una cerveza a presión y ostras vivas. En la cervecería, por una razón u otra, sonaba una sinfonía de Bruckner. No sabía qué número era, pero lo cierto es que nadie sabe los números de las sinfonías de Bruckner. En todo caso, era la primera vez que escuchaba música de Bruckner en una cervecería.

Había dos mesas ocupadas, aparte de la mía. En una había una pareja joven; en la otra, un anciano de escasa estatura con sombrero. El anciano, sin descubrirse, se tomaba su cerveza a pequeños sorbos, y la pareja joven hablaba en voz baja sin tocar apenas la cerveza. El ambiente habitual de una cervecería una tarde lluviosa de domingo.

Mientras escuchaba la música de Bruckner, exprimí limón sobre las cinco ostras, me las fui comiendo en el sentido de las agujas del reloj y me acabé una jarra de tamaño mediano de cerveza. Las agujas del enorme reloj de la cervecería marcaban las tres menos cinco minutos. Bajo la esfera había dos leones, frente a frente, rodeando el muelle real del reloj con sus cuerpos retorcidos. Los dos eran machos y tenían la cola doblada como si fuera el gancho de una percha. Pronto acabó la larga sinfonía de Bruckner y la sustituyó el *Bolero* de Ravel. Una curiosa combinación.

Tras pedir una segunda cerveza, fui al lavabo y oriné otra vez. Por más tiempo que transcurría, el chorro de orina no cesaba. Ni yo mismo entendía por qué brotaba tanto líquido, pero como no tenía nada urgente que hacer, continué orinando con calma. Creo que la micción se prolongó alrededor de dos minutos. Mientras, a mis espaldas, sonaba el *Bolero* de Ravel. Lo de orinar escuchando el *Bolero* de Ravel fue algo chocante. Acabé teniendo la sensación de que el chorro de orina seguiría manando por toda la eternidad.

Al concluir aquella larga micción, me sentí un hombre nuevo. Me lavé las manos y, tras mirar mi rostro reflejado en un espejo deformado, volví a la mesa y tomé unos tragos de cerveza. Me apetecía fumar, pero caí en la cuenta de que me había olvidado la cajetilla de Lark en la cocina de casa, así que llamé al camarero, le pedí un paquete de Seven Star y una caja de cerillas.

Parecía que las horas se hubiesen detenido en aquella cervecería desierta, pero la verdad era que el tiempo proseguía lentamente su curso. Los leones habían recorrido cada uno ciento ochenta grados, las agujas habían avanzado hasta señalar las tres y diez. Con un codo hincado en la mesa, seguí bebiendo cerveza y me fumé un Seven Star con los ojos clavados en el reloj. Contemplar las agujas del reloj era la manera más absurda de pasar el tiempo, pero no se me ocurría nada mejor que hacer. La mayoría de las acciones humanas se basan en el presupuesto de que después vas a seguir viviendo, y si te quitan esta premisa, apenas te queda nada. Me saqué la cartera del bolsillo y examiné todo lo que llevaba en su interior. Cinco billetes de diez mil yenes, varios billetes de mil. En otro compartimento llevaba veinte billetes de diez mil sujetos con un clip. Aparte de dinero en efectivo, llevaba las tarjetas American Express y Visa. Y dos tarjetas para poder sacar dinero del banco. Partí estas dos últimas en cuatro trozos y los tiré en el cenicero. Ya no podría utilizarlas más. Idéntica suerte corrieron dos carnés, el de socio de la piscina cubierta y el de la tienda de alquiler de vídeos, y los puntos que me daban al comprar café en grano. Me guardé el permiso de conducir y tiré dos tarjetas de visita viejas. El cenicero quedó lleno de restos de mi vida. Al final, sólo conservé el dinero en efectivo, las tarjetas de crédito y el permiso de conducir.

Cuando las agujas del reloj alcanzaron las tres y media, me levanté del asiento, pagué la cuenta y salí. Mientras me acababa la cerveza, había cesado casi por completo de llover, de modo que dejé el paraguas en el paragüero. No era mal presagio. El tiempo mejoraba y yo sentía cómo mi cuerpo se aligeraba cada vez más.

Al dejar el paraguas atrás, me sentí renacer. De pronto me entraron ganas de trasladarme a otro sitio. Lo ideal sería un lugar lleno de gente. Tras permanecer un rato contemplando la hilera de pantallas de televisión del edificio de Sony junto a un grupo de turistas árabes, bajé a la estación de metro y compré un billete hasta Shinjuku, por la línea Marunouchi. Debí de quedarme dormido nada más sentarme, porque me desperté de golpe en Shinjuku.

Al pasar por la garita de revisión de billetes, me acordé de repente de que el cráneo y los datos del *shuffling* seguían en la consigna de la estación. Ya no los necesitaba, y tampoco llevaba el resguardo, pero como no tenía nada mejor que hacer, decidí ir a recogerlos. Subí la escalera, me dirigí a la ventanilla de la consigna y dije que había perdido el resguardo.

–¿Lo ha buscado bien? –me preguntó el encargado.

Le dije que sí.

–¿De qué objeto se trata?

–De una bolsa de deporte azul de la marca Nike.

–¿Podría dibujarme esa marca?

Cogí el bloc y el lápiz que me tendía, dibujé el bumerán aplastado del logotipo de Nike y escribí la palabra NIKE encima. Tras dirigirme una mirada suspicaz, el encargado fue pasando entre las estanterías con el bloc en la mano hasta que encontró mi bolsa y me la trajo.

–¿Es ésta?

–Sí.

–¿Tiene algún documento donde consten su nombre y su dirección?

Cuando le entregué el permiso de conducir, el encargado confrontó los datos con los que figuraban en la tarjeta que colgaba de la bolsa. Luego arrancó la tarjeta, la depositó sobre el mostrador junto con un bolígrafo y me dijo:

–Su firma, por favor.

Estampé mi firma en la tarjeta, cogí la bolsa y le di las gracias al encargado.

Había triunfado en mi propósito de retirar el equipaje, pero lo cierto era que la bolsa de deporte Nike no estaba en consonancia con mi aspecto. No podía ir a cenar con una chica acarreando aquella bolsa. Se me ocurrió comprar otra, pero para que cupiera un cráneo de aquel tamaño habría necesitado una maleta de viaje grande o una bolsa para bolos, como las que llevan los asiduos de las boleras. La maleta sería demasiado pesada, y, antes que cargar con una bolsa para bolos, prefería quedarme con la bolsa Nike.

Tras considerar diversas posibilidades, llegué a la conclusión de que lo más razonable era alquilar un coche y arrojar la bolsa en el asiento trasero. Así me ahorraba las molestias de andar con la bolsa en la mano y no tenía por qué preocuparme de si ésta conjuntaba con mi ropa o no. Lo ideal sería un elegante coche europeo. No es que los coches europeos me gusten en particular, pero me dio la impresión de que, siendo un día tan especial en mi vida, el coche tenía que estar en consonancia. Hasta ese momento, yo sólo había conducido un Volkswagen que estaba para el desguace y mi pequeño coche japonés.

Entré en una cafetería, pedí las páginas amarillas, marqué con bolígrafo los teléfonos de cuatro agencias de alquiler de coches situadas cerca de la estación de Shinjuku y fui llamando a una tras otra. En ninguna tenían coches europeos. Siendo domingo, y en aquella estación del año, apenas les quedaban coches; además, no alquilaban coches extranjeros. En dos de las cuatro agencias, ya no les quedaba ningún turismo. En otra, sólo les quedaba un Civic. Y, en la última de ellas, un Carina 1800 GT Twin Cam Turbo y un Mark II. La mujer de la agencia me dijo que ambos coches eran nuevos y contaban con equipo estéreo. Como me daba pereza seguir llamando, decidí alquilar el Carina 1800 GT Twin Cam Turbo. Total, me daba lo mismo. A mí jamás me habían interesado gran cosa los coches. Ni siquiera sabía cómo eran el Carina 1800 GT Twin Cam Turbo o el Mark II.

Luego, fui a una tienda de discos y compré algunas cintas de casete. *Grandes éxitos,* de Johnny Mathis; *Noche transfigurada,* de Schönberg, dirigida por Zubin Mehta; *Stormy Sunday,* de Kenny Burrell; *The Popular,* de Duke Ellington; los *Conciertos de Brandemburgo,* con Trevor Pinnock, y un casete de Bob Dylan que contenía *Like A Rolling Stone.* Una selección de lo más variopinta, pero no quedaba otra solución: a saber qué música me apetecería escuchar cuando subiera al Carina 1800 GT Twin Cam Turbo. Una vez que me sentara en el coche, tal vez me apeteciera escuchar James Taylor. O quizá valses vieneses. O Police, o Duran Duran. O tal vez no me apeteciese escuchar nada. Yo eso no lo sabía.

Metí las seis cintas en la bolsa, fui a la agencia de alquiler de automóviles, pedí que me enseñaran el coche, entregué el permiso de conducir y firmé los documentos. Comparado con el de mi coche, el asiento del conductor del Carina 1800 GT Twin Cam Turbo parecía el sillón de mandos de una lanzadera espacial. Si una persona acostumbrada a ir en un Carina 1800 GT Twin Cam Turbo condujera mi coche, posiblemente se sentiría como en un sitial prehistórico esculpido sobre en el suelo. Introduje la cinta de Bob Dylan en la pletina y, mientras escuchaba *Watching the River Flow,* fui probando uno a uno, tomándome mi tiempo, todos los mandos del salpicadero. Si me equivocaba de mando mientras conducía, las consecuencias podían ser terribles.

Mientras, con el coche detenido, toqueteaba todos los mandos, la simpática joven que me había atendido salió de la oficina, se colocó a un lado del coche y me preguntó si podía ayudarme. Su sonrisa era tan limpia y agradable como la de un buen anuncio de la televisión. Tenía los dientes blancos, la línea de la mandíbula bien dibujada y un color de lápiz de labios bonito.

Le dije que no tenía ningún problema en particular, que sólo estaba probándolo todo para después no tener ningún percance.

–De acuerdo –dijo la joven y volvió a sonreír.

Su sonrisa me llevó a recordar a una compañera de clase de cuando iba al instituto. Una chica inteligente, de carácter franco y abierto. Según había oído, se había casado con uno de los líderes del movimiento revolucionario que había conocido en la universidad y había tenido dos hijos, pero se había marchado de casa, abandonando a sus hijos, y nadie sabía dónde se encontraba. La sonrisa de la empleada de la agencia me recordó a la de mi compañera de instituto. ¿Quién habría podido prever que aquella jovencita de diecisiete años, a quien le gustaban J.D. Salinger y George Harrison, tendría, unos años después, dos hijos con uno de los líderes del movimiento revolucionario y luego desaparecería sin dejar rastro?

–¡Ojalá todos los clientes fueran tan precavidos como usted! –comentó la joven–. Los paneles digitales de los últimos modelos son difíciles de manejar si no se está acostumbrado.

Asentí. Vamos, que yo no era el único novato.

–¿Dónde tengo que pulsar para sacar la raíz cuadrada de 185? –pregunté.

–Para eso tendrá que esperar a que salga el nuevo modelo –dijo ella, sonriendo–. ¿Es Bob Dylan?

–Sí –dije. Bob Dylan estaba cantando *Positively Fourth Street.* Aunque hubiesen pasado veinte años, una buena canción seguía siendo una buena canción.

–A Bob Dylan enseguida se le reconoce –dijo ella.

–¿Porque es peor con la armónica que Stevie Wonder?

Ella se rió. Me gustó que se riera. Todavía era capaz de hacer reír a una mujer.

–No, no es por eso. Es que tiene una voz muy especial –dijo ella–. Su voz recuerda a un niño de pie delante de la ventana, mirando cómo llueve.

–Es una descripción muy acertada –dije. Y lo era. Yo había leído varios libros sobre Bob Dylan, pero jamás había encontrado una descripción tan exacta. Concisa, llena de precisión. Cuando se lo dije, se ruborizó un poco.

–No sé. Simplemente, eso es lo que siento.

–Es muy difícil expresar en palabras lo que uno siente –dije–. Todos sentimos un montón de cosas, pocas personas son capaces de transmitirlo bien con palabras.

–Me gustaría escribir una novela –dijo.

–Seguro que sería una buena novela.

–Muchas gracias –dijo.

–Es raro que una chica tan joven como tú escuche a Bob Dylan.

–Me gusta la música antigua. Bob Dylan, los Beatles, The Doors, The Birds, Jimi Hendrix...

–Algún día me gustaría hablar un rato contigo –dije.

Ella ladeó ligeramente la cabeza, sonriendo. Una chica guapa conoce trescientas formas distintas de responder a eso. Y puede utilizar cualquiera de ellas con un hombre divorciado, fatigado, de treinta y cinco años. Le di las gracias y arranqué. Dylan cantaba *Memphis Blues Again*. El encuentro con aquella joven me había puesto de muy buen humor. Había sido una suerte elegir el Carina 1800 GT Twin Cam Turbo.

El reloj digital del panel marcaba las cuatro y cuarenta y dos minutos. El cielo de la ciudad se encaminaba hacia el atardecer sin haber recuperado la luz del sol. Yo circulaba a baja velocidad por unas calles llenas de coches que se dirigían a sus casas. Sólo por ser un domingo lluvioso, ya habría sido normal que hubiese un atasco, pero, como además un pequeño coche deportivo verde se había empotrado contra un camión de ocho toneladas cargado de bloques de cemento, el tráfico estaba totalmente paralizado. El deportivo verde semejaba una caja de cartón vacía sobre la que inadvertidamente se hubiese sentado alguien. Varios policías con impermeables de color negro rodeaban el coche, y la grúa estaba enganchando una cadena en la parte trasera del vehículo.

Tardé bastante en dejar atrás el lugar del accidente, pero aún faltaba mucho tiempo para la hora de la cita, de modo que seguí escuchando tranquilamente a Bob Dylan mientras me fumaba un cigarrillo. Traté de imaginar cómo debía de ser estar casada con un líder de un movimiento revolucionario. ¿Se podría considerar el movimiento revolucionario una profesión? No era propiamente una profesión, claro está. Sin embargo, si la política se considera una profesión, la revolución debería considerarse una derivación de ésta. Pero yo estas cosas no las tenía muy claras.

¿Hablaba el marido, al volver a casa, del progreso de la revolución mientras se tomaba una cerveza?

Bob Dylan había empezado a cantar *Like a Rolling Stone,* así que dejé de pensar en la revolución y empecé a silbar al ritmo de la música. Todos nos íbamos haciendo viejos. Era algo tan innegable como la lluvia.

## 34
## EL FIN DEL MUNDO
# Los cráneos

Vi volar a unos pájaros. Los pájaros sobrevolaron, a ras de tierra, la blanca y helada pendiente de la Colina del Oeste y desaparecieron de mi campo visual.

Mientras me calentaba los pies y las manos delante de la estufa, me tomé el té humeante que me había preparado el coronel.

–¿También hoy irás a leer sueños? A este paso, se acumulará mucha nieve y será peligroso subir y bajar la colina. ¿No puedes faltar un día al trabajo? –dijo el anciano.

–Precisamente hoy no puedo faltar –dije.

El anciano salió de la habitación sacudiendo la cabeza y no tardó en regresar trayéndome unas botas para la nieve que había encontrado en alguna parte.

–Póntelas. Con estas botas no resbalarás.

Me las probé, eran exactamente de mi número. Un buen presagio.

Cuando llegó la hora, me enrollé la bufanda al cuello y me puse los guantes y la gorra que me había dejado el anciano. Luego, plegué el acordeón y me lo metí en el bolsillo del abrigo. Me gustaba tanto que no quería separarme de él un solo instante.

–Ten cuidado –me previno el anciano–. Ahora estás en un momento decisivo. Si te sucediera algo, el daño sería irreparable.

–Ya lo sé –dije.

Tal como había supuesto, una buena cantidad de nieve había ido rellenado el agujero. A su alrededor ya no había ningún anciano, y también habían guardado todas las herramientas. A ese ritmo, seguro que a la mañana siguiente el agujero estaría totalmente cubierto por la nieve. Me detuve delante y permanecí largo tiempo contemplando cómo la nieve caía en su interior. Después me aparté del agujero y descendí la colina.

Nevaba tanto que no se veía unos metros más allá. Me quité las gafas y me las metí en el bolsillo, me subí la bufanda hasta justo debajo de los ojos y proseguí el descenso. Bajo mis pies, los clavos de las botas hacían un ruido agradable; de vez en cuando, se oía el grito de algún pájaro en el bosque. ¿Cómo debían de sentirse los pájaros durante la nevada? No lo sabía. ¿Y las bestias? ¿Qué sentirían, qué pensarían envueltas en la nieve que caía sin cesar?

Llegué a la biblioteca una hora antes de lo habitual, pero ella ya me estaba esperando, la estufa encendida caldeaba la habitación. Sacudió la nieve que se me había posado en el abrigo y me sacó el hielo de entre los clavos de las botas.

Aunque había estado allí el día anterior, la visión de la biblioteca despertó en mí una nostalgia indescriptible. La amarillenta luz de la lámpara que se reflejaba en los cristales esmerilados, la íntima tibieza que brotaba de la estufa, el aroma a café que se alzaba desde el pico de la cafetera, los recuerdos de viejos tiempos de silencio infiltrados en cada rincón de la habitación, los gestos tranquilos y comedidos de ella: tenía la sensación de haber perdido todo eso mucho tiempo atrás. Me relajé, dejé que mi cuerpo se hundiera en el aire. Pensé que estaba a punto de perder para siempre aquel mundo tranquilo.

–¿Quieres comer ahora o prefieres dejarlo para después?

–No quiero comer. No tengo hambre –contesté.

–De acuerdo. Cuando tengas apetito, sea cuando sea, me lo dices. ¿Te apetece un café?

–Sí, gracias.

Me quité los guantes, los colgué en el ornamento metálico de la estufa para que se secaran, y mientras me calentaba los dedos de las manos, uno a uno, como si los desanudara, me quedé mirando cómo ella cogía la cafetera de encima de la estufa y llenaba las tazas de café. Me pasó una taza a mí y luego se sentó sola ante la mesa y empezó a tomarse el café.

–¡Qué nevada tan espantosa! No se ve a dos palmos –comenté.

–Sí, nevará unos cuantos días seguidos. Hasta que todas las nubes gruesas que están inmóviles en el cielo hayan descargado.

Me bebí la mitad del café caliente y, con la taza en la mano, tomé asiento frente a ella. Dejé la taza sobre la mesa y contemplé en silencio su rostro. Mientras la miraba, me invadió una tristeza tan grande que me absorbió por completo.

–Cuando cese de nevar, seguro que habrá más nieve acumulada de la que tú hayas visto jamás –dijo ella.

–Pero tal vez yo no pueda verla.

Ella alzó los ojos de su taza y me miró.

–¿Por qué? La nieve puede verla cualquiera.

–Hoy, en vez de leer viejos sueños, preferiría hablar –dije–. Tenemos que hablar de algo muy importante. Yo tengo muchas cosas que decirte y quiero que tú me digas otras. ¿Te importa?

Sin saber adónde quería ir yo a parar, ella cruzó los dedos sobre la mesa y me dirigió una mirada vaga.

–Mi sombra está a punto de morir –dije–. Como ya sabes, este invierno es muy crudo y no creo que aguante mucho más. Es cuestión de tiempo. Cuando mi sombra muera, yo perderé mi corazón para siempre. Así que ahora estoy en un momento crucial. Tengo que decidir muchas cosas. Sobre mí mismo, en relación a ti, sobre todas las cosas. Apenas tengo tiempo para pensar, pero aunque dispusiera de todo el tiempo del mundo, llegaría a la misma conclusión. De hecho, ya he llegado a una conclusión. –Mientras me bebía el café, en mi fuero interno traté de asegurarme de que no había sacado una conclusión errónea. No, no me había equivocado. Sin embargo, eligiera el camino que eligiese, perdería definitivamente muchas cosas–. Es posible que mañana por la tarde deje la ciudad –dije–. No sé por dónde me iré ni cómo. Mi sombra me dirá la manera de salir. Los dos saldremos juntos de la ciudad, volveremos al viejo mundo de donde procedemos y viviremos allí. Yo arrastraré mi sombra, como solía hacer antes, iré envejeciendo entre preocupaciones y sufrimientos y moriré. Creo que ese mundo es más adecuado para mí. Viviré dominado por mi corazón, arrastrado por él. Pero esto tú posiblemente no lo puedas entender.

Ella me miraba fijamente a la cara, pero, en realidad, más que observarme a mí, parecía que tuviera los ojos clavados en el espacio donde estaba mi rostro.

–¿No te gusta esta ciudad?

–Tú, al principio, me dijiste que si había venido en busca de paz, esta ciudad me gustaría. Y, realmente, aprecio su paz y su quietud. Y sé que si yo perdiera mi corazón, esta paz y esta quietud serían completas. En esta ciudad, no hay nada que haga sufrir a nadie. Quizá me arrepienta toda mi vida de haberla abandonado. A pesar de ello, no puedo quedarme aquí. Porque mi corazón no permite que me quede aquí si con ello he de sacrificar a mi sombra y a las bestias. Por más paz que pudiera alcanzar si me quedara aquí, a mi corazón no puedo mentirle, aunque fuera a extinguirse dentro de poco. Aún hay otro problema. Una vez que has perdido una cosa, aunque esa cosa deje de existir, la sigues perdiendo eternamente. ¿Lo entiendes?

Ella permaneció largo rato en silencio, observándose los dedos de las manos. El vapor que se alzaba de las tazas de café había desaparecido. Todo estaba inmóvil en la estancia.

–¿Y ya no volverás jamás a la ciudad?

Asentí.

–Cuando salga de aquí, ya nunca podré volver. Eso está muy claro. Aunque tratara de regresar, la puerta de la ciudad no se abriría.

–¿Y no te importa?

–Perderte a ti va a ser muy duro. Pero yo te amo y lo importante es la pureza de este sentimiento. No quiero tenerte a costa de transformar mi amor en algo antinatural. Sería mil veces peor que perderte conservando mi corazón.

El silencio volvió a adueñarse de la sala de tal manera que el carbón resonaba desmesuradamente al estallar. Al lado de la estufa estaban colgados mi abrigo, mi bufanda, mi gorra y mis guantes. Todo me lo había dado la ciudad. Eran prendas sencillas, pero ya me había habituado a ellas.

–También había pensado en dejar que mi sombra huyera sin mí y en quedarme aquí yo solo –le dije–. Pero si lo hiciera, me expulsarían al bosque y no podría verte más. Porque tú no puedes vivir en el bosque. Los únicos que pueden estar allí son las personas cuya sombra no ha sido eliminada por completo, las personas que todavía conservan un corazón dentro de sus cuerpos. Yo tengo corazón, tú no lo tienes. Por eso tú no puedes ni siquiera necesitarme.

Ella sacudió la cabeza con calma.

–Es verdad, yo no tengo corazón. Mi madre sí tenía, pero yo no. Y como ella conservó su corazón, fue expulsada al bosque. No te lo he contado, pero aún recuerdo cuando la echaron. A veces incluso lo pienso. Pienso que si yo tuviera corazón, habría vivido siempre junto a mi madre en el bosque. Si yo tuviera corazón, también podría necesitarte a ti.

–Pero eso representaría la expulsión al bosque. A pesar de ello, ¿piensas que te gustaría tener corazón?

Ella clavó la vista en sus dedos enlazados sobre la mesa y, luego, los abrió.

–Recuerdo que mi madre decía que, si tienes corazón, vayas a donde vayas, no puedes perder nada. ¿Es eso cierto?

–No lo sé –dije–. No sé si es verdad o no. Tu madre lo creía así. El asunto es si tú lo crees o no.

–Creo que sí puedo creerlo –dijo ella clavando sus ojos en los míos.

–¿¡Lo crees!? –pregunté sorprendido–. ¿¡Crees que puedes creerlo!?

–Quizá –dijo ella.

–Piénsalo bien. Es muy importante. Creer en algo, sea lo que sea, es un acto muy claro del corazón. ¿Entiendes? Imagina que crees en algo. Cabe la posibilidad de que te defrauden. Y si te defraudan, te sientes decepcionado. Y sentir decepción es parte de lo que el corazón es. ¿Tienes acaso corazón?

Ella sacudió la cabeza.

–No lo sé. Yo sólo me acordaba de mi madre. No iba más allá. Sólo he pensado que tal vez podía creer en lo que ella me dijo.

–Es posible que en tu interior quede algo vinculado al corazón, algo que conduzca a él. Pero está firmemente cerrado y no se manifiesta. Por eso a la muralla se le ha pasado por alto.

–Si en mi interior hubiera un corazón, ¿significaría entonces que me ha ocurrido como a mi madre y que mi sombra no ha sido eliminada por completo?

–No, no lo creo. Tu sombra murió aquí y fue enterrada en el manzanar. Está documentado. Pero creo que, gracias a los recuerdos de tu madre, han permanecido en tu interior reminiscencias o fragmentos de memoria y que son éstos los que te sacuden. Y seguro que, si vas repasándolos, te conducirán a alguna parte.

En la estancia reinaba una quietud antinatural. Parecía que todos los sonidos hubiesen sido absorbidos por la nieve que danzaba fuera. Sentí cómo la muralla nos escuchaba a hurtadillas, conteniendo el aliento. Todo estaba demasiado tranquilo.

–Hablemos de los viejos sueños –dije–. ¿Es cierto que las bestias absorben vuestros corazones, que nacen, día tras día, y que éstos se convierten en viejos sueños?

–Sí. Cuando la sombra muere, las bestias asumen nuestro corazón, lo absorben.

–Entonces, a través de los cráneos, yo podría ir descifrando tu corazón, ¿no es así?

–No, eso no es posible. Mi corazón no ha sido absorbido como un todo. Mi corazón, reducido a fragmentos, ha sido absorbido por diferentes bestias y esos fragmentos se han mezclado, de manera indisoluble, con los fragmentos del corazón de otras personas. Tú no podrías distinguir qué pensamiento o sentimiento es mío y cuál es de otra persona. Durante todo este tiempo te has dedicado a leer viejos sueños, pero no has podido discernir qué sueños eran míos, ¿verdad? Los viejos sueños son así. Nadie sabría distinguir a quién pertenecen. El caos desaparece en forma de caos.

Comprendí muy bien lo que me decía. Leía viejos sueños todos los días, pero jamás había sido capaz de comprender un solo fragmento de ellos. Ahora me quedaban sólo veintiuna horas. En esas veintiuna horas tenía que conseguir llegar a su corazón. Era extraño. Estaba en la ciudad de la inmortalidad y, sin embargo, todas mis elecciones quedaban limitadas a un tiempo de veintiuna horas. Cerré los ojos, respiré hondo varias veces seguidas. Tenía que concentrar todas mis fuerzas para dar con el hilo que desembrollara la situación.

–Vamos al almacén –dije.

–¿Al almacén?

–Vayamos al almacén y miremos los cráneos. Tal vez así se nos ocurra la manera.

La tomé de la mano, nos levantamos, pasamos al otro lado del mostrador y abrimos la puerta que conducía al almacén. Cuando ella le dio al interruptor, una luz mortecina iluminó los incontables cráneos alineados en los estantes. Cubiertos por una gruesa capa de polvo, su blancura descolorida destacaba en la penumbra. Abrían las bocas en el mismo ángulo, clavaban sus negras cuencas en el vacío, frente a ellos. El gélido silencio que se desprendía de los cráneos, convertido en una niebla transparente, colgaba sobre el almacén. Nos recostamos en la pared y nos quedamos contemplando las hileras de cráneos. El aire frío me penetraba la piel y me hacía tiritar.

–¿De verdad crees que podrás leer mi corazón? –preguntó ella mirándome.

–Creo que podré leer tu corazón –dije yo con calma.

–¿Y cómo?

–Todavía no lo sé –dije–. Pero lo lograré. Estoy convencido de ello. Seguro que hay un modo de conseguirlo. Y voy a descubrirlo.

–¿Eres capaz de separar una de las gotas de lluvia que caen en el río de otra?

–Escúchame bien. El corazón no es como una gota de lluvia. No es algo que caiga del cielo, no es una cosa que pueda confundirse con otra. Si eres capaz de creerme, créeme. Lo encontraré. Aquí está todo, nada está aquí. Y sé que puedo encontrar lo que busco.

–Encuentra mi corazón –dijo ella tras un corto silencio.

# 35

## EL DESPIADADO PAÍS DE LAS MARAVILLAS

## Cortaúñas. Salsa de mantequilla. Jarrón de metal

Detuve el coche frente a la biblioteca a las cinco y veinte minutos. Como aún faltaba un rato para la hora de la cita, me apeé del coche y di una vuelta por las calles lavadas por la lluvia. Para matar el tiempo, entré en una cafetería y me tomé un café mientras veía un partido de golf, y jugué a un videojuego en un salón recreativo. El juego consistía en ir abatiendo a cañonazos una unidad de tanques que atravesaba un río para atacar mi posición. Al principio, yo llevaba ventaja, pero, a medida que el juego avanzaba, el número de tanques enemigos fue multiplicándose como una manada de *lemmings* hasta que, finalmente, arrasaron mi posición. En aquel instante, una luz blanca incandescente como una explosión atómica llenó la pantalla. Y aparecieron las letras GAME OVER – INSERT COIN. Siguiendo las instrucciones, introduje otra moneda de cien yenes en la ranura. Entonces sonó una musiquilla y mi posición reapareció, intacta, en la pantalla. Era un combate destinado a la derrota. Si yo no perdiera, el juego jamás acabaría, y un juego que no tiene fin carece de sentido. El salón recreativo tendría dificultades, y yo también. Poco después, mi posición fue arrasada de nuevo y la luz incandescente volvió a inundar la pantalla. Y aparecieron las letras GAME OVER – INSERT COIN.

Al lado del salón recreativo había una ferretería. En el escaparate, había expuestos diversos utensilios de forma muy vistosa. Junto a un juego de llaves inglesas y destornilladores, se veían un martillo y un destornillador eléctricos. También había un juego portátil de herramientas de fabricación alemana en un estuche de piel. El estuche era tan pequeño como un monedero, pero contenía, apretadamente dispuestos, desde un cúter pequeño hasta un martillo y un electroscopio. A su lado había un juego de treinta escoplos. Como jamás se me había pasado por la cabeza que pudiera existir tal variedad de cuchillas de escoplo, me quedé boquiabierto al ver aquel juego de treinta escoplos. Cada una de las treinta hojas era ligeramente distinta a las demás y, entre ellas, algunas tenían una forma tan extraña que no podía imaginar para qué servirían. En contraste con el bullicio del salón recreativo, la ferretería estaba silenciosa como la parte oculta de un iceberg. Tras el mostrador del sombrío fondo de la tienda, había sentado un hombre de mediana edad, de pelo ralo, con gafas, desmontando algo con un destornillador.

Obedeciendo a un impulso, entré en la tienda y empecé a buscar un cortaúñas. Descubrí los cortaúñas al lado de los artículos para afeitado, cuidadosamente alineados como un muestrario de insectos. Había uno de forma tan insólita que no logré adivinar cómo se utilizaba. Me decidí por éste y lo llevé al mostrador. Era un trozo plano de acero inoxidable de unos cinco centímetros de largo: no tenía ni idea de dónde tenía que apretar ni cómo manipularlo para cortarme las uñas.

Cuando llegué ante el mostrador, el dueño dejó el destornillador y la batidora que estaba desmontando y me mostró cómo funcionaba.

–Mire, fíjese bien. ¡Uno! ¡Dos! ¡Tres! Y ya tiene un cortaúñas.

–Ya veo –dije. Efectivamente, se había convertido en un cortaúñas magnífico. Lo devolvió a su forma original y me lo tendió. Imité sus gestos y lo convertí de nuevo en un cortaúñas.

–Es un artículo de primera calidad –dijo como si me revelara un secreto–. Es de la casa Henkel, le durará toda la vida. Es muy práctico para ir de viaje. No se oxida, la hoja es fuerte. Incluso podría cortarle las uñas al perro.

Me costó dos mil ochocientos yenes. Iba metido en un pequeño estuche negro de piel. Tras devolverme el cambio, el dueño siguió desmontando la batidora. Había un montón de tornillos, clasificados por tamaños, en unos pulcros platitos de color blanco. Allí colocados, los tornillos negros parecían realmente felices.

Tras comprar el cortaúñas, volví al coche y la esperé escuchando los *Conciertos de Brandemburgo*. Di vueltas a la idea de por qué los tornillos parecían tan felices dentro de los platitos. Quizá fuese porque habían dejado de formar parte de la batidora y habían recobrado su independencia como tornillos. O quizá fuese porque consideraban que, con aquellos platitos blancos, les había tocado en suerte un lugar magnífico. En todo caso, era muy agradable contemplar la felicidad ajena.

Me saqué el cortaúñas del bolsillo de la chaqueta, lo desplegué, me corté la puntita de una uña para probarlo, lo devolví a su posición original y lo guardé dentro del estuche. Al cortar, producía una sensación agradable. Las ferreterías se parecen a acuarios desiertos.

Al aproximarse las seis, la hora de cierre de la biblioteca, salió mucha gente del vestíbulo, en su mayoría estudiantes de bachillerato que debían de haber estado estudiando en la sala de lectura. De la mano de casi todos ellos colgaba una bolsa de deporte de plástico igual que la mía. Pensándolo bien, los estudiantes de bachillerato tienen un no sé qué de artificial. A todos les sobra o les falta algo. Claro que es muy posible que ellos me encuentren mucho menos natural a mí. Así es el mundo. La gente le llama a esto conflicto generacional.

Mezclados con los estudiantes, salían algunos ancianos. Los ancianos suelen pasar la tarde del domingo en la sala de prensa leyendo revistas o cuatro periódicos distintos. Acumulan conocimientos como los elefantes y vuelven a sus casas, donde les aguarda la cena. Los ancianos no ofrecían una impresión tan artificial como los estudiantes.

Cuando se hubieron ido todos, sonó una sirena en algún lugar. Eran las seis de la tarde. Al oír la sirena, noté el estómago vacío por primera vez en días. Pensándolo bien, desde la mañana sólo había comido medio emparedado de huevos con jamón, un pastelillo y unas ostras, y la víspera apenas había comido nada. La sensación de hambre es como un enorme agujero. Como aquellos hondos y oscuros agujeros que había visto en el subterráneo, donde no se oía nada cuando arrojabas una piedra en su interior. Abatí el asiento y me quedé pensando en comida con los ojos clavados en el techo bajo del coche. Por mi imaginación fue desfilando todo tipo de platos. Incluso pensé en los tornillos depositados en los platitos blancos. Recubiertos con salsa bechamel y acompañados de berros, seguro que no estaban mal.

La chica de consultas salió de la biblioteca a las seis y cuarto.

–¿Es tuyo el coche? –preguntó.

–No, es alquilado –dije–. ¿No me va?

–No mucho. No sé, pero me da la impresión de que es para gente más joven.

–Es el único que quedaba en la agencia. No lo he cogido por gusto. La verdad es que me da igual uno que otro.

–Hum... –musitó, dando una vuelta alrededor del coche como si lo estuviera tasando. Subió por el lado opuesto y se sentó. Y examinó detenidamente el interior, abrió el cenicero, atisbó dentro de la guantera.

–Son los *Conciertos de Brandemburgo,* ¿verdad?

–¿Te gustan?

–Muchísimo. Siempre los estoy escuchando. Creo que la mejor versión es la de Karl Richter. Esta grabación es bastante nueva, ¿verdad? ¿De quién es?

–De Trevor Pinnock.

–¿Te gusta Pinnock?

–No especialmente –dije–. He comprado el primero que he visto. Pero no está mal.

–¿Has oído la versión de los *Conciertos de Brandemburgo* dirigidos por Pau Casals?

–No.

–Pues tienes que escucharla. No es muy ortodoxa, pero es fabulosa.

–La escucharé –prometí, pero ignoraba si dispondría de tiempo. Sólo me quedaban dieciocho horas y, además, tenía que dormir un poco. Por más que mi vida se acabase, no podía pasarme toda la noche en vela.

–¿Qué te apetece comer? –le pregunté.

–¿Qué te parece comida italiana?

–Muy bien.

–Podríamos ir a un sitio que conozco –dijo–. Está bastante cerca y los ingredientes son fresquísimos.

–Tengo hambre. Tanta hambre –añadí– que me comería unos tornillos.

–Yo también. Oye, ¡qué camisa tan bonita!

–Gracias –dije.

El restaurante quedaba a quince minutos en coche. Tras avanzar lentamente por el tortuoso camino de una zona residencial esquivando personas y bicicletas, de pronto, a media cuesta, vi el restaurante italiano. Se trataba de una casa de madera blanca de tipo occidental convertida en restaurante, y el cartel era pequeño. A cualquiera se le pasaría por alto que allí había un restaurante. Alrededor había casas rodeadas de altas tapias, de las que sobresalían unos cipreses del Himalaya y unos pinos que perfilaban sus negras siluetas en el cielo del crepúsculo.

–Nunca habría adivinado que hubiese un restaurante por aquí –dije mientras entraba en el aparcamiento del restaurante.

No era muy grande: tenía sólo tres mesas y cuatro asientos en la barra. Un camarero con delantal nos condujo a la mesa del fondo. Desde la ventana que había junto a la mesa se veían las ramas de un ciruelo.

–¿Te parece bien tomar vino? –dijo ella.

–Elígelo tú –contesté. De vinos no entiendo tanto como de cerveza.

Mientras ella conferenciaba sobre vinos con el camarero, yo contemplé el ciruelo del jardín. Me producía una extraña sensación encontrar un ciruelo en el jardín de un restaurante italiano, pero, después de todo, tal vez no fuese tan extraño. Quizá en Italia también hubiese ciruelos. En Francia había nutrias. Tras decidir el vino, abrimos la carta y deliberamos sobre nuestra estrategia gastronómica. Tardamos bastante en elegir. Como entremeses, pedimos para picar ensalada de gambas con salsa de fresas, ostras vivas, mousse de hígado a la italiana, calamares en su tinta, berenjenas fritas al queso y *wakasagi* marinado; de pasta, yo elegí *tagliatelle* caseros, y ella, espaguetis con albahaca.

–Aparte de eso, ¿nos partimos los macarrones aliñados con salsa de pescado? –dijo ella.

–Muy bien –dije.

–¿Qué pescado nos recomiendas hoy? –le preguntó al camarero.

–Hay una lubina muy fresca –dijo el camarero–. ¿Qué les parecería cocida al vapor con almendras?

–Yo la probaré –dijo ella.

–Yo también –dije–. Y, además, ensalada de espinacas y *risotto* con champiñones.

–Y yo verdura y *risotto* con tomate –dijo ella.

–El *risotto* es muy abundante –dijo el camarero, preocupado.

–No se preocupe. Yo apenas he comido desde ayer por la mañana y ella tiene dilatación gástrica –dije.

–Parezco un agujero negro –agregó ella.

–Tomo nota del *risotto* –dijo el camarero.

–Y, de postre, un sorbete de uva, un *soufflé* de limón y, luego, un café *espresso* –dijo ella.

–Y yo, lo mismo –dije.

Cuando el camarero se fue, tras tomarse su tiempo para anotar aplicadamente el pedido, ella me miró sonriente.

–No habrás pedido tanta comida para acompañarme, ¿verdad?

–No. Estoy hambriento, de verdad –dije–. Hace tiempo que no tenía tanta hambre.

–Perfecto –dijo ella–. Yo no me fío de las personas que comen poco. Me da la impresión de que luego se llenan el estómago en otra parte. ¿Qué opinas?

–No lo sé –dije. No lo sabía.

–«No lo sé» es tu expresión favorita, ¿verdad?

–Quizá.

–Y «quizá» es otra de ellas.

Me había quedado sin palabras, de modo que asentí en silencio.

–¿Y por qué? ¿Por qué todas tus ideas son tan ambiguas?

«No lo sé», «quizá», murmuraba para mis adentros cuando el camarero se acercó, abrió la botella de vino y nos lo sirvió ceremoniosamente en las copas con ademanes que recordaban los de un médico, adjunto al Palacio Imperial, especialista en coaptación y en trance de tratar una luxación del príncipe heredero.

–«No es culpa mía» es la expresión favorita del protagonista de *El extranjero,* ¿verdad? ¿Cómo se llamaba? A ver...

–Meursault –dije.

–Eso es. Meursault –repitió ella–. Leí la novela en el instituto. Pero los estudiantes de ahora ya no leen *El extranjero.* Hicimos una encuesta en la biblioteca. ¿Cómo se llamaba ese escritor que te gustaba?

–Turguéniev.

–Eso. Turguéniev no es un gran escritor. Además, está pasado de moda.

–Quizá –dije–. Pero a mí me gusta. También me gustan Flaubert y Thomas Hardy.

–¿No lees nunca a autores contemporáneos?

–Sí. Leo a Somerset Maugham de vez en cuando.

–No creo que haya mucha gente que considere a Somerset Maugham un novelista contemporáneo, pero en fin... –dijo ella inclinando la copa de vino–. Viene a ser lo mismo que no encontrar los discos de Benny Goodman en los *jukebox.*

–Pero es un autor interesante. He leído *El filo de la navaja* tres veces. No es una gran novela, pero se puede leer. Mejor eso que lo contrario.

–Hum... –musitó ella–. Por cierto, esta camisa de color naranja te sienta muy bien.

–Muchas gracias –dije–. Tu vestido tampoco está mal.

–Gracias –dijo. Era un vestido de terciopelo azul marino con un pequeño cuello de encaje blanco. Alrededor del cuello llevaba dos finos collares de plata.

–Después de que me llamaras, fui a casa a cambiarme de ropa. Es muy práctico vivir cerca del lugar de trabajo.

–Ya veo –dije. Ya veía.

En algún momento, nos habían traído los entremeses, de modo que durante un rato comimos en silencio. Era una comida ligera, nada sofisticada, sin presunciones. Los ingredientes eran muy frescos. Las ostras estaban firmemente cerradas y olían mucho a mar, como si acabasen de salir de él.

–¿Ya has solucionado el asunto de los unicornios? –me preguntó mientras desprendía una ostra de su concha con el tenedor.

–Más o menos –dije, y me limpié con la servilleta la tinta de los calamares de la comisura de los labios–. De momento, ya está arreglado.

–¿Y dónde estaba el unicornio?

–Pues aquí –dije señalándome la frente con la punta del dedo–. El unicornio vive dentro de mi cabeza. De hecho, hay una manada entera.

–¿Lo dices en un sentido simbólico?

–No. De simbólico tiene muy poco. Viven dentro de mi cabeza de verdad. Hay una persona que lo ha descubierto.

–¡Qué interesante! Quiero escucharlo. ¡Cuéntamelo!

–No es tan interesante, no creas –dije, y le pasé el plato de berenjenas. Ella, a cambio, me pasó el de *wakasagi*.

–Es igual. Tengo ganas de que me lo cuentes. Muchas ganas.

–En lo más profundo de la conciencia, todos tenemos una especie de núcleo, inaccesible para nosotros mismos. En mi caso, es una ciudad. La cruza un río y está rodeada por una alta muralla de ladrillo. Los habitantes de la ciudad no pueden vivir fuera. Sólo pueden salir los unicornios. Los unicornios absorben, como si fueran papel secante, los egos de los habitantes de la ciudad y los conducen al otro lado de la muralla. Por eso en la ciudad no hay egos. Y yo vivo en esa ciudad. Esto es todo. Yo no la he visto con mis propios ojos, así que no puedo contarte nada más.

–Es una historia muy original –dijo ella.

Después de explicárselo, caí en la cuenta de que el anciano no me había hablado de ningún río. Al parecer, aquel mundo iba atrayéndome poco a poco hacia sí.

–Pero yo no lo he inventado conscientemente –dije.

–Aunque sea de modo inconsciente, es obra tuya, ¿no?

–Eso parece –dije.

–Ese *wakasagi* no está mal, ¿verdad?

–No está mal, no.

–Pero eso que cuentas se parece a aquella historia de los unicornios de Rusia que te leí, ¿recuerdas? –dijo cortando una berenjena por la mitad con el cuchillo–. Los unicornios de Ucrania también vivían en un lugar parecido.

–Pues sí, se parece –dije.

–Quizá haya alguna relación.

–¡Ah, sí! –dije, metiéndome la mano en el bolsillo–. Te he traído un regalo.

–¡Me encantan los regalos! –exclamó ella.

Me saqué el cortaúñas del bolsillo y se lo di. Ella lo sacó del estuche y se lo quedó mirando con extrañeza.

–¿Qué es esto?

–Déjamelo –dije, y tomé el cortaúñas de sus manos–. Fíjate bien. ¡Uno! ¡Dos! ¡Tres!

–¿Un cortaúñas?

–Exacto. Es muy práctico para ir de viaje. Si quieres dejarlo como estaba, tienes que hacer lo mismo pero al revés. Mira.

Volví a dejar el cortaúñas convertido en un trozo de acero y se lo devolví. Ella lo montó y volvió a dejarlo en su forma original.

–Es muy curioso. Muchas gracias –dijo–. ¿Tienes la costumbre de regalarles cortaúñas a las chicas?

–No, es la primera vez. Es que, hace un rato, he visto una ferretería y me han entrado ganas de comprar algo. Y un juego de escoplos era demasiado grande, la verdad.

–El cortaúñas es perfecto. Gracias. Y como los cortaúñas nunca sabes adónde han ido a parar, lo llevaré siempre dentro del bolsillo interior del bolso.

Metió el cortaúñas en el estuche y lo guardó en el bolso.

Nos retiraron los platitos de los entremeses y trajeron la pasta. Aquella violenta sensación de hambre aún no se había aplacado. Los seis platos de los entremeses habían desaparecido sin dejar rastro en el vacío que se abría en mi cuerpo. En un tiempo relativamente breve, me eché al estómago una cantidad considerable de *tagliatelle,* y luego me comí media ración de macarrones aliñados con salsa de pescado. Al acabar, me dio la sensación de que empezaba a vislumbrar una tenue luz en la oscuridad.

Después esperamos a que nos trajeran la lubina bebiendo vino.

–Dime una cosa. Para dejar tu casa en aquel estado, ¿utilizaron alguna máquina especial? –preguntó sin apartar los labios del borde de la copa. Su voz vibró en su interior adquiriendo un timbre sordo–. ¿O lo hicieron varias personas juntas?

–Nada de máquinas. Bastó una sola persona.

–Debía de ser muy fuerte.

–Como una roca.

–¿Un conocido tuyo?

–No, era la primera vez que lo veía.

–Pues el piso estaba hecho un desastre. Parecía que hubiesen jugado un partido de rugby.

–Ya, ya.

–¿Tenía algo que ver con el asunto del unicornio?

–Por lo visto, sí.

–¿Y ya está solucionado todo?

–No. Al menos en lo que respecta a ellos, no.

–¿Y para ti, sí?

–Pues sí y no –contesté–. Como no tengo elección, podría decirse que ya está resuelto, pero como no soy yo quien ha tomado las decisiones, podría decirse que no lo está. Sea como sea, en todo este asunto nadie ha tenido en cuenta mi opinión. Imagínate a un ser humano jugando un partido de waterpolo con un equipo de focas. Pues igual.

–¿Y por eso mañana te vas lejos?

–Más o menos.

–Seguro que estás metido en algún lío. ¿Verdad que sí?

–Es un lío tan grande que ni yo acabo de entenderlo. El mundo se ha ido complicando más y más: la energía nuclear, la división del socialismo, el avance de la informática, la inseminación artificial, los satélites espías, los órganos artificiales, las lobotomías... Incluso los salpicaderos de los coches han cambiado tanto que no hay quien los entienda. Lo que me sucede a mí, para decirlo brevemente, es que me he visto mezclado en la guerra de la información. Vamos, que soy un eslabón hasta que los ordenadores empiecen a tener su propio yo. Un recurso provisional.

–¿Crees que los ordenadores poseerán algún día su propio yo?

–Es posible –dije–. De ser así, ellos mismos podrían codificar los datos y efectuar los cálculos. Y nadie podría robárselos.

El camarero vino y nos puso la lubina y el *risotto* delante.

–Confieso que me cuesta un poco entender todo eso –dijo ella mientras cortaba la lubina con el cuchillo del pescado–. La biblioteca es un lugar muy tranquilo, ¿sabes? Está lleno de libros, la gente viene a leerlos, y ya está. La información está abierta a todo el mundo, nadie se pelea.

–¡Ojalá yo trabajara en una biblioteca! –dije. Sí, en efecto. Debía haberme dedicado a eso.

Comimos la lubina, rebañamos el plato del *risotto*. Por fin empezaba a vislumbrarse el fondo del agujero del hambre.

–La lubina estaba deliciosa –comentó ella con aire satisfecho.

–Conozco un truco para preparar una buena salsa de mantequilla –dije–. Cortas fino un poco de ajo de ascalonia, lo mezclas con mantequilla de buena calidad y lo doras todo con mucho cuidado. Si no vas con cuidado, no tiene buen sabor.

–¿Te gusta cocinar?

–La cocina apenas ha evolucionado desde el siglo XIX. Al menos en lo que respecta a la buena comida. La frescura de los ingredientes, el tiempo y la dedicación, el sabor y la estética, esas cosas no evolucionan jamás.

–Aquí hacen un *soufflé* de limón buenísimo –dijo–. ¿Te cabe en el estómago?

–Por supuesto –dije. *Soufflés,* podría comerme cinco.

Ella se tomó el sorbete de uva, el *soufflé* y se bebió el *espresso*. Tenía razón: el *soufflé* era delicioso. Todos los postres deberían ser siempre tan buenos como aquél. El *espresso* era tan denso que podías cogerlo en la palma de la mano, y el gusto era redondo.

Cuando acabamos de arrojarlo todo dentro de nuestros respectivos agujeros, el cocinero se acercó a saludarnos. Le dijimos que estábamos muy satisfechos por la magnífica comida.

–Merece la pena cocinar para personas con tan buen apetito –dijo–. Ni siquiera en Italia hay muchas personas que coman tanto como ustedes.

–Muchas gracias –dije.

Cuando regresó a la cocina, llamamos al camarero y le pedimos dos *espressos* más.

–Eres la primera persona que conozco que es capaz de comer tanto como yo y quedarse tan tranquilo.

–Aún podría comer más –dije.

–En casa tengo pizza congelada y una botella de Chivas Regal.

–No está mal –dije.

Efectivamente, su casa estaba muy cerca de la biblioteca. Era una casita prefabricada, pero independiente. Tenía recibidor e incluso un jardincito donde apenas cabía una persona acostada. El jardincito no podía tener grandes esperanzas de ver alguna vez el sol, pero en un rincón había plantada una azalea. La casa incluso contaba con una segunda planta.

–La compré cuando estaba casada –dijo–. Devolví el préstamo con el dinero del seguro de vida de mi marido. La compramos con la intención de tener niños. Para una persona sola es demasiado grande.

–Sí, supongo que sí –dije mirando a mi alrededor desde el sofá del cuarto de estar.

Ella sacó una pizza del congelador, la metió en el horno y, después, trajo la botella de Chivas Regal, vasos y hielo a la mesita del cuarto de estar. Encendí el estéreo y fui poniendo varios casetes. Elegí a mi gusto cintas de Jackie McLean, Miles Davis, Wynton Kelly, música de ese estilo. Mientras se hacía la pizza, escuché *Bags' Groove* y *The Surrey with a Fringe on Top* y bebí whisky. Ella abrió una botella de vino para ella.

–¿Te gusta el jazz antiguo? –inquirió.

–En la época del instituto, me pasaba el día escuchando este tipo de jazz en los cafés.

–¿No escuchas música moderna?

–Escucho de todo: Police, Duran Duran... Oigo la que todo el mundo me deja escuchar.

–Pero tú apenas los pones, ¿verdad?

–Es que no tengo necesidad –dije.

–Mi marido, que murió, siempre estaba escuchando esos discos antiguos.

–Se parecía a mí.

–Sí, un poco sí. Lo mataron de un golpe en un autobús. Con un jarrón de metal.

–¿Por qué?

–Le llamó la atención, recriminándolo, a un joven que estaba echándose laca para el pelo dentro del autobús y éste lo golpeó con un jarrón de metal.

–¿Y por qué ese joven llevaba consigo un jarrón de metal?

–No lo sé –dijo–. Ni idea.

Yo tampoco tenía ni idea.

–Sea como sea, morir golpeado en un autobús es una muerte horrible, ¿no crees?

–Sí, es verdad. Pobre –me compadecí.

Cuando estuvo lista la pizza, nos comimos media cada uno. Luego bebimos sentados en el sofá, el uno al lado del otro.

–¿Quieres ver el cráneo del unicornio? –pregunté.

–¡Oh, sí! –dijo–. ¿En serio tienes uno?

–Es una reproducción. No es auténtico.

–No importa. Quiero verlo.

Fui hasta el coche, que estaba aparcado fuera. Cogí la bolsa de deportes del asiento trasero y regresé. Era una noche de principios de octubre, plácida y agradable. Las nubes empezaban a abrirse y por los resquicios se veía una luna casi llena. Era de esperar que al día siguiente hiciera buen tiempo. Volví al sofá de la sala de estar, abrí la cremallera de la bolsa, saqué el cráneo envuelto en la toalla y se lo pasé. Ella dejó el vaso y examinó el cráneo con suma atención.

–Está muy logrado.

–Lo ha hecho un especialista en cráneos –dije tomando un sorbo de whisky.

–Parece de verdad.

Detuve la cinta, saqué las tenazas de la bolsa y le di un golpecito. Se alzó el mismo sonido seco que antes.

–¿Qué haces?

–Cada cabeza tiene su propia resonancia –dijo–. A partir de ésta, el especialista en cráneos puede leer diversos recuerdos.

–¡Qué historia más fantástica! –dijo. Y le dio un golpecito con las tenazas–. A mí no me parece una imitación.

–Es que la ha hecho un tipo bastante maniático, ¿sabes?

–Mi marido tenía la cabeza fracturada. Seguro que no habría sonado bien.

–No lo sé –dije.

Ella dejó el cráneo sobre la mesa, cogió el vaso y tomó un sorbo de vino. Sentados en el sofá, tocándonos con los hombros, inclinamos los vasos y contemplamos el cráneo del animal. El cráneo, desprovisto de carne, parecía que nos sonriera y que se dispusiera a tomar una honda bocanada de aire.

–Pon algo de música –dijo ella.

De entre la montaña de cintas elegí una que me gustó, la metí en la pletina, apreté el botón y volví al sofá.

–¿Te va bien aquí? ¿O prefieres ir arriba, a la cama? –preguntó.

–Prefiero aquí –dije.

Por el altavoz sonaba *I'll Be Home,* de Pat Boone. Me dio la sensación de que el tiempo fluía en la dirección contraria, pero eso ya había dejado de importarme. Podía correr en la dirección que quisiera. Ella echó las cortinas de encaje que daban al jardín, apagó la luz de la habitación. Y se desnudó a la luz de la luna. Se quitó los collares, el reloj de pulsera con forma de brazalete, el vestido de terciopelo. Yo también me quité el reloj de pulsera y lo arrojé al otro lado del respaldo del sofá. Luego me quité la americana, me aflojé la corbata y apuré de un trago el whisky que quedaba en el fondo del vaso.

En el momento en que ella se quitaba los pantis, haciéndolos un ovillo, la música cambió a *Georgia on My Mind,* de Ray Charles. Cerré los ojos, puse los dos pies sobre la mesa y, de la misma forma que el hielo da vueltas en un vaso de whisky, hice girar el tiempo en el interior de mi cabeza. Parecía que todo hubiera ocurrido ya antes. La ropa que se había quitado ella, la música de fondo y las frases que habíamos intercambiado eran un poco distintas. Pero esta diferencia nada cambiaba. Por más vueltas que dábamos, íbamos a parar siempre al mismo sitio. Era como ir montado en un caballo de tiovivo. Un empate eterno. Nadie adelantaba a nadie, nadie era adelantado por nadie. Siempre volvíamos, indefectiblemente, al mismo lugar.

–Parece que todo haya ocurrido ya hace tiempo –dije con los ojos cerrados.

–Claro –dijo ella. Me tomó el vaso de la mano y fue desabrochándome despacio los botones de la camisa.

–¿Y cómo lo sabes?

–Porque lo sé –dijo. Y besó mi pecho desnudo. Su pelo largo caía sobre mi vientre–. Todo ha ocurrido ya en el pasado. Nos limitamos a dar vueltas, una y otra vez. ¿No es cierto?

Todavía con los ojos cerrados, saboreé con mis labios el roce de sus labios, el tacto de su pelo. Pensé en la lubina, pensé en el cortaúñas, pensé en el caracol de la banqueta de la lavandería. El mundo estaba lleno de enseñanzas.

Con los ojos cerrados, la abracé con dulzura y le pasé la mano por la espalda para desabrocharle el sujetador. No había ningún corchete.

–Está delante –me dijo.

El mundo, no cabía duda, evolucionaba.

Tras hacer el amor tres veces, nos duchamos y, envueltos juntos en una manta sobre el sofá, escuchamos un disco de Bing Crosby. Me sentía de maravilla. Mi erección había sido tan perfecta como la pirámide de Gizé, su pelo desprendía un fantástico olor a suavizante y el sofá y los cojines, pese a ser un poco duros, no estaban mal. Pertenecían a una época en que las cosas se construían sólidas y olían a sol de tiempos pretéritos. En el pasado, había existido un tiempo magnífico en el que se fabricaban sofás como aquél como la cosa más natural del mundo.

–Es un buen sofá –dije.

–Pues pensaba comprar otro. Éste está ya viejo y cochambroso.

–A mí me gusta éste.

–Vale. De acuerdo –dijo.

Acompañando a la voz de Bing Crosby, canté *Danny Boy*.

–¿Te gusta esta canción?

–Sí, mucho –dije–. En primaria gané el primer premio de un concurso de armónica tocando esta melodía. Me dieron una docena de lápices. Hace tiempo, era muy bueno con la armónica.

Se rió.

–¡Qué extraña es la vida!

–Sí, es extraña –dije.

Ella volvió a poner *Danny Boy* y yo volví a cantarla siguiendo la música. La segunda vez que la canté, me entristecí.

–¿Me escribirás cuando te vayas? –me preguntó.

–Te escribiré –respondí–. Si puedo echar las cartas al correo, claro.

Nos partimos, mitad y mitad, el vino que quedaba en la botella y nos lo bebimos.

–¿Qué hora es? –pregunté.

–Medianoche –respondió.

36

EL FIN DEL MUNDO

# El acordeón

–Lo sientes, ¿no es cierto? –dijo–. Sientes que podrás leer mi corazón, ¿verdad?

–Sí, lo siento con mucha fuerza. Tu corazón está al alcance de mi mano, lo sé. Pero no lo veo. Sin embargo, estoy convencido de que la manera de lograrlo ya me ha sido mostrada, que está ante mis ojos.

–Si tú lo sientes así, seguro que tienes razón.

–Pero no consigo descubrirla.

Nos sentamos en el suelo del almacén, recostados en la pared, y alzamos la vista hacia los cráneos. Inmóviles, los cráneos estaban vueltos hacia mí, pero no pronunciaban palabra.

–Eso que sientes con tanta intensidad, ¿no podría haber sucedido hace relativamente poco? –dijo–. Intenta acordarte de todo lo que ha ocurrido a tu alrededor desde que tu sombra empezó a debilitarse. Quizá ahí se esconda la clave. La clave que nos conduzca a mi corazón.

Sobre el suelo helado, entorné los ojos y agucé el oído en un intento de percibir los ecos del silencio que emitían los cráneos.

–Esta mañana, los ancianos han excavado un agujero delante de mi habitación. No sé qué pretendían enterrar, pero era muy grande. Me ha despertado el ruido de las palas. Me ha dado la sensación de que me horadaban el cráneo. Pero la nieve ha cubierto el agujero.

–¿Y aparte de eso?

–Los dos fuimos a la central eléctrica, ¿te acuerdas? Vi al encargado y hablé con él sobre el bosque. Me enseñó las máquinas de la central que están sobre el agujero del viento. El aullido del viento es odioso, parece que sople desde el fondo de los infiernos. El encargado era joven, de carácter apacible, delgado.

–¿Y luego?

–Me dio un acordeón, un pequeño acordeón plegable. Es viejo, pero suena bien.

Sentada en el suelo, ella reflexionaba. En el almacén la temperatura descendía minuto a minuto.

–Quizá sea el acordeón –dijo ella–. Sí. Seguro que ahí está el secreto.

–¿El acordeón?

–Tiene lógica, ¿no crees? El acordeón está ligado con la música, la música está ligada con mi madre, mi madre está ligada a los fragmentos de mi corazón.

–Seguro que es eso –dije–. Sí, todo cobraría sentido. Quizá sea ésa la clave. Sin embargo, falta un eslabón fundamental de la cadena. Y es que yo no recuerdo ninguna canción.

–No hace falta que sea una canción. ¿Puedes dejarme escuchar un poco cómo suena?

–Claro.

Salí del almacén, saqué el acordeón del bolsillo del abrigo, que estaba al lado de la estufa, volví junto a ella con el acordeón y me senté. Deslicé ambas manos bajo las correas de las cajas e intenté tocar algunos acordes.

–¡Qué sonido tan bonito! –dijo ella–. ¿Es igual que el sonido del viento?

–Es el sonido del viento. Voy creando vientos con diferentes sonidos y los combino.

Ella cerró los ojos y se quedó inmóvil, escuchando los acordes.

Toqué, por orden, todos los acordes que logré recordar. Tanteando suavemente con los dedos de la mano derecha, fui pulsando la escala musical. No salió ninguna melodía, pero era igual. Bastaba con que le dejase oír el sonido del acordeón como si fuese el del viento. Decidí no buscar nada más. Bastaba con que confiase mi corazón al viento, como un pájaro.

Me dije que jamás podría abandonar mi corazón. Por más pesado, por más triste que fuera en unas ocasiones, en otras surcaba el viento igual que un pájaro y alcanzaba a ver el infinito. Incluso podía sumergir mi corazón dentro de los ecos de aquel pequeño instrumento.

Me dio la sensación de que el viento que soplaba en el exterior del edificio llegaba a mis oídos. El viento invernal danzaba sobre la ciudad. Se arremolinaba alrededor de la alta torre del reloj, cruzaba bajo los puentes, agitaba las ramas de los sauces que bordeaban el río. Azotaba las ramas de los árboles del bosque, barría la pradera, hacía crujir los postes eléctricos del área industrial, golpeaba la puerta de la muralla. Bajo su soplo, las bestias se helaban y las personas contenían el aliento en el interior de sus casas. Con los ojos cerrados, evoqué diversas imágenes de la ciudad. Las isletas del río, una de las atalayas situadas al oeste, la central eléctrica del bosque, el rincón soleado de delante de la Residencia Oficial en que se sentaban los ancianos. Las bestias inclinadas para beber agua en los remansos del río; el viento meciendo la verde hierba que en verano crecía en los escalones de piedra del canal. Recordé, hasta en sus menores detalles, el lago situado hacia el sur, adonde habíamos ido juntos ella y yo. Me acordé de los pequeños campos de cultivo, detrás de la central eléctrica, y de la pradera donde se hallaban los antiguos barracones, y de las ruinas y del viejo pozo que quedaban donde el Bosque del Este lindaba con la muralla.

Pensé en las personas a las que había conocido en la ciudad. Mi vecino el coronel, los ancianos que vivían en la Residencia Oficial, el encargado de la central eléctrica, el guardián de la Puerta del Oeste... En aquel instante, todos ellos debían de estar en sus respectivas habitaciones escuchando el rugido de la ventisca que azotaba la ciudad.

Estaba a punto de perder para siempre todos y cada uno de estos paisajes, a todas y cada una de estas personas. Y luego, por supuesto, estaba ella. Pero yo recordaría siempre, como si acabara de verlos la víspera, aquel mundo y a las personas que lo habitaban. Ellos no tenían ninguna culpa de que la ciudad fuese antinatural y se asentara en algo erróneo, ni de que sus habitantes hubiesen perdido el corazón. Incluso tal vez recordase al guardián con nostalgia. Porque él sólo era un eslabón más de la férrea cadena en que consistía la ciudad. Algo había creado la poderosa muralla, y las personas sólo habían sido absorbidas por ella. Sentí que era capaz de amar todos los paisajes y a todas las personas de la ciudad. No podía quedarme allí. Pero los amaba.

En aquel instante, algo golpeó levemente mi corazón. Uno de los acordes insistía en permanecer en mi interior, como si me pidiera algo. Abrí los ojos, decidí tocarlo de nuevo. Con la mano derecha busqué los sonidos que le correspondían. Al cabo de un largo rato, di al fin con las cuatro primeras notas de una melodía. Aquellas cuatro notas fueron bajando despacio del cielo, danzando en el aire como tibios rayos del sol, hasta posarse en mi corazón. Aquellas cuatro notas me necesitaban a mí y yo las necesitaba a ellas.

Pulsando las claves del teclado, toqué aquellas cuatro notas muchas veces. Noté que requerían unas cuantas notas más y un acorde distinto. Busqué un nuevo acorde. Lo hallé enseguida. Aún iba a costarme un poco encontrar la melodía, pero las cuatro primeras notas me condujeron a las cinco siguientes. A éstas las sucedieron un nuevo acorde y otras tres notas.

Aquello era una canción. No una canción completa, pero sí la primera estrofa de una canción. Repetí, una vez tras otra, los tres acordes y las doce notas. Debía de ser una canción que conocía.

*Danny Boy*.

Cerré los ojos, proseguí. En cuanto hube recordado el título de la canción, la melodía y los acordes empezaron a fluir espontáneamente a través de las puntas de mis dedos. Toqué la melodía una vez tras otra. Percibía con toda claridad cómo la música se iba infiltrando en mi corazón y aligeraba la tensión y la rigidez de cada rincón de mi cuerpo. Al oír música por primera vez después de tanto tiempo, me di cuenta de cuánto la había necesitado. Hacía tanto que la había perdido que incluso había dejado de añorarla. La música tornó leves mi corazón y mis músculos helados por el frío invernal y confirió a mis ojos una cálida y nostálgica luz.

En aquella música creí percibir el aliento de la ciudad. Yo estaba dentro de la ciudad, la ciudad estaba dentro de mí. La ciudad respiraba y temblaba al compás del temblor de mi cuerpo. La muralla se movía, serpenteaba. Sentí la muralla como si fuera mi propia piel.

Tras repetir muchas veces aquella melodía, aparté las manos del instrumento, lo dejé en el suelo, me recosté en la pared y cerré los ojos. Aún podía notar el temblor de mi cuerpo. Todo lo que había allí era yo. La muralla, la puerta, las bestias, el bosque, el río, el agujero por donde surgía el fuerte viento, el lago: todo era yo. Todo estaba en mi interior. Probablemente, incluso el frío invierno era yo.

Aun después de que hubiera dejado el acordeón, ella continuó con los ojos cerrados, aferrada con ambas manos a mi brazo. De sus ojos brotaban lágrimas. Apoyé una mano en su hombro, posé los labios sobre sus ojos. Las lágrimas les conferían una humedad cálida y suave. Una luz tenue y dulce iluminó sus mejillas haciendo brillar sus lágrimas. No se trataba, sin embargo, de la luz mortecina de la lámpara que colgaba del techo. Era una luz más blanca, más cálida, como la de las estrellas.

Me levanté y apagué la lámpara. Descubrí de dónde venía la luz.

Eran los cráneos, que brillaban. La habitación estaba iluminada como si fuera mediodía. Era una luz suave como un rayo de sol de primavera, serena como el claro de luna. La vieja luz dormida en el interior de los incontables cráneos alineados sobre los estantes ahora estaba despertando. Las hileras de cráneos brillaban en silencio como el mar centelleante de la mañana fragmentado en mil puntos de luz. Sin embargo, aquella luz no cegaba mis ojos. Aquella luz me llenaba de paz, infundía en mi corazón el calor que habían traído consigo los viejos recuerdos. Podía sentir que mis ojos estaban curados. Ya nada podía lastimarlos.

Era una visión maravillosa. La luz se esparcía por todas partes. Los cráneos despedían la luz del prometido silencio como una joya divisada en el fondo de unas aguas cristalinas. Tomé un cráneo en la mano, deslicé suavemente las puntas de los dedos por la superficie. En él, descubrí su corazón. Su corazón estaba allí. Lo sentía, pequeño, en las yemas de mis dedos. Cada uno de los puntitos de luz no poseía más que una tibieza y una claridad muy suaves, pero eran una tibieza y una claridad que nadie le podía arrebatar.

–Tu corazón está ahí –le dije–. Lo que resalta y brilla es tu corazón.

Ella esbozó un gesto de asentimiento y clavó en mí sus ojos anegados en lágrimas.

–Podré leer tu corazón. Y podré reunirlo en un todo. Tu corazón ya no será un trozo de corazón perdido y fragmentado en mil pedazos. Está aquí y nadie podrá arrebatártelo. –Volví a posar los labios sobre sus párpados–. Déjame aquí, solo –dije–. Quiero leer tu corazón antes de que llegue la mañana. Después dormiré un poco.

Ella volvió a asentir, echó una mirada circular a las hileras de cráneos que brillaban y salió del almacén. Cuando la puerta se cerró, me recosté en la pared y, durante una eternidad, contemplé los numerosos puntos de luz que brillaban sobre los cráneos. Aquella luz eran los viejos sueños que ella había tenido y, al mismo tiempo, eran mis propios viejos sueños. Lo había descubierto finalmente tras recorrer un largo camino por aquella ciudad amurallada.

Cogí un cráneo, posé ambas manos sobre él, cerré suavemente los ojos.

# 37

## EL DESPIADADO PAÍS DE LAS MARAVILLAS

## Luz. Introspección. Limpieza

No sabía cuántas horas había dormido. Alguien me zarandeaba. Lo primero que sentí fue el olor del sofá. Luego, irritación hacia la persona que me estaba despertando. Todo el mundo, como una plaga de langostas en otoño, pretendía arrancarme de mi fecundo sueño.

A pesar de ello, algo en mi interior me urgía a despertar. Como si me dijera: «No tienes tiempo de dormir». Ese algo de mi interior me estaba golpeando la cabeza con un gran jarrón de metal.

–¡Despierta, por favor! –dijo ella.

Me incorporé sobre el sofá y abrí los ojos. Estaba envuelto en un albornoz de color naranja. Ella llevaba una camiseta blanca de hombre y estaba encima de mí, sacudiéndome los hombros. Cubierta sólo con una camiseta y unas braguitas blancas, su cuerpo delgado me hizo pensar en un niño pequeño y frágil. Un cuerpo susceptible de ser reducido a polvo y barrido por una fuerte ráfaga de viento. ¿Adónde diablos había ido a parar toda aquella comida italiana que habíamos devorado? ¿Y dónde había dejado mi reloj de pulsera? Todo estaba oscuro. Si mis ojos no me engañaban, todavía no había amanecido.

–¡Mira! ¡Allí, encima de la mesa! –me dijo ella.

La obedecí. Sobre la mesa había una especie de pequeño árbol de Navidad. Pero no podía ser un árbol de Navidad: era demasiado pequeño y, además, estábamos sólo a principios de octubre. No, no podía ser. Cerrándome con ambas manos las solapas del albornoz, miré fijamente el objeto que había sobre la mesa. Era el cráneo que yo había dejado allí. No, quizá ella lo había depositado en la mesa. No recordaba quién de los dos lo había puesto allí. No importaba. En todo caso, lo que brillaba sobre la mesa como un árbol de Navidad era el cráneo del unicornio que había traído yo. Un halo de luz envolvía la calavera.

Cada uno de los puntitos luminosos era diminuto, y su luz no era muy potente. Pero los pequeños puntos de luz flotaban por encima del cráneo como incontables estrellas. Era una luz blanca, tenue y dulce. Cada puntito estaba rodeado a su vez de un halo de luz distinta, más difusa, y sus contornos aparecían vagamente velados. Por eso, más que brillar en la superficie del cráneo, la luz flotaba por encima. Sentados juntos en el sofá, permanecimos largo tiempo en silencio con los ojos clavados en aquel mar de pequeñas luces. Ella me aferraba un brazo con ambas manos, yo seguía con las dos manos en las solapas del albornoz. Eran altas horas de la noche, no se oía ningún ruido en los alrededores.

–¿Qué es eso? ¿Es algún artificio?

Sacudí la cabeza. Había pasado una noche en casa con el cráneo y no había emitido luz. Si se debiera a algún tipo de pintura o de musgo fosforescente, no brillaría y dejaría de brillar a su capricho. Cuando estuviera oscuro, brillaría. Además, antes de que nos durmiésemos, no brillaba. No se trataba de ningún artificio. Era algo especial, no creado por manos humanas. Ninguna fuerza artificial habría podido producir una luz tan dulce y serena.

Me desprendí con suavidad de las manos que me aferraban el brazo derecho, alargué la mano hacia el cráneo, lo alcé en silencio y lo deposité sobre mis rodillas.

–¿No te da miedo? –me preguntó ella en voz baja.

–No –dije. No me daba miedo. Aquello debía de tener alguna relación conmigo. Y nadie se teme a sí mismo.

Al cubrir el cráneo con las palmas de las manos sentí el calor tibio de un débil rescoldo. Incluso mis dedos estaban envueltos en un halo de pálida luz. Cerré los ojos, dejé que mis diez dedos se empaparan en aquella tibieza suave y sentí que una multitud de viejos recuerdos emergían en mi corazón como nubes lejanas.

–No parece una reproducción –comentó ella–. Seguro que es un cráneo auténtico, que viene de tiempos remotos trayendo recuerdos lejanos...

Asentí en silencio. Pero ¿qué podía saber yo? Fuera lo que fuese aquello, lo cierto era que emanaba luz y que esa luz estaba en mis manos. Sólo sabía que la luz me estaba diciendo algo. Lo intuía. Posiblemente, se me estaba mostrando algún camino. Pero podía estar relacionado tanto con el nuevo mundo al que me acercaba como con el viejo mundo que me disponía a abandonar. Eso yo no era capaz de discernirlo.

Abrí los ojos y contemplé de nuevo la luz que teñía mis dedos de blanco. No podía captar el significado de la luz, pero sí percibía claramente que estaba desprovista de malicia y hostilidad. Asentada en mi mano, parecía satisfecha de encontrarse allí. Seguí con la punta del dedo la línea de luz que flotaba en el aire. «No hay por qué tener miedo», pensé. No había ninguna razón para temerme a mí mismo.

Volví a depositar el cráneo sobre la mesa, le toqué la mejilla a ella con la punta de aquel dedo.

–Está caliente –constató.

–Es que la luz está caliente –dije.

–¿Crees que yo también podría tocarla?

–Claro.

Ella permaneció un rato con las manos posadas sobre el cráneo y los ojos cerrados. Como era de esperar, sus dedos también se cubrieron de un velo de luz blanca.

–He sentido algo –dijo–. No sé qué es, pero es algo que sentí hace tiempo en algún sitio. El aire, la luz, el sonido, todo eso. Pero no sabría explicarlo.

–Yo tampoco –dije–. Tengo sed.

–¿Quieres cerveza? ¿O agua?

–Mejor cerveza –dije.

Mientras ella sacaba cerveza de la nevera y la traía a la sala de estar junto con dos vasos, recogí el reloj de pulsera de detrás del sofá y miré la hora. Eran las cuatro y dieciséis minutos. Poco más de una hora después, amanecería. Cogí el teléfono y marqué el número de mi piso. No había llamado nunca a mi casa, así que me costó un poco recordar el número. Nadie descolgó. Dejé que el timbre sonara quince veces, colgué, volví a marcar el número y esperé de nuevo hasta el decimoquinto timbrazo. El resultado fue el mismo. No había nadie.

¿Habría regresado la joven gorda al subterráneo, donde la esperaba su abuelo? ¿O habrían aparecido de nuevo los semióticos o los del Sistema y la habrían capturado? Me dije que, de todas maneras, ella sabía muy bien lo que hacía. Era diez veces más capaz que yo de afrontar cualquier situación, por peligrosa que fuera. Y, además, tenía la mitad de años que yo, lo cual no carecía de importancia. Al colgar, sentí un poco de nostalgia pensando que no volvería a verla. Era una sensación parecida a la que produce ver cómo van sacando todos los sofás y las lámparas de araña de un hotel que en breve será clausurado. Las ventanas se van cerrando una tras otra, se descuelgan las cortinas.

Bebimos cerveza mientras contemplábamos la luz blanca que emitía el cráneo.

–¿Crees que eres tú quien hace brillar la luz? –preguntó.

–No lo sé –dije–, pero esa impresión me da. Claro que también es posible que no y que brille en respuesta a otra cosa.

Me serví el resto de cerveza en el vaso y la apuré lentamente. El mundo de antes del amanecer era silencioso y desierto como el corazón de un bosque. Sobre la alfombra estaban esparcidas mis ropas y las suyas. Mi blazer, mi camisa, mi corbata, mis pantalones, su vestido, sus medias, su combinación. Me dio la sensación de que aquel amasijo de ropa tirada por el suelo era la materialización de los treinta y cinco años de mi vida.

–¿Qué estás mirando? –me preguntó.

–La ropa.

–¿Y por qué la miras?

–Porque hasta hace poco era una parte de mí. Y tu ropa era una parte de ti. Pero ahora ya no. Parece una ropa distinta de unas personas distintas. No parece mi ropa.

–Eso quizá te pasa porque has hecho el amor –dijo ella–. Después de hacer el amor, las personas tienden a la introspección.

–No, no es eso –dije con el vaso vacío en la mano–. No estoy introspectivo. Sólo es que me llaman la atención las cosas pequeñas que componen el mundo. Los caracoles, las gotas de lluvia que caen del tejado, el escaparate de una ferretería, esa clase de cosas.

–¿Recojo la ropa?

–No, ya está bien como está. Así me siento más tranquilo. No hace falta que la recojas.

–Háblame de los caracoles.

–He visto un caracol delante de la lavandería –dije–. No sabía que hubiera caracoles en otoño.

–Hay caracoles todo el año.

–Sí, ya lo he visto.

–¿Sabías que en Europa los caracoles tienen un sentido mítico? –dijo ella–. La concha significa el mundo de las tinieblas, y el hecho de que el caracol asome de la concha significa que ha salido la luz del sol. Por eso las personas, cuando ven un caracol, tienen el gesto instintivo de golpear la concha para que el caracol salga. ¿Lo has hecho alguna vez?

–No –dije–. Sabes muchas cosas.

–Trabajando en una biblioteca se aprenden un montón de cosas.

Cogí la cajetilla de Seven Star de encima de la mesa y encendí un cigarrillo con las cerillas que me habían dado en la cervecería. Entonces volví a mirar la ropa esparcida por el suelo. Una manga de mi camisa descansaba sobre sus medias azul pálido. Su vestido de terciopelo estaba doblado por la mitad, como si se retorciera, y la fina combinación estaba a su lado como una bandera arriada. Sus collares y su reloj estaban dispersos sobre el sofá, y el bolso negro de piel descansaba sobre una mesa de café que había en un rincón de la habitación.

Su ropa tirada por el suelo parecía más ella que ella misma. O quizá era que mi ropa parecía más yo que yo mismo.

–¿Por qué empezaste a trabajar en una biblioteca? –quise saber.

–Porque me gustan las bibliotecas. Son tranquilas, están llenas de libros, rebosan conocimientos. No me apetecía trabajar ni en un banco ni en una empresa comercial, y tampoco quería ser profesora.

Exhalé el humo del cigarrillo hacia el techo, contemplé su trayectoria.

–¿Quieres saber más cosas sobre mí? –me preguntó–. ¿Dónde nací, cómo era de jovencita, a qué universidad fui, cuándo perdí la virginidad, qué color me gusta, estas cosas?

–No –contesté–. Ahora no. Quiero saberlo poco a poco.

–Yo también quiero conocerte poco a poco.

–Nací cerca del mar –dije–. Cuando me acercaba a la playa por la mañana, después de un tifón, en la orilla había todo tipo de objetos arrojados por las olas. Uno encontraba las cosas más sorprendentes. Desde botellas, *geta,** sombreros, estuches de gafas, y hasta mesas y sillas. No tengo ni idea de cómo llegaban hasta la playa. Pero a mí me encantaba ir a buscarlos y esperaba ilusionado a que llegara un tifón. Seguro que los habían tirado en alguna playa y que las olas los habían arrastrado hasta allí. –Apagué el cigarrillo en el cenicero y dejé el vaso vacío sobre la mesa–. Todos aquellos objetos arrojados por las olas estaban asombrosamente limpios. Eran sólo trastos inútiles, pero estaban limpísimos. No había ni uno solo que estuviera tan sucio que no se pudiera tocar. El mar es algo muy especial. Cuando pienso en aquella época, siempre me acuerdo de esa basura varada en la playa. Mi vida siempre ha consistido en esto. En recoger basura, ir limpiándola a mi modo e ir arrojándola a otra parte. Pero es una basura inútil. Y se pudre allí donde está. Nada más.

* Sandalias con la suela de madera. *(N. de la T.)*

–Pero para hacer eso se necesita estilo. Para limpiarla, quiero decir.

–¿Y qué necesidad hay de tener un estilo así? También un caracol tiene estilo. Lo único que hago yo es ir de una playa a otra. Recuerdo muchas cosas que han sucedido en mi vida, pero sólo las recuerdo. Ninguna de ellas tiene nada que ver con el hombre que soy ahora. Simplemente las recuerdo. Son cosas limpias, pero sin utilidad alguna.

Ella posó una mano en mi hombro, se levantó del sofá y fue a la cocina. Sacó del refrigerador una botella de vino, llenó una copa, la puso sobre una bandeja junto con otra cerveza y la trajo a la mesa.

–Estas horas de oscuridad antes del amanecer me encantan –dijo–. Porque son limpias y no sirven para nada, supongo.

–Pero se terminan enseguida. Amanece y viene el repartidor de periódicos, el de la leche, empiezan a circular los trenes.

Ella se deslizó a mi lado, se subió la manta hasta el pecho y tomó un sorbo de vino. Yo me serví la cerveza y, con el vaso en la mano, contemplé el cráneo, encima de la mesa, que aún no había perdido su resplandor. Arrojaba su pálida luz sobre la botella de cerveza, el cenicero y las cerillas. Ella posó la cabeza en mi hombro.

–Antes te he estado mirando mientras venías de la cocina –dije.

–¿Y qué te parece?

–Pues que tienes unas piernas muy bonitas.

–¿Te gustan?

–Mucho.

Ella dejó la copa sobre la mesa y me dio un beso justo debajo de la oreja.

–¿Sabes? –dijo–. Me encantan los cumplidos.

Cuando amaneció y poco a poco fue haciéndose de día, la luz del cráneo, como lavada por el sol, fue perdiendo lentamente su brillo y el cráneo volvió a ser un montón de huesos blancos anodinos. Abrazados en el sofá, contemplamos cómo la luz de la mañana iba arrebatando las sombras al mundo que había al otro lado de las cortinas. Su cálido aliento humedecía mi hombro, sus senos eran pequeños y suaves.

Cuando acabó de beberse el vino, se durmió plácidamente, como plegándose a aquel pequeño espacio de tiempo. La luz del sol teñía los tejados de las casas vecinas, los pájaros venían al jardín y se marchaban. La voz de un locutor daba las noticias, alguien ponía en marcha el motor de su coche. Yo ya no tenía sueño. No recordaba cuántas horas había dormido, pero el sopor había desaparecido por completo y tenía ya la cabeza despejada de los efectos del alcohol. Aparté con suavidad su cabeza de mi hombro, me levanté del sofá, fui a la cocina, bebí varios vasos de agua y me fumé un cigarrillo. Luego cerré la puerta que separaba la cocina del cuarto de estar, encendí el radiocasete de encima de la mesa y sintonicé a bajo volumen una emisora de FM. Me apetecía escuchar una melodía de Bob Dylan, pero, desgraciadamente, no pusieron ninguna. En cambio, pusieron *Autumn Leaves,* de Roger Williams. Era otoño.

Su cocina se parecía mucho a la mía. Había un fregadero, un extractor, una nevera con congelador, un calentador de gas. El tamaño, la funcionalidad y el número de cacharros eran casi los mismos. La única diferencia era que allí no había un horno de gas sino un microondas. También había una cafetera eléctrica. Se veía un juego de cuchillos de cocina distribuidos según su uso, pero afilados de manera desigual. Hay pocas mujeres que sepan afilar bien los cuchillos. Todos los cuencos para cocinar eran de pírex, muy prácticos para el microondas, y las sartenes estaban cuidadosamente untadas de aceite. El recogedor de basura que había debajo del fregadero estaba limpio.

Ni yo mismo sé por qué me interesan tanto las cocinas ajenas. No pretendo escudriñar los detalles de la vida cotidiana de los otros, pero reconozco que las cocinas me llaman la atención de un modo muy natural. Acabó *Autumn Leaves,* de Roger Williams, y le siguió *Autumn in New York,* por la Frank Chacksfield Orchestra. Envuelto en la luz de una mañana de otoño, contemplé distraídamente las cazuelas, los cuencos y los botes de especias alineados en los estantes. La cocina es un mundo en sí mismo. Ya lo decía William Shakespeare. El mundo es una cocina.

Al acabar la melodía, una locutora comentó: «¡Ya estamos en otoño!». Luego habló del olor del primer jersey que te pones en otoño. Dijo que en una novela de John Updike hay una buena descripción de este olor. La siguiente melodía fue *Early Autumn,* de Woody Herman. El reloj de cocina de encima de la mesa señalaba las siete y veinticinco minutos. Las siete y veinticinco minutos de la mañana del 3 de octubre. Lunes. El cielo estaba tan claro y parecía tan profundo como si hubiesen escarbado su fondo con un cuchillo afilado. No parecía un mal día para dejar este mundo.

Puse agua a calentar y escaldé unos tomates que había en el frigorífico, y piqué ajo y unas verduras que encontré para preparar una salsa de tomate; luego añadí unas salchichas y dejé que se cociera todo a fuego lento. Mientras tanto, corté pimiento y pepino en trozos pequeños, preparé una ensalada, hice café en la cafetera, rocié con unas gotas de agua una barra de pan, la envolví en papel de aluminio y la tosté en el horno. Cuando la comida estuvo lista, la desperté, y recogí el vaso, la copa y la botella de cerveza vacía de encima de la mesa del comedor.

–¡Qué bien huele! –dijo ella.

–¿Puedo vestirme ya? –pregunté.

No me visto nunca antes de que lo haga la mujer. Creo que da mala suerte. En la sociedad civilizada quizá se considere educación.

–Claro, adelante –dijo, quitándose la camiseta. La luz de la mañana creaba suaves sombras en sus pechos y en su vientre, y hacía brillar el vello de su piel. Ella permaneció unos instantes así, contemplando su cuerpo desnudo.

–No está mal, ¿verdad?

–No, no está nada mal –dije.

–No tengo grasa, tampoco arrugas en la barriga, y la piel todavía está tersa. De momento, claro –dijo ella, apoyando las dos manos en el sofá y volviéndose hacia mí–. Pero, un día, todo esto desaparecerá de repente, ¿no te parece? Se acabará, como un hilo que se corta, sin posibilidad de volver atrás. Es triste.

–Comamos –dije.

Ella fue a la habitación contigua, se pasó una sudadera amarilla por la cabeza y se enfundó unos viejos vaqueros descoloridos. Yo me puse los pantalones chinos y la camisa. Y nos sentamos frente a frente en la mesa de la cocina; comimos el pan, las salchichas y la ensalada, y tomamos café.

–¿Tú te acostumbras tan rápido a las cocinas de todas las casas? –me preguntó.

–En esencia, todas las cocinas son iguales –dije–. En ellas se cocina y se come. No hay gran diferencia entre una y otra.

–¿No te hartas a veces de vivir solo?

–No lo sé. Es que nunca he pensado en ello. Viví cinco años con mi mujer, pero ahora ni siquiera recuerdo qué tipo de vida llevaba. Me da la sensación de haber vivido siempre solo.

–¿Nunca has pensado en casarte otra vez?

–Me da lo mismo –dije–. Es igual una cosa que otra. Es como una perrera con una entrada y una salida. No importa por dónde se entra y por dónde se sale.

Ella se rió y se enjugó con una servilleta de papel la salsa de tomate de las comisuras de los labios.

–Es la primera vez que oigo a alguien comparar el matrimonio con una perrera.

Cuando terminamos de desayunar, calenté el café que quedaba y serví una taza para cada uno.

–La salsa de tomate estaba muy buena –dijo.

–Con laurel y orégano habría estado aún mejor –dije–. Y dejándola diez minutos más en el fuego, también.

–De todas formas, estaba buena. Hacía tiempo que no tomaba un desayuno tan bien preparado –dijo–. ¿Qué vas a hacer ahora?

Miré el reloj. Eran las ocho y media.

–A las nueve podemos salir –dije–. Ir a algún parque y tomar el sol mientras nos bebemos una cerveza. Y a las diez y media, te acompaño en coche a donde tú quieras y me voy. ¿Qué harás luego?

–Volveré a casa, haré la colada y limpiaré, y después, sola, me sumergiré en los recuerdos del sexo de esta noche. No está mal, ¿verdad?

–No está mal –dije. No estaba mal.

–Oye, no creas que me acuesto enseguida con cualquiera –añadió ella.

–Ya lo sé.

Mientras yo lavaba los platos, ella se duchó cantando. Lavé la cazuela y los platos con un jabón hecho de grasa de origen vegetal que apenas hacía espuma, los sequé con un trapo y los dejé sobre la mesa. Me lavé las manos, tomé prestado un cepillo de dientes que encontré en la cocina y me cepillé los dientes. Luego fui al cuarto de baño y le pregunté si tenía alguna maquinilla de afeitar.

–Mira en el estante de arriba a la derecha. Creo que allí está la que usaba mi marido.

Efectivamente, en el estante había espuma de afeitar de Gillette, con aroma a lima-limón, y una elegante maquinilla. El envase de espuma estaba medio vacío y en la boca del pulverizador había adherida espuma blanca, ya seca. Morir significa marcharse dejando un envase de espuma de afeitar a medias.

–¿La has encontrado? –me preguntó.

–Sí –dije.

Volví a la cocina con la maquinilla, la espuma de afeitar y una toalla limpia, calenté agua y me afeité. Al terminar, lavé cuidadosamente la maquinilla y la funda. Los pelos de mi barba y los pelos de la barba del hombre muerto se mezclarían en la tubería del lavabo y se hundirían en el fondo.

Mientras ella se vestía, me senté en el sofá de la sala de estar y leí la edición matutina del periódico. Un taxista había tenido un ataque al corazón mientras conducía el taxi, se había empotrado contra la viga del puente de un viaducto y había muerto; los pasajeros, una mujer de treinta y dos años y una niña de cuatro, estaban gravemente heridos. En el almuerzo del consejo municipal de no sé dónde habían servido ostras fritas en mal estado y habían muerto dos personas. El ministro de Asuntos Exteriores había declarado que lamentaba las medidas adoptadas por Estados Unidos frente a los altos tipos de interés; un encuentro de banqueros estadounidenses había analizado la cuestión del interés de los créditos concedidos a Centroamérica y Sudamérica; el ministro de Hacienda peruano había criticado la injerencia de Estados Unidos en la economía sudamericana; el ministro de Asuntos Exteriores de la República Federal de Alemania exigía la rectificación del desequilibrio de la balanza comercial con Japón. Siria censuraba a Israel, Israel censuraba a Siria. Había una consulta sobre el caso de un joven de dieciocho años que había agredido a su padre. No parecía que hubiera nada escrito que pudiera serme de utilidad en las últimas horas de mi vida.

Ella estaba frente al espejo con unos pantalones de algodón beige, una camisa a cuadros de color marrón, cepillándose el pelo. Yo me puse la corbata y el blazer.

–¿Qué vas a hacer con el cráneo del unicornio? –preguntó ella.

–Te lo regalo. ¿Dónde quieres ponerlo?

–¿Qué te parece encima del televisor?

Cogí el cráneo, que ya había perdido su luz, fui a un rincón de la sala de estar y lo puse encima del televisor.

–¿Qué te parece?

–No está mal –opiné.

–¿Crees que volverá a brillar?

–Seguro que sí –dije. La abracé de nuevo y grabé su calor en mi mente.

38

EL FIN DEL MUNDO

# La huida

Con el alba, la luz de los cráneos se veló y empezó a languidecer. Cuando la luz gris de la mañana, que penetraba por un pequeño tragaluz situado cerca del techo del almacén, empezó a iluminar débilmente las paredes de alrededor, los puntos de luz perdieron poco a poco su brillo y, junto con el recuerdo de las densas tinieblas, se fueron yendo, uno tras otro, a algún otro lugar.

Hasta que desapareció la última luz, yo seguí deslizando los dedos sobre los cráneos, imbuyéndome de su calor. No sabía a qué proporción del total alcanzarían las luces que había conseguido leer durante la noche. Debía leer demasiados cráneos y disponía de muy poco tiempo. Pero decidí no pensar en el tiempo y fui escudriñando con los dedos, atentamente, con sumo cuidado, un cráneo tras otro. Percibía con claridad cómo, bajo las yemas de mis dedos, iba perfilándose segundo a segundo la existencia de su corazón. Sentía que era suficiente con aquello. No importaba el número o la proporción. Por más esfuerzos que uno haga, jamás podrá descifrar todo lo que se oculta en los recovecos del corazón humano. Lo cierto era que allí estaba su corazón y que yo lo percibía. ¿Podía pedir más?

Tras devolver el último cráneo a su estante, me senté en el suelo y me recosté en la pared. A través de la alta claraboya no se veía el cielo ni, por tanto, se sabía qué tiempo hacía fuera. Por la luz, sólo adivinaba que el cielo estaba encapotado. Unas pálidas sombras flotaban en silencio por el almacén, como una corriente de suave líquido, y los cráneos se habían sumido ya en aquel profundo sueño que había vuelto a visitarles. También yo cerré los ojos y dejé reposar mi mente en el aire frío del amanecer. Al llevarme la mano a la mejilla, me di cuenta de que los dedos todavía conservaban la tibieza de la luz.

Permanecí sentado en aquel rincón, inmóvil, hasta que mi espíritu, envuelto en el silencio y el aire frío, se serenó. El tiempo carecía de uniformidad y coherencia. La palidez de la luz que penetraba por la ventana no cambiaba, las sombras seguían clavadas en el mismo lugar. Sentía cómo su corazón, que se había infiltrado en mi interior, recorría mi cuerpo, fundiéndose con mi propia esencia, penetrando en toda mi carne. Seguro que todavía tardaría mucho en poder darle a su corazón una forma más clara y definida. Y tal vez me costara más aún transmitírselo a ella, infiltrarlo en su cuerpo. Sin embargo, por más tiempo que tardara, aunque no llegase a poseer una forma perfecta, yo podría ofrecerle un corazón. Y ella, por sus propios medios, sería capaz de darle una forma más perfecta. Estaba convencido de ello.

Me levanté y salí del almacén. Ella estaba sola, sentada a una mesa de la sala de lectura, esperándome. La luz borrosa desdibujaba los contornos de su cuerpo. La noche había sido muy larga, tanto para ella como para mí. Al verme, se levantó sin decir nada y puso la cafetera sobre la estufa. Mientras se calentaba el café, me lavé las manos en el fregadero del fondo, me las sequé con una toalla y tomé asiento delante de la estufa para entrar en calor.

–¿Estás cansado? –me preguntó.

Asentí. Me sentía pesado como un pedazo de barro, a duras penas podía levantar la mano. Había permanecido muchas horas seguidas leyendo viejos sueños. Sin embargo, el cansancio no había penetrado en mi corazón. Tal como me había dicho ella el primer día en que me dediqué a leer sueños, por más cansados que nos sintamos, no debemos dejar que el cansancio se adueñe de nuestro corazón.

–¿Por qué no te has ido a casa a dormir? –le dije–. No era necesario que te quedaras aquí.

Ella llenó una taza de café y me la pasó.

–Mientras tú estés aquí, yo también estaré.

–¿Está establecido así?

–Lo he establecido yo –dijo sonriendo–. Además, estás leyendo mi corazón. No puedo irme dejándolo aquí, ¿no?

Asentí y tomé un sorbo de café. Las agujas del reloj de pared marcaban las ocho y quince minutos.

–¿Quieres que te prepare el desayuno?

–No –dije.

–Pero si no has comido nada desde ayer.

–No tengo hambre. Lo que sí necesito es dormir. ¿Me despiertas a las dos y media? Mientras, me gustaría que te sentaras a mi lado y velaras mi sueño. ¿Querrías hacer eso por mí?

–Si es eso lo que quieres... –dijo ella aún con la sonrisa en los labios.

–Sí, es lo que más deseo en el mundo.

Trajo un par de mantas del fondo de la estancia y me envolvió en ellas. Como siempre, su pelo rozó mi mejilla. Al cerrar los ojos, escuché cómo, junto a mi oído, iban estallando los trozos de carbón. Sus dedos descansaban sobre mi hombro.

–¿Hasta cuándo se prolongará el invierno? –le pregunté.

–No lo sé. Nadie sabe cuándo acaba. Pero no creo que dure mucho más. Tal vez sea ésta la última gran nevada.

Alargué la mano y posé las yemas de los dedos en su mejilla. Ella cerró los ojos y, por unos instantes, saboreó aquel calor tibio.

–¿Ése es el calor de mi luz?

–¿Qué sensación te da?

–Es como la luz de primavera –dijo ella.

–Lograré transmitirte tu corazón –dije–. Quizá tarde tiempo en conseguirlo. Pero, si tú crees en ello, algún día lograré transmitírtelo. Sin duda alguna.

–Ya lo sé –dijo. Y posó suavemente la palma de la mano sobre mis ojos–. Duerme.

Me despertó a las dos y media en punto. Me levanté de la silla y, mientras yo me ponía el abrigo, la bufanda, los guantes y la gorra, ella tomó café sola, sin decir nada. Como había estado colgado junto a la estufa, el abrigo mojado por la nieve se había secado y estaba caliente.

–¿Quieres guardarme el acordeón? –le dije.

Ella asintió. Tomó el acordeón de encima de la mesa, lo mantuvo sobre las palmas de sus manos unos instantes, como si lo sopesara, y volvió a dejarlo donde estaba.

–No te preocupes. Cuidaré de él –dijo ella, asintiendo.

Cuando salí, apenas nevaba y no soplaba viento. La intensa nevada que se había prolongado durante toda la noche parecía haber cesado unas horas antes, pero el cielo seguía cubierto por unas nubes plomizas que anunciaban otra intensa nevada. Aquello no era más que una tregua.

Cuando me disponía a cruzar el Puente del Oeste, vi cómo, al otro lado de la muralla, empezaba a elevarse la humareda gris de siempre. Al principio fue una columna de humo blanco que se alzaba de manera interrumpida, como si titubeara, pero pronto se convirtió en una humareda densa y oscura producto de la combustión de grandes cantidades de carne. El guardián estaba en el manzanar. Corrí a su cabaña dejando sobre la capa de nieve, acumulada justo hasta debajo de mis rodillas, unas pisadas tan claras que hasta a mí me asombraron. Reinaba un silencio sepulcral, como si la nieve absorbiera todos los sonidos. No hacía viento, no cantaba ningún pájaro. En los alrededores sólo se oía, amplificado de una forma extraña, cómo los clavos de mis botas hollaban la nieve reciente.

La cabaña del guardián estaba desierta y en su interior flotaba aquel ácido olor habitual. La estufa estaba apagada, pero aún quedaban los rescoldos de poco antes. Sobre la mesa había esparcidos platos sucios y pipas; en la pared se alineaban las destrales y hachas de hojas centelleantes. Al barrer el interior de la cabaña con la mirada, tuve la impresión de que, de un momento a otro, el guardián iba a acercarse por detrás, sin hacer ruido, y a poner su manaza en mi espalda. Sentí cómo la hilera de cuchillos, la tetera, las pipas, todo lo que había allí, me reprochaban, sin palabras, mi traición.

Evitando aquella hilera de tétricos cuchillos, alargué la mano, agarré velozmente el manojo de llaves que colgaba de la pared y, con él en la palma de la mano, salí por la puerta trasera y fui hasta la entrada de la plaza de las sombras. Sobre la inmaculada capa de nieve que se extendía en la plaza de las sombras no se veía ninguna pisada, sólo el negro olmo irguiéndose en el centro. Por un instante tuve la sensación de que se trataba de un lugar sagrado que nadie debía profanar con sus pisadas. Todo estaba envuelto en un silencio lleno de equilibrio, todo estaba inmerso en un dulce sueño. El viento había trazado bellos dibujos sobre la nieve, las ramas del olmo, cargadas aquí y allá de blanca nieve helada, reposaban sus brazos curvos en el aire. Nada se movía. Apenas nevaba. Únicamente se alzaba de vez en cuando, como si se acordara de repente, un soplo de viento con un pequeño suspiro. Me dio la sensación de que aquel lugar jamás olvidaría que yo había hollado con mis pies su breve y apacible sueño.

Sin embargo, no tenía tiempo para titubeos. Ya no podía retroceder. Cogí el manojo de llaves y, con las manos entumecidas, intenté introducir una tras otra las cuatro llaves en la cerradura. Ninguna encajaba. Noté cómo un sudor frío cubría mis axilas. Intenté recordar el momento en que el guardián había abierto la puerta. Había cuatro llaves, no cabía duda. Yo las había contado. Una de las cuatro tenía que encajar en la cerradura.

Me metí las llaves en el bolsillo y, tras frotarme las manos con fuerza para calentarlas, volví a probarlas. La tercera se introdujo hasta el fondo de la cerradura y giró con un seco chasquido. El nítido y agudo sonido metálico resonó en la plaza desierta. Con la llave en la cerradura, eché una ojeada a mi alrededor, pero no se acercaba nadie. No se oían ni voces ni pasos. Entreabrí la pesada puerta de metal, deslicé mi cuerpo al otro lado y volví a cerrar la puerta intentando no hacer ruido.

La nieve acumulada en la plaza era blanda como la espuma y absorbía por completo el sonido de mis pisadas. El crujido del suelo bajo mis pies recordaba un animal gigantesco que masticara cuidadosamente la presa que había capturado. Avancé por la plaza dejando a mis espaldas dos líneas rectas de pisadas, y pasé junto al banco, donde se acumulaba, alta, la nieve. Las ramas del olmo me observaban desde lo alto con aire amenazante. En alguna parte se oyó el agudo grito de un pájaro.

El aire del interior de la cabaña era gélido, más frío aún que el del exterior. Abrí la puerta corrediza, bajé al sótano por la escalerilla.

Mi sombra me estaba esperando, sentada en la cama del sótano.

–Pensaba que ya no vendrías –dijo exhalando un aliento blanco.

–Te lo prometí. Y yo cumplo mis promesas –dije–. ¡Venga! Salgamos enseguida. Aquí dentro apesta.

–No puedo subir la escalerilla –dijo la sombra suspirando–. Antes lo he intentado, pero en vano. Por lo visto, estoy mucho más débil de lo que imaginaba. Es irónico, ¿verdad? Fingí que estaba débil y no me di cuenta de que me estaba quedando sin fuerzas. Sobre todo esta noche, el frío me ha calado hasta los huesos.

–Ya te arrastraré yo hasta arriba.

La sombra sacudió la cabeza.

–Aunque me arrastres, luego no podré seguirte. Ya no puedo correr. No conseguiré escapar. Me parece que es el fin.

–Tú empezaste. No te pongas pusilánime ahora –dije–. Te cargaré sobre mis espaldas. Sea como sea, saldremos de aquí y sobrevivirás.

La sombra me miró con los ojos hundidos en las cuencas.

–Si tú lo dices, lo intentaré –replicó–. Pero será muy duro para ti andar por la nieve llevándome a la espalda.

Asentí.

–Desde el principio sabía que no iba a ser fácil.

Arrastré a mi sombra, exhausta, hasta lo alto de la escalerilla y luego dejé que se apoyara en mi hombro para cruzar la plaza. La fría muralla negra que se alzaba a la izquierda observaba desde las alturas, muda, nuestras siluetas y las huellas de nuestros pasos. Las ramas del olmo dejaron caer al suelo, como si no pudieran soportar más su peso, unos bloques de nieve y se quedaron oscilando.

–Apenas tengo sensibilidad en las piernas –dijo la sombra–. Mientras he estado en cama, he querido hacer ejercicio para no debilitarme más, pero no he podido. Ese cuarto es demasiado pequeño.

Salí de la plaza arrastrando a mi sombra, entré en la cabaña del guardián y, por si acaso, colgué de nuevo las llaves en la pared. Con un poco de suerte, el guardián tardaría un rato en darse cuenta de que habíamos huido.

–¿Adónde tenemos que ir ahora? –le pregunté a la sombra que tiritaba delante de la estufa que ya había perdido todo su calor.

–Al lago, al sur –dijo la sombra.

–¿Al lago, al sur? –repetí en un acto reflejo–. ¿Y qué diablos hay en el lago?

–Pues está el lago. Nos zambulliremos en él y saldremos de aquí. Con este frío, tal vez cojamos un resfriado, pero en la situación en la que nos encontramos no creo que tengamos elección.

–Pero en el fondo del lago hay una corriente fortísima. Si nos lanzamos al agua, nos absorberá hasta el fondo y moriremos enseguida.

Tiritando, la sombra tosió varias veces.

–No, no es cierto. He llegado a la conclusión de que es la única salida posible. He considerado todas las posibilidades, una por una. La salida está en el lago, seguro. No puede haber otra. Es lógico que dudes, pero confía en mí, te lo ruego. Piensa que yo arriesgo la única vida que tengo. No cometería ninguna locura. Ya te explicaré los detalles por el camino. El guardián volverá dentro de una hora, a lo sumo dentro de una hora y media, y en cuanto regrese es muy probable que se dé cuenta de que hemos escapado y se lance en nuestra persecución. No podemos permanecer aquí más tiempo.

En el exterior de la cabaña del guardián no había un alma. Sólo se veían dos tipos de huellas: las que había dejado yo cuando me dirigía a la cabaña, y las que había dejado el guardián al salir de la cabaña en dirección a la puerta de la muralla. También había surcos dejados por las ruedas de la carreta. Me cargué a mi sombra a la espalda. Al adelgazar, se había vuelto más liviana, pero no sería fácil superar la colina llevándola a cuestas. Sin la sombra, yo me había acostumbrado a una vida más cómoda. Lo cierto es que no sabía si lograría soportar su peso.

–El lago está bastante lejos. Tenemos que atravesar la Colina del Oeste, rodear la Colina del Sur y tomar un camino que pasa entre la maleza.

–¿Crees que podrás? –dudó.

–Llegados a este punto –contesté–, no nos queda más remedio, ¿no te parece?

Tomé hacia el sur por el camino cubierto de nieve. Todavía se veían claramente las pisadas que yo había dejado a la ida, y me dio la impresión de que me cruzaba con mi yo del pasado. Aparte de mis pisadas, sólo se veían las pequeñas huellas de las bestias. Al volverme hacia atrás, vi que al otro lado de la muralla seguía elevándose la gruesa y recta columna de humo gris. La columna parecía una macabra torre gris cuyas alturas iban siendo absorbidas por las nubes. A juzgar por su grosor, el guardián debía de estar quemando numerosos cadáveres. La gran nevada caída durante la noche debía de haber matado más bestias que en otras ocasiones. Como el guardián necesitaría mucho tiempo para incinerar tantos cuerpos, tardaría un buen rato en lanzarse en nuestra persecución. Sentí que, mediante su plácida muerte, las bestias nos ayudaban a alcanzar nuestro objetivo.

Sin embargo, la espesa capa de nieve me dificultaba el avance. La nieve helada se había apelmazado entre los clavos de las botas, y los pies me pesaban mucho, y me resbalaba cada dos por tres. Me arrepentí de no haber buscado unas raquetas o unos esquís para andar. En un lugar donde nevaba tanto, seguro que en alguna parte había utensilios de este tipo para la nieve. Probablemente el guardián tenía alguno en el almacén de su cabaña, donde guardaba toda clase de herramientas. Pero era demasiado tarde para retroceder hasta allí. Había llegado al Puente del Oeste y, si volvía atrás, perdería un tiempo precioso. A medida que avanzaba me sentía cada vez más acalorado, la frente empezó a cubrírseme de sudor.

–Con estas pisadas, salta a la vista adónde nos dirigimos –dijo la sombra mirando hacia atrás.

Mientras andaba bajo la nieve, imaginé al guardián pisándonos los talones. Sin duda correría a través de la nieve veloz como un diablo. Era mil veces más fuerte que yo y no llevaría a nadie cargado a la espalda. Además, seguro que iría equipado de forma adecuada para andar cómodamente por la nieve.

Tenía que ganar el mayor tiempo posible antes de que el guardián regresase a la cabaña. Si no, todo estaría perdido.

Pensé en ella, que me esperaba delante de la estufa de la biblioteca. Sobre la mesa descansaba el acordeón, la estufa ardía al rojo vivo, se alzaba vapor de la cafetera. Recordé el roce de su pelo en mi mejilla, recordé el tacto de sus dedos sobre mi hombro. Yo no podía dejar morir allí a mi sombra. Si el guardián nos atrapaba, mi sombra sería confinada de nuevo al sótano y moriría. Avancé y avancé, desplegando todas mis fuerzas. De vez en cuando me volvía hacia atrás para comprobar si la columna de humo gris seguía alzándose al otro lado de la muralla.

A medio camino, me crucé con muchas bestias. Vagaban buscando inútilmente en la nieve algún pobre alimento que llevarse a la boca. Se quedaban contemplando, con sus ojos de un profundo color azul, cómo yo pasaba por su lado, exhalando nubes de aliento blanco, con la sombra a la espalda. Las bestias parecían comprender, de principio a fin, el sentido de aquel acto.

Al pie de la Colina del Oeste, me quedé sin aliento. El peso de la sombra había hecho mella en mi resistencia y los pies empezaban a trabárseme en la nieve. Pensándolo bien, en los últimos tiempos yo no había hecho, en rigor, ningún tipo de ejercicio. Mi aliento blanco fue volviéndose cada vez más denso, la nieve que había empezado a caer de nuevo me nublaba la vista.

–¿Estás bien? –me preguntó mi sombra, a mi espalda–. ¿Quieres descansar un poco?

–Lo siento, pero sí, necesito descansar cinco minutos. En cinco minutos me repondré.

–De acuerdo. No te preocupes. Que yo no pueda correr es culpa mía. Descansa tanto como quieras. Me da la impresión de que tienes que cargar con todo.

–También es por mi bien –dije–, ¿no es así?

–Sí, estoy convencido de ello –dijo la sombra.

Descargué a mi sombra, me acuclillé en la nieve y suspiré. Estaba tan acalorado que ni siquiera notaba la frialdad de la nieve. Tenía las piernas agarrotadas, duras como piedras, desde la ingle hasta la punta de las uñas.

–Pero a veces dudo, ¿sabes? –agregó–. Pienso que si me hubiera muerto tranquilamente sin decirte nada, tú, a tu modo, podrías haber vivido aquí feliz, sin sufrimientos.

–Tal vez.

–Y yo te lo he impedido.

–Pero yo tenía que saber todo eso –dije.

La sombra asintió. Levantó la cabeza y miró la columna de humo gris que se alzaba en el manzanar.

–El guardián todavía tardará bastante en quemar todas las bestias –dijo–. Además, dentro de poco llegaremos a la cima. Luego rodearemos la Colina del Sur y, una vez allí, podremos respirar tranquilos. El guardián ya no nos alcanzará. –Tras pronunciar estas palabras, cogió un puñado de nieve y dejó que se fuera deslizando entre sus dedos–. Al principio, eso de que la ciudad debía tener por fuerza una salida oculta no fue más que una intuición. Pero después lo vi claro. Porque esta ciudad es perfecta. Y la perfección incluye siempre todas las posibilidades. En ese sentido, esto ni siquiera es una ciudad. Es algo más fluctuante y más global. Se metamorfosea sin cesar, mostrándonos todas las posibilidades, y así conserva su perfección. En resumen, que no es en absoluto un mundo inmutable, fijado para siempre. Al contrario, halla su completitud en el movimiento. Por eso, si tú deseas una salida, tiene que haber una salida, ¿me entiendes?

–Perfectamente –dije–. Ayer lo comprendí. Éste es un mundo de posibilidades. Aquí está todo, nada está aquí.

Sentada en la nieve, la sombra se me quedó mirando con fijeza. Luego asintió varias veces en silencio. La nieve caía cada vez más intensamente. Por lo visto, se aproximaba una nueva tormenta de nieve.

–Partiendo de la base de que había una salida, procedí a buscarla por eliminación –siguió–. Lo primero que descarté fue la Puerta del Oeste. Aun suponiendo que pudiéramos escapar por allí, el guardián nos atraparía en un santiamén. Conoce toda esa zona como la palma de su mano. Además, la puerta es lo primero que se le ocurriría a cualquiera que quisiera huir. La salida no podía estar en un lugar tan obvio. Por supuesto, descarté la muralla. Y también la Puerta del Este: está cegada, y en la entrada del río a la ciudad hay gruesos barrotes. Imposible escapar por allí. Lo único que queda es el lago, al sur. Podemos huir de la ciudad llevados por la corriente del río.

–¿Estás seguro?

–Sí. Me lo dice el corazón. Todas las demás salidas están selladas, cerradas a cal y canto. El lago es el único lugar que sigue intacto. No lo rodea cerca alguna. ¿No te parece extraño? Ellos se han valido del *miedo* para cercarlo. Si logramos superar ese miedo, venceremos a la ciudad.

–¿Cuándo te diste cuenta de eso?

–La primera vez que vi el río. Sólo fue una vez, pero un día el guardián me ordenó que lo acompañara hasta cerca del Puente del Oeste. Al ver el río, lo supe. Percibí que el río carecía de maldad alguna. Que el agua, además, exhalaba vida. Y que si nos abandonáramos a su corriente, seguro que saldríamos de la ciudad y podríamos volver al lugar en que vivíamos antes, bajo nuestra forma original. ¿Crees en lo que te estoy diciendo?

–Puedo creerlo –dije–. Puedo creer en lo que estás diciendo. Es posible que el río nos conduzca hasta allí, al mundo que dejamos atrás. Poco a poco he ido acordándome de algunas cosas de aquel mundo. Del aire, del sonido, de la luz, de esas cosas. La música me ha traído estos recuerdos.

–No sé si es un mundo maravilloso o no –añadió la sombra–. Pero al menos es el mundo en el que debemos vivir. Habrá cosas buenas y cosas malas. Y otras que no son ni buenas ni malas. Tú naciste allí y allí morirás. Cuando tú mueras, yo también desapareceré. Es lo más natural.

–Creo que tienes razón –dije.

Volvimos a contemplar la ciudad, a nuestros pies. La torre del reloj, el puente, y también la Puerta del Oeste y el humo, todo quedaba oculto por una violenta ventisca. Sólo se divisaba una enorme columna de nieve que caía del cielo como si fuera una catarata.

–Si te parece bien, podríamos seguir –dijo la sombra–. Nevando así, es posible que el guardián haya dejado de quemar a las bestias y haya regresado antes.

Asentí, me puse en pie y sacudí la nieve que se me había acumulado en la visera de la gorra.

# 39

## EL DESPIADADO PAÍS DE LAS MARAVILLAS

## Palomitas de maíz. *Lord Jim.* Desaparición

A medio camino del parque, pasé por una bodega y compré unas latas de cerveza. Cuando le pregunté qué marca prefería, me respondió que, mientras tuviera espuma y supiese a cerveza, le daba lo mismo. Yo opinaba, más o menos, igual que ella. El cielo estaba azul, sin mácula, como si acabaran de crearlo aquella misma mañana, y estábamos a principios de octubre. Con que la cerveza tuviera espuma y supiese a cerveza, era suficiente.

Sin embargo, como me sobraba dinero, compré un *pack* de seis cervezas de importación. Las latas doradas de Miller High Life relucían como bañadas por el sol de otoño. También la música de Duke Ellington casaba a la perfección con aquella mañana despejada de octubre. Claro que tal vez la música de Duke Ellington también cuadrara con una Nochevieja en una base del Polo Sur.

Mientras conducía silbé al compás del fantástico solo de trombón de Lawrence Brown en *Do Nothing till You Hear from Me.* Lo siguió el solo de Johnny Hodges en *Sophisticated Lady.*

Detuve el coche junto al parque de Hibiya, nos tumbamos en la hierba y bebimos cerveza. Puesto que era lunes por la mañana, el parque estaba desierto como la cubierta de un portaaviones después de despegar todos los aparatos. Sólo había una bandada de palomas que daban vueltas por el césped como si hicieran ejercicios de calentamiento.

–No hay ni una nube –comenté.

–Allí se ve una –dijo ella señalando un poco por encima del auditorio de Hibiya.

Efectivamente, había una sola nube en el cielo. Una nube blanca que parecía un trozo de algodón prendido en el extremo de una rama de alcanforero.

–Es muy poquita cosa –dije–. Casi no se la puede considerar una nube.

Poniéndose una mano a modo de visera, ella se quedó mirando fijamente la nube.

–Sí, tienes razón. Es muy pequeña –dijo.

Permanecimos lago tiempo en silencio, contemplando la nube, y luego abrimos la segunda lata de cerveza.

–¿Por qué te divorciaste? –me preguntó.

–Porque, cuando íbamos en el tren, nunca me dejaba sentar junto a la ventanilla –dije.

–Es broma, supongo.

–Esto sale en una novela de J.D. Salinger. La leí cuando iba al instituto.

–¿Que pasó? Ahora en serio.

–Es muy simple. Ella se fue un verano, hace cinco o seis años, y ya no volvió.

–¿Y no habéis vuelto a veros?

–No –dije llenándome la boca de cerveza y bebiéndomela poco a poco–. No había ninguna razón para que nos viéramos.

–¿La vida de casados no iba bien?

–Iba muy bien –dije contemplando la lata de cerveza que sostenía en la mano–. Pero eso no tiene mucho que ver con el fondo de la cuestión. Dormíamos en la misma cama, pero, al cerrar los ojos, estábamos solos. ¿Entiendes lo que quiero decir?

–Creo que sí.

–No se puede generalizar al hablar de la gente. En lo que respecta a la visión de las cosas, hay dos tipos de personas: las que tienen una visión global y las que tienen una visión limitada. Yo soy más bien una persona que tiene una visión limitada de la vida. No tiene mucho sentido justificar o explicar esta limitación. Tiene que trazarse una línea en algún sitio, se traza y punto. Pero no todo el mundo lo ve de la misma manera.

–Pero incluso las personas que lo ven así se esfuerzan en traspasar los límites de esa línea, ¿no crees?

–Quizá. Pero yo no. No veo por qué todo el mundo tiene que escuchar la música en estéreo. No por escuchar el violín desde el lado izquierdo y el contrabajo desde el derecho vas a profundizar más en el sentido de la música. No deja de ser un medio más sofisticado de evocar algo.

–Eres un poco terco, ¿no?

–Ella me decía lo mismo.

–¿Tu mujer?

–Sí –dije–. Decía que tenía las cosas tan claras que me faltaba flexibilidad. ¿Otra cerveza?

–Sí, gracias.

Arranqué la anilla de la tercera cerveza Miller High Life y se la pasé.

–¿Qué piensas sobre tu vida? –preguntó. Sin tocar la cerveza, miraba fijamente el agujero en la parte superior de la lata.

–¿Has leído *Los hermanos Karamazov*? –le pregunté.

–Sí. Una vez. Hace mucho tiempo.

–Tendrías que volver a leerlo. En ese libro hay un montón de cosas interesantes. Hacia el final, Aliosha le dice a un joven estudiante que se llama Kolia Krasotkin: «Escuche, Kolia, con todo, usted será un hombre muy desgraciado en la vida. En conjunto, de todos modos, bendecirá usted la vida».* –Me acabé la tercera cerveza y, tras unos segundos de vacilación, abrí la cuarta–. Aliosha sabía un montón de cosas. Pero cuando lo leí me planteó muchas dudas. Me preguntaba cómo podía alguien bendecir una vida desgraciada.

–¿Y por eso limitas tu vida?

–Puede ser –dije–. Tendría que haber sido yo, en vez de tu marido, quien muriera golpeado con un jarrón de hierro en el autobús. Me da la impresión de que esa muerte me va mucho más a mí. Imágenes directas y fragmentarias que se acaban de golpe. No hay tiempo para pensar en nada.

Tendido en el césped, alcé la cabeza y miré hacia el punto donde antes estaba la nube. Se había ocultado tras las hojas del alcanforero.

–Oye, ¿crees que podré entrar dentro de tu visión limitada? –preguntó ella.

–Todo el mundo puede entrar y todo el mundo puede salir –contesté–. Es una de las ventajas de la visión limitada. Al entrar, te limpias bien los pies, y, al marcharte, cierras la puerta y te vas. Sólo eso. Es lo que hace todo el mundo.

Ella se levantó riendo y se sacudió con la mano las briznas de hierba de los pantalones de algodón.

–Me voy. Ya es la hora, ¿no?

* Fiódor Dostoievski, *Los hermanos Karamazov*, Ediciones Cátedra, Madrid, 1997. Traducción de Augusto Vidal. *(N. de la T.)*

Miré el reloj. Las diez y veintidós minutos.

–Te acompaño a casa –dije.

–No hace falta –dijo–. Iré de compras a unos grandes almacenes de por aquí y volveré a casa sola en tren. Es mejor así.

–Entonces nos despedimos aquí. Yo me quedaré un rato más. Se está muy bien.

–Gracias por el cortaúñas.

–De nada –dije.

–¿Me llamarás cuando vuelvas?

–Iré a la biblioteca –dije–. Me gusta ver a la gente trabajando.

–Adiós –dijo.

Me quedé mirando fijamente, igual que Joseph Cotten en *El tercer hombre*, cómo ella se alejaba por el recto camino del parque. Cuando su silueta desapareció tras unos árboles, empecé a observar las palomas. Había sutiles diferencias entre la manera de andar de una paloma y la de otra. Poco después llegó una mujer muy bien vestida acompañada de una niña y, en cuanto éstas empezaron a esparcir palomitas de maíz, todas las palomas que había a mi alrededor alzaron el vuelo y se dirigieron hacia ellas. La niña debía de tener unos tres o cuatro años y, como hacen todos los niños a esta edad, se acercaba a las palomas con los brazos abiertos intentando coger una. Pero ellas, claro está, no se dejaban atrapar. Las palomas también tienen su humilde modo de vida. La madre bien vestida me echó una ojeada rápida, pero no volvió a mirar hacia mí. Una persona que está tumbada en el parque un lunes por la mañana con varias latas de cerveza vacías a su lado no es una persona decente.

Con los ojos cerrados, intenté recordar los nombres de los tres hermanos Karamazov. Mitia, Iván, Aliosha, y, después, el hermanastro, Smerdiakov. ¿Cuántas personas habría en este mundo capaces de decir los nombres de todos los hermanos Karamazov?

Al mantener la vista clavada en el cielo, me sentí como un pequeño bote flotando en el amplio mar. Sin viento, sin olas, sólo flotaba allí, inmóvil. Un bote que flota en el océano posee algo muy especial. Lo dijo Joseph Conrad. En el pasaje del naufragio de *Lord Jim*.

El cielo era profundo y relucía claro como los firmes conceptos de las personas que no albergan dudas. A veces, cuando lo miro desde el suelo, siento que el cielo es la síntesis de la existencia entera. Igual que el mar. Al mirar el mar durante muchos días seguidos, acabas sintiendo que únicamente existe el mar. Joseph Conrad pensaba igual que yo. Apartado de la ficción que representa el barco y arrojado al amplio océano, un pequeño bote posee, efectivamente, algo muy especial, y nadie puede ser insensible a esta singularidad.

Tumbado en el césped, me bebí la última lata, me fumé un cigarrillo y ahuyenté de mi cabeza las reflexiones literarias. Tenía que volver a la realidad. Me quedaba poco más de una hora.

Me levanté, cogí las latas vacías entre los brazos, las llevé al cubo de basura y las tiré. Y saqué las tarjetas de crédito de la cartera y las quemé dentro del cenicero. La madre bien vestida volvió a echarme una mirada rápida. Las personas decentes no queman tarjetas de crédito los lunes por la mañana en los parques. Quemé primero la American Express, luego la Visa. Las tarjetas de crédito ardían en el cenicero con pinta de encontrarse muy a gusto. Se me ocurrió que podía quemar también la corbata Paul Stuart, pero cambié de idea. Llamaría demasiado la atención y, además, no tenía ninguna necesidad de quemar la corbata.

Después compré diez bolsas de palomitas de maíz en un quiosco, esparcí nueve de ellas por el suelo, para las palomas, y la otra me la comí sentado en un banco. Se agolparon tantas palomas como para un documental sobre la Revolución de Octubre y se comieron las palomitas. Yo me comí las mías al mismo tiempo que ellas. Hacía mucho que no las probaba y lo cierto era que estaban bastante buenas.

La madre bien vestida y la niña contemplaban ahora la fuente. La madre debía de tener la misma edad que yo. Mientras la miraba, me acordé de mi antigua compañera de clase, la que se había casado con el revolucionario, había tenido dos hijos y había desaparecido. Ella ya no podía llevar a sus hijos al parque. Ignoraba, por supuesto, qué pensaría ella al respecto, pero a mí me dio la sensación de que el hecho de desaparecer ambos, ella y yo, de nuestras respectivas vidas diarias era un punto que teníamos en común. Pero quizá –era muy posible– ella negara compartir ese *algo* conmigo. Hacía ya casi veinte años que no nos veíamos y durante estos veinte años habían sucedido muchísimas cosas. Habíamos vivido circunstancias diferentes, pensábamos de modo distinto. Además, respecto al hecho de abandonar la vida, ella la había dejado por propia voluntad, y yo no. A mí sólo me habían arrancado las sábanas mientras dormía.

Me dio la sensación de que ella me censuraría por eso. «¿Y qué diablos has decidido tú?», me diría. Y tendría razón. Yo no había elegido absolutamente nada. La única decisión que había tomado, si podía llamarse así, era perdonar al profesor y no acostarme con su nieta. Pero ¿de qué me había servido? ¿Se basaría ella en algo de esta índole para juzgar el papel que había desempeñado yo respecto a mi propia desaparición?

No lo sabía. Nos separaba un largo periodo de tiempo: casi veinte años. Los criterios en los que podía basarse ella para valorar o no valorar las cosas estaban más allá de los límites de mi imaginación.

Dentro de los límites de mi imaginación ya no quedaba casi nada. Sólo veía las palomas, la fuente, el césped, la madre y la hija. Sin embargo, mientras mantenía la vista fija en estas imágenes, sentí, por primera vez en varios días, que no quería abandonar este mundo. No me importaba a qué mundo iría a continuación. Aun suponiendo que, a lo largo de mis treinta y cinco años de vida, hubiese consumido el noventa y tres por ciento del fulgor de este mundo, no me importaba. Quería seguir contemplando eternamente el devenir de las cosas, y conservar con amor el siete por ciento restante. No sabía por qué, pero me parecía que aquélla era una responsabilidad que me había sido encomendada. Era verdad que, a partir de cierto momento, mi vida y el modo de vivirla se habían torcido. Había tenido mis razones. Aunque los demás no lo entendieran, no había podido actuar de otro modo.

Sin embargo, no quería desaparecer dejando atrás mi vida torcida. Tenía la obligación de velar por ella hasta el final. De otro modo, perdería todo sentido de la equidad conmigo mismo. No podía irme dejando mi vida en aquella situación.

Aunque nadie lamentara mi pérdida, aunque no dejase un vacío en el corazón de nadie, aunque casi nadie se diera cuenta de que yo había desaparecido, no quería: mi existencia era asunto mío. Ciertamente, había perdido muchas cosas en el curso de mi vida. Tantas que, aparte de mí mismo, ya casi no me quedaba nada por perder. Sin embargo, en mi interior permanecía vivo el reflejo de lo que había perdido, y aquello era lo que había conformado mi ser a lo largo de mi vida.

No quería abandonar este mundo. Al cerrar los ojos, pude percibir claramente cómo se tambaleaba mi corazón. Fue una sacudida tan grande y profunda, más allá de la tristeza y de la soledad, que removió mi ser desde los cimientos. Aquel vaivén no cesaba. Hinqué los codos en el respaldo del banco para soportar su sacudida. Nadie me ayudó. Nadie podía socorrerme. Del mismo modo que yo no podía ayudar a nadie.

Hubiese querido deshacerme en lágrimas, pero no podía llorar. Era demasiado mayor para hacerlo, había tenido demasiadas experiencias en mi vida. En este mundo existe un tipo de tristeza que no te permite verter lágrimas. Es una de esas cosas que no puedes explicar a nadie y, aunque pudieras, nadie te comprendería. Y esa tristeza, sin cambiar de forma, va acumulándose en silencio en tu corazón como la nieve durante una noche sin viento.

Cuando era más joven, había intentado alguna vez traducirla en palabras. Pero por más que me había esforzado en buscar las palabras adecuadas, no había conseguido comunicársela a nadie, ni siquiera a mí mismo, y había dejado de intentarlo. De modo que había bloqueado las palabras, había bloqueado mi corazón. La tristeza, cuando es tan profunda, ni siquiera permite metamorfosearse en lágrimas.

Me apetecía fumarme un cigarrillo, pero no quedaba ninguno en la cajetilla. En mis bolsillos sólo había cerillas. Y sólo me quedaban tres. Las fui prendiendo y arrojando al suelo, una después de otra.

Cuando volví a cerrar los ojos, el vaivén ya había desaparecido. En el interior de mi cabeza sólo flotaba, como si fuera polvo, un apacible silencio. Me quedé largo rato, solo, contemplando aquel polvo. Permanecía suspendido en el aire, inmóvil, sin descender. Fruncí levemente los labios y soplé, pero siguió sin moverse. No habría podido barrerlo ni el más violento de los vendavales.

Pensé entonces en la chica de la biblioteca, que acababa de irse. Pensé en su vestido de terciopelo, en sus medias y en su combinación amontonados sobre la alfombra. ¿Descansarían todavía en el suelo, aún por recoger, como si fueran parte de ella misma? ¿La había tratado yo con equidad, había sido justo con ella? «No, no es eso», me dije. ¿Quién deseaba equidad? Nadie. Yo era el único que la necesitaba. Pero ¿qué sentido podía tener una vida desprovista de equidad? Igual que la quería a ella, yo quería su ropa y su lencería tiradas por el suelo. ¿Era aquélla una de las formas que daba yo a la equidad?

La equidad es uno de los conceptos que sólo son válidos en un mundo extremadamente limitado. Pero este concepto se extiende a todas las manifestaciones de la vida. Desde los caracoles y los mostradores de las ferreterías hasta la vida matrimonial. Lo abarca todo. Aunque nadie me lo pidiera, aquello era lo único que yo podía dar.

En este sentido, la equidad se parece al amor. Lo que uno está dispuesto a dar y lo que te piden son dos cosas distintas. Por eso, precisamente, muchas cosas habían pasado de largo ante mis ojos o, tal vez, por el interior de mi corazón.

Quizá debía arrepentirme de mi vida. Sería otra forma de equidad. Pero yo no podía arrepentirme de nada. Aunque todo hubiera pasado de largo, como el viento, dejándome a mí atrás, porque ahí estaban también mis propias esperanzas y deseos. Y sólo había quedado aquel polvo blanco que flotaba en el interior de mi cabeza.

Fui a comprar tabaco y cerillas al quiosco del parque y, de paso, volví a llamar a casa desde una cabina telefónica. No creía que contestara nadie, pero no me pareció mala idea llamar a mi casa cuando mi vida estaba a punto de llegar a su fin. Imaginaba con toda claridad cómo el timbre resonaría en mi piso.

Sin embargo, en contra de mis expectativas, al tercer timbrazo alguien descolgó el auricular. Y dijo: «Diga». Era la joven gorda del traje rosa.

–¿Aún estás ahí? –pregunté asombrado.

–¡Qué dices! –repuso–. Ya me he ido una vez y he vuelto. No tengo tanto tiempo que perder. He regresado porque quería saber cómo continuaba el libro.

–¿El de Balzac?

–Sí. Es un libro fascinante. Sientes en él la fuerza del destino.

–¿Ya has sacado a tu abuelo del subterráneo?

–Claro. Ha sido muy fácil. El agua ya se había retirado y era la segunda vez que recorría el mismo camino. Hasta compré dos billetes de metro antes de ir para allá. Mi abuelo está perfectamente. Te envía saludos.

Se lo agradecí y le pregunté:

–¿Y qué hace ahora?

–Se ha ido a Finlandia. Dice que, si se quedara en Japón, tendría demasiados problemas y no podría investigar en paz, así que va a montar un laboratorio en Finlandia. Por lo visto, es un buen lugar, muy tranquilo. Incluso hay renos.

–¿Y tú vas a ir?

–Yo he decidido quedarme aquí y vivir en tu piso.

–¿En mi piso?

–Sí. Me gusta mucho. Pondré una puerta, y te compraré una nevera y un vídeo. Alguien te los ha destrozado. Oye, ¿te importa que ponga la colcha, las sábanas y las cortinas de color rosa?

–No, no me importa.

–Y puedo suscribirme al periódico, ¿verdad? Es que quiero consultar la programación de la tele.

–Adelante –dije–. Pero es peligroso que te quedes ahí. Podrían aparecer los semióticos o los del Sistema.

–¡Bah! Ésos no me dan ningún miedo –dijo–. Os quieren a vosotros, a ti y a mi abuelo. Yo no tengo nada que ver. Además, hace un rato han venido un par de bichos raros. Un hombre grandote y otro pequeño. Y los he echado del apartamento.

–¿Cómo?

–Le he disparado al grandote un tiro a la oreja. Seguro que le he reventado un tímpano.

–Si has disparado dentro del piso, habrás montado una buena, ¿no?

–En absoluto –dijo–. Por un disparo no pasa nada: todo el mundo piensa que se ha reventado el neumático de un coche. Si fueran más tiros, entonces sí habría problema. Pero yo tengo muy buena puntería y con uno me basta.

–¡Vaya!

–Oye, cuando pierdas la conciencia, me gustaría congelarte. ¿Qué opinas?

–Haz lo que quieras. Tampoco me voy a enterar... –dije–. Ahora me voy al muelle de Harumi, así que tendrás que ir a recogerme allí. Estaré en un Carina 1800 GT Twin Cam Turbo de color blanco. Soy incapaz de explicarte cómo es el coche, pero dentro estará sonando una cinta de Bob Dylan.

–¿Bob Dylan?... No lo conozco. ¿Y cómo es?

–Su voz recuerda a un niño... –empecé a decir, pero me dio pereza proseguir y lo dejé correr–. Es un cantante que tiene la voz ronca.

–¿Sabes? Congelándote, si el abuelo descubre un nuevo método, quizá pueda dejarte como estabas. No te hagas demasiadas ilusiones, pero existe esta posibilidad.

–Si pierdo la conciencia, no podré hacerme ilusiones –puntualicé–. ¿Y vas a ser tú quien me congele?

–Tranquilo, no te preocupes. Soy buenísima congelando. He hecho experimentos con animales y he congelado ya un montón de gatos y perros vivos. A ti te congelaré muy bien y te esconderé en un lugar donde nadie podrá encontrarte -dijo-. Oye, si todo va bien, cuando recobres la conciencia, ¿te acostarás conmigo?

-Por supuesto -dije-. Si tú todavía tienes ganas de acostarte conmigo, claro.

-¿Seguro que lo harás?

-Siempre que la técnica lo permita -dije-. Porque no sé dentro de cuántos años va a ser eso.

-En todo caso, yo ya no tendré diecisiete años -añadió.

-Las personas van cumpliendo años. Incluso las congeladas.

-En fin... Que te vaya bien -dijo.

-Y a ti también -dije-. Después de hablar contigo, me siento un poco mejor.

-¿Por lo que te he dicho de que existe la posibilidad de que puedas volver a este mundo? Piensa que todavía no es seguro que...

-No, no es por eso. Me alegro de que exista esta posibilidad, por supuesto. Pero me refería a otra cosa. Quería decir que estoy contento de haber podido hablar contigo. De oír tu voz, de saber lo que estás haciendo ahora.

-¿Quieres que hable más?

-No, ya es suficiente. Es que tengo poco tiempo, ¿sabes?

-Oye -dijo la joven gorda-, no tengas miedo, ¿eh? Aunque te perdieras eternamente, piensa que yo me acordaré de ti mientras viva. De mi corazón no desaparecerás nunca. No lo olvides, ¿eh?

-No lo olvidaré -dije. Y colgué.

A las once, fui a orinar a un lavabo cercano y salí del parque. Puse en marcha el motor y conduje en dirección al puerto mientras le daba vueltas a la idea de la congelación. La avenida Ginza estaba llena de hombres con traje y corbata. Mientras esperaba ante el semáforo, miré bien por si descubría a la chica de la biblioteca haciendo sus compras por allí, pero, por desgracia, no la vi. Lo único que se reflejó en mis pupilas fue la imagen de gente desconocida.

Al llegar al puerto, detuve el coche junto a un almacén desierto y, mientras fumaba, puse la cinta de Bob Dylan y la programé para que, al acabar, se repitiera automáticamente. Abatí el asiento hacia atrás, puse las piernas sobre el volante y respiré con calma. Me apetecía tomarme otra cerveza, pero ya no me quedaban. Me las había bebido todas con ella en el parque. El sol penetraba por el parabrisas y me envolvía en su luz. Al cerrar los ojos, sentí cómo la luz me calentaba los párpados. La luz del sol, tras seguir un largo trayecto, había llegado a este humilde planeta y había dedicado una pequeña parte de su fuerza a calentar mis párpados. Al pensarlo, me sentí extrañamente conmovido. La providencia del universo no olvidaba mis párpados. En aquel instante entendí un poco los sentimientos de Aliosha Karamazov. Probablemente, a una vida limitada se le otorga una bendición limitada.

De pasada, bendije, a mi manera, al profesor, a su nieta y a la chica de la biblioteca. Ignoraba si tenía el poder de ir dispensando bendiciones al prójimo, pero como no tardaría en desaparecer, nadie podría exigirme responsabilidades. Añadí a mi lista de bendiciones al taxista al que le gustaba Police y el reggae. Nos había llevado en su taxi cuando estábamos cubiertos de barro de pies a cabeza. No había ningún motivo para dejarlo fuera. Probablemente en esos momentos llevara a alguna parte, mientras escuchaba música rock, a algunos pasajeros jóvenes.

Frente a mí se veía el mar. También se veía un viejo buque de carga con la línea de flotación por encima del agua tras desembarcar todas las mercancías. Las gaviotas descansaban, aquí y allá, como manchas blancas. Bob Dylan cantaba *Blowing in the Wind*. Mientras escuchaba la canción, pensé en los caracoles, en el cortaúñas, en la lubina en salsa de mantequilla, en la espuma de afeitar. El mundo te ofrece muchas enseñanzas bajo diferentes formas.

El sol de otoño brillaba sobre el mar fragmentado en mil destellos que se mecían al vaivén de las olas. Parecía que alguien hubiese hecho añicos un espejo gigantesco. Lo había roto en fragmentos tan minúsculos que nadie podría volver a recomponerlo jamás. Ni siquiera los ejércitos de ningún rey.

La canción de Bob Dylan me recordó a la chica de la agencia de coches de alquiler. Sí, también tenía que bendecirla a ella. Me había causado muy buena impresión. No había razón alguna para excluirla de la lista.

Evoqué su figura. Llevaba un blazer de un verde que recordaba el césped de un campo de béisbol a principios de la temporada, una blusa blanca y una corbata de lazo negra. Debía de ser el uniforme de la agencia. De no ser así, nadie se hubiera puesto un blazer de color verde y se hubiera anudado un lazo negro al cuello. Y ella escuchaba a Bob Dylan y pensaba en la lluvia.

Yo también pensé en la lluvia. La lluvia que me vino a la cabeza era tan fina que no se sabía si caía o no. Pero llovía. Mojaba los caracoles, mojaba las cercas, mojaba las vacas. Nadie podía detener la lluvia. Nadie podía escapar. La lluvia caía siempre de manera equitativa.

Pronto, esa lluvia se convirtió en una cortina opaca de colores indefinidos que cubrió mi conciencia.

Me fue invadiendo el sueño.

«Así podré recuperar todas las cosas que he perdido», pensé. Aunque las hubiera perdido una vez, no habían desaparecido en absoluto. Cerré los ojos y me abandoné a aquel sueño profundo. Bob Dylan seguía cantando *A Hard Rain's A-Gonna Fall.*

# 40
## EL FIN DEL MUNDO
## Pájaro

Cuando, a duras penas, conseguimos llegar al lago situado al sur, la nieve caía con tanta intensidad que cortaba la respiración. Parecía que el cielo, quebrado en mil pedazos, se derrumbara sobre la tierra. La nieve se vertía sobre el lago y era absorbida, sin el menor ruido, por aquellas aguas de un azul tan profundo que resultaban siniestras. En la superficie de la tierra teñida uniformemente de blanco, sólo se abría, como una pupila gigantesca, el redondo agujero del lago.

Petrificados bajo la nieve, permanecimos largo tiempo en silencio con los ojos clavados en aquella escena. El terrorífico rugido del agua resonaba en los alrededores, igual que la vez anterior, pero la nieve lo amortiguaba hasta hacerlo parecer un lejano retumbo de la tierra. Alcé los ojos a un cielo demasiado bajo para ser calificado de tal y dirigí la mirada a la muralla, que flotaba vagamente, negra, al otro lado de la violenta nevada. La muralla ya no parecía estar hablándome a mí. El «fin del mundo» era un nombre que casaba a la perfección con aquel paisaje desolado y gélido.

La nieve se fue acumulando deprisa en mis hombros y en la visera de mi gorra. Las pisadas que habíamos dejado sobre la nieve ya debían de haberse borrado por completo. Dirigí una mirada a la sombra, que estaba de pie, un poco alejada de mí. La sombra miraba fijamente la superficie del lago con los ojos entornados mientras, con la mano, se sacudía de vez en cuando la nieve.

–Ésta es la salida. Seguro –dijo–. La ciudad ya no podrá volver a aprisionarnos. Seremos libres como los pájaros. –La sombra levantó el rostro al cielo, cerró los ojos y dejó que la nieve cayera sobre él como una bendición–. Hace buen tiempo. El cielo está despejado, el aire es tibio –dijo y se echó a reír. La sombra parecía estar recobrando las fuerzas, como si la hubiesen liberado de sus cadenas. Cojeando ligeramente, se acercó por sí misma a donde me encontraba yo–. Puedo sentirlo –dijo–. Al otro lado del lago está el mundo exterior. Dime, ¿aún te da miedo arrojarte al agua?

Negué con la cabeza.

La sombra se puso en cuclillas y se desató los cordones de los zapatos.

–Si nos quedamos aquí de pie, nos vamos a congelar. Es mejor que nos zambullamos en el agua. Quitémonos los zapatos y atémonos con los cinturones. Si nos separamos y nos perdemos al salir, todo se irá al traste.

Me quité la gorra que me había prestado el coronel, sacudí la nieve que se había acumulado sobre ella y, manteniéndola en mis manos, la contemplé. Era una gorra de combate de tiempos pasados. La tela se veía rozada en algunas partes, descolorida y blanquecina. Probablemente el coronel la había llevado con cariño durante decenas de años. Volví a sacudir la nieve de la gorra con suavidad y me la puse.

–Yo me quedo aquí –dije.

La sombra me dirigió una mirada vaga, con los ojos desenfocados.

–Me lo he pensado bien –expliqué–. Perdóname, pero he reflexionado mucho sobre ello. Sé perfectamente lo que representa quedarme aquí solo. Sé que tienes razón y que, tal como dices, lo más lógico sería que volviésemos juntos al mundo del que venimos. Aquélla es mi auténtica realidad y soy consciente de que, huyendo de ella, hago una mala elección. Pero no puedo abandonar este lugar.

La sombra, con las manos metidas en los bolsillos, sacudió la cabeza varias veces, lentamente.

–¿Y por qué no? El otro día me prometiste que huiríamos de la ciudad. Por eso lo planeé todo, y por eso me has traído a cuestas hasta aquí, ¿no es cierto? ¿Qué te ha hecho cambiar de opinión? ¿La mujer?

–Ella también cuenta, claro –dije–. Pero no es sólo eso. Es que he hecho un descubrimiento. Y por eso he decidido quedarme.

La sombra suspiró. Una vez más, alzó el rostro al cielo.

–Has encontrado su corazón, ¿verdad? Has decidido vivir con ella en el bosque y pretendes alejarme a mí.

–Ya te lo he dicho antes. No es sólo eso –dije–. He descubierto qué es lo que creó esta ciudad. Por eso tengo la obligación de permanecer aquí, es mi responsabilidad. ¿Quieres saber qué es lo que creó esta ciudad?

–No, no quiero saberlo –dijo la sombra–. Porque ya lo sé. Lo he sabido desde el principio. Esta ciudad la has creado *tú*. Tú lo has creado todo. La muralla, el río, el bosque, la biblioteca, la puerta, el invierno. Todo, absolutamente todo. Este lago también, la nieve también. Lo sabía perfectamente.

–¿Y por qué no me lo dijiste antes?

–Porque si te lo hubiera dicho, habrías querido quedarte, como, efectivamente, pretendes hacer. Y yo quería sacarte de aquí, a toda costa. Porque el mundo en el que tú debes vivir está fuera. –Se sentó en la nieve y negó varias veces con la cabeza–. Y ahora que lo has descubierto, ya no querrás escucharme, ¿verdad?

–He contraído una responsabilidad –dije–. No puedo abandonar un mundo y a unas personas que yo mismo he creado a mi antojo. Lo siento por ti. Lo siento en el corazón y, además, va a ser muy duro separarme de ti. Pero tengo que asumir la responsabilidad de mis actos. Éste es mi mundo. La muralla es la muralla que me cerca a mí mismo, el río es el río que fluye por el interior de mi cuerpo, el humo es el humo que se alza cuando yo mismo ardo.

La sombra se puso en pie y clavó la mirada en la tranquila superficie del lago. Inmóvil en la nieve que caía sin cesar, la sombra daba la impresión de que iba perdiendo poco a poco profundidad, como si recuperara su forma plana habitual. Enmudecimos durante largo rato. El blanco aliento que exhalaban nuestras bocas flotaba en el aire y, luego, desaparecía.

–Ya me he dado cuenta de que no puedo detenerte –dijo la sombra–. Pero la vida en el bosque es mucho más dura de lo que imaginas. El bosque es completamente distinto de la ciudad. Para sobrevivir, se ha de trabajar duramente, el invierno es largo y crudo. Una vez que entres, ya no podrás salir. Tendrás que permanecer en él eternamente.

–Soy consciente de ello.

–Pero no vas a cambiar de parecer.

–No –dije–. Pero no te olvidaré. Dentro del bosque iré recordando poco a poco mi antiguo mundo. Supongo que hay montones de cosas que debo recordar. Muchas personas, muchos lugares, muchas luces, muchas canciones.

La sombra entrecruzó los dedos de las manos ante el pecho y se los frotó repetidas veces. La nieve que se posaba sobre su cuerpo creaba extraños claroscuros que se alargaban y contraían lentamente. Mientras se frotaba las manos, mantenía la cabeza ligeramente inclinada, como si aguzara el oído para escuchar el ruido que producía al frotárselas.

–Tengo que irme ya –dijo la sombra–. No me hago a la idea de que no volvamos a vernos jamás. Ahora debería despedirme, pero no sé qué decirte. Por más que las busco, no se me ocurren las palabras apropiadas.

Volví a quitarme la gorra, sacudí la nieve, me la puse de nuevo.

–Espero que seas feliz –me deseó–. Me gustabas, y no te digo esto porque yo sea tu sombra, ¿sabes?

–Gracias –dije.

Después de que el lago hubiera absorbido por completo el cuerpo de mi sombra, permanecí largo rato contemplando la superficie del agua. No había quedado una sola onda. El agua era azul como los ojos de las bestias, y silenciosa. Al perder mi sombra, me sentí abandonado en los confines del universo. Ya no podía ir a ninguna parte, ya no tenía a donde regresar. Aquello era el fin del mundo y el fin del mundo no conducía a ningún lugar. Allí, el mundo acababa, se detenía en silencio.

Di la espalda al lago, eché a andar hacia la Colina del Oeste. Al otro lado estaba la ciudad, por allí discurría el río y, en el interior de la biblioteca, me esperaban ella y el acordeón.

Entre la ventisca, vi un pájaro blanco que volaba en dirección al sur. El pájaro sobrevoló la muralla y desapareció en el cielo, hacia el sur, envuelto en la nieve. Detrás, sólo quedó el crujido de la nieve bajo mis pies.